消費税申告書 作成事例集

インボイス制度 対応版

税理士　**上西左大信** 監修

公認会計士・税理士　**田淵正信** 編著

税理士・中小企業診断士　**大庭みどり**

税理士　**山野展弘**

公認会計士・税理士　**圓尾紀憲**

公認会計士・税理士　**久保　亮**

公認会計士・税理士　**徳丸公義**

公認会計士・税理士　**本岡正則**　共著

公認会計士・税理士　**岸本拡之**

公認会計士・税理士　**本田壽秀**

公認会計士・税理士　**阪田眞二**

清文社

監修のことば

消費税制には、実務の側面から見て大きな転換点が3回ありました。最初のものは、平成元年（1989年）4月に日本ではじめて消費税制が導入されたことです。当初の税率は3％でしたが、段階的に引き上げられ、令和元年（2019年）10月に10％に引き上げられた際に「軽減税率制度」が実施されました。これが二つ目の大きな転換点でした。そして、三番目の大きな転換点は、令和5年（2023年）10月から開始されたインボイス制度です。

本書は、従前から好評をいただいておりました『消費税申告書作成事例集』をインボイス制度の視点から大幅に改訂したものです。構成としては、消費税の基本的な仕組みやインボイス制度の要件等といった基礎的な事項からはじまり、インボイス制度下での各場面での具体的な経理処理を確認した後、具体的な作成事例を示すようになっています。国税庁が公表している資料はできる限り読み込んでいますので、実務の参考書としては、インボイス制度に関連する消費税制を概ねフルカバーしているものと自負しております。

インボイス制度においては、そもそも要件は何であるのか、要件を満たすためには何を確認しなければならないのか、そしてどのような経理処理になるのか、最終的な申告書にはどのように表現されるのかが実務の重要事項となります。本書の各章には、それらの重要事項と関連する留意事項を盛り込みました。「全編を読んではじめて理解できる本」ではなく、「知りたい個所を読めば解決する本」を目指しましたので、多少の重複感はあるかもしれませんが、実務の疑問点を解決する参考書としてご活用いただけるものと信じております。

インボイス制度については、実務界からの要請により個別具体的な対応や処理等については見直しがされるかもしれませんが、制度の根幹についてはいったん定まったものと考えられます。実務の疑問を解決する手引として本書をご活用されることを願ってやみません。

令和6年1月

監修者

上西左大信

は し が き

　本書は平成 9 年（1997年）、平成10年（1998年）、平成26年（2014年）、令和元年（2019年）に出版した「消費税申告書作成事例集」の第 5 版に当たるものです。第 1 版、第 3 版、第 4 版では、消費税率が 3 ％から 5 ％に改定された平成 9 年、 5 ％から 8 ％に改定された平成26年、消費税率が 8 ％から10％に改定され軽減税率が導入された令和元年に、消費税申告書の書き方や申告書付表での具体的な計算過程に重点を置いて執筆しました。

　今回の本書の改訂に当たっては消費税申告書や付表の具体的な記載方法や計算方法は追加された部分を中心として最低限に留めました。一方、インボイス制度（適格請求書等保存方式）が始まって、経理部門だけではなく営業購買等、企業の多くの部門にわたり日々の処理に大きな影響が生じる改正が行われました。本書ではインボイス制度に係る判断や処理、並びに、免税事業者からの仕入税額の80％控除について、4 つの章を設けて解説しています（第 2 章インボイス制度の要件、諸手続き、注意点、第 3 章インボイス制度下での経理処理、第 4 章インボイス非対応取引の経理処理、第 5 章インボイス制度非対応取引等への対応）。

　その他に、インボイス制度が始まってインボイス発行事業者登録をした免税事業者の税と事務の負担を軽減するために導入された「 2 割特例」については、第 8 章 2 割特例の申告書作成事例として解説を設けました。

　インボイス制度が始まって数か月経ちました。インボイスの処理方法の紆余曲折はまだまだあると思われますが、納税者と国税当局との実務上のすり合わせのなかで時とともにいろいろな問題も定着していくものと思います。そのような経緯については引き続きＱ＆Ａや通達の解説等で具体的事例や対応策が開示されるものと思います。本書はインボイス制度が始まった本当に初期に執筆・出版したものですから、今後のインボイス制度の定着のなかで本書と異なる仕組みに収束する場合もあると考えられますので、読者の皆様のご寛恕と引き続いてのご賢察をお願いいたします。

　消費税が始まってから35年ほどになり、インボイス制度の導入という今までの記帳の常識とは根本的に変わる改正が実施されました。このような消費税にとって非常に重要な変革の時期に「消費税申告書作成事例集」の改訂版の執筆の機会を頂いたことにつき、執筆陣を代表して清文社の小泉社長に心からお礼申し上げます。また、編集部の尾形和子様には長期にわたり企画や章立てについてのご相談から始まり、原稿への詳細なご校閲で執筆者を支えてくださったことに心から感謝申し上げます。

　　令和 6 年 1 月

編著者

田淵　正信

目次

第1章

消費税の諸ルールと申告書の選択

第2章

インボイス制度の要件、諸手続き、注意点

第3章

インボイス制度下での経理処理

一般課税方式の申告書作成事例

第7章

簡易課税制度の申告書作成事例

第8章

2割特例の申告書作成事例

法	…	消費税法
令	…	消費税法施行令
規	…	消費税法施行規則
平28改所法等附	…	所得税法等の一部を改正する法律（平成28年法律第15号）附則
平24改法附	…	社会保障の安定財源の確保等を図る税制の抜本的な改革を行うための消費税法の一部を改正する等の法律（平成24年法律第68号）附則
平30改令附	…	消費税法施行令等の一部を改正する政令（平成30年政令第135号）附則
平28改令附	…	消費税法施行令等の一部を改正する政令（平成28年政令第148号）附則
地法	…	地方税法
基通	…	消費税法基本通達
消費税経理通達	…	消費税法等の施行に伴う法人税の取扱いについて（平成元年３月１日付直法２－１）
経理通達Ｑ＆Ａ	…	消費税経理通達関係Ｑ＆Ａ（令和３年２月（令和５年12月改訂）国税庁）
インボイスＱ＆Ａ	…	消費税の仕入税額控除制度における適格請求書等保存方式に関するＱ＆Ａ（平成30年６月（令和５年10月改訂）国税庁軽減税率・インボイス制度対応室）
消費税額等	…	消費税及び地方消費税額の総称。
税抜経理	…	取引金額のうち、消費税額等を区分して仮受消費税額等又は仮払消費税額等などの仮勘定として経理する方法をいう。
税込経理	…	取引金額のうち、消費税額等を区分せずその総額を売上高・仕入高・経費又は取得価額として経理する方法をいう。
課税仕入れに係る消費税額	…	課税仕入れ及び課税貨物の取引につき、課税される消費税額をいう。
控除対象仕入税額	…	課税仕入れに係る消費税額のうち税額控除の対象とされる税額をいう。
控除対象外消費税額等	…	税抜経理によって仮払消費税等に経理された金額のうち、税額控除の対象とされない消費税額及び消費税額に準じて計算された地方消費税額をいう。
一般課税	…	簡易課税制度によらない控除対象仕入税額の計算方法。
簡易課税	…	売上げに係る消費税額にみなし仕入率を乗じて得た金額を控除対象仕入税額とする方法。（選択制）
２割特例	…	小規模事業者に係る税額控除に関する経過措置。免税事業者が、令和５年10月１日から令和８年９月30日までの日の属する各課税期間において、適格請求書発行事業者となる場合には、納付税額を課税標準額に対する消費税額の２割とすることができる。
インボイス制度	…	適格請求書等保存方式。複数税率に対応した仕入税額控除の方式。
インボイス	…	適格請求書。登録を受けた事業者のみが交付できる。
簡易インボイス	…	適格簡易請求書。不特定多数の者に対して販売等を行う小売業、飲食店業、タクシー業等に係る取引については、適格請求書に代えて適格簡易請求書を交付できる。
返還インボイス	…	適格返還請求書。
インボイス発行事業者登録	…	適格請求書発行事業者の登録。登録申請手続きが必要。
インボイス発行事業者	…	適格請求書発行事業者。適格請求書を交付する義務がある。
標準税率	…	消費税率10％（国税7.8％、地方消費税2.2％）
軽減税率	…	消費税率８％（国税6.24％、地方消費税1.76％）
旧税率	…	消費税率８％（国税6.3％、地方消費税1.7％） ※旧税率３％、５％については第１章以外では考慮していません。

（注）本書の内容は、令和５年12月20日現在の法令・通達等によっています。
　　　本書では、計算過程で生じた円未満の端数は、適宜に切捨て等をしています。

令和 6 年度税制改正大綱について

　消費課税に関連するものとして「令和 6 年度税制改正大綱」に記載された主な項目は次のとおりです。

１．消費税等に係る帳簿の記載事項の見直し

(1) 仕入税額控除に係る帳簿の記載事項の見直し

　一定の事項が記載された帳簿のみの保存により仕入税額控除が認められる自動販売機及び自動サービス機による課税仕入れ並びに入場券のような使用の際に証票が回収される課税仕入れ（ 3 万円未満のものに限ります。）については、帳簿への住所等の記載が不要とされます。

　現行、「帳簿のみ保存の特例を適用する場合の帳簿記載事項等」は、①課税仕入れの相手方の氏名又は名称、②取引年月日、③取引内容（軽減税率対象の場合、その旨）、④対価の額、⑤課税仕入れの相手方の住所又は所在地（国税庁長官が指定する者に係るものである場合、記載不要）、⑥特例の対象となる旨を記載する必要があります。

　改正により、上記⑤について、自動販売機や証票が回収される入場券のような取引（ 3 万円未満の少額なものに限ります。）についても、住所等の記載が不要となります。

(注) 上記の改正の趣旨を踏まえ、令和 5 年10月 1 日以後に行われる上記の課税仕入れに係る帳簿への住所等の記載については、運用上、記載がなくとも改めて求めないものとされます。

(2) 簡易課税制度又は 2 割特例を適用する事業者の経理処理

　簡易課税制度又はインボイス発行事業者となる小規模事業者に係る税額控除に関する経過措置を適用する事業者が、令和 5 年10月 1 日以後に国内において行う課税仕入れについて、税抜経理方式を適用した場合の仮払消費税等として計上する金額につき、継続適用を条件として当該課税仕入れに係る支払対価の額に110分の10（軽減対象課税資産の譲渡等に係るものである場合には、108分の 8 ）を乗じた金額とすることが認められることが明確化されます。

　これにより、上記の事業者については、仕入れ先が免税事業者かどうかを把握する必要がなくなり、結果としてインボイス導入前と同様の取扱いが認められることになります。

２．高額特定資産を取得した場合の納税義務免除の特例等の見直し

　事業者が、事業者免税点制度及び簡易課税制度の適用を受けない課税期間中に、高額特定資産の課税仕入れ等を行った場合には、その高額特定資産の仕入れ等の日の属する課税期間の翌課税期間からその高額特定資産の仕入れ等の日の属する課税期間の初日以後 3 年を経過する日の属する課税期間までの各課税期間においては、事業者免税点制度は適用さ

れません。

　高額特定資産とは、一の取引の単位につき、課税仕入れに係る支払対価の額（税抜き）が1,000万円以上の棚卸資産又は調整対象固定資産をいいますが、この制限する措置の対象に、その課税期間において取得した金又は白金の地金等の額の合計額が200万円以上である場合が加えられます。

(注) 上記の改正は、令和6年4月1日以後に国内において事業者が行う金又は白金の地金等の課税仕入れ及び保税地域から引き取られる金又は白金の地金等について適用されます。

３．外国人旅行者向け免税制度（輸出物品販売場制度）の抜本的な見直し

　外国人旅行者向け消費税免税制度により免税購入された物品と知りながら行った課税仕入れについては、仕入税額控除制度の適用を認めないこととされます。

(注) 上記の改正は、令和6年4月1日以後に国内において事業者が行う課税仕入れについて適用されます。

　なお、制度が不正に利用されている現状を踏まえ、免税販売の要件として、新たに政府の免税販売管理システムを通じて取得した税関確認情報（免税店で免税購入対象者が免税購入した物品を税関長が国外に持ち出すことを確認した旨の情報をいいます。）の保存を求めることとし、外国人旅行者の利便性の向上や免税店の事務負担の軽減に十分配慮しつつ、空港等での混雑防止の確保を前提として、令和7年度税制改正において、制度の詳細について結論を得るとされています。

第1章

消費税の諸ルールと申告書の選択

Q 1-1 消費税の基本的な仕組み

消費税の基本的な仕組みについて説明してください。

A 消費税は課税ベースの広い間接税です。

租税には、実質的にその税金を負担する者とその税金を納める者とが同一である直接税と、負担者と納税者が異なる間接税とがあります。所得税や法人税は直接税ですが、消費税は一般消費者を税の最終負担者とし、事業者が納税者となる間接税です。

1 基本的な仕組み

(1) 消費税は間接税

消費税は、「消費」に対して広く、公平に負担を求めることとしています。したがって、医療、福祉、教育などの限定された一部のものを除き、国内で行われるほぼすべての物品の販売、貸付け、サービスの提供及び保税地域から引き取られる外国貨物を課税の対象としており、取引の各段階でそれぞれの取引金額に対して標準税率10%（消費税率7.8%・地方消費税率2.2%）又は軽減税率8%（消費税率6.24%・地方消費税率1.76%）で課税する多段階課税方式による間接税となっています。

本章では、消費税には地方消費税を含んでいるという前提で解説します。

(2) 消費税の最終負担者は消費者

消費税は、事業者の販売する物品やサービスの価格に上乗せされて、製造業者から卸売業者へ、卸売業者から小売業者へ、小売業者から消費者へと次々と転嫁され、最終的には消費者が物品の購入やサービスの提供を受けることを通じて負担することを予定している税金です。したがって、消費税は事業者に負担を求めるものではありません。

(3) 消費税の基本的な流れと仕組みについて

消費税は、生産、流通の各段階で二重・三重に税が課されることのないよう、下図のように、課税売上げに係る消費税から課税仕入れに係る消費税を控除し、税が累積しない仕組み（前段階税額控除方式）になっています。

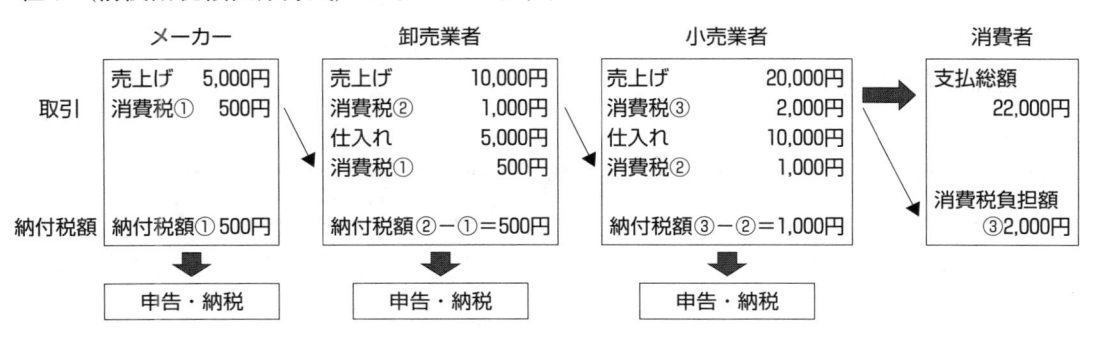

消費税の納税は国に対して行いますが、都道府県・市町村に配分されます。

　納税義務者は、上記(3)で見たように製造、卸売り、小売りなどの各段階の事業者と保税地域からの外国貨物の引取者です。

　納税義務者は、納税地の所轄税務署長に課税期間の末日の翌日から原則として2か月以内（個人事業者の場合は翌年3月31日まで）に消費税の確定申告書を提出し納税します。

　また、直前の課税期間の確定消費税額によっては中間申告・納付をすることになります。

2　納付税額の計算

(1)　税率

適用時期 区分	平成26年4月1日〜 令和元年9月30日	令和元年10月1日（軽減税率実施）以降	
		軽減税率	標準税率
消費税率	6.3%	6.24%	7.8%
地方消費税率	1.7% （消費税額の$\frac{17}{63}$）	1.76% （消費税額の$\frac{22}{78}$）	2.2% （消費税額の$\frac{22}{78}$）
合計	8%	8%	10%

　消費税の税率は標準税率10%、軽減税率8%の複数税率となっています。

　軽減税率8%は令和元年9月30日までの旧税率8%と合計税率は同じですが、その内訳は軽減税率では消費税率6.24%、地方消費税率1.76%、令和元年9月30日までの旧税率8%では消費税率6.3%、地方消費税率1.7%と異なっています。

(2)　軽減税率の適用対象

　軽減税率は次の①及び②の品目の譲渡について適用されます。

　①　飲食料品（酒・外食等を除く）

　②　週2回以上発行される新聞（定期購読契約に基づくもの）

　弁当の持ち帰り販売（テイクアウト）や出前のように単に飲食料品を届けるだけのものは軽減税率の対象となりますが、外食やケータリングは軽減税率の対象とはなりません。

　電子版の新聞は役務の提供であり、「新聞の譲渡」に該当しないことから軽減税率の対象にはなりません。

(3)　納付税額の計算

　①　納付税額計算のイメージ

$$\boxed{納付税額} = \boxed{売上げに対する消費税額} - \boxed{仕入れに対する消費税額}$$

　消費税の納付税額は、上図のように、「売上げに対する消費税額」から「仕入れに対する消費税額」を差し引いて計算します。

　②　国税分の消費税を計算してから、地方消費税を計算します。

実際には納付税額の計算は、まず国税分の消費税額を計算し、その消費税額に地方消費税率を乗じて地方消費税額を計算します。

③ 国税分の消費税額と地方消費税額を合計して同じ申告書で申告し、1枚の納付書で納税します。

⑷ 小規模事業者への納税事務の軽減措置について

小規模事業者への納税義務負担を軽減するために、次のような措置がとられています。

① 事業者免税点制度

基準期間の課税売上高が1,000万円以下の事業者は消費税の納税義務が免除されます（**Q**1－3**3納税義務が免除されない場合**を参照）。

② 新規開業や新設法人の納税義務の免除

個人事業者の新規開業年とその翌年、資本金が1,000万円未満の法人の設立事業年度とその翌事業年度は、基準期間の課税売上高がないので、原則として免税事業者となります（**Q**1－3**3納税義務が免除されない場合**を参照）。

③ 簡易課税制度

基準期間の課税売上高が5,000万円以下の事業者は、課税売上高から納付する消費税を計算する簡易課税制度を選択することができます（詳細は 第7章 を参照）。

④ 2割特例

インボイスを発行するために、免税事業者がインボイス発行事業者となった場合には、一定期間について受け取った消費税額の2割を納付する特例措置を選択することができます（詳細は 第8章 を参照）。

3 売上げ、仕入れの概念

消費税の納付税額は、2⑶でみたように「売上げに対する消費税額」から「仕入れに対する消費税額」を控除して計算します。この場合の、「売上げ」、「仕入れ」の概念は会計学でいう売上高、仕入高や売上原価とは異なっています。

消費税法でいう売上高には、商品売上高、サービス提供の売上高の他、固定資産の売却収入なども含まれます。同様に、消費税法でいう仕入れには、商品仕入れの他、交通費、通信費、事務所家賃などの諸経費の支払いの他、車両や機械、備品の購入などの設備投資なども含まれます。

Q 1−2 課税対象となる取引

どのような取引が課税対象となるか教えてください。

A 消費税の課税の対象は、国内において事業者が行った課税対象取引と輸入取引、及び保税地域から引き取られる外国貨物です。したがって、国外で行われる取引や、国内であっても事業者以外が行った取引などは課税対象とはなりません。また、課税対象となるものでも一定の取引については非課税又は免税（０％課税）となり、消費税が課税されない、あるいは、免除されるものもあります。

下図の課税対象取引のうち、「課税取引」に該当する収入項目が「課税売上げ」として、支出項目が「課税仕入れ」として把握され、納付消費税の計算の基礎となります。

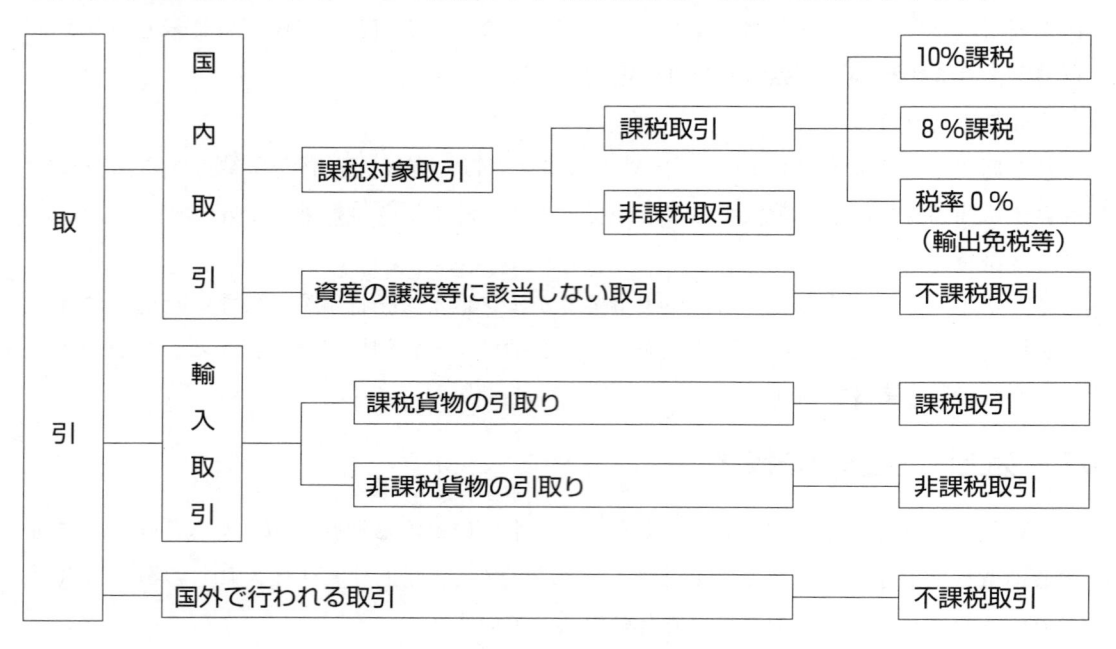

1 国内取引で課税対象となる場合

国内取引のうち、次の４つの条件をすべて満たす取引が消費税の課税対象となります。下記４要件のうち、１つでも満たしていない取引は不課税取引となります（法４①、２①八）。

・国内において行うものであること
・事業者が事業として行うものであること
・対価を得て行うものであること
・資産の譲渡、資産の貸付け、又は役務の提供であること

(1) 国内で行うものであることとは

① 資産の譲渡、貸付けの場合：その資産の譲渡や貸付けが行われる時に、その資産が所

在していた場所が国内であれば国内取引となります。したがって、その資産の所在する場所が国外であれば、その取引は不課税取引となります。

② 役務の提供の場合：役務の提供が行われた場所が国内であれば国内取引となります。役務の提供が行われた場所が国外であれば不課税取引になりますが、「電気通信利用役務の提供」については、役務の提供を受ける者の住所等が国内であれば、国内取引となります。

⑵ 事業者が事業として行うものであること

① 法人が行う取引：すべての取引が事業として行う取引となります。

② 個人事業者が行う取引：個人事業者は事業者としての立場と消費者としての立場を併せ持っていますので、事業者として行う取引のみが消費税の課税対象となります。

③ 事業として行う：資産の譲渡及び貸付け、役務の提供を反復・継続、かつ独立して行うことをいい、事業の判定上その規模は問わないとされています。また、事業に使用していた資産の売却など事業活動に付随して行われる取引は含みますが、個人事業者が家庭で使用していた資産の売却などは「事業として行う」には該当しません。

⑶ 対価を得て行うものであること

国内取引は、対価を得て行う取引が課税対象とされています。ですから、無償取引は、原則として不課税取引となります。無償取引は課税の対象とはなりませんが、「法人がその資産を役員に贈与するケース」や「個人事業者が棚卸資産や事業用資産を家事のために消費する場合」は、対価を得て行う取引とみなして、消費税の課税対象とされます。

⑷ 資産の譲渡・貸付け、役務の提供であること

① 資産の譲渡：資産には棚卸資産、機械装置、建物などの有形固定資産に限らず商標権、特許権などの無形固定資産等、取引の対象となるすべてのものが含まれます。代物弁済による資産の譲渡、負担付贈与による資産の譲渡、現物出資などは、対価を得て行われる資産の譲渡等に含まれます。

② 資産の貸付け：賃貸借や消費貸借等の契約により資産を他の者に貸し付けたり、使用させたりする行為をいいます。従業員に社宅を貸与するのも資産の貸付けに該当しますが、住宅ですので消費税は非課税取引となります。

③ 役務の提供：請負契約・運送契約・委託契約などに基づいて労務・便益・その他のサービスを提供することをいいます。

② 輸出免税（税率０％）について

消費税は国内で消費される物品やサービスの提供に対して課税するものです。海外へ輸出する物品については課税対象から除外されるべきですが、輸出免税という取扱いをしています。輸出免税とは、課税対象取引とした上で税率を０％として消費税を免除するものです。

(1) 免税取引について

課税事業者が次のような取引を行った場合には、消費税は免除されます。

① 国内から輸出として行われる資産の譲渡又は貸付け

② 外国貨物の譲渡、貸付け

③ 外国貨物の荷役、運送、保管、検数等のサービス

④ 国際郵便、国際通信、国際運輸

⑤ 国際運輸に用いる船舶やコンテナーの譲渡、貸付け、修理等

⑥ 非居住者に対する役務の提供

(2) 仕入税額控除との関係

① 輸出免税と不課税取引との違い

輸出取引を不課税とすると、輸出するための商品を購入する際に支払った消費税額は輸出会社の負担となってしまいます。消費税が課税されない取引に対する仕入れに係る消費税額は控除できないことになっているからです。

そこで下図にみるように、輸出取引を免税（税率０％）の課税対象取引とすることで、輸出取引に対する消費税額（０円）から仕入れに係る消費税額（400円）を差し引いて、引ききれない仕入税額分の消費税額（400円）の還付を受けることができます。

② 課税売上割合の計算

課税売上割合の計算において、非課税売上高は分母のみに算入しますが、免税売上高は分母・分子ともに算入します。

$$\frac{課税売上げ＋免税売上げ}{課税売上げ＋免税売上げ＋非課税売上げ}$$

3 輸入取引の場合

・保税地域から引き取られる外国貨物が課税対象となります。外国貨物とは、外国から国内に到着した貨物で、輸入が許可される前のもの及び輸出許可を受けた貨物をいいます。

・輸入取引については、事業者以外の者が行ったものであっても課税の対象となります。

4 不課税取引とは

上記1の４要件から外れる取引や国外取引は消費税の不課税取引となります。４要件を満たしながら非課税とされる取引（非課税取引）や輸出免税取引は不課税取引ではありま

せん。

不課税取引には、以下のようなものがあります。

不課税取引	事業者の自宅の売却	消費者の立場で行うので、課税されない。
	保険金・共済金の受領	対価性がないため課税されない。
	寄附金・祝金・見舞金・補助金・助成金	対価性がないため課税されない。
	剰余金の配当	株主又は出資者たる地位に基づくものであるため課税されない。
	損害賠償金	心身又は資産に加えられた損害に対するものは課税されない(注)。
	国外取引	国内において行われる取引ではないので課税されない。

(注) 損害を受けた棚卸資産などが加害者に引き渡され、その資産が使用できる場合などは、対価性があることから課税の対象となります。

5 非課税取引

消費税は、国内において行われる資産やサービスの消費に対して広く公平に負担を求める税金です。しかし、その課税対象取引のうち、消費税としての性格上、課税対象としてなじみにくいものや、社会政策的配慮により課税することが適当でないものについては、非課税として消費税を課税しないことにしています。

(1) 国内取引における非課税

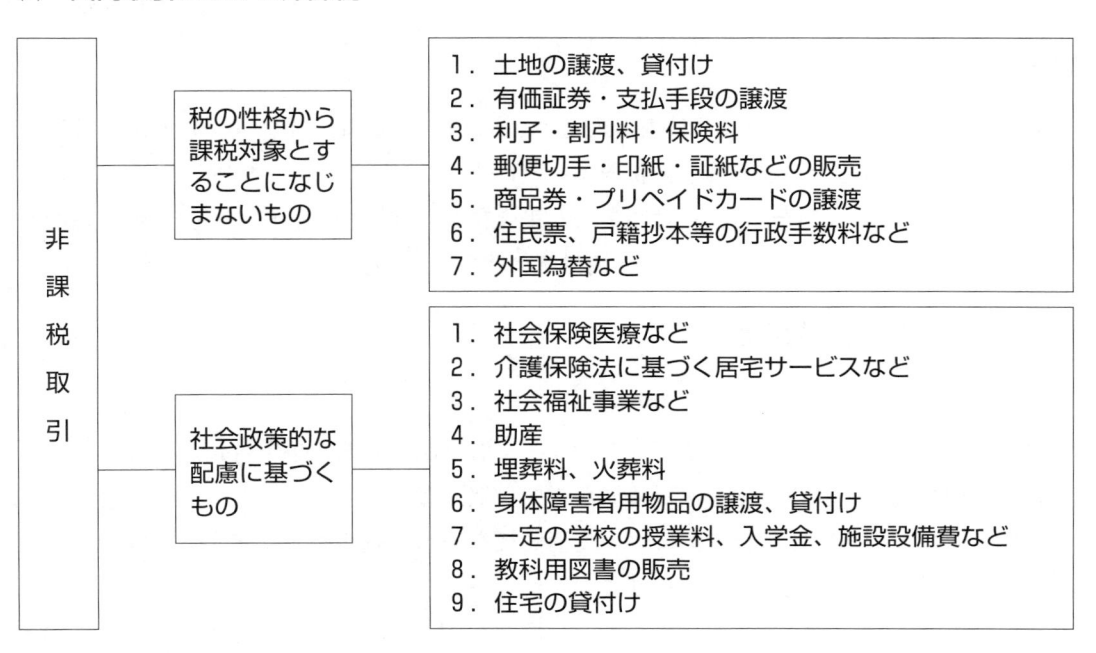

⑵ **輸入取引における非課税**

輸入取引についても、国内における非課税取引とのバランスを図るため、保税地域から引き取られる外国貨物のうち、次のものについては非課税とされています（法6②、別表第2の2）。

①有価証券等、②郵便切手類、印紙、証紙、物品切手等、③身体障害者用物品、④教科用図書

> **コラム** **事業者が「事業として」行うものとは**
>
> 給与所得者が副業として行っている店舗の貸付けは、その規模に関わらず、消費税の課税対象となります。消費税法上の事業とは、対価を得て行われる資産の譲渡等を反復、継続かつ独立して行うこととされ、その規模は問われません（基通5−1−1）。
>
> 所得税法の事業的規模の判定とは異なり、店舗の貸付けや、駐車場等の貸付けを行う行為はその規模に関わらず、消費税法では「事業」となります。所得税の「事業的規模」の概念と消費税の「事業」の概念は別個のものと考えてください。

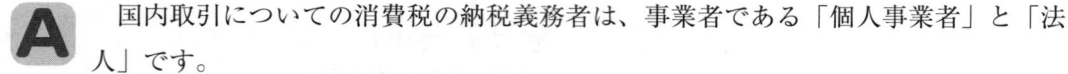

Q 1−3 消費税の納税義務者

消費税の納税義務者になるかどうかの判断基準について教えてください。
併せて、消費税法を理解する上で必要な用語についても説明してください。

A 国内取引についての消費税の納税義務者は、事業者である「個人事業者」と「法人」です。

輸入取引については、「外国貨物を保税地域から引き取る者」となっていて、事業者のみならず輸入取引を行う消費者も納税義務を負います。

小規模事業者への配慮から、新規開業した場合に2年間は納税義務の免除される制度や基準期間における課税売上高が1,000万円以下の事業者への免税点制度もあります。

1 消費税の納税義務者

① 消費税の納税義務者は次のとおりです。

国内取引の場合：課税資産の譲渡等を行う事業者（法人と個人事業者）

輸入取引の場合：課税貨物を保税地域から引き取る者

② 輸入者は、引き取る課税貨物について消費税を納める義務があります。消費者が個人輸入する場合にも納税義務者となります。

③ 「リバースチャージ方式」に該当する「事業者向け電気通信利用役務の提供」を受けた場合には、その役務の提供を受けた国内の事業者に納税義務を課し、役務の提供を行っ

た国外事業者には納税義務を課さないことにしています。

2 小規模事業者の納税義務の免除

消費税法は、消費に広く負担を求めていますので、すべての事業者は、原則として、消費税の納税義務者となります。ただし、その課税期間の基準期間における課税売上高が1,000万円以下の小規模な事業者について、原則として、消費税の納税義務が免除されます。この制度を「事業者免税点制度」といい、この制度により納税義務が免除される事業者を「免税事業者」といいます。これに対して、納税義務がある事業者を「課税事業者」といいます。

(1) 課税期間とは

課税期間とは、事業者が納付すべき消費税額の計算の基礎となる期間をいいます。

①原則：個人事業者はその年の1月1日から12月31日までの期間（暦年）。

　　　　法人は事業年度。

②特例：「消費税課税期間特例選択・変更届出書」の提出によって課税期間を3月又は1月ごとに区分した期間に短縮することができます。この短縮特例を選択した事業者はその課税期間ごとに消費税を計算して申告・納付等することになります。

(2) 基準期間とは

基準期間とは納税義務の有無を判定する基準となる期間をいいます（法2①十四）。

・個人事業者の場合：その年の前々年

・法人の場合：その事業年度の前々事業年度

(注)　前々事業年度が1年未満である法人については、その事業年度開始の日の2年前の日の前日から同日以後1年を経過する日までの間に開始した各事業年度を合わせた期間をいいます。

(3) 課税売上高とは

課税売上高とは消費税が課税される取引の売上金額（税抜金額）と輸出取引等の免税売上金額の合計額をいいます。なお、売上返品・売上値引き・売上割戻し等がある場合には、これらの税抜金額の合計額を控除します。

ポイント　基準期間における課税売上高が1,000万円を超えるかどうかの判定において基準期間が免税事業者であった場合には、課税売上高は税込金額で判定し税抜処理はしません。法人の場合で基準期間が1年に満たない場合には、基準期間中の課税売上高を1年分に換算した金額とします。

3 納税義務が免除されない場合

納税義務の判定については、基準期間における課税売上高によるほか、次のような特例があり、該当する場合には納税義務が免除されません。

(1) 特定期間の課税売上高等による判定

その課税期間の基準期間における課税売上高が1,000万円以下であっても、その課税期間の特定期間における課税売上高が1,000万円を超えた場合には、その課税期間については納税義務は免除されません（法9の2）。

① 特定期間とは、個人事業者の場合は「その年の前年1月1日から6月30日までの期間」をいい、法人の場合には、原則としてその事業年度の前事業年度開始の日以後6か月の期間をいいます。

② 特定期間の課税売上高に代えて、特定期間中に支払った給与・賞与等の支払額合計が1,000万円を超えるか否かで判定することもできます。

③ 特定期間における課税売上高（又は課税売上高に代えて給与等支払額の合計額）により判定を行った結果、課税事業者に該当することとなった場合には、「消費税課税事業者届出書（特定期間用）」を納税地の所轄税務署長に速やかに提出する必要があります。

(2) 新設法人の事業者免税点制度の不適用

その事業年度の基準期間がない法人で、その事業年度の開始の日における資本金の額又は出資の金額が1,000万円以上の法人（消費税の新設法人）の設立1期目及び2期目については、納税義務が免除されない特例が設けられています（法12の2①）。設立3期目からは原則どおり、基準期間における課税売上高及び特定期間の課税売上高等で納税義務を判定します。

〈届出〉資本金の額又は出資の金額が1,000万円以上の法人を設立した場合には、「消費税の新設法人に該当する旨の届出書」を提出します（法57②）。ただし、法人設立届出書に「消費税の新設法人に該当することとなった事業年度開始の日」の記載をした場合には、この届出書の提出をする必要はありません。

(3) 特定新規設立法人の事業者免税点制度の不適用

その事業年度の基準期間がない法人で、その事業年度開始の日における資本金の額又は出資の金額が1,000万円未満の法人（新規設立法人）のうち、次のいずれの要件にも該当する（特定新規設立法人）場合には、消費税の納税義務は設立から2年間免除されません（法12の3）。

① 基準期間がない事業年度開始の日おいて、新規設立法人の株式等の50%超を直接又は間接に他の者により保有されている場合（特定要件）

② ①の特定要件に該当するかどうかの判定の基礎となった他の者及びその他の者と一定の特殊な関係にある法人のうちいずれかの者（判定対象者）のその新規設立法人のその事業年度の基準期間に相当する期間（基準期間相当期間）における課税売上高が5億円を超えていること

〈届出〉この特例の対象となる場合には、「消費税の特定新規設立法人に該当する旨の届出書」を提出する必要があります（法57②）。

⑷ 調整対象固定資産を取得した場合の事業者免税点制度の不適用

　新設法人及び特定新規設立法人が、設立当初２年間において税抜金額が100万円以上の調整対象固定資産を取得し、一般課税で申告を行った場合には、その取得の日の属する課税期間の初日から３年を経過する日の属する課税期間までの各課税期間については納税義務が免除されず、簡易課税の適用を受けることもできません（法12の２②、12の３③）。

　調整対象固定資産とは、一の取引単位につき、支払対価の額（税抜金額）が100万円以上の建物・附属設備・構築物・機械及び装置、船舶、航空機、車両及び運搬具、工具、器具及び備品、鉱業権等の無形固定資産で棚卸資産以外のものをいいます。

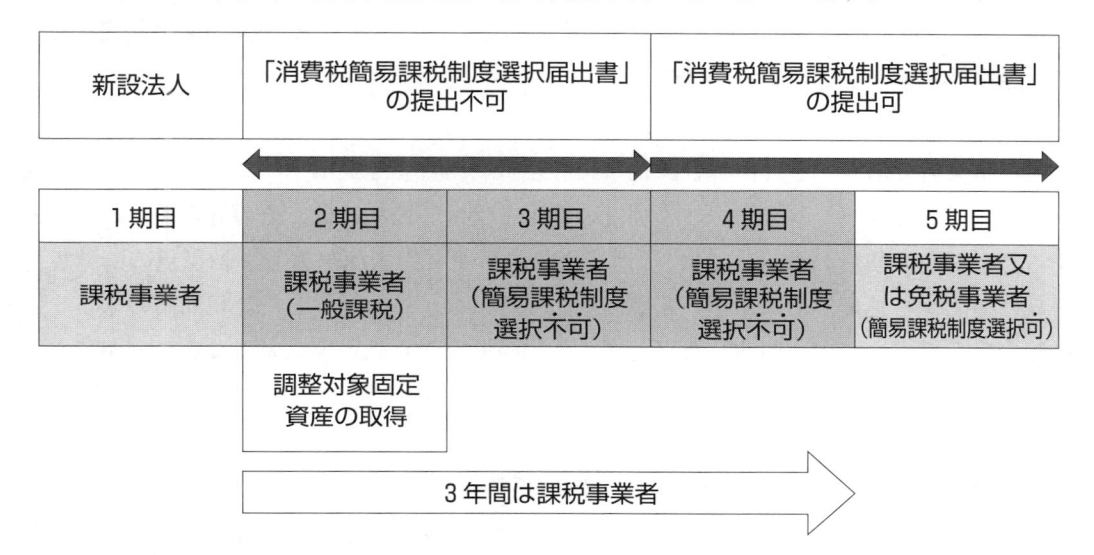

⑸ 高額特定資産を取得した場合の納税義務免除の不適用

　課税事業者が簡易課税制度の適用を受けない課税期間中に高額特定資産の取得をした場合には、高額特定資産を取得した課税期間から３年間は、納税義務が免除されません（法９⑦、12の４）。また、この規定により納税義務が免除されない課税期間については、簡易課税制度の適用もできません。

　高額特定資産とは、棚卸資産又は調整対象固定資産のうち、一の取引単位につき、支払対価の額（税抜き）が1,000万円以上のものをいいます。

〈届出〉消費税課税事業者選択届出書を出している場合を除き、高額特定資産を取得した場合の特例の適用を受ける課税期間の基準期間の課税売上高が1,000万円以下となった場合には、「高額特定資産の取得等に係る課税事業者である旨の届出書」の提出が必要です。

④ 免税事業者が課税事業者を選択する場合について

⑴ 課税事業者を選択する理由

① 消費税の還付を受ける場合

　免税事業者には納税義務はありませんが、仕入税額控除を受けることもできません。し

たがって、開業にあたり設備投資により多額の課税仕入れがあるときや、輸出免税売上げのある事業者が消費税の申告を行って消費税の還付を受けるためには、課税事業者になっておく必要があります。

② インボイス発行事業者の登録を受ける場合

免税事業者であっても、インボイスを発行するためにインボイス発行事業者として登録を受けた場合には、課税事業者となります。令和5年10月1日以前に登録申請をした場合には、同日から課税事業者となります。インボイス発行事業者となるためには、税務署長に「適格請求書発行事業者の登録申請書」を提出して登録を受ける必要がありますが、その場合は、消費税課税事業者選択届出書の提出の必要はありません（詳細は 第2章 参照）。

(2) 課税事業者となるための手続き

① 消費税課税事業者選択届出書の提出

免税事業者であっても「消費税課税事業者選択届出書」を提出することによって、課税事業者になることができます。この制度の適用を受けるためには、その適用を受けようとする課税期間の初日の前日までに、「消費税課税事業者選択届出書」を納税地の所轄税務署長に提出する必要があります。新規開業の場合には、その開業した課税期間の末日までに届出書を提出すれば、開業した日の属する課税期間から課税事業者になることができます。

② 免税事業者に戻るためには

課税事業者になることを選択した場合には事業を廃止した場合を除き、課税事業者となった日から2年間は免税事業者になることはできません。したがって、2年間を通算して課税事業者となることによる有利・不利を計算してこの届出書の提出を行う必要があります。課税事業者をやめようとする場合には、免税事業者に戻ろうとする課税期間の初日の前日までに「消費税課税事業者選択不適用届出書」を提出する必要があります。

③ 調整対象固定資産を購入した場合の特例

調整対象固定資産を購入し一般課税で申告を行った場合には、その調整対象固定資産の仕入れ等の日の属する課税期間の初日から原則として3年間は免税事業者となることはできません。また、その調整対象固定資産の仕入れ等を行った課税期間の初日から3年を経過する日の属する課税期間の初日の前日までの期間は「消費税簡易課税制度選択届出書」を提出することもできません。

◆ コラム ◆　消費税法の届出の期日には、「土日祝」ルールの適用はない

　法人税法などの申告書の提出期限が土曜日・日曜日・祝日で税務署が閉まっている場合には、その提出期限は、その翌日に延期されます。それは、以下の規定があるからです。

> 国税通則法第10条第2項
>
> 国税に関する法律に定める申告、申請、請求、届出その他書類の提出、通知、納付又は徴収に関する期限（時をもつて定める期限その他の政令で定める期限を除く。）が日曜日、国民の祝日に関する法律（昭和23年法律第178号）に規定する休日その他一般の休日又は政令で定める日に当たるときは、これらの日の翌日をもつてその期限とみなす。

　しかし、消費税の届出については注意が必要です。具体的には、以下のような届出です。
・消費税課税事業者選択届出書（消費税課税事業者選択不適用届出書）
・消費税簡易課税制度選択届出書（消費税簡易課税制度選択不適用届出書）
・消費税課税期間特例選択・変更届出書（消費税課税期間特例選択不適用届出書）など
　これらは、「届出書を提出した日の属する課税期間の翌課税期間から」、「適用を受けようとする課税期間の初日の前日までに」という規定になっていますので、提出期限の特例について定めた国税通則法の規定は適用されません。

Q 1－4　売上げに係る消費税額の計算

　消費税の納付税額は、「売上げに係る消費税額」から「仕入れに係る消費税額」を控除して計算します。では、「売上げに係る消費税額」はどのようにして計算するのでしょうか。

A **ポイント**　1．消費税の課税取引になるかの4要件のすべてを満たし課税取引になったものを、「課税売上高」、「免税売上高」、「非課税売上高」及び「不課税取引」に区分して集計します。その取引に適用される税率ごとに区分する必要があります。

2．売上税額の計算
(1)　原則（割戻し計算）
①　税額を計算する基礎となる「課税標準額」を計算します。取引の都度、税抜売上高と仮受消費税等に区分していても、最終的な計算では、税抜売上高と仮受消費税額の合計額から改めて税率を乗じる前の税抜きの課税標準額を算出します。
②　課税標準額にそれぞれの税率(標準税率又は軽減税率)を乗じて売上税額を計算します。
(2)　特例（積上げ計算）
①　相手方に交付したインボイス等に記載した消費税額等に相当する金額を基礎にして計算し、売上税額としてもよいこととなっています。

② 売上税額を積上げ計算した場合には、仕入税額も積上げ計算しなければなりません。

③ 売上税額の計算は得意先によって割戻し計算と積上げ計算の併用も認められますが、併用した場合は、仕入税額の計算方法は積上げ計算を適用します。

1 課税売上高の把握

消費税の課税取引に該当するどうかは次の4要件をすべて満たしているかどうかで判定します。

① 国内において行うものであること

② 事業者が事業として行うものであること

③ 対価を得て行うものであること

④ 資産の譲渡、資産の貸付け、又はサービスの提供であること

しかし、課税対象となる4要件を満たした課税対象取引であっても、消費税の対象としてなじまないものや、社会政策的な配慮から消費税を課さない取引を限定して非課税取引と定めています。

したがって、納税義務者である事業者は日々の取引を記帳する際には、それぞれの取引が「課税対象取引」、「免税(税率0%)取引」、「非課税取引」、「不課税取引」のどれに該当するか、区分する必要があります。区分するといっても課税対象取引がほとんどですし、免税取引は輸出売上げがある業種にしか出てきませんから、多くの場合は、非課税取引と不課税取引に注意すればよいことになります。

以下の図表は、課税対象取引、非課税取引、不課税取引の区分の一例です。

科目	課税	非課税	不課税
売上げ	・商品・製品の販売 ・輸出免税(税率0%) ・資産の貸付け ・事務所・店舗の貸付け ・サービスの提供	・商品券・ビール券、図書券等の販売 ・土地の譲渡、貸付け ・居住用住宅の貸付け ・社会保険診療収入 ・授業料・入学金 ・障害者用物品の販売 ・教科用図書の販売	・国外取引
営業外収益 　受取利息 　雑収入 　有価証券売却損益	・作業クズ売却収入 ・自動販売機設置手数料	・受取利息 ・有価証券売却益(売却額の5%) ・地代収入	・受取配当金 ・為替差益 ・助成金・補助金 ・現金過不足 ・税金の還付加算金
特別損益 　固定資産売却益 　固定資産売却損	・固定資産売却額が課税対象	・土地の売却	・受取保険金 ・債務免除益 ・固定資産除却損

〈注意すべき事項〉

・固定資産を売却した取引で消費税の課税対象となる金額は「固定資産売却額」です。消費税の課税対象となるのは、売却損益の部分ではありませんから、仕訳をする際には、「固定資産売却額」が課税対象となるようにする必要があります。

・上場株式などを売却した場合には、その売却金額の5％を非課税売上高に計上します。

・輸出免税取引は非課税取引・不課税取引ではなく、「税率0％」の課税対象取引です。

2 課税標準額に対する消費税額の計算

売上げに係る消費税とは、正確な用語でいえば、「課税標準額に対する消費税額」で、税込みの課税売上げに$\frac{100}{110}$を乗じて課税標準額を算出し、これに税率を乗じて税額を求めるのが原則（割戻し計算）です。課税標準とは、消費税額計算の基礎となるべきもので次のようになっています。

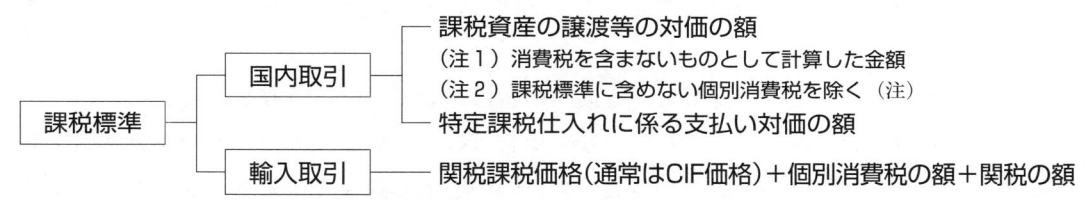

（注）　個別消費税の取扱いは、一般消費税を課税する対価の額に含めるものと含めないものがあります。例えば、酒税、たばこ税、揮発油税、石油石炭税、石油ガス税などは、製造者が納税義務者となって負担することになっており、個別消費税は製造原価の一部を構成するため対価の額に含まれます。これに対して、軽油引取税、ゴルフ場利用税、入湯税などは利用者が納税義務者となって負担するため、課税資産の譲渡等の対価の額には含まれません。ただし、その税額に相当する金額について明確に区分されていない場合は対価の額に含まれます（基通10−1−11）。

国内取引における「課税資産の譲渡等の対価の額」とは、課税資産の譲渡等の対価につき、対価として相手から受け取った金銭及び金銭以外の物、権利その他経済的な利益の額をいい、消費税額を含みません。

(1) 特殊な場合の課税標準

① 低額譲渡：消費税の課税標準は、その実際の譲渡対価の額ですが、法人が資産をその役員に対し、著しく低い対価の価額（時価の50％未満）で譲渡した場合には、例外的にその時価で課税することとしています（法28①）。

② みなし譲渡：消費税法は、対価を得て行うものを課税の対象とするため、無償取引は原則として課税の対象とはなりません。しかし、次の行為の場合には、例外的に課税の対象としています。

　イ　個人事業者（生計を一とする親族を含む）が、棚卸資産又は棚卸資産以外の事業共用資産を家事のために消費・使用した場合には、その家事消費した資産の時価に相当する金額（法28③一）。

ロ　法人が資産をその役員に対して贈与した場合には、贈与した資産の時価に相当する金額(法28③二)。この場合において、その棚卸資産の課税仕入れの金額以上でかつ、その資産の他への販売価格の50％相当以上で確定申告をした場合には、その処理は認められます。

③　代物弁済等：次に掲げる行為は、資産の譲渡等に類する行為又は資産の譲渡として課税の対象となります。

　・代物弁済

　・負担付贈与

　・現物出資

　・交換

④　対価未確定：課税期間の末日において対価が未確定の場合には、期末の現況でその譲渡対価の額を見積もることとします。その後、確定した対価の額が見積もり額と異なる場合には、その差額を確定日の属する課税期間の資産の譲渡等の対価の額に加減算します。

⑤　一括譲渡：課税資産と非課税資産を同一の者に対して同時に譲渡した場合において、その対価の額が合理的に区分されていない場合には、その譲渡等の対価の額を時価比率などにより、合理的に課税資産の譲渡等の対価の額と非課税資産の譲渡等の対価の額に案分します。

(2)　売上税額の計算方式

売上税額の計算方式には、2つの方式があります（**Ｑ** 6－3参照）。

①　原則（割戻し計算）：課税期間における税込対価の合計額から消費税額を割り戻す方式

　　取引のつど、税抜経理をしていても、最終的な計算では税抜売上高と仮受消費税等の合計額から改めて税率ごとの税抜きの課税標準額を計算し、それぞれの税率を乗じて売上税額を計算します。

②　特例（積上げ計算）：請求書に記載された消費税額を積み上げて計算する方式

　　相手方に交付したインボイス等を保存している場合には、これらの請求書に記載した消費税額等の合計額に100分の78を乗じて算出した金額を売上税額とすることができます。地方消費税額は、上記で算出した売上税額に78分の22を乗じて計算します(法45⑤、令62①)。

(3)　仕入税額の計算方式について

売上税額を原則の割戻し計算で計算する場合には、仕入税額は積上げ計算又は割戻し計算のいずれも選択することができます。しかし、売上税額を特例の積上げ計算によった場合は、仕入税額も積上げ計算をしなければなりません（**Ｑ** 6－10参照）。

⑷　売上値引きや返品、売上割戻しがあった場合の処理

　消費税では、売上げについて返品を受けたり、値引きをしたり、割戻しや割引を行うことによりその課税売上高の対価の額の一部又は全部の返還をすることを「売上げに係る対価の返還等」といいます。返品や値引きがあった場合には、その返品や値引きがあった課税期間で調整します。前期に販売した商品が返品されたとしても前期に遡って修正はしません。

　調整の方法には、次の2つの方法があります。

① 　消費税及び地方消費税の申告書第一表「⑤」欄を使用して税額控除を行う方法

　売上値引きや返品等があった場合に「売上値引き返品」勘定を使って会計処理をしている場合には税額控除を適用します。

　課税標準額は総売上金額で計算します。そして、対価の返還等の金額に係る消費税額を消費税及び地方消費税の申告書第一表「返還等対価に係る税額⑤」欄に記載して税額控除により調整します。

② 　売上高から直接控除する方法

　売上返品等があった場合に、売上高から直接減額する経理処理を継続適用している場合には、売上返品等の金額を控除した後の売上高をもとに課税標準額に対する消費税額を計算します。消費税及び地方消費税の申告書での調整はしません。

⑸　貸倒れがあった場合の処理

　課税売上げについて貸倒れが発生した場合には、その貸倒れがあった課税期間の売上げに係る消費税額から、この貸倒れに係る消費税額を控除します（法39①）。

　消費税及び地方消費税の申告書第一表の「貸倒れに係る税額⑥」欄を使って調整します。

　貸倒れの範囲ですが売掛債権の貸倒れが控除の対象となり、貸付金が回収不能となっても貸付金は消費税の対象外取引ですから、控除の対象とはなりません。また、売掛債権が発生した時の消費税率で処理することになりますので、注意が必要です。

　貸倒れ処理した売掛債権が後日回収された場合には、回収した貸倒債権に含まれる消費税額を回収した課税期間の課税標準額に対する消費税額に加算します（法39③）。そして、その金額を該当する付表及び申告書第一表の「控除過大調整税額③」欄に記載します。

　旧車両を下取りに出して、新車を購入する時にネット（差引金額等）での金額計上になっていないか、注意してください。事業者が自社のパソコンを使用して経理処理に必要なデータを会計ソフトに入力する自計化が進んできましたが、仕訳の中でも難易度が高いものに、車両の買替えがあります。下取り金額を控除した金額を新車の価格としている場合があります。事業者側としては、下取り金額を控除したネットの金額を新車購入価格とすることが一般的な感覚だと思います。しかし、消費税の世界では、下取りの金額を課税売上げとして集計をしなければなりません。自計化に慣れている事業者側でも簿記で習う仕訳にひと手間かけなければならない間違いやすい取引です。下取り金額が課税売上げになっているか、確認してください。

Ｑ 1－5　仕入税額控除

　消費税の控除対象仕入税額の算出方法を教えてください。控除税額にはどのようなものがあるのか、インボイス制度施行後の変更点についても教えてください。

Ａ　消費税の納税額を計算する基本的な仕組みは、売上げに対する消費税額から商品の仕入れや販売諸経費の支払などの前段階で課税された消費税額を控除するというものです。このことを「仕入税額控除」といいます。インボイス制度施行後は、原則としてインボイス発行事業者から交付を受けたインボイス及び一定の事項を記載した帳簿の保存が仕入税額控除の要件となります。

　仕入れの範囲は会計上の仕入れよりも広く、仕入税額控除のできる仕入れのことを「課税仕入れ」といいます。

・非課税売上げの割合が高いと、仕入税額控除は全額できないこともあります。

・輸出取引をしている場合や多額の設備投資をした場合などは、売上げに係る消費税額よりも仕入れに係る消費税額が多くなるため、消費税額が還付になることもあります（詳細は **Ｑ** 1－10参照）。

1　税額控除とは何か

(1)　仕入税額控除の概要

①　消費税額として納付する金額は、ある課税期間中の売上げに係る消費税額から、同じ課税期間中の仕入代金などに含まれる消費税額を差し引いた金額です。この仕入代金などに含まれている消費税額を差し引くことを仕入税額控除といいます。

$$\boxed{納付する消費税額} = \boxed{売上げに係る消費税額} - \boxed{仕入れに係る消費税額}$$

② 中小企業の納税事務負担を軽減するために、課税仕入れに係る税額を課税標準に対する消費税額から計算することができる簡便法（簡易課税制度）も設けられています。また、インボイス交付のために課税事業者となった場合には、一定期間（令和5年10月1日から令和8年9月30日までの日の属する各課税期間）に限り仕入税額控除の金額を売上税額の80％とする2割特例も設けられています。

(2) 税額控除の種類

税額控除には次の4つのものがあります。

① 仕入税額控除（法30①、37①）

② 売上げに係る対価の返還等をした場合の税額控除（法38①）

③ 特定課税仕入れに係る対価の返還等を受けた場合の税額控除（法38の2①）

④ 貸倒れに係る税額控除（法39①）

(3) 納付税額の計算の仕組み

納付税額の計算の仕組みは以下のようになっています。

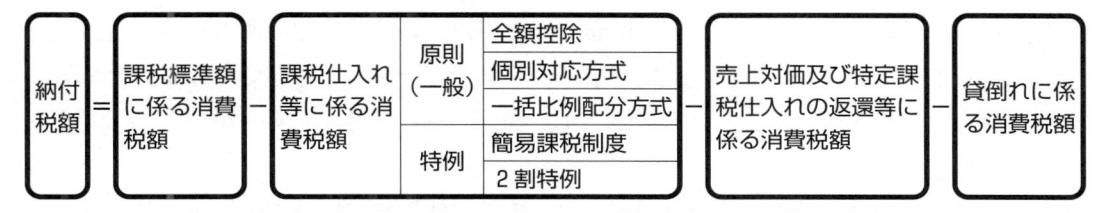

2 仕入税額控除

(1) 仕入税額控除ができるもの

事業者（免税事業者を除く）は売上げに係る消費税額から次の3つのものに係る消費税額を控除することができます。

① 国内で行った課税仕入れに係る消費税額

② 特定課税仕入れに係る消費税額

③ 保税地域から引き取った外国貨物に課税された消費税額

なお、減価償却資産や繰延資産の仕入れについても、その仕入税額控除は課税仕入れ等を行った日の属する課税期間で行うことになっています。

(2) 課税仕入れとは何か

消費税法における仕入れとは、会計上の仕入れよりも広い概念です。商品の仕入れはもとより諸経費の支払、備品や車両などの事業用資産の購入や賃借なども含まれます。そして、仕入税額控除のできる仕入れのことを「課税仕入れ」と呼んでいます。ただし、土地の購入や賃借などの非課税取引、課税対象とならない給与・賃金などは課税仕入れには含

みません。

(3) インボイス制度施行後の仕入税額控除について（詳細は 第2章 参照）

　令和5年10月1日からインボイス制度が導入されて、消費税の仕入税額控除を行うには、原則、インボイス発行事業者から交付を受けたインボイスの保存が必要となります(法30)。したがって、インボイス制度導入後はインボイス発行事業者以外の者（消費者、免税事業者、未登録の課税事業者。以下「免税事業者等」といいます。）と課税仕入れ取引を行ってもインボイスが交付されないので、原則として、仕入税額控除の適用が受けられません。

　インボイス制度が開始するまでは、事業者が事業として行った課税資産の仕入取引であれば、免税事業者等からの仕入れであっても仮払消費税を計上して仕入税額控除ができていました。しかし、インボイス制度下においては、特例措置や以下で述べる経過措置の適用がある場合を除いて、インボイスの保存がなければ仕入税額控除ができませんので、仮払消費税等の計上はできないことになります。したがって、令和5年10月1日からは免税事業者等との取引については、税抜経理をして仮払消費税と仕訳をしても、インボイスがなければ、税務上、その仮払消費税は取引の対価（取得価額又は費用等の額）に算入することになります。

　特例措置とは、インボイスの交付が困難な3万円未満の公共交通機関の利用や自動販売機の利用などの取引については、一定の事項が記載された帳簿の保存でその取引の全額について仕入税額控除ができるというものです（**Q** 2－11、**Q** 4－4～**Q** 4－7、**Q** 4－10参照）。

(4) インボイス制度施行後の免税事業者等からの課税仕入れについての経過措置

① インボイス制度施行後の仕入税額控除の対象について

　インボイス制度施行前は課税仕入れの対象となる取引については免税事業者等との取引であっても、仕入税額控除の対象としていました。取引の相手が課税事業者か免税事業者かの区別がつかなかったからです。

　しかし令和5年10月1日からインボイス制度が施行されると、免税事業者等からの仕入れについては仕入税額控除が原則できなくなるので、免税事業者等との取引について条件変更等する可能性が生じてきます。こうした問題を緩和するためにインボイス制度施行後の一定期間は免税事業者等からの課税仕入れについては、消費税額の80％又は50％の金額を仕入税額とみなして仕入税額控除が可能な経過措置が設けられています（**Q** 4－1、**Q** 5－1、**Q** 6－18参照）。

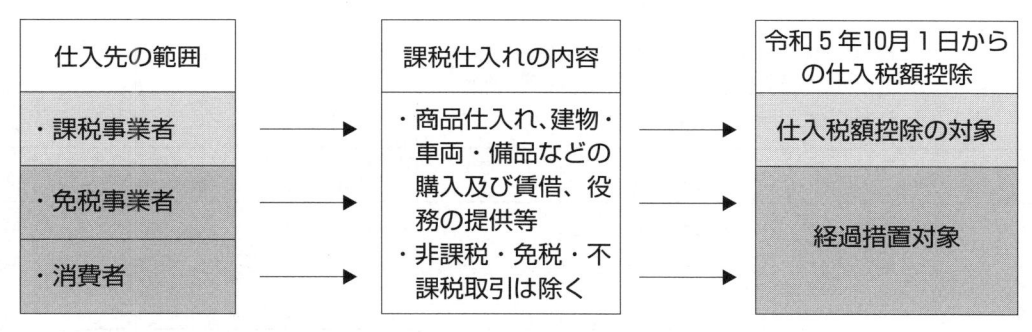

② 経過措置を適用できる期間と税額控除の割合

期　間	税額控除の割合
令和 5 年10月 1 日から令和 8 年 9 月30日まで	仕入税額相当額の80%
令和 8 年10月 1 日から令和11年 9 月30日まで	仕入税額相当額の50%

　この経過措置の適用を受けるためには、区分記載請求書等保存方式の記載事項を満たした請求書の保存に加えて、経過措置対象となる個々の取引を記帳した帳簿に「80%控除対象」又は「免税事業者からの仕入れ」などと記載するか、「☆」、「＊」といった記号を表示し、これらの記号が経過措置対象となる旨を別途表示する必要があります。

③ 免税事業者等からの課税仕入れがあった場合の付表への記載

　免税事業者等からの課税仕入れがあった場合の仕入税額控除は、付表2－1、2－2、2－3の「適格請求書発行事業者以外の者から行った課税仕入れに係る経過措置の適用を受ける課税仕入れに係る支払対価の額（税込み）⑪」欄、「適格請求書発行事業者以外の者から行った課税仕入れに係る経過措置により課税仕入れに係る消費税額とみなされる額⑫」欄を記載することにより行います。

第4-(2)号様式
付表2－1　課税売上割合・控除対象仕入税額等の計算表
〔経過措置対象課税資産の譲渡等を含む課税期間用〕　　　　　　　　　　　　　　　一　般

課　税　期　間	・　・　～　・　・	氏　名　又　は　名　称		
項　目	旧 税 率 分 小 計 X　(付表2-2のX欄の金額) 円	税率 6.24 % 適用分 D 円	税率 7.8 % 適用分 E 円	合　計 F (X+D+E) 円

課　税　売　上　額　（　税　抜　き　）				

課 税 売 上 割 合 （ ④ ／ ⑦ ） ⑧				※付表2-2の⑧X欄へ [　　%] ※端数切捨て
課 税 仕 入 れ に 係 る 支 払 対 価 の 額 （ 税 込 み ） ⑨	(付表2-2の⑨X欄の金額)			
課 税 仕 入 れ に 係 る 消 費 税 額 ⑩	(付表2-2の⑩X欄の金額)			
適格請求書発行事業者以外の者から行った課税仕入れに係る経過措置の適用を受ける課税仕入れに係る支払対価の額(税込み) ⑪	(付表2-2の⑪X欄の金額)			
適格請求書発行事業者以外の者から行った課税仕入れに係る経過措置により課税仕入れに係る消費税額とみなされる額 ⑫	(付表2-2の⑫X欄の金額)			
	(付表2-2の⑬X欄の金額)			※⑬及び⑭欄は、課税売上割合が95%未満、かつ、特定課税仕入れがある事業者のみ記載する

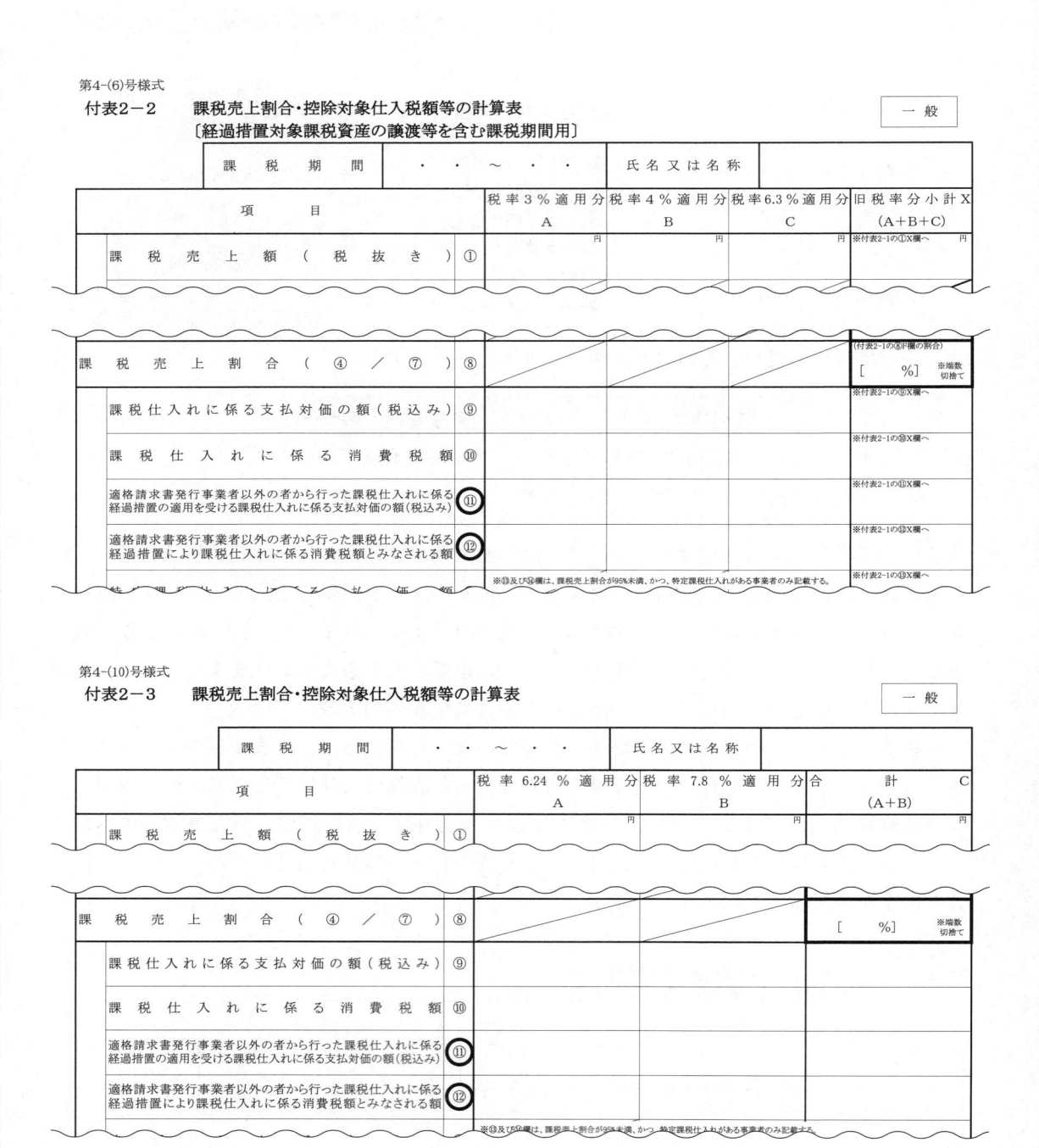

第4-(6)号様式

付表2－2　課税売上割合・控除対象仕入税額等の計算表　　　　　　　　　　　　　一　般
　　　　　　〔経過措置対象課税資産の譲渡等を含む課税期間用〕

| 課　税　期　間 | ・　・　～　・　・ | 氏　名　又　は　名　称 | | |

項　　　　目	税率3％適用分 A	税率4％適用分 B	税率6.3％適用分 C	旧税率分小計 X (A＋B＋C)
課　税　売　上　額（税　抜　き）①	円	円	円	※付表2-1の①X欄へ　円

課　税　売　上　割　合（④／⑦）⑧				(付表2-1の⑧F欄の割合) [　　%] ※端数切捨て
課　税　仕　入　れ　に　係　る　支　払　対　価　の　額（税込み）⑨				※付表2-1の⑨X欄へ
課　税　仕　入　れ　に　係　る　消　費　税　額　⑩				※付表2-1の⑩X欄へ
適格請求書発行事業者以外の者から行った課税仕入れに係る経過措置の適用を受ける課税仕入れに係る支払対価の額(税込み)⑪				※付表2-1の⑪X欄へ
適格請求書発行事業者以外の者から行った課税仕入れに係る経過措置により課税仕入れに係る消費税額とみなされる額⑫				※付表2-1の⑫X欄へ
		※⑬及び⑭欄は、課税売上割合が95％未満、かつ、特定課税仕入れがある事業者のみ記載する。		※付表2-1の⑬X欄へ

第4-(10)号様式

付表2－3　課税売上割合・控除対象仕入税額等の計算表　　　　　　　　　　　　　一　般

| 課　税　期　間 | ・　・　～　・　・ | 氏　名　又　は　名　称 | |

項　　　　目	税率6.24％適用分 A	税率7.8％適用分 B	合　　計　　C (A＋B)
課　税　売　上　額（税　抜　き）①	円	円	円

課　税　売　上　割　合（④／⑦）⑧			[　　%] ※端数切捨て
課　税　仕　入　れ　に　係　る　支　払　対　価　の　額（税込み）⑨			
課　税　仕　入　れ　に　係　る　消　費　税　額　⑩			
適格請求書発行事業者以外の者から行った課税仕入れに係る経過措置の適用を受ける課税仕入れに係る支払対価の額(税込み)⑪			
適格請求書発行事業者以外の者から行った課税仕入れに係る経過措置により課税仕入れに係る消費税額とみなされる額⑫			
	※⑬及び⑭欄は、課税売上割合が95％未満、かつ、特定課税仕入れがある事業者のみ記載する。		

⑸　仕入税額控除を行う時期

　基本的には、課税仕入れを行った日、つまり課税仕入れに係る資産の購入、借受け、役務の提供を受けた日となります。減価償却資産、繰延資産を購入した場合や資産を割賦購入した場合にも、購入時点でその資産に係る消費税額全額を仕入税額控除の対象とすることができます。

3　仕入税額控除の計算方法

(1)　一般課税方式と簡易課税制度、2割特例について

　事業者は、課税期間における課税売上高に係る消費税額から課税仕入れに係る消費税額を控除した金額を納付しますが、一般課税方式、簡易課税制度及び2割特例では、仕入税額控除の計算方法が下図のように異なります。

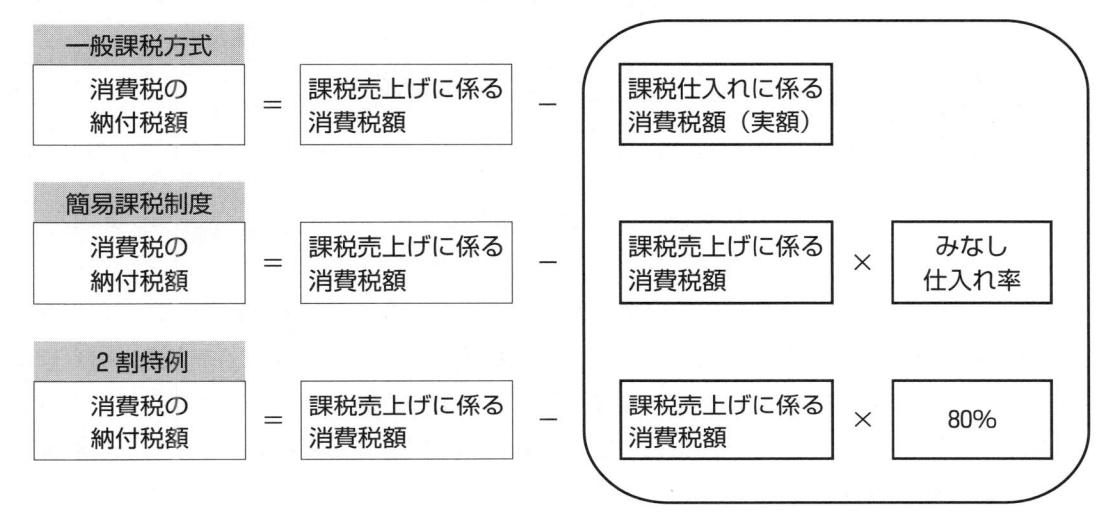

〈適用条件〉

①　簡易課税の適用を受けるための条件（ 第7章 を参照）

・基準期間における課税売上高が5,000万円以下であることが条件となります。

・原則として「消費税簡易課税制度選択届出書」を事前に所轄税務署長に提出することが必要で2年間の継続適用をしないと選択をやめることができません。

②　2割特例を受けるための条件（ 第8章 を参照）

・2割特例は、インボイス制度開始を機に免税事業者から課税事業者となった事業者が対象です。

・2割特例は適用できる期間は令和5年10月1日から令和8年9月30日までの日の属する各課税期間です。

・基準期間における課税売上高が1,000万円を超える事業者、資本金1,000万円以上の新設法人、調整対象固定資産や高額特定資産を取得して仕入税額控除を行った事業者などのインボイス発行事業者の登録と関係なく事業者免税点制度の適用を受けないこととなる場合や、課税期間を1か月又は3か月に短縮する特例の適用を受ける場合などについては、2割特例の対象とはなりません。

(2)　一般課税方式の場合の仕入税額控除の計算方法

①　2割特例を適用しない事業者の計算方法

　仕入税額控除は、課税売上げに対応する仕入税額を控除するのが原則です。一般的な業

種の事業者であれば、非課税売上げになる取引は受取利息くらいで、ほとんどの取引は課税売上げになります。

　課税標準額に対する消費税額から控除する課税仕入れ等の税額（仕入控除税額）の計算方法は、その課税期間の課税売上高が5億円を超えるかどうか、5億円以下であっても課税売上割合が95％未満であるか、によって異なります。

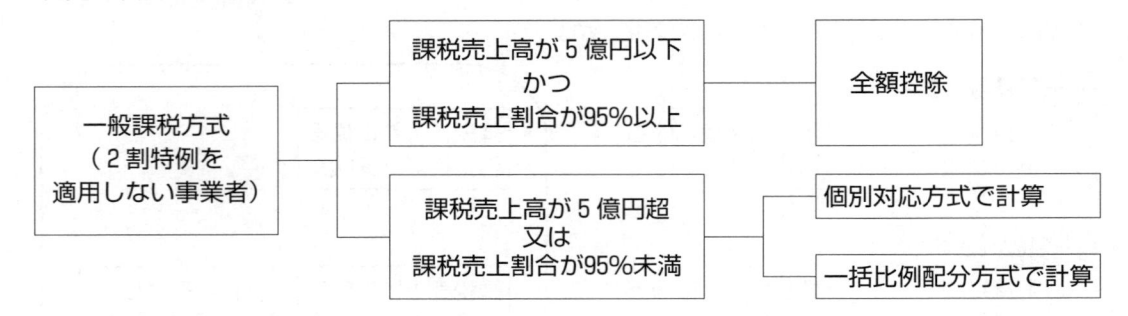

　課税売上高が5億円以下で課税売上割合が95％以上であれば、仕入税額控除は全額できることになります。しかし、課税売上高が5億円超又は課税売上割合が95％未満の場合には、課税仕入れ等に係る消費税額を「課税売上げに対応する課税仕入れ」、「非課税売上げに対応する課税仕入れ」及び「課税売上げと非課税売上げに共通する課税仕入れ」に区分して、「個別対応方式」か「一括比例配分方式」で仕入税額控除を計算することになります。

② 　課税売上割合の計算

　課税売上割合は下記の算式で計算します（令48）。

$$\frac{課税売上高（税抜き）＋免税売上高}{課税売上高（税抜き）＋免税売上高＋非課税売上高}$$

〈計算上の留意点〉

・輸出免税売上高は分母・分子に含まれます。

・課税売上高とは、売上げに係る返品、値引き、割戻し金額を控除した純売上高です。

・有価証券の譲渡については、売却金額の5％を非課税売上高に含めます。

③ 　個別対応方式とは

　その課税期間の課税仕入れ等に係る消費税額を次の3つに区分します。

　イ　課税売上げに対応するもの

　ロ　非課税売上げに対応するもの

　ハ　課税売上げと非課税売上げに共通するもの

税額控除できる仕入税額は以下のように計算します（法30②一）。

**　イ ＋ ハ × 課税売上割合**

④ 　一括比例配分方式

　その課税期間中の課税仕入れに係る消費税額に課税売上割合を乗じた金額を仕入税額控

除税額とします（法30②二）。個別対応方式か一括比例配分方式かは、事業者が選択しますが、一括比例配分方式を選択した場合には、2年間は継続適用しなければなりません。

⑶ 仕入税額が売上げに係る消費税よりも多いときは、還付となる

一般課税の場合に、「売上げに係る消費税額」よりも「仕入れに係る消費税額」が多い場合には、その差額分の支払った消費税額が還付されます。

その場合には、消費税の還付申告に関する明細書を申告書に添付して提出します。令和5年10月のインボイス制度の開始後においては、「消費税の還付申告に関する明細書」の課税仕入れに係る事項のうち、「主な棚卸資産・原材料等の取得」欄及び「主な固定資産等の取得」欄に取引先の登録番号を記載する箇所が新たに設けられています。なお、取引先の登録番号を記載すれば、取引先の名称及び所在地の記載を省略しても差し支えないとなっています（詳細は **Q** 1－10を参照）。

⑷ 居住用賃貸建物の取得に係る仕入税額控除の制限

令和2年10月1日以後、居住用賃貸建物の取得費は仕入税額控除の対象にはなりません。居住用賃貸建物とは、住宅の貸付けの用に供しないことが明らかな建物以外の建物で、高額特定資産に該当するものをいいます。したがって、店舗や販売用の建売住宅など、住宅の貸付け用に供しないことが明らかな建物でなければ仕入税額控除はできません（基通11－7－1）。ただし、その居住用賃貸建物の一部を店舗等の事業用施設として賃貸予定であることが客観的に明らかな場合には、使用面積割合などの建物の実態に応じた基準により仕入税額控除の適用が認められています（令50の2①）。

⑸ 免税事業者⇔課税事業者の棚卸資産の調整

① 免税事業者が翌期から課税事業者になる場合

免税事業者のときに仕入れた棚卸資産については、課税事業者となった課税期間の課税仕入れとみなして仕入税額控除ができます（法36①）。免税事業者が課税事業者になってから免税事業者であった期間に仕入れた棚卸資産を販売すると、売上げについて消費税が課税されます。しかし、免税事業者であった前期から繰り越された棚卸資産について仕入税額控除の対象とはなっていません。そこで、免税事業者が課税事業者となる場合には、期首の在庫については、課税事業者となった課税期間の課税仕入れとしてみなして、仕入税額控除の対象とします。

要件として、次の2点があります。

・その棚卸資産が免税事業者であった期間中の課税仕入れに該当すること

・その棚卸資産の明細を記載した書類を、事業者が保存していること

② 課税事業者が翌期から免税事業者になる場合

課税事業者が翌期から免税事業者になる場合には、期末に保有する棚卸資産は翌期に免税事業者になってから販売することになるので、期末在庫に対する課税仕入れ等の税額は仕入税額控除の対象とすることはできません。

⑹ 簡易課税制度

　簡易課税制度とは、中小事業者の事務負担に考慮して設けられた制度で、課税売上高に係る消費税額から納付すべき消費税額を計算します。仕入控除税額は、実際の仕入税額を計算しないで、売上げに係る消費税額に一定のみなし仕入率を乗じて算出します（詳細は第7章）。

$$\boxed{\text{納付する消費税額}} = \boxed{\text{売上げに係る消費税額Ⓐ}} - \boxed{\begin{array}{c}\text{仕入控除税額}\\(\text{Ⓐ}\times\text{みなし仕入率})\end{array}}$$

① 　必要な条件

　・基準期間における課税売上高が5,000万円以下であること

　・「消費税簡易課税制度選択届出書」を適用を受けようとする課税期間の初日の前日までに納税地の所轄税務署長に提出していること(注)

(注)　新たに事業を開始した日の属する課税期間については、その課税期間中に「消費税簡易課税制度選択届出書」を提出すれば、その課税期間から簡易課税が適用できます（2割特例との関係は⬛8-6参照）。

② 　みなし仕入率

　みなし仕入率は、一般課税方式で計算した場合と大差ないように、事業の種類を6つに区分して、それぞれ異なる率が適用されます。

事業区分	該当する事業	みなし仕入率
第一種事業	卸売業	90%
第二種事業	小売業	80%
第三種事業	製造業等	70%
第四種事業	飲食店業その他の事業	60%
第五種事業	運輸通信業、金融業、保険業及びサービス業（飲食店業を除く）	50%
第六種事業	不動産業	40%

③ 　1種類の事業のみを行う場合の仕入控除税額の計算

　第一種事業から第六種事業までのうち、1種類の事業のみを営む場合には、課税期間の課税標準額に対する消費税額に、該当する事業のみなし仕入率を乗じた金額が仕入控除税額となります。

$$\boxed{\text{仕入控除税額}} = \boxed{\begin{array}{c}\text{課税標準額に}\\\text{対する消費税額}\end{array}} \times \boxed{\text{みなし仕入率}}$$

④ 　複数の事業を行っている場合の仕入控除税額の計算

イ 　原則：第一種事業から第六種事業のうち2以上の事業を営んでいる場合には、業種別

の税額にそれぞれのみなし仕入率を適用して算出した税額を、業種別の税額の合計額で除した割合（加重平均みなし仕入率）を用いて計算します（令57②）。また、貸倒回収等がないなど、一定の条件を満たす場合は、業種ごとの課税売上高と「みなし仕入率」で算定した消費税額を単純に合算して「仕入控除税額」を算定することも可能です。

ロ　特例

〈1種類の事業の課税売上高が全体の75％以上を占める場合〉

　複数の事業を営む事業者で、1種類の事業の課税売上げが全体の売上げの75％以上を占める場合には、その75％以上を占める事業のみなし仕入率を他の事業にも適用することができます。

〈2事業の課税売上げが75％以上を占める場合〉

　3以上の事業を営む事業者で、2種類の事業の課税売上げが全体の売上げの75％以上を占める場合には、その2種類の事業のうち、みなし仕入率の高い事業の課税売上げには、その事業のみなし仕入率を適用し、それ以外の事業には、一括してその2種類の事業のうち低い方のみなし仕入率を適用することができます。

ハ　課税売上高を事業ごとに区分していない場合

　2種類以上の事業を営む事業者において、事業ごとに区分していない課税売上げがある場合には、その区分していない課税売上高については、その事業者が営んでいる事業のうち最も低いみなし仕入率の事業に係るものとして、仕入税額控除をすることになります。

⑤　簡易課税を受けるにあたっての留意点

・簡易課税を適用する場合には、消費税の還付を受けることはできません。

・簡易課税は2年間の継続適用が義務付けられています。

・簡易課税を選択した場合には、「消費税簡易課税制度選択不適用届出書」を提出しない限り、その効力は持続します。したがって、「消費税簡易課税制度選択届出書」の提出をしていても基準期間の課税売上高が5,000万円を超えて一般課税で申告していた事業者が、基準期間の課税売上高が5,000万円未満となった場合には、再び簡易課税で申告をすることになります。

(7)　**2割特例について**（詳細は 第2章 、 第8章 を参照）

　インボイス制度を機に免税事業者からインボイス発行事業者として課税事業者になった事業者については、仕入税額控除の金額を「売上税額の8割」とすることができます（2割特例）。2割特例は一般課税方式又は簡易課税制度による計算方法と選択をすることが可能です（平28改所法等附51の2）。

　2割特例は、インボイス制度を機に免税事業者からインボイス発行事業者として課税事業者となった事業者が対象です。したがって、2割特例は、以下の事業者には適用することができません。

イ　基準期間における課税売上高が1,000万円を超える事業者

ロ　資本金1,000万円以上の新設法人

ハ　調整対象固定資産や高額特定資産を取得して仕入税額控除を行った事業者

ニ　インボイス発行事業者の登録と関係なく事業者免税点制度の適用を受けないこととなる場合

ホ　課税期間を1か月又は3か月に短縮している場合

　2割特例は令和5年10月1日から令和8年9月30日までの日の属する課税期間において適用することができます(注)。2割特例の適用にあたっては、事前の届出は必要なく、消費税の申告時に消費税の確定申告書第一表の「税額控除に係る経過措置の適用（2割特例）」に○を付すだけで適用を受けることができます。付表6の添付が必要となります。

(注)　個人事業者の場合は、令和5年分（10月〜12月分）から令和8年分の申告までの4回の申告が対象となります。3月決算の法人の場合は、令和6年3月決算分（令和5年10月〜令和6年3月分）から令和9年3月決算分まで計4回の申告が対象となります。9月決算法人だけは、令和6年9月決算分（令和5年10月〜令和6年9月分）から令和8年9月決算分までの計3回となります。

◀コラム▶　建設仮勘定や未成工事支出金の仕入税額控除すべきタイミングに注意

　建設仮勘定の課税仕入れ等の時期について消費税基本通達11-3-6では、建設工事等について完成前に支払った金額について建設仮勘定として経理した場合に、課税仕入れ等をした日の属する課税期間において仕入税額控除の規定が適用できる。また、目的物が完成した日の属する課税期間における課税仕入れ等としているときは、これを認めるとしています。

　これを読むと、工事が完成する前に支払った手付金であっても「建設仮勘定」として経理すると仕入税額控除の対象としてもよいと考えてしまいますが、実はそうではありません。例えば、設計図の制作と建物の建築を違う会社に発注している場合には、設計図が完成した時点で「役務の提供」は受けています。したがって、建物が完成するまでは「建設仮勘定」で処理しますが、仕入税額控除の対象となります。

　建設仮勘定といっても、その内容は多岐にわたり、また金額も多額になりますので注意が必要です。一つの請負契約であっても、目的物の引渡し、役務の完了が明確に区分されていれば、その都度仕入税額控除が適用できるケースもあると思われますので、適切な対応が必要です。

　目的物の完成時の属する課税期間でまとめて仕入税額控除を行う方法も同通達で認められています。

Q 1-6 消費税の申告・納付期限

消費税の申告・納付期限について教えてください。

A 　消費税の確定申告書の提出期限は、法人は事業年度末から2か月以内、個人事業者は翌年3月31日までとなっており、申告書に記載した納税額はこれらの申告期限までに納付することになっています。また、前期の消費税の年税額によっては年に1回、若しくは3回、あるいは11回の中間申告や仮決算による中間申告制度もあります。

課税期間は、個人事業者は暦年、法人は事業年度と定められていますが、事業者の選択により課税期間を3月や1月ごとに短縮して申告・納付する特例も認められています。

1 課税期間

(1) 課税期間の短縮について

個人事業者又は法人が、納付すべき又は還付を受けるべき消費税額を計算する場合の計算期間を「課税期間」といいます。個人事業者は暦年、法人は事業年度となりますが、事業者の選択により課税期間を3か月又は1か月ごとに区分した期間に短縮することができます。したがって、この特例を選択した事業者は原則として、その課税期間ごとに消費税額を計算して申告、納付する（又は還付を受ける）ことになります。

〈確定申告及び納付の期限〉

区分			個人事業者		法人
	原則		翌年3月31日まで		課税期間の末日の翌月から2月以内
申告・納付	課税期間特例の適用がある場合	3月特例	1〜3月分	5月31日まで	その事業年度をその開始の日以降3月ごとに区分した各期間（最後に3月未満の期間が生じたときは、その3月未満の期間）の末日の翌日から2月以内
			4〜6月分	8月31日まで	
			7〜9月分	11月30日まで	
			10〜12月分	翌年3月31日まで	
		1月特例	1月1日以後1月ごとに区分した各期間のうち1月分から11月分	左記の各期間の末日の翌日から2月以内	その事業年度をその開始の日以降1月ごとに区分した各期間（最後に1月未満の期間が生じたときは、その1月未満の期間）の末日の翌日から2月以内
			12月分	翌年3月31日まで	

(注)　申告期限・納期限が土曜日、日曜日、祝日等の場合は、その翌日が期限となります。

(2) 課税期間短縮制度の利用について

① 課税期間の短縮は、輸出業者など免税売上高の多い事業者が、毎期継続して消費税の還付を受けている場合に、できるだけ早期に消費税還付を受けるために利用されます。

② 免税事業者や「消費税簡易課税制度選択届出書」を提出していた事業者が設備投資等をして消費税の還付を受けようとする場合には、事業年度開始前に「消費税課税事業者選択届出書」や、「消費税簡易課税制度選択不適用届出書」の提出が必要です。しかし、その届出書の提出を失念した場合は消費税の還付を受けられないことになります。そのような場合には、課税期間短縮をすることで、消費税の還付を受けられることもあります。

(3) **消費税課税期間特例選択・変更届出書**

① 届出書の提出

課税期間を短縮するためには、適用しようとする3月又は1月に短縮した課税期間の開始前に「消費税課税期間特例選択・変更届出書」を納税地の所轄税務署長に提出する必要があります。ただし、新規開業や法人の新規設立のときについては、この届出書を提出した日の属する3月又は1月ごとに区分した期間からこの特例の適用を受けることができます。

② 短縮期間の変更

3月特例を1月特例に、また、1月特例を3月特例に変更する場合も、「消費税課税期間特例選択・変更届出書」を納税地の所轄税務署長に提出する必要があります。この場合の提出期限は、変更しようとする「短縮に係る課税期間」の開始前になります。

ただし、この特例の適用を受けている場合には、2年間継続した場合でなければ、他の課税期間の特例に変更することはできません。

③ 課税期間の短縮をやめる場合

課税期間の短縮をやめて暦年又は事業年度単位の申告に戻そうとする場合には、適用をやめようとする課税期間の開始前に「消費税課税期間特例選択不適用届出書」を納税地の所轄税務署長に提出する必要があります。

ただし、課税期間短縮の特例を受けた場合には、事業を廃止した場合を除き、2年間継続して適用した後でなければ、課税期間の特例の適用をやめることはできません。

④ 課税期間特例の適用をやめた後の課税期間

年又は事業年度の途中でこの特例の適用を受けることをやめた場合には、その適用しないこととした課税期間の開始日以後、その年の12月31日又はその事業年度終了の日までが、1課税期間となります。

② 中間申告について

(1) **中間申告が必要な場合**

設立1年目の事業者や、その年に開業した個人事業者、課税期間を1月ごとや3月ごとに短縮する特例を受けている事業者は、中間申告の必要はありません。これ以外の事業者で直前期の消費税額（地方消費税額を含まない金額で判定します。）の年税額が48万円を超える場合には、翌年度は、中間申告及び納税が必要となります。ただし、年税額が48万

円以下でも自主的に中間申告・納付をすることもできます。

中間申告には、直前の課税期間の確定消費税額を基礎とする場合（原則）と、仮決算に基づく場合（特例）とがあります。

⑵　直前期の確定消費税額による場合（原則）

①　中間申告の回数と申告納付税額について

中間申告は、下表のように、直前の課税期間の確定消費税額（地方消費税額は含みません。）に応じて回数と納付税額が異なります。

直前の課税期間の確定消費税額	中間申告の回数	中間納付消費税額
48万円以下	中間納付不要(注)	
48万円超　400万円以下	年1回	直前の課税期間の確定消費税額の$\frac{1}{2}$
400万円超　4,800万円以下	年3回	直前の課税期間の確定消費税額の$\frac{1}{4}$
4,800万円超	年11回	直前の課税期間の確定消費税額の$\frac{1}{12}$

（注）　仮決算に基づく任意の中間申告は可

②　課税期間の短縮をしている事業者の場合

課税期間を短縮している事業者については、中間申告は必要ありません。

③　申告書第一表の⑩中間納付税額、㉑中間納付譲渡割額について

イ　税務署から送付された申告書は中間納付税額がある場合には、その金額が印字されていますが、1月ごとの中間申告を行った場合には、中間納付税額は印字されていません。この場合には、納付した金額ではなく、申告した税額を記載します。その課税期間における中間申告書の「納付すべき消費税額」欄の金額の合計額を記載することになります。

ロ　1月ごとの中間申告をしている場合には、11回目の中間申告は課税期間終了後の翌期の1月目の末に納付期限がきます。例えば、3月（末日）決算法人の11回目の中間申告納付の期限は4月30日です。この11回目の金額は、未納ですが、消費税申告書の中間納付税額及び中間納付譲渡割額に含めて記載されます（決算書においては、11回目分は未納税額となります。）。ところが、10回目の中間申告納付の期限は3月31日であり、この日が土曜又は日曜である場合は、申告期限が4月1日又は4月2日になりますので、申告納付がこれらの日に行われることがあります。その場合には、10回目分と11回目分はともに未納ですが、消費税申告書の中間納付税額及び中間納付譲渡割額に含めて記載します(決算書においては、10回目分も未納税額として計上します。)。

④　中間申告書を提出しなかった場合

中間申告書の提出が必要な事業者が、中間申告書を提出期限までに提出しなかった場合には、その提出期限に、直前の課税期間の年税額により計算される消費税額を記載した中間申告書の提出があったものとみなされます。

(3) **仮決算による中間申告**

　前期と比較して当期の業績が急激に悪化した場合などは、仮決算による中間申告が認められています（法43）。

　仮決算を行う場合には、課税期間の開始後1か月、3か月、6か月を1課税期間とみなして仮決算を行い、計算された実額を中間申告書に記載して申告納付を行うことができます（法43、48）。ただし、仮決算においては、仕入れに係る控除不足額の還付を受けることはできません（基通15−1−5）。

③ 輸入取引の場合の申告と納付について

　消費税は、国内で消費される物品に対して課税されます。したがって、国外から国内へ商品が輸入された場合には、その物品は国内で消費されることになりますから、輸入取引についても消費税が課税されます。保税地域（税関の輸入許可がまだ下りない外国貨物を一時的に保管する場所）から課税貨物を引き取ろうとする者（事業者に限らず、個人も含む）には「輸入消費税」がかかります。課税貨物を保税地域から引き取る時までに、その保税地域の所轄税務署長に輸入申告書を提出するとともに、引き取る課税貨物に課される消費税額を納付しなければなりません（法47①、50）。

〈注意事項〉　この輸入消費税は消費税の確定申告の際に、付表2−1、2−2、2−3「課税売上割合・控除対象仕入税額の計算表」の「課税貨物に係る消費税額⑮」欄へ記載することで控除することができます。

④ 確定申告・納付

　課税事業者は、課税期間ごとに課税期間終了の日の翌日から2か月以内に、所轄税務署長に確定申告書の提出及び納付が義務付けられています（法45、49）。ただし、法人税法第75条の2①の規定により法人税の確定申告書の提出期限の特例の適用を受ける法人が、「消費税申告期限延長届出書」を所轄税務署長に提出した場合には、その提出した日の属する事業年度以後の各事業年度終了の日の属する課税期間に係る消費税の確定申告期限を1月延長する特例が令和2年に創設されています（法45の2①②）。

　しかし、本特例の適用を受けて消費税の申告期限が延長された場合でも「中間申告」の期限(注)や「課税期間の特例により短縮された課税期間」に係る確定申告の期限は延長されません。

(注)　この特例を受ける法人が年11回の中間申告を行う場合には、11回中間申告の1回目と2回目の中間申告期限については、1月延長されます（令63の2）。

　個人事業者の場合には、消費税の申告及び納付期限は翌年3月31日とされています（租税特別措置法86の4①）。

　個人事業者が死亡し、その方が消費税の納税義務者であった場合には、相続人がその年

1月1日から死亡日までの期間について申告をすることになりますが、相続の開始があったことを知った日の翌日から4月を経過した日の前日（相続の開始があったことを知った日の4か月目の応答日）が準確定申告期限となります（法45②③）。

> **コラム** **消費税の中間申告回数は直前の消費税の年税額によって変わる**
>
> 　法人税の中間申告は基本的に年1回ですが、消費税は前事業年度の消費税額によって中間申告の回数が決められています。
>
> 　したがって、前事業年度は年3回の中間申告であった事業者が、前年の年税額（国税部分）が4,800万円超に増加したことにより、年11回の中間申告になるケースもあります。予定納税額も大きいので資金繰りへの影響もあります。
>
> 　法人税等の予定納税額は税金計算ソフトの納税一覧から印刷されますが、消費税については別途計算して記載する必要があるケースが多いと思われます。予定納税について事業者が納税していなければ延滞税が課されることとなります。

Q 1-7 消費税及び地方消費税の体系

　令和5年10月1日からインボイス制度が開始されましたが、消費税の申告書や付表の役割はどのようになるのでしょうか。

　令和5年10月1日からインボイス制度が開始されましたが、申告の方法は変わりません。

　「消費税の申告書」とは、「消費税及び地方消費税の申告書」であり、消費税の申告納税額（還付額）の計算だけでなく地方消費税の申告納税額（還付額）の計算も同一の申告書で行います。

なぜか 消費税と地方消費税は1つの申告書で申告します。標準税率10%の場合における消費税の税率は7.8%、地方消費税の税率は2.2%となっていますが、地方消費税独自に課税標準の計算を行うものではありません。地方消費税の課税標準は国税である「消費税額」とされていますので、消費税額の計算を先に行い、7.8%の消費税の納税額や還付額を課税標準とし、その$\frac{22}{78}$相当額を地方消費税の税額として計算します（地法72の82、72の83）。

　また、消費税の申告書提出にあたっては、「付表」の提出が義務付けられています。

なぜか 付表の役割は2つあります。

① 課税売上げと課税仕入れの金額について、旧税率が適用されるものと、標準税率10%又は軽減税率8%で課税されるものに区分するため。

② 消費税額等を計算する上で必要な以下の項目を表の上で導くため。

イ　一般課税方式における課税売上割合の計算や控除対象仕入税額の計算（新旧税率ご
と）

ロ　簡易課税におけるみなし仕入率の原則計算、特例計算の選択適用による控除対象仕
入税額の計算（新旧税率ごと）

ハ　免税事業者がインボイス発行事業者となったことにより令和５年10月１日から令和
８年９月30日までの日の属する課税期間において、控除対象仕入税額とみなされる特
別控除額（２割特例）の計算

ニ　免税事業者等からの課税仕入れについて、令和５年10月１日から令和11年９月30日
まで経過措置として認められる消費税相当額の80％又は50％の仕入税額控除の算定

ポイント

①　「適格請求書発行事業者以外の者から行った課税仕入れに係る経過措置の適用を受け
る課税仕入れに係る支払対価の額（税込み）⑪」欄と「適格請求書発行事業者以外の者
から行った課税仕入れに係る経過措置により課税仕入れに係る消費税額とみなされる額
⑫」欄が付表２−１、２−２、２−３に新たに設けられています。

②　２割特例を受けるために申告書に添付する付表６税率別消費税額計算表と税率別消費
税額計算表【簡易版】が新たにできています。

Q 1−8　地方消費税の申告及び納付

地方消費税の申告や納付はどのようにするのですか。

　地方消費税は、平成９年に導入された道府県民税です。消費税と地方消費税は同
じ申告書で申告し、これらの合計額で納付します。

地方消費税の課税標準は国税である消費税額であり、地方消費税額は消費税額に税率を
乗じて計算します（地法72の77、72の82）。

地方消費税の計算は以下のようにします。

地方消費税額　＝　消費税額　×　地方消費税の税率
　　　　　　　　（100円未満切捨て）

地方消費税の課税標準及び税率は以下のようになっています。

・旧税率（８％）の場合：6.3％の税率で計算される消費税額を課税標準とし、その税
率は63分の17となります。

・軽減税率（８％）の場合：6.24％の税率で計算される消費税額を課税標準とし、その
税率は78分の22となります（地法72の83）。

・標準税率の場合：7.8％の税率で計算される消費税額を課税標準とし、その税率は78
分の22となります（地法72の83）。

このように地方消費税は消費税額を課税標準とするとされていますので、地方消費税だけを独自に計算したり単独で申告することはありません。

ポイント

・地方消費税の申告は、国税である消費税の申告書で同時に行います。

・地方消費税は法人の都道府県民税のような独自の申告書はありません。「消費税」と「地方消費税」を同一の申告書第一表及び第二表で計算し、申告も「消費税及び地方消費税の合計税額」として同時に行います。

中間申告書においても、消費税と地方消費税は同一の申告書を使用します。

ポイント 地方消費税の納税は国税である消費税の納付書で同時に行います。

地方消費税は法人の都道府県民税のように独自の申告書もありませんので、納付についても「消費税及び地方消費税」として同時に納税します。

Q 1-9 消費税及び地方消費税の申告書の付表と役割

消費税の申告にあたり使用する申告書や付表について教えてください。

A 付表の役割は Q 1-7 のとおりですが、実際の申告にあたって、どの付表を使用するかは非常に重要です。付表選択にあたっての留意点は次の3点です。

① 売上取引、仕入取引それぞれについて旧税率（3％、5％、8％）が適用された取引があるか。

② 一般課税か簡易課税か。

③ 2割特例を適用できる事業者で、かつ適用できる課税期間であるか。

申告にあたって使用する付表と申告書及びその記入の順序は次の表及び図のとおりとなります。

1 申告のパターン別の必要となる申告書と付表の一覧

一般課税の場合

		申告書（第一表・第二表）	付表1-1	付表1-2	付表1-3	付表2-1	付表2-2	付表2-3
令和5年10月1日以後に終了する課税期間	旧税率での取引がある場合	一般用	○	○		○	○	
	軽減税率8％又は標準税率10％の取引のみがある場合	一般用			○			○

・一般課税による事業者で令和５年10月１日以後に終了する課税期間分の消費税及び地方消費税の申告で、標準税率又は軽減税率が適用された取引のみの場合には付表１－３、付表２－３を申告書に添付して提出します。

・付表は新様式になっています。例えば、付表２－１、付表２－２、付表２－３にはインボイス制度となったため、「適格請求書発行事業者以外の者から行った課税仕入れに係る経過措置の適用を受ける課税仕入れに係る仕入れに係る支払対価の額（税込み）⑪」、「適格請求書発行事業者以外の者から行った課税仕入れに係る経過措置により課税仕入れに係る消費税額とみなされる額⑫」という欄がありますので、消費税と地方消費税の申告書の付表を記載する際には、従来の付表を使用しないように留意しましょう。

(注) 旧税率（３％、５％、８％）取引がある場合とは、「売上げに係る対価の返還等」、「貸倒れ」、「貸倒回収」、及び「仕入れに係る対価の返還等」で令和元年９月30日までに行われた取引に係るものがある場合をいいます。

簡易課税の場合

		申告書（第一表・第二表）	付表4-1	付表4-2	付表4-3	付表5-1	付表5-2	付表5-3
令和５年10月１日以後に終了する課税期間	旧税率での取引がある場合	簡易課税用	○	○		○	○	
	軽減税率８％又は標準税率10%の取引のみがある場合	簡易課税用			○			○

　簡易課税による事業者で令和５年10月１日以後に終了する課税期間分の消費税及び地方消費税の申告で、標準税率又は軽減税率が適用された取引のみの場合には付表４－３、付表５－３を申告書に添付して提出します。

２割特例の場合

	申告書（第一表・第二表）	付表6
令和５年10月１日から令和８年９月30日までの日の属する各課税期間	一般用又は簡易課税用	通常版又は簡易版

・２割特例は、免税事業者がインボイス発行事業者となったことにより課税事業者となった事業者が対象で令和５年10月１日から令和８年９月30日までの日の属する各課税期間

において、適用対象期間中のみ適用することができます。消費税及び地方消費税の申告書（一般用又は簡易課税用）第一表・第二表と付表6を使用します。

・2割特例は、簡易課税制度のように事前に届出や継続して適用しなければならないという制限はなく、消費税及び地方消費税の申告書に2割特例の適用を受ける旨を付記することで、適用を受けることができます。具体的には消費税及び地方消費税の申告書第一表の右側「税額控除に係る経過措置の適用（2割特例）㊷」欄の□の中に○を記載します。以下が消費税及び地方消費税の申告書第一表の記載箇所です。

2割特例を受ける場合には、ここの○を囲んで付記します。

・課税事業者であった期間中に行った課税資産の譲渡等につき貸倒れが生じたことにより「貸倒れに係る消費税額の控除」の適用を受ける場合、また、貸倒れに係る売掛金の回収をした場合には、簡易版の付表6ではなく、通常版の付表6「税率別消費税額計算表」を使用します。

・旧税率（3％、5％又は8％）による課税資産の譲渡等がある場合には、付表6ではなく、付表4-1、4-2、5-1及び5-2を申告書（一般用又は簡易課税用）に添付して提出します。なお第一表は、簡易課税を選択している場合は第一表（簡易課税用）を、選択していない場合は第一表（一般用）を使用してください。

付表6　税率別消費税額計算表
〔小規模事業者に係る税額控除に関する経過措置を適用する課税期間用〕

特　別

課　税　期　間	・　・　〜　・　・	氏 名 又 は 名 称	

Ⅰ　課税標準額に対する消費税額及び控除対象仕入税額の計算の基礎となる消費税額

区　　　　　　　分		税率 6.24 ％ 適用分　A	税率 7.8 ％ 適用分　B	合　　　計　　　C　(A+B)
課 税 資 産 の 譲 渡 等 の 対 価 の 額	①	※第二表の⑤欄へ　　　　　　　円	※第二表の⑥欄へ　　　　　　　円	※第二表の⑦欄へ　　　　　　　円
課 税 標 準 額	②	①A欄（千円未満切捨て）　　000	①B欄（千円未満切捨て）　　000	※第二表の①欄へ　　　　　000
課 税 標 準 額 に 対 す る 消 費 税 額	③	（②A欄×6.24/100）　※第二表の⑮欄へ	（②B欄×7.8/100）　※第二表の⑯欄へ	※第二表の⑪欄へ
貸 倒 回 収 に 係 る 消 費 税 額	④			※第一表の③欄へ
売 上 対 価 の 返 還 等 に 係 る 消 費 税 額	⑤			※第二表の⑰、⑱欄へ
控 除 対 象 仕 入 税 額 の 計 算 の 基 礎 と な る 消 費 税 額 （ ③ ＋ ④ － ⑤ ）	⑥			

Ⅱ　控除対象仕入税額とみなされる特別控除税額

項　　　　　　　目		税 率 6.24 ％ 適 用 分　A	税 率 7.8 ％ 適 用 分　B	合　　　計　　　C　(A+B)
特 別 控 除 税 額 （ ⑥ × 80 ％ ）	⑦			※第一表の④欄へ

Ⅲ　貸倒れに係る税額

項　　　　　　　目		税 率 6.24 ％ 適 用 分　A	税 率 7.8 ％ 適 用 分　B	合　　　計　　　C　(A+B)
貸 倒 れ に 係 る 税 額	⑧			※第一表の⑥欄へ

注意　　金額の計算においては、1円未満の端数を切り捨てる。

(R5.10.1以後終了課税期間用)

第4-(13)号様式

付表6 税率別消費税額計算表【簡易版】
〔小規模事業者に係る税額控除に関する経過措置を適用する課税期間用〕

| 特 別 |

| 課税期間 | ・・ ~ ・・ | 氏名又は名称 | |

※ 金額の計算においては、1円未満の端数を切り捨てます。

区 分	税率 6.24 % 適用分 A	税率 7.8 % 適用分 B	合 計 C (A+B)

step1 課税売上げの計算

課税売上げ（税込）

$\times \dfrac{100}{108}$　　$\times \dfrac{100}{110}$

適用税率ごとに課税売上げの税抜金額を記載します

| 課税資産の譲渡等 の 対 価 の 額 ① | ※第二表の⑤欄へ　　　円 | ※第二表の⑥欄へ　　　円 | ※第二表の⑦欄へ　　　円 |

step2 課税標準額を計算

step1で計算した金額の千円未満を切り捨てた金額を記載します

| 課 税 標 準 額 ② | 000 | 000 | ※第二表の①欄へ 000 |

step3 消費税額を計算

×6.24%　　　×7.8%

step2課税標準額に、消費税（国税）の税率を掛けて計算します

| 課 税 標 準 額 に 対 す る 消 費 税 額 ③ | ※第二表の⑮欄へ | ※第二表の⑯欄へ | ※第二表の⑪欄へ |

step4 返還等対価に係る税額を計算

（課税売上げに係る返品、値引き等の金額を売上金額から直接減額している場合には、この計算は不要です）

課税売上げに係る返還等
対価の額（税込）

$\times \dfrac{6.24}{108}$　　$\times \dfrac{7.8}{110}$

適用税率ごとに課税売上げに係る返品・値引き・割戻しの金額を計算し消費税額を計算します

| 売 上 対 価 の 返 還 等 に 係 る 消 費 税 額 ④ | | | ※第二表の⑰・⑱欄へ |

step5 控除対象仕入税額の基礎となる消費税額の計算

適用税率ごとに③から④を差し引いて計算します

| 控除対象仕入税額の計算 の 基 礎 と な る 消 費 税 額 （ ③ － ④ ） ⑤ | | | |

step6 特別控除税額の計算

×80%

step5で計算した消費税額に80%を掛けて、計算します

| 特 別 控 除 税 額 （ ⑤ × 80 % ） ⑥ | | | ※第一表の④欄へ |

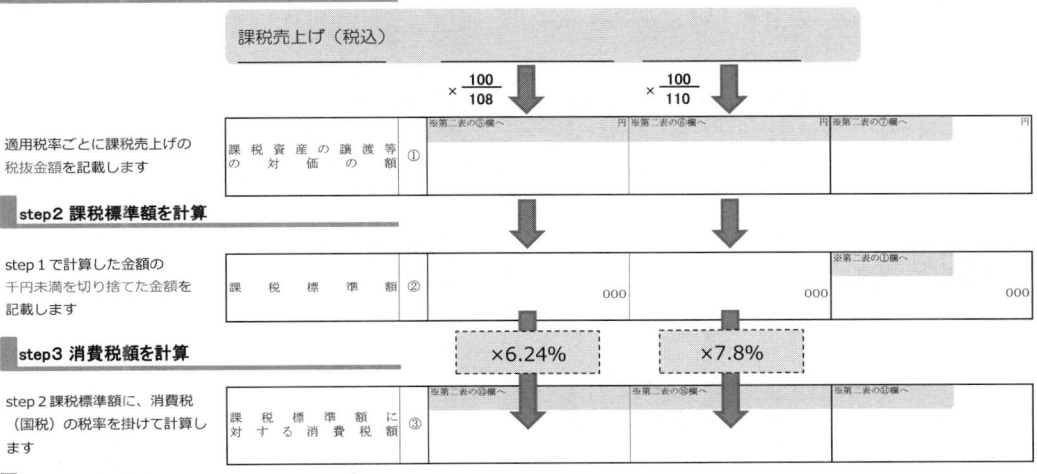
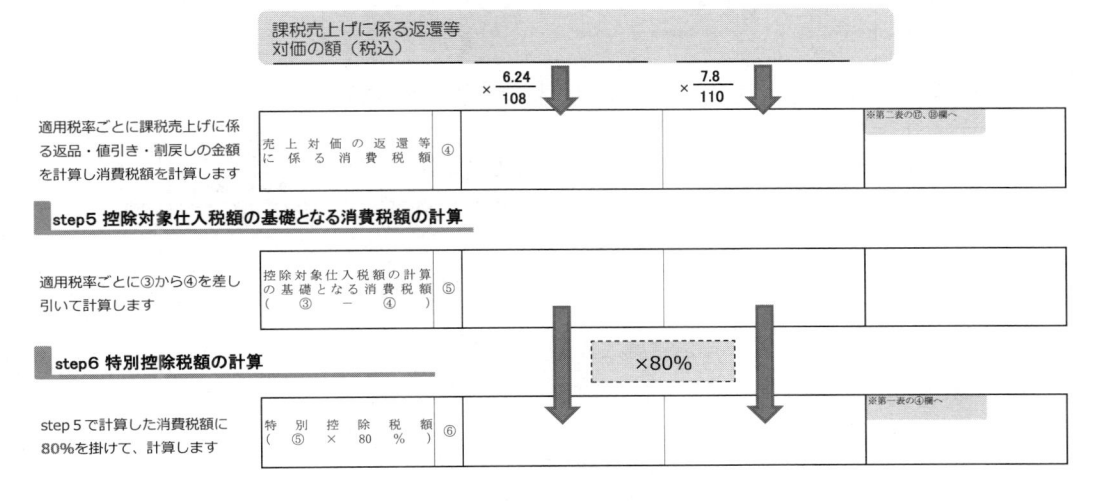

（R5.10.1以後終了課税期間用）

2 申告書及び付表の記入順序

一般課税の場合（令和5年10月1日以後に終了する課税期間）

イ　旧税率取引がある場合

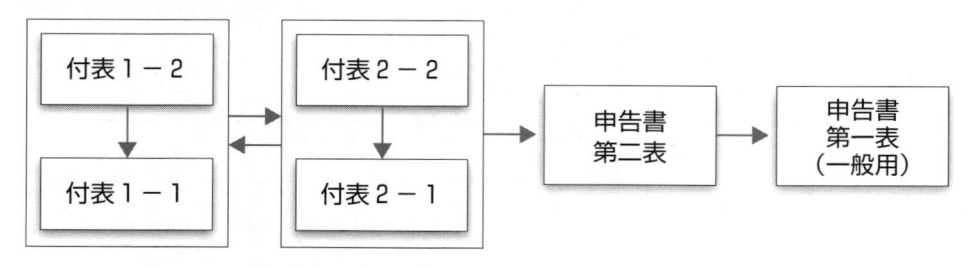

ロ　標準税率10%又は軽減税率8％が適用された取引のみの場合

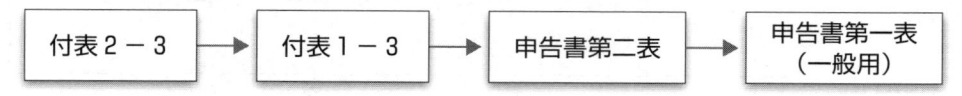

簡易課税の場合（令和5年10月1日以後に終了する課税期間）

イ　旧税率での取引がある場合

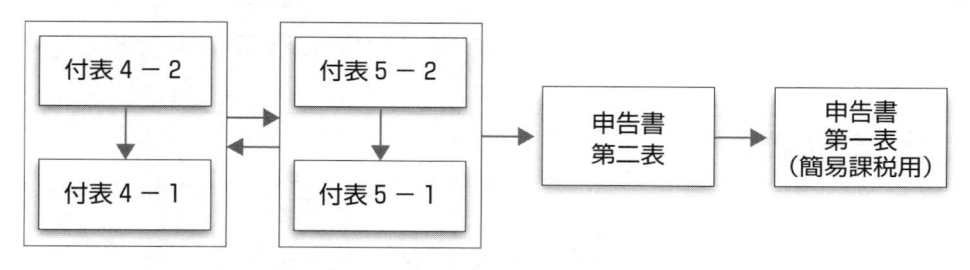

ロ　標準税率10%又は軽減税率8％が適用された取引のみの場合

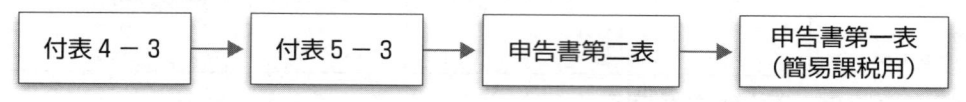

2割特例の場合（令和5年10月1日から令和8年9月30日までの日の属する各課税期間）

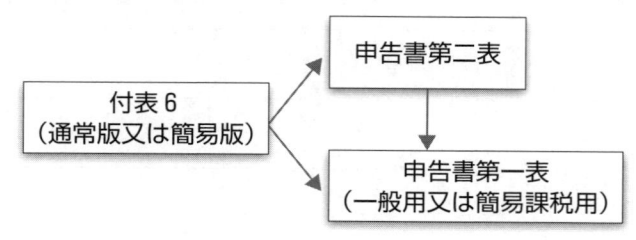

Q 1－10　還付申告をする場合の明細書の添付について

消費税の還付申告にあたり、明細書の添付はどのような場合に必要なのでしょうか。

A　課税事業者であっても、その課税期間において、国内における課税資産の譲渡等（輸出入取引等を除きます。）がなく、かつ、納付すべき消費税額がないときは、原則として確定申告書を提出する必要はありませんが、この場合でも、仕入れに係る消費税額等の還付や中間納付額の控除不足額の還付がある場合には、申告書を提出して消費税の還付を受けることができます（法46①、規22③）。

　平成24年４月から「消費税の還付申告に関する明細書」の添付が義務付けられています（法46③、規22③）。

　令和５年10月１日以後に終了する課税期間以降に提出する消費税の還付申告に関する明細書には、課税仕入れに係る事項の主な棚卸資産・原材料の取引先及び固定資産の取引先の登録番号の記載が求められ、登録番号を記載した場合には、「取引先の氏名（名称）」欄及び「取引先の住所（所在地）」欄の記載を省略しても差し支えないとされています。

1　消費税が還付になる場合

①　仕入れに係る消費税額等の控除不足額がある場合

　「仕入れに係る消費税額」、「売上対価の返還等に係る消費税額」、及び、「貸倒れに係る消費税額」の控除不足額がある場合（法52①、45①）

②　中間納付額の控除不足額がある場合（法53①、45①）

ポイント　「仕入れに係る消費税額等の控除不足額がある場合」の消費税額還付は簡易課税制度を選択している場合や免税事業者である場合には適用されません。

2　明細書の添付が必要な場合、不要な場合

①　仕入れに係る消費税額等の控除不足額がある場合

　平成24年４月１日からは、「課税売上げ等に係る事項」、「課税仕入れに係る事項」を記載する「消費税の還付申告に関する明細書」の添付が義務となっています（法46③、規22③）。

②　不要な場合

　控除不足還付税額のない申告書（中間納付還付税額のみの還付申告書）には「消費税の還付申告に関する明細書」を添付する必要はありません。

消費税の還付申告に関する明細書 (法人用)

課税期間	・ ・ ～ ・ ・

所在地	
名 称	

1 還付申告となった主な理由 （該当する事項に○印を付してください。）

	輸出等の免税取引の割合が高い	その他	
	設備投資（高額な固定資産の購入等）		

2 課税売上げ等に係る事項

(1) 主な課税資産の譲渡等（取引金額が 100 万円以上の取引を上位 10 番目まで記載してください。）　単位：千円

資 産 の 種 類 等	譲 渡 年 月 日 等	取 引 金 額 等 （税込・税抜）	取 引 先 の 氏 名 （名称）	取引先の住所（所在地）
	・ ・			
	・ ・			
	・ ・			
	・ ・			
	・ ・			
	・ ・			
	・ ・			
	・ ・			
	・ ・			
	・ ・			

※ 継続的に課税資産の譲渡を行っている取引先のものについては、当課税期間分をまとめて記載してください。
その場合、譲渡年月日等欄に「継続」と記載してください。輸出取引等は(2)に記載してください。

(2) 主な輸出取引等の明細（取引金額総額の上位 10 番目まで記載してください。）　単位：千円

取 引 先 の 氏 名 （名称）	取 引 先 の 住 所 （所在地）	取 引 金 額	主な取引商品等	所轄税関 （支署）名

輸出取引等に利用する	主な 金融機関	銀 行 金庫・組合 農協・漁協		本店・支店 出 張 所 本所・支所
		預金　口座番号		
	主な 通関業者	氏名 （名称）		
		住所（所在地）		

（1／2）

3 課税仕入れに係る事項

(1) 仕入金額等の明細

単位：千円

区　　　分		① 決　算　額 （税込・税抜）	㋺ ㋑のうち 課税仕入れに ならないもの	（㋑－㋺） 課税仕入高
損益科目	商 品 仕 入 高 等 ①			
	販売費・一般管理費 ②			
	営 業 外 費 用 ③			
	そ　　の　　他 ④			
	小　　　　計 ⑤			

区　　　分		① 資産の取得価額 （税込・税抜）	㋺ ㋑のうち 課税仕入れに ならないもの	（㋑－㋺） 課税仕入高
資産科目	固 定 資 産 ⑥			
	繰 延 資 産 ⑦			
	そ　　の　　他 ⑧			
	小　　　　計 ⑨			
課税仕入れ等の税額の合計額 ⑩		⑤＋⑨の金額に対する消費税額		

(2) 主な棚卸資産・原材料等の取得 （取引金額が100万円以上の取引を上位5番目まで記載してください。）

単位：千円

資産の 種類等	取　得 年月日等	取引金額等 （税込・税抜）	取引先の登録番号	取引先の 氏名（名称）	取引先の住所 （所在地）
	・・		T		
	・・		T		
	・・		T		
	・・		T		
	・・		T		

※1 継続的に課税資産の取得を行っている取引先のものについては、当課税期間分をまとめて記載してください。
その場合取得年月日等欄に「継続」と記載してください。
2 「取引先の登録番号」欄に登録番号を記載した場合には、「取引先の氏名（名称）」欄及び「取引先の住所（所在地）」欄の記載を省略しても差し支えありません（以下(3)において同じ）。

(3) 主な固定資産等の取得 （1件当たりの取引金額が100万円以上の取引を上位10番目まで記載してください。）

単位：千円

資産の 種類等	取　得 年月日等	取引金額等 （税込・税抜）	取引先の登録番号	取引先の 氏名（名称）	取引先の住所 （所在地）
	・・		T		
	・・		T		
	・・		T		
	・・		T		
	・・		T		
	・・		T		
	・・		T		
	・・		T		
	・・		T		
	・・		T		

4 当課税期間中の特殊事情 （顕著な増減事項等及びその理由を記載してください。）

登録番号の記載欄が
新設されています。

（2／2）

第2章

インボイス制度の要件、諸手続き、注意点

Q 2-1 インボイス制度導入前の問題点とインボイス制度導入による変化

インボイス制度導入の経緯と狙いについて教えてください。

A 我が国では、平成元年4月の消費税導入当時から、仕入税額控除の方法について、EU諸国で採用されていたインボイス方式ではなく、請求書等保存方式が採用されました。請求書等保存方式は、帳簿及び請求書等の保存を仕入税額控除の要件とするものです。請求書等の記載事項は、①発行者の氏名又は名称、②取引年月日、③取引内容、④対価の額、⑤書類の交付を受ける者の氏名又は名称の5項目でした。

その後、令和元年10月に複数税率制度が実施されることとなったことに伴い、軽減税率の対象と標準税率の対象を明確にする必要が生じたため、区分記載請求書等保存方式に移行しました（平28改所法等附34②）。区分記載請求書等保存方式は、帳簿及び区分記載請求書等の保存を仕入税額控除の要件とするものです。区分記載請求書等の記載事項は、上記の5項目中、③に軽減税率の対象品目である旨、④に税率ごとに合計した対価の額が追加されました。

請求書等保存方式、区分記載請求書等保存方式は、いずれも請求書等の発行者が課税事業者であるか免税事業者であるかに関わらず、一定事項を記載した請求書等の保存のみで仕入税額控除ができたため、消費者が負担した消費税の一部が徴収できないことが問題とされてきました。

上記の問題を解消するため、令和5年10月から適格請求書（インボイス）等保存方式が導入されました。

インボイス制度導入後は、帳簿及びインボイス等の保存が仕入税額控除の要件となります。インボイスの記載事項では、区分記載請求書等の④「税率ごとに合計した課税資産の譲渡等の税込価額」が、インボイスの④「税率ごとに区分した課税資産の譲渡等の税抜価額又は税込価額の合計額及び適用税率」と⑤「税率ごとに区分した消費税額等」に変更されました。

インボイス制度の導入により、下記の効果が見込めるため、事業者間の取引においては免税事業者の益税問題は解消することになります。

① 免税事業者がインボイス発行事業者として登録することで課税事業者となり、消費税を納税するようになる。

② 免税事業者がインボイス発行事業者として登録しなかった場合、免税事業者から仕入れを行った課税事業者が仕入税額控除できないので、仕入税額相当額を納付することになる。

○　請求書等保存方式、区分記載請求書等保存方式及びインボイス等保存方式の請求書等の記載事項の比較（法30⑨、法57の4①、旧法30⑨、平28改所法等附34②）

請求書等保存方式 （令和元年9月30日まで）	区分記載請求書等保存方式 （令和元年10月1日から 令和5年9月30日までの間）	インボイス等保存方式 （令和5年10月1日から）
①　書類の作成者の氏名又は名称 ②　課税資産の譲渡等を行った年月日 ③　課税資産の譲渡等に係る資産又は役務の内容	①　書類の作成者の氏名又は名称 ②　課税資産の譲渡等を行った年月日 ③　課税資産の譲渡等に係る資産又は役務の内容 （課税資産の譲渡等が軽減対象資産の譲渡等である場合には、資産の内容及び軽減対象資産の譲渡等である旨）	①　インボイス発行事業者の氏名又は名称及び登録番号 ②　課税資産の譲渡等を行った年月日 ③　課税資産の譲渡等に係る資産又は役務の内容 （課税資産の譲渡等が軽減対象課税資産の譲渡等である場合には、資産の内容及び軽減対象課税資産の譲渡等である旨）
④　課税資産の譲渡等の税込価額	④　税率ごとに合計した課税資産の譲渡等の税込価額	④　税率ごとに区分した課税資産の譲渡等の税抜価額又は税込価額の合計額及び適用税率 ⑤　税率ごとに区分した消費税額等
⑤　書類の交付を受ける当該事業者の氏名又は名称	⑤　書類の交付を受ける当該事業者の氏名又は名称	⑥　書類の交付を受ける当該事業者の氏名又は名称

（注1）　区分記載請求書等保存方式の下では、請求書等保存方式における請求書等の記載事項に下線（実線）部分が追加されています。

（注2）　インボイス等保存方式の下では、区分記載請求書等の記載事項に下線（点線）部分が追加・変更されています。

（インボイスQ＆A問54を基に作成）

Q 2-2 インボイス発行事業者に登録するかどうかの判断基準

インボイス発行事業者に登録するかどうかの判断基準について教えてください。

A 消費税の課税事業者であるか免税事業者であるかに関わらず、インボイス発行事業者に登録するかどうかは任意ですが、あなたが登録しなかった場合、顧客（売上先）にどういう影響があるかを理解しておく必要があります。

1 顧客が課税事業者（一般課税）である場合

顧客が消費税の課税事業者であって、一般課税で消費税を計算している場合は、インボイス発行事業者の登録をしていない者からの課税仕入れについては、仕入税額控除が制限(注)されますので、売上先の納付すべき消費税が増加します。

(注) 令和5年10月1日～令和8年9月30日　　　20%仕入税額控除不可
　　　令和8年10月1日～令和11年9月30日　　50%仕入税額控除不可
　　　令和11年10月1日～　　　　　　　　　全額仕入税額控除不可

顧客から消費税の負担増に相当する値引き交渉を持ちかけられる可能性や取引が停止となる危険性がある場合には、インボイス発行事業者に登録することを検討する必要があります。あるいは、インボイス発行事業者の登録をする代わりに従来の取引価額にあなたが負担することとなる消費税相当額を上乗せする交渉をすることも選択肢となります。

2 顧客の大半が一般消費者である場合

食料品小売業、飲食業、美容院、クリーニング業その他のサービス業など顧客のほとんどが一般消費者である業種は多くあります。一般消費者は消費税の納税義務者でないため、インボイスを必要としません。よって、これらの業種を営む事業者は、インボイス発行事業者に登録しないことも考えられます。

しかし、何らかの理由で、顧客がインボイスを必要とする場合もありますので、あなたが消費税の課税事業者であるときは、インボイス発行事業者に登録し、いつでも顧客の求めに応じてインボイスを発行できるようにしておくことが無難と思われます。

インボイス発行事業者として具体的に何を行えばよいか教えてください。

 1 売り手としての準備

(1) インボイスを発行する準備

　インボイスは、納品書、請求書、領収書、レシートなど名称は問いません。現在、顧客に発行している書類にどのようなものがあるか確認し、どの書類をもってインボイスとするか決める必要があります。

　なお、インボイスには下記の記載事項が定められています。現在交付している書類をどのように改訂すれば要件を満たすかを確認します。

---

① 　インボイス発行事業者の氏名又は名称及び登録番号

② 　課税資産の譲渡等を行った年月日

③ 　課税資産の譲渡等に係る資産又は役務の内容（課税資産の譲渡等が軽減対象課税資産の譲渡等である場合には、資産の内容及び軽減対象課税資産の譲渡等である旨）

④ 　課税資産の譲渡等の税抜価額又は税込価額を税率ごとに区分して合計した金額及び適用税率(注1)

⑤ 　税率ごとに区分した消費税額等(注2)

⑥ 　書類の交付を受ける事業者の氏名又は名称

(注1)　あなたが販売する商品が軽減税率の対象とならないもののみであれば、10％対象の税抜金額又は税込金額の合計額を記載すればよく、「8％対象　0円」といった記載は不要です。ただし適用税率が10％である旨の記載は省略できません。

(注2)　インボイスに記載する消費税額を計算する場合の端数処理は、税率ごとに1回だけとされています（令70の10、基通1−8−15）。

(注3)　顧客が仕入明細書等を発行する場合

　あなたが顧客に請求書を発行する代わりに、顧客が仕入明細書、支払通知書などを作成している場合に、これらの書類がインボイスの記載事項の要件を満たしているときは、売上先は、これらの書類をインボイスとして仕入税額控除を適用することもできますので、あなたが顧客にインボイスを交付する必要はありません。

(2) インボイス等の写しの保存方法や売上税額の計算方法を検討

　写しの保存は、コピーに限られません。電子データや一覧表形式、ジャーナル、複写式の控えなども認められます。

　売上税額の計算方法は、割戻し計算と積上げ計算があります（**Q** 1−4参照）。

(3) 価格の見直し

　免税事業者の中には、商品やサービスの価格に消費税相当額を加算せずに請求してきた

事業者もいると思われます。そのような場合には、インボイス発行事業者に登録したことを機に消費税を加味した請求を行うことを検討します。

2 買い手としての準備

(1) 仕入先との交渉

仕入先がインボイス発行事業者に登録していない場合は、登録を促すか又は必要に応じて価格の見直し等を相談することが考えられます。ただし、交渉の仕方や内容によっては独占禁止法や下請法に違反することを理解しておく必要があります（**Q** 5－2参照）。

(2) インボイス等の保存方法等を検討

請求書を、登録番号のありなしで区分して管理できるようにすることが重要です。

免税事業者からの課税仕入れに係る経過措置（80％・50％控除）の適用を受けるには、区分記載請求書等の保存が必要です。

(3) 帳簿への記載方法や仕入税額の計算方法を検討

インボイス制度施行後も帳簿の記載事項は、原則として、変わりません。

ただし、インボイス保存を不要とする特例や免税事業者からの課税仕入れに係る経過措置の適用を受ける場合、その旨の記載が必要です。

仕入税額の計算方法は、積上げ計算と割戻し計算があります（**Q** 6－10参照）。

(4) 特例や経過措置の適用を検討

① 3万円未満の公共交通機関や従業員に支払う日当や出張旅費、通勤手当などインボイスの保存が不要となる特例があります（**Q** 4－4、**Q** 4－11、**Q** 4－12参照）。

② 基準期間における課税売上高が1億円以下である事業者は、令和11年9月30日までは、税込み1万円未満の取引については帳簿のみの保存で仕入税額控除が受けられるため、インボイスの保存が不要となります（**Q** 4－13参照）。

③ 免税事業者がインボイス制度施行に伴いインボイス発行事業者に登録し課税事業者となった場合は、2割特例の適用や簡易課税制度の選択を検討します。

A 1 免税事業者の場合

(1) 令和5年10月2日から令和11年9月30日までの登録希望日から登録を受ける場合

免税事業者は令和5年10月1日から令和11年9月30日までの日の属する課税期間中において、令和5年10月1日後に登録を受ける場合は、「適格請求書発行事業者の登録申請書」（以下 第2章 において「登録申請書」といいます。）に登録希望日（提出日から15日以降の任意の日）を記載することで、その登録希望日から課税事業者となる経過措置が設けられています（平28改所法等附44④、平30改令附15②、基通21-1-1）。

税務署長による登録が完了した日が登録希望日後となった場合であっても、登録希望日に登録を受けたものとみなされます（平30改令附15③）。

なお、この経過措置の適用を受ける登録日の属する課税期間が令和5年10月1日を含まない場合は、登録日の属する課税期間の翌課税期間から登録日以後2年を経過する日の属する課税期間までの各課税期間については免税事業者に戻ることはできません（平28改所法等附44⑤）。

(2) 令和11年10月1日以後に開始する課税期間の初日から登録を受ける場合

免税事業者が(1)の経過措置の期間経過後に登録を受ける場合については、原則どおり、「消費税課税事業者選択届出書」（以下「課税選択届出書」といいます。）を提出し、課税事業者となる必要があります。

なお、免税事業者が課税事業者となることを選択した課税期間の初日から登録を受けようとする場合は、その課税期間の初日から起算して15日前の日までに、登録申請書を提出しなければなりません（法57の2②、令70の2）。

2 課税事業者の場合

課税事業者は、課税期間の途中であっても登録申請書を提出し登録を受けることができます。登録の効力は登録日から生じます。ただし、登録申請書に登録希望日を記載できるのは免税事業者のみの経過措置ですので、課税事業者は登録日を指定することはできません。

3 新規開業の個人事業者及び新たに設立された法人

開業日の属する課税期間の末日までに登録申請書を提出した場合は、その課税期間の初日に登録を受けたものとみなされます（令70の4、規26の4）。

なお、インボイス発行事業者の登録を受けることができるのは課税事業者に限られますので、免税事業者である新規開業の個人事業者や新設法人が、事業開始と同時にインボイス発行事業者に登録するためには、まず、開業日の属する課税期間の末日までに課税選択届出書を提出し、課税事業者となることが必要です（法9④、令20一）。

ただし、令和5年10月1日から令和11年9月30日までの日の属する課税期間中にインボイス発行事業者の登録を受ける場合は、経過措置が適用されるため、課税選択届出書の提出は要しません。

Q 2-5　インボイス発行事業者の登録申請書

インボイス発行事業者の登録申請書の書き方を教えてください。

A インボイス発行事業者の登録を受けようとする事業者は、納税地の所轄税務署長に登録申請書を提出します（法57の2②、基通1-7-1）。

国内事業者向けの登録申請書としては、第1-(1)様式（令和3年10月1日から令和5年9月30日まで提出用）、第1-(3)様式（令和5年10月1日から令和12年9月29日まで提出用）、第1-(5)様式（令和12年9月30日以降提出用）が用意されていますが、ここでは第1-(3)様式を例に解説します。

(1)　事業者区分

登録申請書を提出する時点における区分（課税事業者、免税事業者、新規開業の個人事業者又は新設法人など）に応じて当てはまるものにチェックします。

(2)　免税事業者の確認

登録申請書を提出する時点において免税事業者である事業者は該当する欄にチェックし、必要事項を記載します。どれを選択するかで登録日が異なります。

(3)　登録要件の確認

課税事業者であること、納税管理人を必要としない（又は適正に届出をしている）、消費税法違反で罰金以上の刑に処せられたことがないなど、登録要件の判定を行います。

(4)　相続による事業承継の確認

相続により事業を承継した相続人がインボイス発行事業者の登録を受ける場合に、必要事項を記入します。

第1－(3)号様式

適格請求書発行事業者の登録申請書

【1／2】

収受印			
令和　　年　　月　　日	申請者	（フリガナ） 住所又は居所 （法人の場合） 本店又は主たる事務所の所在地	（〒　　　－　　　） （法人の場合のみ公表されます） （電話番号　　　－　　　－　　　）
		（フリガナ） 納　税　地	（〒　　　－　　　） （電話番号　　　－　　　－　　　）
		（フリガナ） 氏名又は名称	◎
		（フリガナ） （法人の場合） 代表者氏名	
＿＿＿＿＿　税務署長殿		法　人　番　号	

　この申請書に記載した次の事項（ ◎ 印欄）は、適格請求書発行事業者登録簿に登載されるとともに、国税庁ホームページで公表されます。
1　申請者の氏名又は名称
2　法人（人格のない社団等を除く。）にあっては、本店又は主たる事務所の所在地
　なお、上記1及び2のほか、登録番号及び登録年月日が公表されます。
　また、常用漢字等を使用して公表しますので、申請書に記載した文字と公表される文字とが異なる場合があります。

　下記のとおり、適格請求書発行事業者としての登録を受けたいので、消費税法第57条の2第2項の規定により申請します。

事　業　者　区　分	この申請書を提出する時点において、該当する事業者の区分に応じ、□にレ印を付してください。 ※　次葉「登録要件の確認」欄を記載してください。また、免税事業者に該当する場合には、次葉「免税事業者の確認」欄も記載してください（詳しくは記載要領等をご確認ください。）。
	□　課税事業者（新たに事業を開始した個人事業者又は新たに設立された法人等を除く。）
	□　免税事業者（新たに事業を開始した個人事業者又は新たに設立された法人等を除く。）
	□　新たに事業を開始した個人事業者又は新たに設立された法人等

		課税期間の初日
□　事業を開始した日の属する課税期間の初日から登録を受けようとする事業者 ※　課税期間の初日が令和5年9月30日以前の場合の登録年月日は、令和5年10月1日となります。		令和　　年　　月　　日
□　上記以外の課税事業者		
□　上記以外の免税事業者		

税　理　士　署　名	
	（電話番号　　　－　　　－　　　）

注意　1　記載要領等に留意の上、記載してください。
　　　2　税務署処理欄は、記載しないでください。
　　　3　この申請書を提出するときは、「適格請求書発行事業者の登録申請書（次葉）」を併せて提出してください。

第1-(3)号様式次葉

国内事業者用

適格請求書発行事業者の登録申請書（次葉）

【2／2】

氏 名 又 は 名 称	

この申請書は、令和五年十月一日から令和十二年九月二十九日までの間に提出する場合に使用します。

該当する事業者の区分に応じ、□にレ印を付し記載してください。

免税事業者の確認

□ 令和11年9月30日までの日の属する課税期間中に登録を受け、所得税法等の一部を改正する法律（平成28年法律第15号）附則第44条第4項の規定の適用を受けようとする事業者
※ 登録開始日から納税義務の免除の規定の適用を受けないこととなります。

個 人 番 号			
事業内容等	生年月日（個人）又は設立年月日（法人）	1明治・2大正・3昭和・4平成・5令和 年　　　月　　　日	法人のみ記載

法人のみ記載	事業年度	自　　月　　日 至　　月　　日
	資 本 金	円

事 業 内 容		登録希望日	令和　　年　　月　　日

□ 消費税課税事業者（選択）届出書を提出し、納税義務の免除の規定の適用を受けないこととなる翌課税期間の初日から登録を受けようとする事業者
※ この場合、翌課税期間の初日から起算して15日前の日までにこの申請書を提出する必要があります。

翌課税期間の初日
令和　　年　　月　　日

□ 上記以外の免税事業者

登録要件の確認

課税事業者です。 ※ この申請書を提出する時点において、免税事業者であっても、「免税事業者の確認」欄のいずれかの事業者に該当する場合は、「はい」を選択してください。	□ はい □ いいえ
納税管理人を定める必要のない事業者です。 （「いいえ」の場合は、次の質問にも答えてください。）	□ はい □ いいえ

納税管理人を定めなければならない場合（国税通則法第117条第1項）
【個人事業者】　国内に住所及び居所（事務所及び事業所を除く。）を有せず、又は有しないこととなる場合
【法人】　国内に本店又は主たる事務所を有しない法人で、国内にその事務所及び事業所を有せず、又は有しないこととなる場合

納税管理人の届出をしています。 [「はい」の場合は、消費税納税管理人届出書の提出日を記載してください。 消費税納税管理人届出書　（提出日：令和　　年　　月　　日）]	□ はい □ いいえ
消費税法に違反して罰金以上の刑に処せられたことはありません。 （「いいえ」の場合は、次の質問にも答えてください。）	□ はい □ いいえ
その執行を終わり、又は執行を受けることがなくなった日から2年を経過しています。	□ はい □ いいえ

相続による事業承継の確認

相続により適格請求書発行事業者の事業を承継しました。 （「はい」の場合は、以下の事項を記載してください。）				□ はい □ いいえ

適格請求書発行事業者の死亡届出書	提出年月日	令和　　年　　月　　日	提出先税務署	税務署

被相続人	死亡年月日	令和　　年　　月　　日
	（フリガナ）	
	納 税 地	（〒　　－　　　）
	（フリガナ）	
	氏 名	
	登 録 番 号	T

参考事項	

インボイス発行事業者の通知書について教えてください。

 インボイス発行事業者の登録の通知は、申請時の選択により e-Tax の通知書等一覧に電子データで格納されるか又は書面で郵送されます。

　書面で郵送された登録通知書は原則として再発行されないため、大切に保管しておくことが必要です。法人の登録番号は「T＋法人番号」ですので、通知書を紛失しても番号がわからなくなることはありませんが、個人事業者の登録番号は新しく発行される番号（マイナンバーとは異なります。）なので、通知書を紛失すると推測することができません。

　万が一、通知書を紛失して番号がわからなくなってしまった場合は、各国税局のインボイス登録センターに連絡をすれば、登録番号を確認することができます。

　なお、登録番号は「T＋数字13桁」で構成されています（基通1−7−2）。

　比較的早い時期にインボイス発行事業者の登録を行った場合、登録番号には「T1−2345−6789−0123」のように4桁ごとにハイフンが入っていましたが、現在の通知書では「T1234567890123」と表記されています。

　ハイフン入りの方が読みやすいと思いますが、通達で登録番号は「T」（ローマ字）＋数字13桁とされているため、表記が修正されたものと思われます。余談ですが、筆者は早々と登録しハイフン入りの番号でゴム印を作ってしまいましたが、今さら作り直すわけにもいかないですし、ハイフン入りでも有効な登録番号として取り扱われますので、そのまま使用する予定です。

Q 2−7 インボイス発行事業者の公表サイト

インボイス発行事業者の公表サイトについて教えてください。

A インボイス発行事業者の情報は、「国税庁適格請求書発行事業者公表サイト」(以下「公表サイト」といいます。)にて公表されます(法57の2④⑪、令70の5②)。

公表サイトは、登録番号から事業者名を検索することで、取引先から受領した請求書等に記載されている番号が、登録番号として有効なものか確認することができます。

また、取引先がインボイス発行事業者かどうかを調べる手段としても活用できます。法人の登録番号はT+法人番号であるため、法人番号を公表サイトの登録番号の欄に入力すれば、インボイス発行事業者に登録済みか確認できます。ただし、この方法は法人でしか使うことができず、取引先が個人事業者の場合は、氏名や屋号をもってインボイス発行事業者かどうかを公表サイトで調査することはできません。

公表される事項は下記のとおりです(法57の2④⑪、令70の5①)。

(1) 法人

① 法人名
② 本店又は主たる事務所の所在地
③ 登録番号
④ 登録年月日
⑤ 登録取消(失効)年月日

(2) 個人事業者

① 氏名
② 登録番号
③ 登録年月日
④ 登録取消(失効)年月日
⑤ 主たる屋号(注)
⑥ 主たる事務所の所在地等(注)

(注) 事業者自身から公表の申出があった場合に限り公表されます。

個人事業者が、⑤主たる屋号、⑥主たる事務所の所在地等の公表を希望する場合は、「適格請求書発行事業者の公表事項の公表(変更)申出書」を所轄税務署長に提出します。

適格請求書発行事業者の公表事項の公表（変更）申出書

<table>
<tr><td rowspan="6">令和　年　月　日

収受印

＿＿＿＿　税務署長殿</td><td rowspan="6">申

出

者</td><td>（フリガナ）</td><td></td></tr>
<tr><td>納　税　地</td><td>（〒　　－　　）

（電話番号　　　－　　　－　　　）</td></tr>
<tr><td>（フリガナ）</td><td></td></tr>
<tr><td>氏　名　又　は
名　称　及　び
代　表　者　氏　名</td><td></td></tr>
<tr><td>法　人　番　号</td><td>※　個人の方は個人番号の記載は不要です。</td></tr>
<tr><td>登　録　番　号</td><td>T</td></tr>
</table>

国税庁ホームページの公表事項について、下記の事項を追加（変更）し、公表することを希望します。

<table>
<tr><td rowspan="8">新たに公表する事項</td><td colspan="4">新たに公表を希望する事項の□にレ印を付し記載してください。</td></tr>
<tr><td rowspan="5">個人事業者</td><td colspan="3">□ 主 た る 屋 号　（フリガナ）</td></tr>
<tr><td colspan="3">［複数ある場合　任意の一つ］</td></tr>
<tr><td colspan="3">□ 主 た る 事 務 所　の 所 在 地 等　（フリガナ）</td></tr>
<tr><td colspan="3">［複数ある場合　任意の一箇所］</td></tr>
<tr><td colspan="3">□ 通称
□ 旧姓（旧氏）氏名
［住民票に併記されている通称又は旧姓(旧氏)に限る］</td></tr>
<tr><td></td><td></td><td>いずれかの□にレ印を付し、通称又は旧姓(旧氏)を使用した氏名を記載してください。
□ 氏名に代えて公表　（フリガナ）
□ 氏名と併記して公表</td></tr>
<tr><td>人格のない社団等</td><td colspan="3">□ 本店又は主たる事務所の所在地　（フリガナ）</td></tr>
</table>

<table>
<tr><td rowspan="5">変更の内容</td><td colspan="2">既に公表されている上記の事項について、公表内容の変更を希望する場合に記載してください。</td></tr>
<tr><td>変　更　年　月　日</td><td>令和　　　年　　　月　　　日</td></tr>
<tr><td>変　更　事　項</td><td>（個人事業者）　□ 屋号　□ 事務所の所在地等　□ 通称又は旧姓(旧氏)氏名
（人格のない社団等）　□ 本店又は主たる事務所の所在地</td></tr>
<tr><td>変　更　前</td><td>（フリガナ）</td></tr>
<tr><td>変　更　後</td><td>（フリガナ）</td></tr>
</table>

※ 常用漢字等を使用して公表しますので、申出書に記載した文字と公表される文字とが異なる場合があります。

<table>
<tr><td>参　考　事　項</td><td></td></tr>
<tr><td>税　理　士　署　名</td><td>（電話番号　　　－　　　－　　　）</td></tr>
</table>

<table>
<tr><td rowspan="2">※税務署処理欄</td><td>整　理　番　号</td><td></td><td>部　門　番　号</td><td></td><td></td></tr>
<tr><td>申出年月日</td><td>　年　月　日</td><td>入力処理　　年　月　日</td><td colspan="2">番　号　確　認</td></tr>
</table>

注意　1　記載要領等に留意の上、記載してください。
　　　2　税務署処理欄は、記載しないでください。

インボイス制度

（注）「適格請求書発行事業者登録簿の登載事項変更届出書」というよく似た届出書がありますので混同しないよう注意してください。

Q 2-8 インボイス発行事業者の登録の取りやめ

インボイス発行事業者の登録を取りやめたいときはどうすればよいか教えてください。また、登録を取りやめたら免税事業者になりますでしょうか。

A インボイス発行事業者が、「適格請求書発行事業者の登録の取消しを求める旨の届出書」（以下「登録取消届出書」といいます。）を提出した場合には、その提出があった日の属する課税期間の末日の翌日（翌課税期間の初日）に登録の効力がなくなります（法57の2⑩一）。翌課税期間の初日から効力を失わせる場合の提出期限は、翌課税期間の初日から起算して15日前の日です（令70の5③）。例えば3月末決算の法人の場合は、3月17日が期限となります。なお、この日が土曜日又は日曜日の場合、「これらの日の翌日」が期限とはなりません。3月17日以前に提出しておく必要があります。

例1 インボイス発行事業者である法人（3月決算）が令和7年3月17日に登録取消届出書を提出した場合

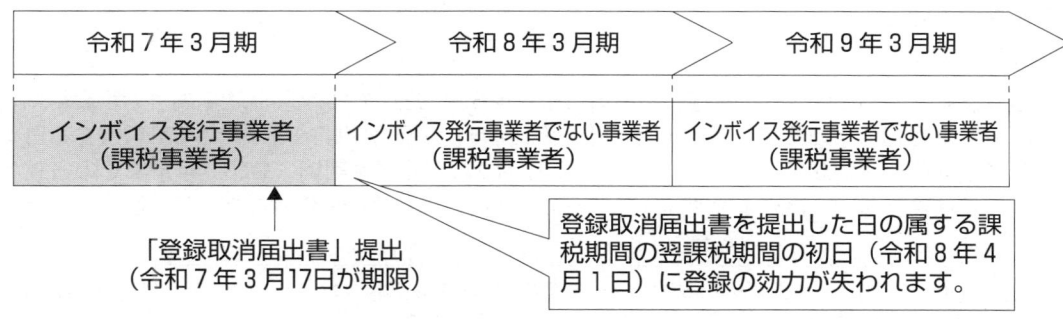

（インボイスQ＆A問13を基に作成）

例2 インボイス発行事業者である法人（3月決算）が令和7年3月25日に登録取消届出書を提出した場合（登録取消届出書を、翌課税期間の初日から起算して15日前の日を過ぎて提出した場合）

提出日が翌課税期間の初日から15日前の日よりも遅かった場合は、登録の取消しが翌々課税期間の初日となります。

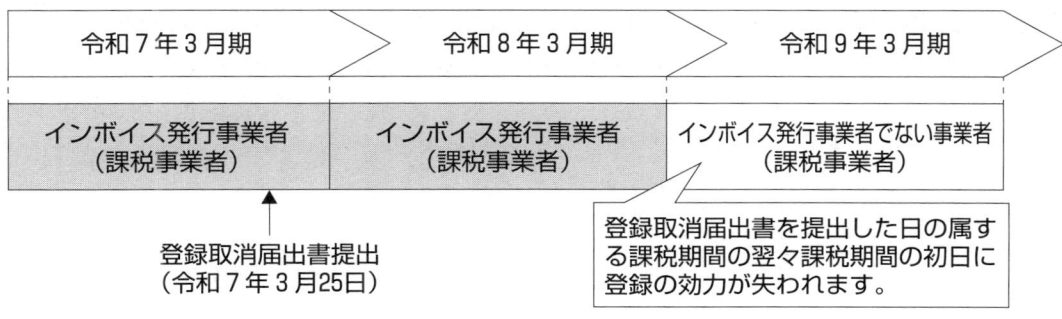

（インボイスQ＆A問13を基に作成）

なお、インボイス発行事業者の登録取消しと消費税の納税義務の有無は別問題ですので、注意が必要です。

　免税事業者が令和5年10月1日から令和11年9月30日までの日の属する課税期間中にインボイス発行事業者の登録を受ける場合は、「課税選択届出書」を提出することなく、課税事業者となる経過措置が設けられています（平28改所法等附44④、平30改令附15②、基通21－1－1）。

　この経過措置の適用を受けた事業者が、登録取消届出書を提出し、登録の取消しを受ける場合、事業者免税点制度は次のようになります。

① 　基準期間の課税売上高が1,000万円超その他の課税事業者になる要件を満たしている事業者の場合

　　インボイス発行事業者の登録をやめても、消費税の課税事業者であることに変わりはありません。

② 　事業者免税点制度の適用を受ける（受けようとする）事業者の場合

登録開始日の属する課税期間が令和5年10月1日を含む場合	登録の取消しと同時に免税事業者となります。
登録開始日（例えば、令和6年3月10日）の属する課税期間が令和5年10月1日を含まない場合	登録開始日（令和6年3月10日）の属する課税期間（令和6年）の翌課税期間（令和7年）から登録開始日以後2年を経過する日（令和8年3月9日）の属する課税期間（令和8年）までの各課税期間（要するに2年間）は、免税事業者となることはできません(注)。

（注）　令和5年10月1日の属する課税期間以外（要するに令和6年以降）に経過措置により登録を受ける場合は、課税選択届出書を提出した事業者とのバランスを図るために、いわゆる2年縛りの対象とされているのです。すなわち、インボイス制度施行に伴って、インボイス発行事業者となった者については、登録の取消しと同時に免税事業者に戻ることを許容し、自らの意思で登録日の属する課税期間が令和5年10月1日を含まないことを選択した事業者については、課税選択届出書を提出した場合に準じて取り扱うことが相当とされたのです。

　なお、課税選択届出書を提出している事業者の場合は、インボイス発行事業者の登録の効力が失われた後の課税期間について、要件を満たしたことにより事業者免税点制度の適用を受けるためには、適用を受けようとする課税期間の初日の前日までに「消費税課税事業者選択不適用届出書」を提出する必要があります。ただし、課税選択のいわゆる2年縛りや調整対象固定資産を購入した場合の提出制限期間があることに留意が必要です。

Q 2-9 事業承継した場合のインボイス発行事業者の登録

相続等で事業を承継しましたが、インボイス発行事業者の登録はどのように行えばよいか教えてください。

A インボイス発行事業者が死亡した場合、相続人は「適格請求書発行事業者の死亡届出書」（以下「死亡届出書」といいます。）を提出することになり、原則として死亡届出書の提出日の翌日又は相続のあった日の翌日から4か月を経過した日のいずれか早い日に被相続人の登録の効力が失われます（法57の3①②）。

相続人が相続により事業を承継した場合に、インボイス発行事業者の登録を受けるためには、新たに登録申請書を提出しなければなりませんが、登録申請書を提出しても審査等に一定の期間を要するため、すぐには登録されません。

事業を承継した相続人が、事業承継日から登録日までの期間中、インボイスを発行できない不都合を避けるため、相続のあった日の翌日からその相続人がインボイス発行事業者の登録を受けた日の前日又は相続のあった日の翌日から4か月を経過する日のいずれか早い日までの期間については、相続人をインボイス発行事業者とみなし、被相続人の登録番号を相続人の登録番号とみなすこととされています（以下「みなす措置」といいます。法57の3③）。

例1 令和6年3月15日に死亡した被相続人の事業を相続人が承継し、その後、令和6年6月1日に相続人がインボイス発行事業者に登録された場合

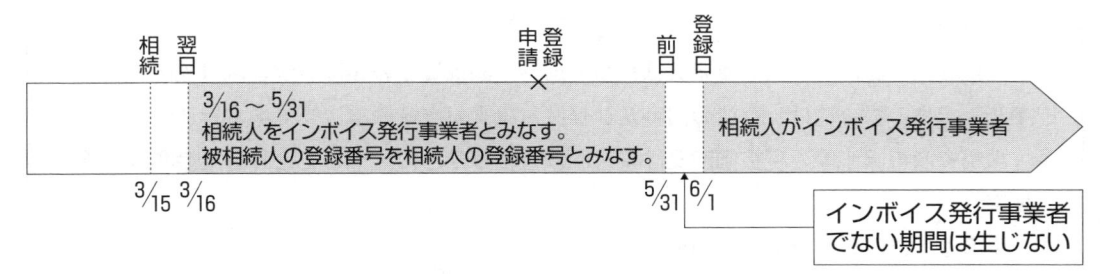

（注） 相続のあった日の翌日から4か月以内に死亡届出書が提出された場合も、みなす措置が適用される場合は、相続人の登録日の前日までは被相続人の登録は有効です（法57の3②③）。

例2 令和6年3月15日に死亡した被相続人の事業を相続人が承継したが、相続人が登録申請書を提出するのが遅れたため、登録日が相続のあった日の翌日から4月を経過する日を超えて令和6年10月1日となった場合

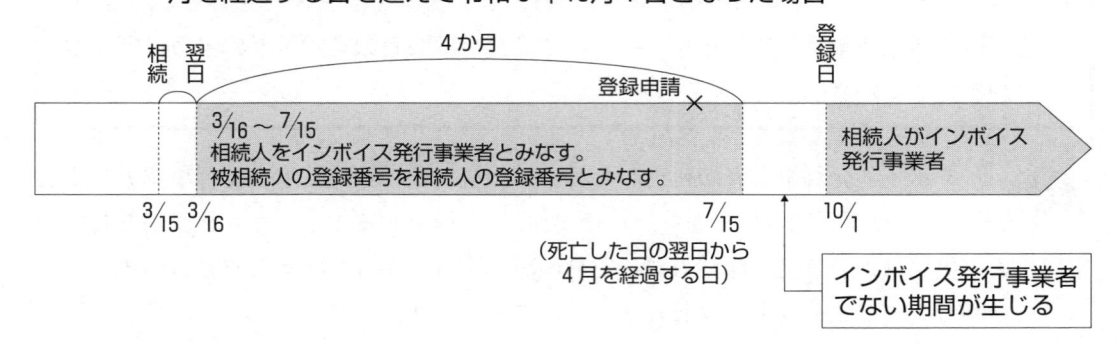

Q 2-10 インボイスの要件

インボイスの要件について教えてください。

A ① インボイス

　インボイスは法令等で様式は定められておらず、請求書、納品書、領収書、レシートなどの名称を問わず、また印刷された書類か手書きかにかかわらず、下記の必要な事項が記載されていればインボイスに該当します（法57の4①、基通1-8-1）。

---

① インボイス発行事業者の氏名又は名称(注1)及び<u>登録番号</u>

② 課税資産の譲渡等を行った年月日(注2)

③ 課税資産の譲渡等に係る資産又は役務の内容（課税資産の譲渡等が軽減対象課税資産の譲渡等である場合には、資産の内容及び軽減対象課税資産の譲渡等である旨(注3)）

④ 課税資産の譲渡等の<u>税抜価額又は税込価額を税率ごとに区分して合計した金額及び適用税率</u>

⑤ <u>税率ごとに区分した消費税額等</u>

⑥ 書類の交付を受ける事業者の氏名又は名称

（注1）　名称に代えて屋号などを記載する場合も、事業者の所在地や電話番号を記載し、事業者を特定することができれば差し支えありません（基通1-8-3）。

（注2）　年月日に代えて「〇月分」や「〇月～△月分」などの期間の記載でも差し支えありません。

（注3）　軽減対象課税資産の譲渡等である旨については、客観的に明らかであれば、個々の取引ごとに適用税率が記載されている必要はなく、以下のような方法も認められます（基通1-8-4）。

　　① 記号・番号等を使用した場合

　　② 同一インボイスの中で、税率ごとに商品を区分してインボイス等を発行する場合

　　③ 税率ごとにインボイスを分けて発行する場合

【従来の請求書】 　　　　　　　　　　　　　　　【インボイスの例】

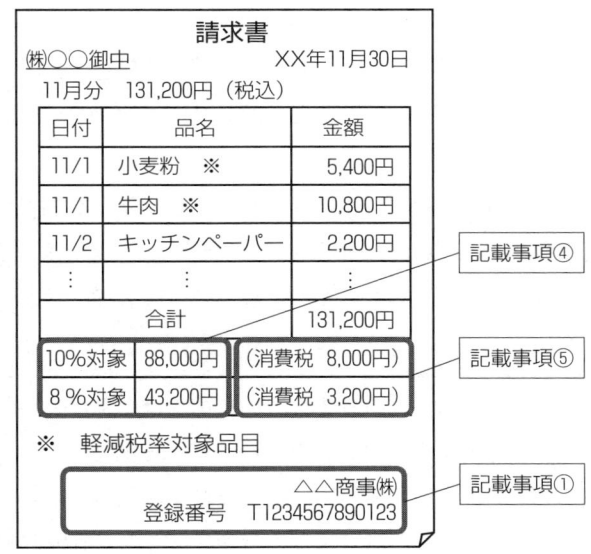

（インボイスQ＆A問54を基に作成）

　従来の請求書は区分記載請求書の要件は満たしていますが、インボイスの要件を満たすためには①のインボイス発行事業者の登録番号、⑤税率ごとに区分した消費税額等の記載を追加することが必要となります。

　なお、販売する商品が軽減税率の対象とならないもののみであれば、10％対象の税抜金額又は税込金額の合計額を記載すればよく、「８％対象　０円」といった記載は不要です。
　ただし、適用税率が10％である旨（記載事項④）及び消費税額等の記載（記載事項⑤）は省略できません。

【従来の請求書】 　　　　　　　　　　　　　　　【インボイスの例】

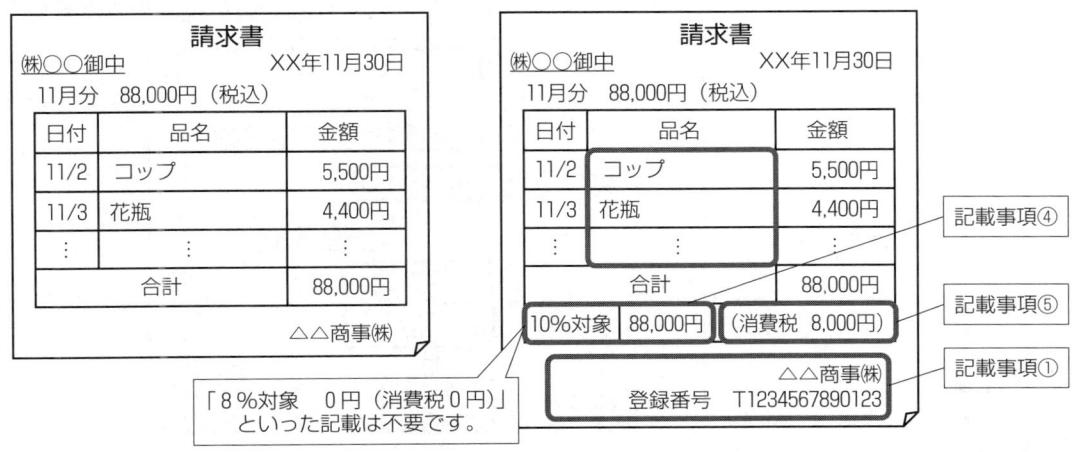

（インボイスQ＆A問74を基に作成）

65

2 簡易インボイス

　小売業、飲食店業、タクシー業など不特定かつ多数の者が顧客となる一定の事業については、インボイスに代えて簡易インボイスを交付することができます（法57の4②、令70の11）。

　簡易インボイスの記載事項は、「書類の交付を受ける事業者の氏名又は名称」の記載が不要である点、「税率ごとに区分した消費税額等又は適用税率」のいずれか一方の記載で足りる点がインボイスと異なります（消費税額等と適用税率の両方を記載しても構いません。）。

> ① インボイス発行事業者の氏名又は名称(注1)及び<u>登録番号</u>
>
> ② 課税資産の譲渡等を行った年月日(注2)
>
> ③ 課税資産の譲渡等に係る資産又は役務の内容（課税資産の譲渡等が軽減対象課税資産の譲渡等である場合には、資産の内容及び軽減対象課税資産の譲渡等である旨(注3)）
>
> ④ 課税資産の譲渡等の<u>税抜価額又は税込価額を税率ごとに区分して合計した金額</u>
>
> ⑤ <u>税率ごとに区分した消費税額等又は適用税率</u>

(注1)　名称に代えて屋号などを記載する場合も、事業者の所在地や電話番号を記載し、事業者を特定することができれば差し支えありません。

(注2)　年月日に代えて「○月分」や「○月～△月分」などの期間の記載でも差し支えありません。

(注3)　軽減対象課税資産の譲渡等である旨については、客観的に明らかであれば、個々の取引ごとに適用税率が記載されている必要はなく、以下のような方法も認められます（基通1−8−4）。

　　① 記号・番号等を使用した場合

　　② 同一インボイスの中で、税率ごとに商品を区分してインボイス等を発行する場合

　　③ 税率ごとにインボイスを分けて発行する場合

【従来の領収書】

【記載例①】

（税率ごとに区分した適用税率のみを記載）

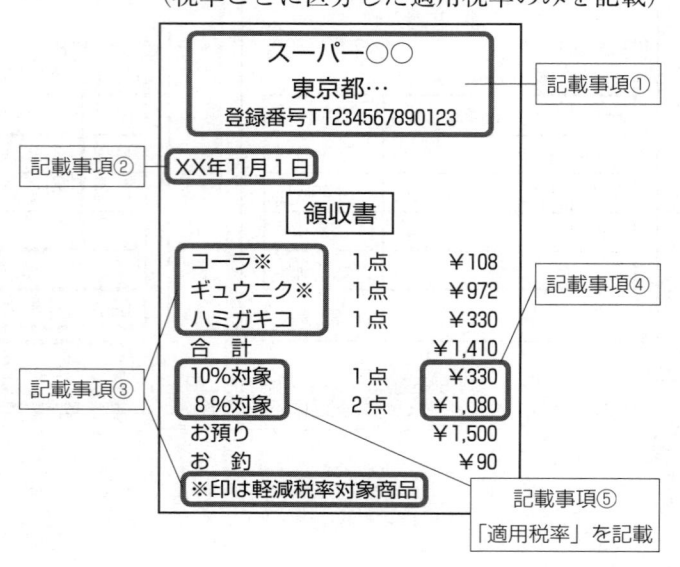

【記載例②】
（税率ごとに区分した消費税額等のみを記載）

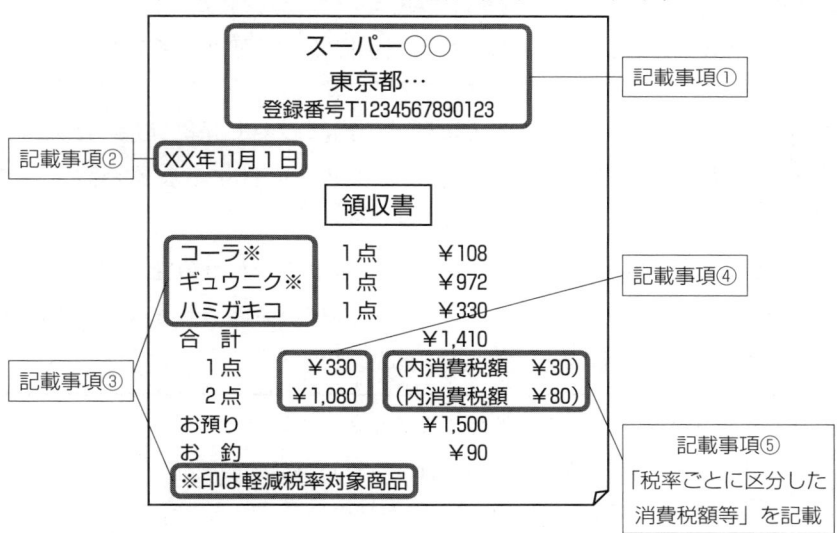

（インボイスQ＆A問58を基に作成）

　インボイスでは税率ごとに区分した消費税額等を記載する必要がありますが、簡易インボイスでは、税率ごとに区分した適用税率のみの記載で足ります。上記の従来の領収書（区分記載請求書）では、すでに税率ごとに区分した適用税率の記載があるため、【記載例①】は、インボイス発行事業者の登録番号を追加しただけで、その他は従来の領収書と同じ内容となります。

　税率ごとに区分した消費税額等を記載する場合の簡易インボイスは【記載例②】のようになります。

Q 2-11 インボイスの交付が免除される取引

インボイスの交付が免除される取引について教えてください。

A インボイス発行事業者には、国内において課税資産の譲渡等を行った場合に、相手方からの求めに応じてインボイスを交付する義務が課されています（法57の4①）。

ただし、次の取引は、インボイス発行事業者が行う事業の性質上、インボイスを交付することが困難なため、インボイスの交付義務が免除されます（令70の9②）。

【インボイスの交付義務が免除される取引】

① 3万円未満の公共交通機関による旅客の運送
② 出荷者等が卸売市場において行う生鮮食料品等の販売
  （出荷者から委託を受けた受託者が卸売の業務として行うものに限ります。）
③ 生産者が農業協同組合、漁業協同組合等に委託して行う農林水産物の販売
  （無条件委託方式かつ共同計算方式により生産者を特定せずに行うものに限ります。）
④ 3万円未満の自動販売機及び自動サービス機により行われる商品の販売等
⑤ 郵便切手類のみを対価とする郵便・貨物サービス
  （郵便ポストに差し出されたものに限ります。）

（Q 4-4〜Q 4-7、Q 4-10参照）

Q 2-12 複数の書類でインボイスの記載事項を満たす場合

複数の書類でインボイスの記載事項を満たす場合について教えてください。

A インボイスとは次の事項が記載された書類をいいますが、一つの書類ですべての記載事項を満たす必要はなく、例えば、日々の納品時に納品書を交付し、1か月分をまとめて請求書を交付する場合、必要事項が納品書と請求書に分かれて記載されていたとしても、個々の納品書と請求書の関連性が明確であれば、これら複数の書類全体としてインボイスの要件を満たします（基通1-8-1）。

【納品書と請求書を合わせてインボイスの記載事項を満たす場合の記載例】

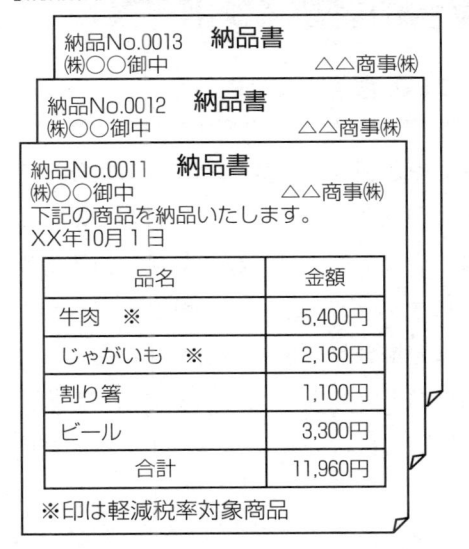

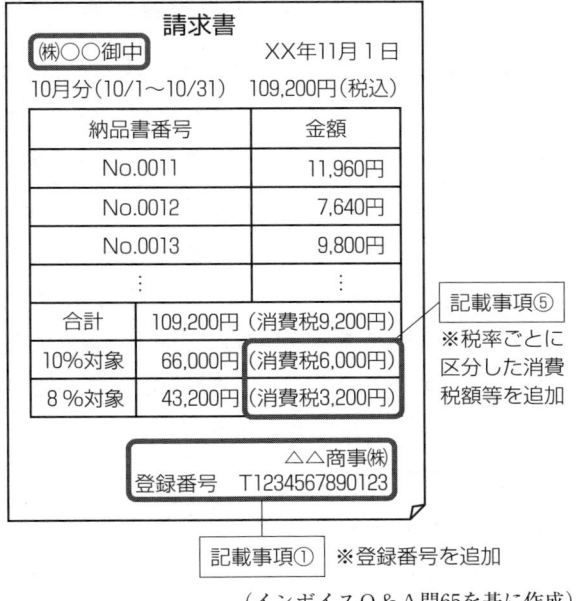

（インボイスQ＆A問65を基に作成）

【納品書】

① インボイス発行事業者の氏名又は名称

② 課税資産の譲渡等を行った年月日

③ 課税資産の譲渡等に係る資産又は役務の内容（課税資産の譲渡等が軽減対象課税資産の譲渡等である場合には、資産の内容及び軽減対象課税資産の譲渡等である旨）

④ 〔記載なし〕

⑤ 〔記載なし〕

⑥ 書類の交付を受ける事業者の氏名又は名称

【請求書】

① インボイス発行事業者の氏名又は名称及び登録番号

② 課税資産の譲渡等を行った年月日（期間）

③ 〔記載なし〕

④ 課税資産の譲渡等の税抜価額又は税込価額を税率ごとに区分して合計した金額及び適用税率

⑤ 税率ごとに区分した消費税額等

⑥ 書類の交付を受ける事業者の氏名又は名称

値引きや返品があった場合の返還インボイスについて教えてください。

A　インボイス発行事業者が、課税事業者に返品や値引き等の売上げに係る対価の返還等を行う場合は、返還インボイスの交付義務が課されています（法57の4③）。

ただし、インボイスの交付義務が免除される取引について売上げに係る対価の返還等があった場合は、返還インボイスの交付義務が免除されます（令70の9③、**Q** 2−11参照）。

売上げに係る対価の返還等は、売上金額の返還又は売掛金等の債権の額の減額を行うことを指します（法38①）が、買い手が振込手数料相当額を差し引いて代金を支払った場合も売り手が売掛金債権の減額を行ったことになり、原則的には売り手に返還インボイスの交付義務が発生することとなってしまいます。

買い手が振込手数料を差し引く度に返還インボイスを交付することは、実務上困難であると問題視されていたところ、インボイス制度施行前の令和5年度税制改正において、売上げに係る対価の返還等に係る税込価額が1万円未満である場合には、その返還インボイスの交付義務が免除されることになりました（法57の4③、令70の9③二）。

売上げに係る対価の返還等が1万円未満であるかどうかの判定は、対象となる請求や債権の単位ごとに減額した金額により判定することとなります。

① 100,000円の請求に対し、買い手は振込手数料相当額440円を減額した99,560円を支払い、売り手は、440円を対価の返還等として処理した場合は、1万円未満の対価の返還等であり、返還インボイスの交付義務は免除されます。

② 20,000円の商品を20個販売して400,000円を請求したが、商品1個当たり100円のリベート（合計20,000円）を後日支払った場合は、1万円以上の対価の返還等であり、返還インボイスの交付義務は免除されないこととなります。400,000円の請求の中に標準税率の対象商品と軽減税率の対象商品が混在していたとしても、債権の単位ごとに判定するため、結果は同じです。

Q 2−14 返還インボイスの記載事項

返還インボイスの記載事項について教えてください。

A 返還インボイスの記載事項は、下記のとおりです（法57の4③）。

返還インボイスの記載事項は簡易インボイスの記載事項を基礎としており、異なる箇所は下記の2つです。

② 売上げに係る対価の返還等の基となった課税資産の譲渡等を行った年月日を記載する。

⑤ 消費税額を記載する際に、税率ごとの区分を求められない。

なお、売上げに係る対価の返還等に係る税込価額が1万円未満である場合には、返還インボイスの交付義務が免除されます（法57の4③、令70の9③二、Q 2−13参照）。

【返還インボイスの記載事項】

① インボイス発行事業者の氏名又は名称及び登録番号
② 売上げに係る対価の返還等を行う年月日及び<u>その基となった課税資産の譲渡等を行った年月日</u>
③ 売上げに係る対価の返還等の基となる課税資産の譲渡等に係る資産又は役務の内容（課税資産の譲渡等が軽減対象課税資産の譲渡等である場合には、資産の内容及び軽減対象課税資産の譲渡等である旨）
④ 売上げに係る対価の返還等の税抜価額又は税込価額を税率ごとに区分して合計した金額
⑤ 売上げに係る対価の返還等の金額に係る<u>消費税額等又は適用税率</u>

（参考）簡易インボイスの記載事項

① インボイス発行事業者の氏名又は名称及び登録番号
② 課税資産の譲渡等を行った年月日
③ 課税資産の譲渡等に係る資産又は役務の内容（課税資産の譲渡等が軽減対象課税資産の譲渡等である場合には、資産の内容及び軽減対象課税資産の譲渡等である旨）
④ 課税資産の譲渡等の税抜価額又は税込価額を税率ごとに区分して合計した金額
⑤ <u>税率ごとに区分した消費税額等又は適用税率</u>

（注） ②の「その基となった課税資産の譲渡等を行った年月日」は、年月日に代えて「○月分」「○月〜△月分」などの期間の記載でも認められます。また、返品等の処理を合理的な方法により継続して行っている場合は、前月末日と記載しても認められます。

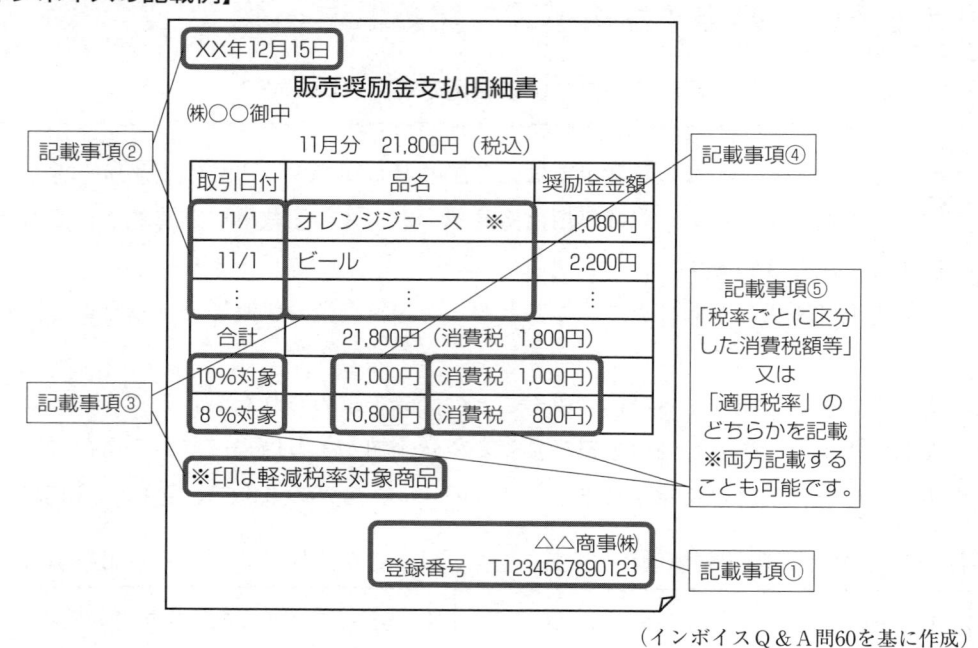

（インボイスQ＆A問60を基に作成）

Ｑ 2−15　インボイスの修正を行う場合の注意点

インボイスの修正を行う場合の注意点を教えてください。

Ａ　インボイス発行事業者は、顧客に交付したインボイス等の記載事項に誤りがあったときは、顧客に対して、修正したインボイス等を交付しなければなりません（法57の4④⑤）。

［1］　交付したインボイスの記載事項に誤りがあった場合

　買い手である課税事業者に対して、修正したインボイス、簡易インボイス又は返還インボイスを交付しなければなりません（法57の4④⑤）。この交付方法としては、①誤りがあった事項を修正し、改めて記載事項のすべてを記載したものを交付する方法と、②当初に交付したものとの関連性を明らかにし、修正した事項を明示したものを交付する方法が考えられます。

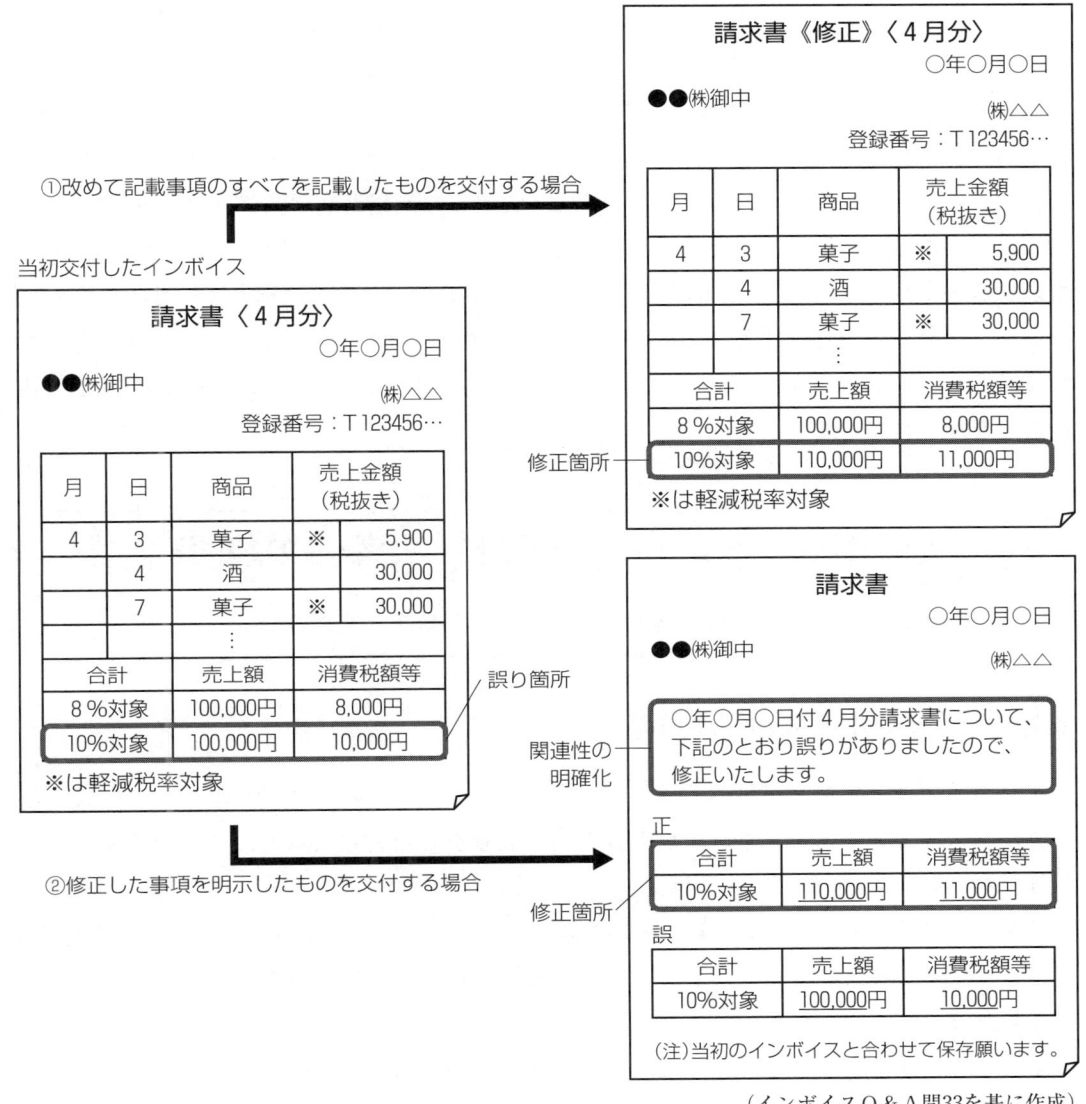

（インボイスQ＆A問33を基に作成）

2　交付を受けたインボイスの記載事項に誤りがあった場合

(1)　再交付の求め

　買い手である課税事業者は、交付を受けたインボイス又は簡易インボイス（電磁的記録により提供を受けた場合も含みます。）の記載事項に誤りがあったときは、売り手であるインボイス発行事業者に対して修正したインボイス又は簡易インボイスの交付を求め、その交付を受けることにより、修正したインボイス又は簡易インボイスを保存する必要があります（自ら追記や修正を行うことはできません。）。

(2)　仕入明細書等の交付等とその確認による対応

　実務に配慮して、買い手においてインボイスの記載事項の誤りを修正した仕入明細書等

を作成し、売り手であるインボイス発行事業者の確認を受けた上で、その仕入明細書等を保存する方法も認められます。この場合は、売り手であるインボイス発行事業者は、改めて修正したインボイス、簡易インボイス又は返還インボイスを交付する必要はありません。

さらに、取引先に電話等で修正事項を伝え、取引先が保存しているインボイスの写しに同様の修正を行ってもらう場合については、「受領した適格請求書に買手が自ら修正を加えたものであったとしても、その修正した事項について売手に確認を受けることで、その書類は適格請求書であるのと同時に修正した事項を明示した仕入明細書等にも該当することから、当該書類を保存することで、仕入税額控除の適用を受けることとして差し支えありません。」（国税庁「多く寄せられるご質問（令和5年11月13日公表分）問⑥」）と柔軟な対応が示されています。

Q 2-16 偽りのインボイスを交付した場合の罰則

偽りのインボイスを交付した場合の罰則について教えてください。

A 1 インボイス類似書類等

インボイス発行事業者以外の者は、他の者に対して、インボイス発行事業者が作成したインボイス等であると誤認されるおそれのある表示をした書類（以下「インボイス類似書類等」といいます。）を交付、又は提供してはならないとされています（法57の5①）。

インボイス類似書類等としては、免税事業者が消費税相当額の値引き交渉を逃れるため、請求書に登録番号と誤認させるような架空の番号や他人の登録番号を記載することなどが考えられます。

インボイス類似書類等が横行すると、インボイス制度の仕組みが根底から崩れてしまうため、インボイス発行事業者以外の者がインボイス類似書類等を交付した場合には、1年以下の懲役又は50万円以下の罰金の罰則規定が適用されます（法65四）。

なお、免税事業者が請求書に消費税額等を記載することの可否について議論されることがありますが、免税事業者が請求書に消費税額等を記載することは、少なくとも罰則規定の「インボイスと誤認させるおそれのある表示」には含まれないものと思われます。

インボイス発行事業者以外の者の中には課税事業者も含まれていることから、インボイス発行事業者以外の者が一律で請求書に消費税額等を記載できないとするのも無理があります。

2 偽りの記載をしたインボイス等

インボイス発行事業者は、他の者に対して、偽りの記載をしたインボイス等を交付、又

は提供してはならないとされています（法57の5①）。

　インボイスの要件は満たしているものの、架空の取引を仮装してインボイスを交付したり、取引金額を水増ししてインボイスを交付することなどが考えられます。

　内容が虚偽であるインボイスが横行すると、インボイス制度の仕組みが脅かされてしまうため、インボイス発行事業者が偽りの記載をしたインボイス等を交付した場合には、1年以下の懲役又は50万円以下の罰金の罰則規定が適用されます（法65四）。

　ただし、「偽り」と「誤り」は異なりますので、数量や単価を誤って記載したり、消費税の端数処理を誤って計算してインボイスを発行したとしても、上記の罰則規定は適用されません。速やかに修正したインボイス等を交付すればすみます。

　　　消費税経理通達の改正について

「消費税法等の施行に伴う法人税の取扱いについて」（法令解釈通達）が令和５年12月27日に改正されました（消費税経理通達１の２）。「消費税法等の施行に伴う所得税の取扱いについて」（法令解釈通達）も同様に改正されています。

その要点は、次のとおりです。

> 法人又は個人（免税事業者を除く。）が、簡易課税又は２割特例が適用される課税期間を含む事業年度において、税抜経理方式を適用している場合で、課税仕入れに係る支払対価の額に110分の10（軽減税率が適用されるものである場合には、108分の８）を乗じて算出した金額を当該課税仕入れに係る取引の対価の額と区分して経理をしているときは、継続適用を条件として、当該金額を仮払消費税等の額とすることができる。

この改正に伴い「消費税経理通達関係Ｑ＆Ａ」も同日改正され、上記の改正の趣旨や経理処理方法等が示されています。

〔改正の趣旨〕

原則として(注)インボイス発行事業者以外の者からの課税仕入れのようにインボイス等の記載事項に基づき計算した金額がない課税仕入れについては、税務上、仮払消費税等の額はないことになります。

(注) 経過措置として、インボイス制度導入後６年間は、インボイス等の記載事項に基づき計算した金額がない課税仕入れについても、従前の仕入税額相当額の一定割合（令和８年９月30日までは80％、令和８年10月１日から令和11年９月30日までは50％）を課税仕入れに係る消費税額とみなす規定が設けられています。

そこで、令和３年２月の消費税経理通達の改正において、インボイス発行事業者以外の者からの課税仕入れについて仮払消費税等の額として経理をした金額があっても、税務上は当該仮払消費税等の額として経理をした金額を取引の対価の額に含めて法人税の所得金額の計算を行う必要があることが示されていました（令和５年12月改正前の消費税経理通達14の２、旧令和３年２月経過的取扱い(2)）。

しかし、簡易課税適用事業者及び２割特例適用事業者は、インボイス等の有無にかかわらず、課税売上げに係る税額にみなし仕入率を乗じて計算した金額の仕入税額控除が認められることとされており、仕入税額控除を適用するに当たってインボイス等の有無が要件とされていません。

そのことを踏まえ、令和５年12月の消費税経理通達の改正において、税抜経理方式を適用している簡易課税制度適用事業者が課税仕入れを行った場合に、その取引相手が、インボイス発行事業者かインボイス発行事業者以外の者かを厳密に区分する事務負担を軽減する観点から、簡易課税を適用している課税期間を含む事業年度における継続適用を条件として、インボイス等の記載事項に基づき計算した金額の有無にかかわらずすべての課税仕入れについて、課税仕入れに係る支払対価の額に110分の10（軽減税率の対象となるものは108分の８）

を乗じて算出した金額を仮払消費税等の額として経理をした場合にはその処理も認められることとしたのです。２割特例適用事業者も同様の経理が認められています（令和５年12月経過的取扱い⑵）。

〔上記以外の経理処理方法等〕

① 控除対象外消費税等

　この取扱いの適用を受ける場合は、例えば、控除対象外消費税額等についても、支払対価の額に110分の10（軽減税率の対象となるものは108分の８）を乗じて算出して仮払消費税等の額とした金額を基礎に計算することになります。

② 免税事業者

　小規模事業者に係る納税義務の免除の規定（法９①本文）が適用される場合は税込経理方式を適用して法人税の所得金額を計算することになります（消費税経理通達５）。

③ 免税事業者がインボイス発行事業者となる場合

　免税事業者が令和５年10月１日から令和11年９月30日までの日の属する課税期間中にインボイス発行事業者の登録を受ける場合には、一の事業年度中に小規模事業者に係る納税義務の免除の規定が適用される期間と納税義務の免除の規定が適用される期間以外の期間が存在することがあります（平28改所法等附44④）。

　その場合において、納税義務の免除の規定が適用される期間以外の期間において簡易課税又は２割特例を適用し、この取扱いの適用を受けるときは、納税義務の免除の規定が適用される期間以外の期間の課税仕入れについて支払対価の額に110分の10（軽減税率の対象となるものは108分の８）を乗じて算出した金額を仮払消費税等の額として経理をすることになります。

④ 交際費等の額

　従前、法人が交際費等の支出に係る取引につき税抜経理方式を適用することとなる場合には、当該交際費等に係る課税仕入れ等の消費税等の額については、次のように示されていました。

| 控除対象消費税額等 | 交際費等の額に含めないものとします。 |
| 控除対象外消費税額等 | 交際費等の額に含めます。 |

　改正後の上記通達の取扱いの適用を受ける場合には、その取扱いにより仮払消費税等の額とされた金額を基礎として、本取扱いにおける「交際費等の額に含めないものとされる控除対象消費税額等」及び「交際費等の額に含まれることとなる控除対象外消費税額等」に相当する金額を計算することが明らかにされました（消費税経理通達12）。改正前の本取扱いと実質的な内容の変更はありません。

⑤ 控除される消費税額がない課税仕入れに係る消費税等の処理

　消費税等の経理処理について税抜経理方式を適用している場合には、インボイス発行事業者以外の者から課税仕入れを行った場合には、原則としてその課税仕入れについて仮払消費

税等の額はないことから、従前、仮に仮払消費税等の額として経理をした金額があっても、その経理をした金額を取引の対価の額に算入して法人税の課税所得金額の計算を行うことが示されていました。

　改正後の上記通達の取扱いの適用を受ける場合には、従前の取扱いを適用するのではなく、改正後の通達による処理に基づいて課税所得金額を計算します（消費税経理通達14の２）。

第3章

インボイス制度下での経理処理

Q 3-1 請求書の記載内容の変更

> インボイス制度が始まった令和5年10月1日以降はインボイス制度が始まる前に発行していた請求書からどのようなところが変わりますか。
>
> 必要な記載内容などに変更があるのであれば教えてください。

A インボイス制度が始まった令和5年10月1日以降は消費税の仕入税額控除の要件として、インボイス発行事業者から交付を受けたインボイスの保存が原則必要となっています。

そのため、インボイス発行事業者は取引先から求められた場合（相手方が課税事業者である場合のみ）にはインボイスを交付する義務があります（法57の4①）。

インボイス制度が始まる前に発行していた請求書の形式では要件として十分ではなく、以下の6つの必要事項を記載したインボイスを発行する必要があります。

1 インボイスの記載要件

① インボイス発行事業者の氏名又は名称及び登録番号

② 課税資産の譲渡等を行った年月日

③ 課税資産の譲渡等に係る資産又は役務の内容（課税資産の譲渡等が軽減対象課税資産の譲渡等である場合には、資産の内容及び軽減対象課税資産の譲渡等である旨）

④ 課税資産の譲渡等の税抜価額又は税込価額を税率ごとに区分して合計した金額及び適用税率

⑤ 税率ごとに区分した消費税額等（消費税額及び地方消費税額に相当する金額の合計額をいいます。以下同じです。）

⑥ 書類の交付を受ける事業者の氏名又は名称

2 インボイスの交付免除

以下に記載する5つの取引については事業の性質上、インボイスを交付することが難しいため、インボイスの交付義務が免除されます（令70の9②）。

① 3万円未満の公共交通機関（船舶、バス又は鉄道）による旅客の運送

② 出荷者等が卸売市場において行う生鮮食料品等の販売（出荷者から委託を受けた受託者が卸売の業務として行うものに限ります。）

③ 生産者が農業協同組合、漁業協同組合又は森林組合等に委託して行う農林水産物の販売（無条件委託方式かつ共同計算方式により生産者を特定せずに行うものに限ります。）

④ 3万円未満の自動販売機及び自動サービス機により行われる商品の販売等

⑤　郵便切手類のみを対価とする郵便・貨物サービス（郵便ポストに差し出されたものに限る。）

（詳細は🅀 2 −11、🅀 4 − 4 〜🅀 4 − 7 、🅀 4 −10参照）

インボイスの交付義務が免除される 5 つの取引以外を行っている事業者については、インボイス制度が始まった令和 5 年10月 1 日以降は交付を求められた場合には必要 6 項目を記載したインボイスを発行する必要があるため、請求書発行システムの改修や手持ちのフォーマットの変更といった対応が必要です。

（簡易インボイスについては🅀 3 − 2 を参照）

🅀 3 − 2 　領収書の記載項目の変更（簡易インボイス）

当社は居酒屋を経営しているのですが、インボイス制度が始まった令和 5 年10月 1 日以降に発行する領収書の記載項目はどのように変わりますか。

A　居酒屋のような飲食店業の場合にはインボイスに代えて、インボイスの記載事項を一部簡易なものにした簡易インボイスを交付することが認められています（法57の 4 ②、令70の11）。

簡易インボイスの交付が認められている事業は以下の 7 つです。

①　小売業

②　飲食店業

③　写真業

④　旅行業

⑤　タクシー業

⑥　駐車場業（不特定かつ多数の者に対するものに限ります。）

⑦　その他これらの事業に準ずる事業で不特定かつ多数の者に資産の譲渡等を行う事業

簡易インボイスの記載事項は、インボイスの記載事項よりも簡易なものでよいとされています。インボイスの記載事項と比べると、以下 2 点の違いがあります。

1 ．「書類の交付を受ける事業者の氏名又は名称」の記載が不要である。

2 ．「税率ごとに区分した消費税額等」又は「適用税率」のいずれか一方の記載で足りる。

どちらも小売店や飲食店など不特定多数の買い手が想定される事業者の実務上の手間などを考えて簡略化されています。

特に「書類の交付を受ける事業者の氏名又は名称」については、飲食店など不特定多数の買い手が想定される事業においては、会計の都度すべての顧客から氏名や会社名称を正確に聞いてインボイスに記載することは実務上困難です。

そこで、必要な事項を記載したレシートを従来同様発行すれば足りるようにするため、交付を受ける事業者の氏名又は名称の記載は簡易インボイスでは求められないとされました。

なお、簡易インボイスの具体的な記載事項は、次のとおりです。

① インボイス発行事業者の氏名又は名称及び登録番号

② 課税資産の譲渡等を行った年月日

③ 課税資産の譲渡等に係る資産又は役務の内容（課税資産の譲渡等が軽減対象課税資産の譲渡等である場合には、資産の内容及び軽減対象課税資産の譲渡等である旨）

④ 課税資産の譲渡等の税抜価額又は税込価額を税率ごとに区分して合計した金額

⑤ 税率ごとに区分した消費税額等又は適用税率

Ｑ 3−3 **値引きのあるレシートの記載内容（簡易インボイス）**

私はコンビニエンスストアを経営しています。店舗ではお会計の税込金額合計から300円の値引きができるクーポンを発行しています。お酒と食料品を同時に販売することもあり、その場合には適用される消費税の税率が8％のものと10％のものとが両方発生します。

インボイス制度が開始された令和5年10月1日以降に顧客がクーポンを利用し、会計の合計金額から値引きを行ったときに当社が発行するレシートにはどのような記載が必要ですか。

Ａ 簡易インボイスであるコンビニエンスストアのレシートに記載される「課税資産の譲渡等の税抜価額又は税込価額を税率ごとに区分して合計した金額」は、値引き後のものがわかるように記載する必要があります。

そのため、インボイス制度が開始された令和5年10月1日以降は、値引きを行った際のレシートに以下の2つの方法のどちらかにしたがって値引き後の「課税資産の譲渡等の税抜価額又は税込価額を税率ごとに区分して合計した金額」がわかるように記載することが必要となっています。

1 値引き後の『税込価額を税率ごとに区分して合計した金額』を記載する方法

この方法では、税率ごとに、値引き後の「課税資産の譲渡等の税込価額」を合計した金額を記載します。

値引額については、その資産の譲渡等に係る価額の比率により按分し、適用税率ごとに

区分します。

　消費税額等は、値引き後の「課税資産の譲渡等の税込価額を税率ごとに区分して合計した金額」から計算します。

例　会計が標準税率10％対象のお酒が350円で、軽減税率8％対象の食料品が650円の合計1,000円（税込価額）の場合に300円のクーポンの利用があった際の消費税額の算定

①　値引額の按分

　10％対象：300円×350円÷1,000円＝105円

　8％対象：300円×650円÷1,000円＝195円

②　値引後の税込価額

　10％対象：350円－105円＝245円（内消費税等22円）

　8％対象：650円－195円＝455円（内消費税等33円）

　レシートには値引き後の『税込価額を税率ごとに区分して合計した金額』を記載するため、以下の記載項目をレシートに表記することとなります。

【記載項目】

　10％対象：245円（内消費税等22円）

　8％対象：455円（内消費税等33円）

```
              コンビニ○○
                領収書

 大阪府…
 登録番号　T1234567890123
 令和○年○月○日

              ビール　　　¥350
              お菓子※　　¥650
               小計　　　¥1,000

               値引　　　　¥300
               合計　　　　¥700

          (10％対象¥245
               内消費税等¥22)

          (8％対象¥455
               内消費税等¥33)

          ※印は軽減税率対象商品
```

2 値引き前の 『税抜価額又は税込価額を税率ごとに区分して合計した金額』と税率ごとの値引額を記載する方法

　この方法では、税率ごとに、

①値引き前の「課税資産の譲渡等の税抜価額又は税込価額」を合計した金額

②値引額

を記載します。

　値引きは、その資産の譲渡等に係る価額の比率により按分し、適用税率ごとに区分します。レシートに①と②の記載がある場合には、値引き後の「税込価額を税率ごとに区分して合計した金額」の記載があるものとして取り扱われます。

```
             コンビニ○○
              領収書

大阪府…
登録番号　T1234567890123
令和○年○月○日

        ビール      ￥350
        お菓子※     ￥650
        小計      ￥1,000
          (10％対象￥350)
          ( 8 ％対象￥650)

        値引       ￥300
          (10％対象￥105)
          ( 8 ％対象￥195)

        合計       ￥700
     (10％対象消費税等￥22)
     ( 8 ％対象消費税等￥33)
     ※印は軽減税率対象商品
```

　1と2のどちらの方法を採用しても、顧客が割引券等を利用した場合には、その資産の譲渡等に係る適用税率ごとの値引額又は値引き後の税抜価額又は税込価額を税率ごとに区分して合計した金額が確認できる必要があります。

　取引先から領収書の発行を求められた場合に今までは手書きの領収書を発行していました。

　インボイス制度が始まった後も手書きの領収書を使い続けても問題ありませんか。

　インボイス制度下では、消費税の仕入税額控除の要件として、インボイス発行事業者から交付を受けたインボイスの保存が原則必要となります。

　そのため、取引先から領収書の発行を求められた場合には、インボイスとして必要な項目を含む書類を発行する必要があります。

　インボイスには以下の6つの必要事項を記載することが求められています（法57の4①）。

① 　インボイス発行事業者の氏名又は名称及び登録番号

② 　課税資産の譲渡等を行った年月日

③ 　課税資産の譲渡等に係る資産又は役務の内容（課税資産の譲渡等が軽減対象課税資産の譲渡等である場合には、資産の内容及び軽減対象課税資産の譲渡等である旨）

④ 　課税資産の譲渡等の税抜価額又は税込価額を税率ごとに区分して合計した金額及び適用税率

⑤ 　税率ごとに区分した消費税額等

⑥ 　書類の交付を受ける事業者の氏名又は名称

　手書きの領収書でもこれらの必要な情報がすべて記載されていれば、インボイス制度が始まった後も使用することに何ら問題はありません。

　ただし、これらの必要な情報を正確に記載するためには、煩雑な手続きが必要になる場合があります。

　記載内容の正確性の担保や、領収書発行業務を担当する者の時間と労力の節約という観点からも、ゴム印を作るとか、従来の手書きの領収書を発行するという業務フローから、インボイスの要件を満たした領収書を発行することが可能なシステムの導入を検討することも大切です。

　手書きの領収書の使用を続ける場合でも、現在の記載内容がインボイスの要件を満たしていることを確認することが必要です。

　（簡易インボイスについては **Q** 3−2を参照）

Q 3-5 返品の際の処理

インボイス制度が開始された令和5年10月1日以降の売上げに対して、得意先から返品の要望があった時にはどのような処理が必要ですか。

A インボイス制度が始まった令和5年10月1日分の売上げからは、得意先から返品の要望があった場合に、通常は返還インボイスの発行が必要となります（法57の4③、基通1－8－18）。返還インボイスは売上げに係る対価の返還を示す書類で、以下の5つの項目を記載する必要があります。

1 返還インボイスに記載が必要な5つの項目

① インボイス発行事業者の氏名又は名称及び登録番号
② 対価の返還を行う年月日及びその売上げに係る対価の返還等の基となった課税資産の譲渡等を行った年月日
③ 返還等の基となる課税資産の譲渡等に係る資産又は役務の内容
④ 返還等の税抜価額又は税込価額を税率ごとに区分して合計した金額
⑤ 返還等の金額に係る消費税額等又は適用税率

ただし、すべての返品に対して返還インボイスを発行する必要があるわけではありません。

インボイスの発行が免除される場合、すなわち、3万円未満の公共交通機関による旅客の運送や生鮮食料品等の卸売など特定の取引、又は返還等に係る税込価額が1万円未満の場合（法57の4③、令70の9③二）などには、返還インボイスの発行義務も免除されます（令70の9③）。

2 売上げに係る対価の返還等に係る税込金額が1万円未満である場合

売上げに係る対価の返還等に係る税込価額が1万円未満である場合には、返還インボイスの交付義務が免除されます。この場合の1万円未満であるかどうかの判定は返還した金額や値引きなどの対象となる債権の単位ごとに行うこととなります。

例1 日用雑貨の卸売業のリベートで1品目当たり15円と設定されている場合

仕入単価300円の商品を1か月で1,000個販売し、仕入先から300,000円の請求と合わせて15,000円のリベートの支払いがある場合には1万円以上の対価の返還が発生しているため、返還インボイスの交付義務は免除されないこととなります。

例2 300,000円の請求において、買い手側が銀行振込手数料の660円を対価の返還等として処理し、差し引いた299,340円を振り込んできた場合には対価の返還が1万円未満であるため、返還インボイスの交付義務は免除されることとなります。

3 一つの書類として交付する場合

商習慣や業種により、インボイスと返還インボイスを1枚の書類にまとめて発行することも可能です（基通1-8-20）。

例えば、食料品や日用雑貨の卸売業などで、販売奨励金などの対価返還が頻繁に発生する場合、その月の請求書において、売上対価の返還分を控除する形式で行うことが認められています。

ただし、1枚の書類にまとめて発行する場合でも、それぞれの書類として発行した場合に要求される必要な項目をすべて正確に記載することが求められるため、請求部分と対価の返還等に該当する部分のそれぞれに適用される税率ごとの計算や消費税額等の記載も忘れずに行うことが必要です。

Q 3-6 立替金の取扱い

契約上、弊社（A社）は得意先（B社）が負担する経費を立替払することになっています。この立替払に係る金額は、後日、B社から弊社に支払われることにより精算されます。

今般、契約に基づき、弊社はB社が負担すべき経費をC社に支払いました。当然のことながら、C社が弊社に発行したインボイスの「交付を受ける事業者の名称」（宛名）の欄には、「A社」と記載されています。

この場合には、どのように対応すればよいのでしょうか。

A A社がC社からA社宛のインボイスを受領しても、A社が負担した費用はB社のための立替金ですので、A社は仕入税額控除をすることはありません。会計上も立替金などの科目を用いることになります。

A社がB社に通常の売上請求に加えて立替金の支払を請求する際には、C社から受領した当該インボイスをB社に交付するとともに、C社から行った課税仕入れがB社のためのものであることを明らかにするための立替金精算書等を作成し、B社に交付することが必要です。

上記のインボイスが書面である場合は、条文上は原本を交付することが予定されているものと考えられますが、コピーでも許容されると思われます（インボイスQ＆A問94参照）。交付する方法等については、得意先と事前に協議して決定しておくことが必要です。

これにより、得意先であるB社は、「C社発行のA社宛のインボイス」と「A社が作成した立替金精算書等」により、仕入税額控除の要件を満たすことになります（基通11-6-2）。

　なお、立替金精算書等の記載事項や様式については、明らかにされていませんが、「C社が発行したインボイス（年月日や金額等により特定することが望ましい。）は、A社宛となっているが、仕入税額控除をすべき事業者はB社である。」旨が記載されていれば足りると考えられます。

 3-7　振込手数料の取扱い

　得意先からの売掛金の入金時に銀行の振込手数料が差し引かれた金額で入金されてきます。当該手数料について今までは支払手数料として処理していたのですが、インボイス制度が開始された令和5年10月1日以降はどのような対応が必要ですか。

A　令和5年10月1日から開始したインボイス制度下において、銀行の振込手数料を得意先が差し引いて入金してくるケースについては以下の3つの対応が考えられます。

1　売り手が振込手数料相当額を売上値引きとして処理する場合

　売り手である質問者の会社が差し引かれた銀行の振込手数料相当額について、売上値引きとして処理する場合には、当該振込手数料相当額について売上げに係る対価の返還等を行っていることとなります。

　その場合には原則として返還インボイスを買い手に交付する必要がありますが、一般的な銀行の振込手数料であれば1万円未満となると考えられるため、返還インボイスの交付義務は免除されることとなります（**Q**3-5参照）。

　なおこの場合、売上げに係る対価の返還等として処理することとなるため、適用される税率は銀行の振込手数料に適用される税率ではなく、対価の返還等の対象となる課税資産の譲渡等の適用税率（請求している売上げに適用される税率）を適用し、計算する必要があります。

2　振込手数料相当額について、売り手が買い手から「代金決済上の役務提供（支払方法の指定に係る便宜）」を受けた対価とする場合

　これは売り手が買い手に請求した金額から差し引かれた振込手数料相当額について、売り手が買い手から代金決済上の役務の提供を受けており、その代金を売り手から買い手に別で支払うのではなく、商品やサービス提供の代金と相殺しているものとする考え方です。

　つまり売り手が買い手に行った課税資産の譲渡等と買い手が売り手に対して代金決済上の役務の提供をした課税資産の譲渡等を全く別のものとして考えるため、この場合に売り手が振込手数料相当額について仕入税額控除の適用を受けるためには、買い手から交付を

受けたインボイスの保存が必要となります。

　買い手からインボイスの交付を受ける以外にも、売り手の請求金額から差し引かれた振込手数料相当額について、売り手が仕入明細書等を作成し、買い手に確認を受けることで仕入税額控除の適用を受けることも可能です（法30⑨三）。

　なお、基準期間における課税売上高が1億円以下など一定規模以下の事業者については、令和5年10月1日から令和11年9月30日までの間に行った課税仕入れについて、当該課税仕入れの支払額が1万円未満である場合には、インボイスの保存がなくても一定の事項を記載した帳簿の保存のみで仕入税額控除の適用を受けることができます（平28改所法等附53の2、平30改令附24の2）。その場合には買い手からのインボイスの交付や仕入明細書等の作成は不要となります。

3　買い手が売り手のために金融機関に対して振込手数料を立替払したとする場合

　買い手が売り手のために振込手数料を立替払したものとする場合には、売り手は買い手が金融機関から受け取った振込手数料に関するインボイスと買い手が作成した立替金精算書の交付を受けることで仕入税額控除の適用を受けることができるようになります（立替金については Q 3−6 を参照）。

　この場合においても基準期間における課税売上高が1億円以下など一定規模以下の事業者については、令和5年10月1日から令和11年9月30日までの間に行った課税仕入れについて、当該課税仕入れの支払額が1万円未満である場合には、インボイスの保存がなくても一定の事項を記載した帳簿の保存のみで仕入税額控除の適用を受けることができます（平28改所法等附53の2、平30改令附24の2）。その場合には買い手からのインボイスの交付や立替金精算書の受取りは不要となります。

4　対応方法の比較

　2の方法については一定規模以上の会社であればインボイスの保存や仕入明細書の作成が必要などと手間がかかります。

　3の方法についても、一定規模以上の会社であれば立替金精算書の作成を買い手に求める必要があるなど、買い手とのコミュニケーションが必要なのでやはり手間がかかります。

　その点、1の方法については適用税率の確認は必要ですが、手続きが簡易であり、買い手とのコミュニケーションも必要ないため、3つの方法のうちで最も簡易的な方法であるといえます。

　自社の会社規模などの状況と買い手との関係性から3つのうち最も適した方法を選択することが大切です。

Q 3-8 請求書のメール添付

メールに請求書を PDF データにしたものを添付して得意先に送っているのですが、インボイス制度が開始された令和5年10月1日以降はメールに添付する従来のやり方から別の対応方法に切り替える必要はありますか。

A インボイス発行事業者は課税資産の譲渡等を行った場合に、課税事業者である取引先からの要請に応じてインボイスを交付する必要がありますが、インボイスの交付に代わり、電磁的記録（この場合、PDF 形式の請求書）の提供を行うことも認められています（法57の4①⑤）。

しかし、PDF ファイルを電磁的記録のまま保存しようとする場合には電子帳簿保存法（電子計算機を使用して作成する国税関係帳簿書類の保存方法等の特例に関する法律）で要求される要件を満たす必要があります。

したがって、メールに請求書を PDF データにしたものを添付して得意先に送っている場合でも、令和5年10月1日以降開始されたインボイス制度下において特別な変更を加える必要はありません。

実務上 PDF ファイルでの請求書のやり取りは自社から送付するものだけではなく、自社が取引先からメールで受け取るものも多いかと思います。自社が請求書の受け手となる場合で、PDF ファイルを電磁的記録のまま保存する場合には電子帳簿保存法の要件を満たすようにインボイスの保存方法を見直す必要があります。

Q 3-9 前金部分のインボイス発行の可否

当社は月額定額課金型のサービスを提供しています。代金決済方法について年払いと月払いの2つの種類があり、年払いの方が月払いと比べて総額が低くなるように設定しています。そのため、年払いを選択するお客様が多く、売上代金を前金で受け取っている形になるのですが、この場合でもお客様に前金部分のインボイスを発行して問題ないのでしょうか。

A インボイス制度下では、商品やサービスの提供といった課税資産の譲渡等を行った場合に、課税事業者である取引先から求められた際にはインボイスを交付する義務がありますが（法57の4①）、課税資産の譲渡等を行う「前」でもインボイスを交付することは可能です。

売上代金を前金として受け取る場合でも、インボイスを発行することは問題ありませんが、課税資産の譲渡等を行う前にインボイスを発行する際には、課税資産の譲渡等を行っ

た後にインボイスを発行する際と同様にその内容が法令に定められた記載事項をすべて満たしていることが必要です。

1 発行したインボイスの修正

商品やサービスの提供後に、事前に発行していたインボイスの記載事項に変更が生じることが判明した場合には、修正したインボイス（簡易インボイスと返還インボイスの場合も同様です。）を改めて取引先に交付する必要があります（法57の4④⑤）。

前金として受け取っている場合には、最終的な取引の内容（例えば、商品の数量や単価、提供予定のサービスの内容等）が変更される可能性があり、変更があった場合には事前に発行しているインボイスを修正し、再度取引先にインボイスを交付しなければならないことに特に留意が必要です。

2 修正したインボイスの交付方法

交付したインボイス（簡易インボイスと返還インボイスの場合も同様です。）の記載内容に誤りがあった時には、書類を交付した取引先に対して修正したインボイスを交付する必要があります（法57の4④⑤）。

その修正方法については以下の2つの方法が考えられます。

① 改めてインボイスのすべての記載内容について正しい内容で修正したものを交付し直す方法

② すでに発行しているインボイスの修正箇所を明示したものを交付する方法

①に関しては修正が必要な個所以外については、修正前に交付したものと同じ内容をすべて記載し、修正箇所についてのみ正しい内容に書き換えて交付する方法です（「作り直す」こととなります。）。

請求書のタイトルに修正などの文言を入れることで当初発行したものからの修正版であることがわかるようにすれば、最終版がどちらかわからないという混乱を避けることができます。

②に関してはすでに発行したインボイスの誤っていた内容と修正後の内容を記載したものを交付する方法です。

新たに交付する書類には修正前のインボイスの日付やインボイス番号を記載するなどして、修正しようとする事前に発行しているインボイスとの関連性を明確化できるようにする必要があります。修正するインボイスを明確化した上で、誤っていた内容と正しい内容を正誤表のような形式で記載したものを取引先に交付します。

どちらの方法を採用したとしても、修正したインボイスを交付した事業者は、誤って発行した当初のインボイスの控えと修正したのちのインボイスの控えの両方を保管することが必要である点に留意が必要です。

Q 3-10 インボイスへの通称や屋号の記載の可否

会社名ではなくお店の名前で領収書を発行しているのですが、会社名ではなく通称や屋号でもインボイスとして認められますか。

 インボイスの記載において、通称や屋号の使用も可能です。

インボイスには、「インボイス発行事業者の氏名又は名称及び登録番号」の記載が必要ですが（法57の4①一）、これは取引先がインボイスを発行する事業者を特定できることが求められているためです。

インボイスに電話番号を記載するなどして、インボイスを発行する事業者を特定できれば、屋号や省略した名称などでも問題ありません。

したがって、インボイスに会社名ではなくお店の名前を記載していても、その他の情報により事業者が特定できる状況であれば、インボイスとして認められます。

なお、インボイスの登録番号と紐付けて管理されている取引先コード表などをインボイス発行事業者と取引先との間で共有している場合には、そのコードの表示により「インボイス発行事業者の氏名又は名称及び登録番号」の記載があると認められます（基通1-8-3）。これにより、さらなる柔軟性が提供され、事業者の運営を効率的に行うことが可能となります。

ただし、取引先コード表を用いる場合には、取引先コード表で使用している情報に変更などがある場合は、それが適切に反映され、取引関係者が容易に事業者を特定できるようにすることが重要です。

Q 3-11 消費税等の計算方法

請求書をインボイスの要件を満たす様式に変更することで消費税の計算について何か違いはありますか。

インボイス制度と従来の請求書制度の間では、消費税の端数処理の取扱いが異なることがあります。

インボイスに記載する消費税等の額に1円未満の端数が生じる場合には、一つのインボイスにつき、税率ごとに1回の端数処理を行う必要があります（令70の10、基通1-8-15）。

端数処理方法の相違点

従来の請求書制度では、各商品やサービスごとに消費税を計算し、その結果一つずつに

ついての1円未満の端数処理（切上げ、切捨て、四捨五入など）をした後に、それらを合計して最終的な消費税額を算出している事例もありましたが、インボイス制度では、この取扱いが異なります。

インボイスにおいては、一つの請求書全体として、税率ごとに消費税額の合計を算出し、その結果に対して1度だけ1円未満の端数処理を行うことが求められます。つまり、商品やサービスごとに個別に端数処理を行うのではなく、インボイス全体の消費税額を計算した後で端数処理を行うことになります。切上げ、切捨て、四捨五入などの端数処理の方法については従来と変わらず任意に選ぶことができます。

この違いは、特に多くの商品やサービスを一つの請求書に記載する場合に影響を及ぼします。

従来の方法では、各商品やサービスごとの端数処理により、請求書全体としての消費税額が多少増減する可能性がありましたが、インボイスではそのようなことは発生しません。

自社が発行するインボイスが書類上の様式的な要件を満たしているかだけではなく、記載されている消費税額の計算方法（端数処理の方法）が正しいものとなっているかを改めて確認してください。

Q 3−12 仕入明細書

仕入明細書を弊社で作成し、取引先に送付しているのですが、インボイス制度が開始された令和5年10月1日以降も仕入明細書を使い続けても問題ないでしょうか。

 仕入明細書を仕入税額控除の適用を受けるための書類として使用することに問題はないですが、取引先の確認を受ける必要があるという点に留意が必要です。

相手方の確認を受ける方法

仕入明細書について相手方の確認を受ける方法としては以下の3つの方法が考えられます。

① 仕入明細書等の記載内容を、通信回線等を通じて相手方の端末機に出力し、確認の通信を受けた上で、自己の端末機から出力する方法

　システム上で取引先と連携している場合に行える確認方法です。作成した仕入明細書の内容をシステム連携で取引先に表示し、取引先にて確認ボタンを押すなどシステム上で確認の処理ができ、その確認したという情報を含んだ仕入明細書を自社の端末から出力すれば相手方の確認を受けたこととなります。

② 仕入明細書等に記載すべき事項に係る電磁的記録につきインターネットや電子メールなどを通じて課税仕入れの取引先へ提供し、取引先から確認の通知等を受ける方法

　自社で作成した仕入明細書を取引先と共有しているサーバーに保管したり電子メールにPDFデータ等で送付したりすることで取引先に仕入明細書の内容について確認してもらい、内容について確認した旨の連絡をもらうことで取引先の確認を受けたこととなります。

③　仕入明細書等の写しを取引先に交付又は仕入明細書等の記載内容に係る電磁的記録を取引先に提供した後、一定期間内に誤りのある旨の連絡がない場合には記載内容のとおり確認があったものとする基本契約等を締結する方法

　仕入明細書を交付し、内容確認をしてもらうまでは②と同様ですが、取引先から確認したのちに連絡をもらわないという点が②と異なります。

　仕入明細書の発行枚数にもよりますが、すべての取引先から内容を確認した旨の連絡をもらっているかどうかを把握することには相当の労力がかかります。

　③の方法は異議がある場合には申し出てもらうという方法なので、何も連絡がなければ内容に同意しているということで処理を進められるため労力を省くことができます。

　なお、③については、基本契約の締結がない場合でも、仕入明細書に「送付後一定期間内に誤りのある旨の連絡がない場合には記載内容のとおり確認があったものとする」旨の通知文書等を添付して相手方に送付して了承を得るなど、仕入明細書等の記載事項が相手方に示され、その内容が確認されている実態にあることが明らかであれば、相手方の確認を受けたものとなります。

　したがって、仕入明細書を引き続き使用すること自体は問題ありませんが、それがインボイス等として認められるためには上記のような確認を取引先から受ける必要があります。仕入明細書をインボイスとするのであれば、上記のような確認も必要ですが、インボイスの要件を満たす必要があります（インボイスの要件については **Q** 3−1を参照）。

Q 3−13　口座振替への対応

　店舗の賃料を契約書に基づく口座振替で支払っているのですが、インボイス制度が開始された令和5年10月1日以降は店舗の貸主から毎月インボイスをもらわないといけませんか。

A　インボイス制度の開始により、契約書に基づき代金決済が行われ、取引の都度請求書や領収書が交付されない場合でも仕入税額控除を受けるには、原則としてインボイスの保存が必要となります。

1 インボイスをまとめて交付する方法

インボイスは一定期間の取引をまとめて交付することもできるので、店舗の貸主から一定期間（例えば半年や1年など）の賃借料についてのインボイスを交付してもらい、それを保管することで仕入税額控除を受けることも可能です。

2 複数の書類でインボイスの要件を満たす方法

インボイスの必要な記載事項については、1つの書類だけですべて網羅している必要はなく、いくつかの書類を合わせてインボイスの必要な記載事項を満たしていれば、その書類全体でインボイスの記載要件を満たしていることとなります。

そのため、店舗の賃貸契約書にインボイスとして必要な記載事項の一部が記載されていて、不足している記載事項を他の書類で補うことができれば、別途賃借料についてインボイスを交付してもらう必要はなくなります。

インボイスに必要な記載事項のうち（詳細は **Q** 3−1参照）賃貸契約書に記載することができない項目は課税資産の譲渡等を行った年月日だと考えられます（毎月請求の賃料は取引年月日が異なるため）。

その場合には課税資産の譲渡等を行った年月日以外の必要事項が記載された賃貸借契約書と口座振替により賃料が引き落とされたことが確認できる通帳（課税資産の譲渡等を行った年月日を示すもの）を併せて保管することにより仕入税額控除の要件を満たすこととなります。

ただし、1つ注意すべき点は、取引の都度、請求書等が交付されない取引について、取引の中途で取引の店舗の貸主がインボイス発行事業者でなくなる可能性があることです。

その旨の連絡がない場合、店舗の貸主がインボイス発行事業者であるかどうかを把握することは困難となります。これに対応するためには、「国税庁適格請求書発行事業者公表サイト」で店舗の貸主がインボイス発行事業者であるか否かを定期的に確認することが重要です。

また、令和5年9月30日以前の契約については、登録番号等のインボイスとして必要な事項の記載が不足していることになります。その場合には、別途、登録番号等の記載が不足していた事項の通知を受け、契約書とともに保存していれば問題ありません。

以上のことから、口座振替による家賃の支払でも、適切な書類の保存と定期的な確認を行うことで仕入税額控除の適用を受けることが可能です。

第4章

インボイス非対応取引の経理処理

Q 4-1　インボイス非対応取引先との取引

インボイス非対応の取引先と取引を行う場合、気を付けなければいけない事項について教えてください。

A インボイス非対応取引先とは、インボイス発行事業者以外の者をいい、具体的には、消費者や免税事業者又は登録を受けていない課税事業者を指します。ここでは簡便的に、これらをまとめて「インボイス非対応取引先」とします。

インボイス非対応取引先との取引については、当該取引先が売上げ先か仕入れ先かによって大きく異なります。

まず、売上げ先がインボイス非対応取引先である場合については、当該売上げ先がインボイス発行事業者である場合と同様です。

一方、仕入れ先が免税事業者などのインボイス非対応取引先である場合については注意が必要です。まず、前提として、インボイス非対応取引先から商品購入などを行なった場合、原則として仕入税額控除ができません（法30⑦）。

ただし、インボイス制度の導入に際して、取引先がすぐに制度に対応できない場合を考慮し、経過措置が設けられています（平28改所法等附52、53）。これは、インボイス非対応取引先からの課税仕入れに対しても、一定期間、仕入税額の一部を控除できるというものです。具体的には、制度導入後の最初の3年間は仕入税額の80％、その次の3年間は50％を控除できます。

【経過措置を適用できる期間と控除できる割合】

期　　間	控除できる割合
令和5年10月1日から令和8年9月30日まで	仕入税額相当額の80％
令和8年10月1日から令和11年9月30日まで	仕入税額相当額の50％

当該経過措置を適用するためには、税法上の要件を満たす必要があります。具体的には、取引に関する帳簿及び請求書等の保存です。通常のインボイスの記載事項に加え、経過措置の適用を受ける課税仕入れである旨の記載が必要となります（詳細は Q 4-2参照）。

以上のように、インボイス非対応取引先と取引を行う際には、仕入税額控除が制限されること、経過措置を利用するための要件を満たす必要があることを理解しておくことが大切です。また、これらの点を考慮に入れて、取引先との契約内容や取引の方法を見直すことも必要かもしれません。

4-2 経過措置による仕入税額控除を受ける場合

インボイス非対応の取引先と取引を行う場合において、経過措置による仕入税額控除を受けるための具体的な経理処理について教えてください。

 インボイス発行事業者以外の者からの課税仕入れにおいて、経過措置による仕入税額控除の適用を受けるためには、以下の記載事項を満たした請求書等及び帳簿の適切な保存が必要です。

【請求書等】

① 書類の作成者の氏名又は名称

② 課税資産の譲渡等を行った年月日

③ 課税資産の譲渡等に係る資産又は役務の内容（軽減対象資産の譲渡等である場合には、資産の内容及び軽減対象資産の譲渡等である旨）

④ 税率ごとに合計した課税資産の譲渡等の税込価額

⑤ 書類の交付を受ける当該事業者の氏名又は名称

受領する請求書等については、相手方がインボイス発行事業者以外の場合、上記③かっこ書きの「資産の内容及び軽減対象資産の譲渡等である旨」及び上記④の「税率ごとに合計した課税資産の譲渡等の税込価額」について要件を満たしていないことが考えられます。これらの場合に限り、受領者が自ら請求書等に追記して保存することが認められています。

【帳簿】

① 課税仕入れの相手方の氏名又は名称

② 課税仕入れを行った年月日

③ 課税仕入れに係る資産又は役務の内容（軽減対象課税資産の譲渡等に係るものである場合には、資産の内容及び軽減対象課税資産の譲渡等に係るものである旨）及び経過措置の適用を受ける課税仕入れである旨

④ 課税仕入れに係る支払対価の額

また、インボイス発行事業者とそれ以外の事業者で発行できる請求書が異なるため、計算ミスを防ぐために請求書を分けて保存することが推奨されます。また、新たにインボイス発行事業者になる事業者については、その旨を事前に通知してもらうよう要請することも効果的です。

一方、帳簿については注意が必要で、経過措置の適用を受ける課税仕入れであることを帳簿に明記して、免税事業者からの課税仕入れで80％（又は50％）控除の対象としている取引を区分することが必要となります。これは、消費税申告書（一般用）で当該取引の合計額と仕入税額を記載するためです。

これは、適用対象の取引ごとに記載する必要がありますので、すべての適用対象の取引

について完全な記載が求められると処理が煩雑になります。そこで、具体的な表現として「80％控除対象」や「免税事業者からの仕入れ」などの表現を使用できます。

また、「※」や「☆」などの記号や番号を適用対象の取引に記載し、欄外に「※（☆）は80％控除対象」と明記することで、記載内容を簡素化することも可能です。

また、具体的な会計処理の方法としては、次の2つの方法が考えられます。

① 帳簿に記載する時点で、仕入税額控除を受けられない分を費用や資産の取得価額に上乗せする方法

これにより、毎回の取引毎に正しい費用処理額が把握できる一方、処理は煩雑になります。

② 取引時点では従来の仕訳方法を用いて、決算時に控除されない税額を一括で雑損失に振り替える方法

これにより、手間は減る一方、費用処理額が決算処理後に変わってしまうというデメリットがあります。

数値を用いた具体的な仕訳イメージは以下のとおりです。

① 仕入税額控除を受けられない分を費用に上乗せ

仕入税額控除を受けられない分を費用として上乗せする場合には、帳簿に記載する時点で、仕入税額控除ができる金額を計算して記載します。

80％控除期間中に免税事業者へ2,200円の仕入れ分を支払い、税額控除できない分を費用に上乗せした場合を例に解説します。

取引時点					
借方	仕入	2,040円	貸方	現金	2,200円
	仮払消費税	160円			

この処理方法は、インボイスごとの取引をダイレクトに仕訳に反映させるものであり、仕訳の入力時点で処理が完結することになります。多くの財務ソフトが仕訳ごとの各科目に課税区分に係る数字や記号を入力するようになっているところ、この方法を採用することにより、課税区分別の金額の確認や消費税の申告書の作成において、もっとも利便性が高いものになります。したがって、この処理方法が今後の主流になると思われます。

② 仕入税額控除を受けられない分を雑損失などに振替え

雑損失を使用して仕訳をする場合は、取引時点では従来の仕訳方法を用いて、決算時に控除されない税額を一括で雑損失にします。

80％控除期間中に、免税事業者へ2,200円の仕入れ分を支払い、税額控除できない分を雑損失として計上した場合を例にした帳簿の記載方法を解説します。

取引時点					
借方	仕入	2,000円	貸方	現金	2,200円
	仮払消費税	200円			
決算時点					
借方	雑損失	40円(注)	貸方	仮払消費税	40円

(注)　仕入税額控除の経過措置で控除できる金額が200円×80％＝160円となり、残りの40円を雑損失とします。

　現行の会計システムや入力方法を変更したくないという理由から、この方法を採用する事例もあるかと思われます。この場合には、上記①の処理方法による場合のメリットを享受することができないことのほか、資産を取得した場合などの処理が複雑となります。

　例えば、機械装置2,200円（税込み）を取得した場合、上記の仕訳中の「仕入2,000円」と「雑損失40円」がそれぞれ「機械装置2,000円」と「機械装置40円」となり、合計2,040円を基礎に減価償却費の限度額計算をすることが適切となります（最初から機械装置2,040円となるような仕訳をしておけば済むことです。）。

　仮に、「機械装置2,000円」と「雑損失40円」のままで減価償却費を計算する場合は、適正な償却限度額の計算がされないことになります。なお、いったん申告調整（機械装置40円の加算留保）をする場合は、その後の処理が複雑となります。

　また、交際費等の金額を把握する際にも、期末において「交際費等に係る雑損失」の金額を集計する必要があります。

　なお、簡易課税又は２割特例を適用する事業者が、税抜経理方式を適用する場合については、(7)ページ１.(2)を参照してください。

Q 4-3 インボイスに対応していない請求書や誤りのあるインボイスを受け取った場合

　インボイスに対応していない請求書を受け取った時、又はインボイスに誤りがあった時はどうすればよいですか。

A　インボイス制度下において、インボイスの要件を満たしていない請求書を受け取る場合や、受け取ったインボイスに誤りがある場合も考えられます。特に、制度開始直後においては十分に注意が必要な事項です。

　まず前提として、インボイスは法律で定められた６つの記載事項を満たす必要があります。これらの項目が請求書にすべて記載されているかを確認することが最初のステップとなります。もし、これらの項目が不足しているか、誤りがある場合は、受け取った請求書を受取り側が修正することはできません。そのため、原則として先方に対して修正を依頼

することが必要となります。

　売り手であるインボイス発行事業者は、交付したインボイスに誤りがあったときは、修正したものを交付しなければならないとされているため（法57の4④⑤）、売り手は修正依頼には応じなければなりません。

　しかし、実務上、先方が修正を行うことが困難な場合もあります。そのような状況下では、買い手である課税事業者が作成した「インボイスの要件を満たした仕入明細書等の書類」で、売り手であるインボイス発行事業者の確認を受けたものについても、仕入税額控除の適用のために保存が必要な請求書等に該当するので（法30⑨三）、自社で作成した仕入明細書等を発行することで問題を解決することができます。

　この仕入明細書等による場合は、売り手の確認を受ける必要があるという点にご留意ください。実務上は何度も書類のやり取りをすることは煩雑であるため、仕入明細書等を先方に交付した上で、「一定期間内に誤りの指摘がない場合は、内容に関して同意したものとみなす」等の文言を付すことで、先方の同意を得たとみなすような運用になると考えられます。

　ただし、仕入明細書等が仕入税額控除の要件を満たすための詳細な内容については、Ⓠ3−12を参照してください。

　以上のように、インボイスに対応していない請求書を受け取った場合や、インボイスに誤りがあった場合には、まずは請求書の内容を確認し、必要な修正を依頼することが重要です。そして、それが困難な場合には、自社で仕入明細書等を発行することにより、正確な税額の計算を確保することが可能となります。

Ⓠ 4−4 公共交通機関を利用した場合

　公共交通機関に乗った時も、切符の他に乗車の度に窓口でインボイスを入手する必要がありますか。

Ⓐ　インボイスの交付義務が免除される公共交通機関特例の対象となるのは、3万円未満の公共交通機関による旅客の運送です。したがって、利用者である課税事業者が公共交通機関の利用時にインボイスの取得が必要か否かは、その利用料金の金額によります。具体的には、船舶、バス、鉄道などの公共交通機関の利用料金が3万円未満である場合は、インボイスがなくても消費税の控除が可能です（令70の9②一）。

　この規定は、少額の取引においてもインボイスを毎回取得するという手間を軽減するために設けられたものです。しかし、この規定は1回の取引金額に適用されます（基通1−8−12）。したがって、一度に複数の乗車券を購入することなどにより、その合計金額が

３万円を超えるような取引についてはインボイスの取得が必要となります。

　例えば、一度に１万円の新幹線の乗車券を４枚購入した場合、その取引金額は４万円となりますので、インボイス取得が必要となります。逆に、１万円の乗車券をそれぞれ別々の時間や、別の日に４回購入した場合は、各取引が３万円未満となるため、それぞれの取引についてはインボイスは不要です。

　したがって、公共交通機関を利用する際には、その利用料金が１回の取引で３万円を超えるかどうかを確認し、超える場合はインボイスを取得することが必要です。ただし、３万円を超える場合であっても、公共交通機関である鉄道事業者から簡易インボイスの記載事項を記載した乗車券の交付を受け、その乗車券が回収される場合は、一定の事項を記載した帳簿のみの保存で仕入税額控除が認められます（令49①一ロ）。なお、特急料金、急行料金、寝台料金などの旅客の運送に直接的に附帯するものは、公共交通機関特例の対象となります。これに対して、旅客の運送に直接的に附帯するものでない入場料金、手回品料金などは、この特例の対象にはなりません（基通１－８－13）。

【参考】　３万円未満の場合にインボイスの交付が免除される公共交通機関（令70の９②一）
　①　船舶による旅客の運送
　　一般旅客定期航路事業（海上運送法２⑤）、人の運送をする貨物定期航路事業（同法19の６の２）、人の運送をする不定期航路事業（同法20②）（乗合旅客の運送をするものに限る。）として行う旅客の運送（対外航路のものを除く。）
　②　バスによる旅客の運送
　　一般乗合旅客自動車運送事業（道路運送法３一イ）として行う旅客の運送
　　(注)　路線不定期運行（空港アクセスバス等）及び区域運行（旅客の予約等による乗合運行）も対象。
　③　鉄道・軌道による旅客の運送
　　・鉄道：第一種鉄道事業（鉄道事業法２②）、第二種鉄道事業（同法２③）として行う旅客の運送
　　・軌道（モノレール等）：軌道法第３条に規定する運輸事業として行う旅客の運送

Q 4－5　自動販売機の利用などインボイスが入手できない場合

　自動販売機などを利用したため、物理的にインボイスが入手できない時はどうすればよいでしょうか。

　インボイス制度下においても、自動販売機などを利用したため物理的にインボイスが入手できない場合は存在します。この点、３万円未満の代金の受領と資産の譲

渡等が自動で行われる機械装置であって、その機械装置のみにより代金の受領と資産の譲渡等が完結するものについては、インボイスの入手は不要とされています（基通1－8－14）。

この自動販売機特例の対象となるのは、自動販売機による飲食料品の販売、コインロッカーやコインランドリー等によるサービス、金融機関のATMによる手数料を対価とする入出金サービスや振込サービスなどが該当します。これらの例に見られるように、人の介在がなく機械装置のみで完結する取引はインボイスの発行が免除されるため、インボイス制度下においてもインボイスを入手する必要がありません。一定の事項を記載した帳簿のみの保存で仕入税額控除が認められます。

しかし、すべての自動化された取引がこの例外に該当するわけではありません。例えば、セルフレジは対象外となります。これは、購入者自身が商品のスキャンを行うものの、単に精算を行っているだけであり、機械装置のみで完結する取引とは認められないためです。同様に、コインパーキングや自動券売機も対象外となります。これらの場合も、実際のところは機械装置のみで完結するわけではなく、機械装置で行われる代金の受領と券類の発行は別に、サービスの提供などの資産の譲渡等が行われるからです。ただし、コインパーキングは駐車場業（不特定かつ多数の者に対するもの）に該当することから、インボイスに代えて、簡易インボイスを交付することができます。
（簡易インボイスについて詳しくは **Q** 3－2を参照）

また、ネットバンキングのように、機械装置上で操作は行っているが、当該機械装置でサービスの提供（資産の譲渡等）が行われないものについても、機械装置のみで完結する取引とは認められません。ネットバンキングに係るインボイスについては、消費税法の規定に即して「電子交付」又は「書面交付」（郵送・窓口）のいずれかの方法により、概ね次のような対応を行っているようです（事前に各金融機関に確認をしておく必要があります。）。

インボイス発行区分	対象取引
インボイスの発行対象となる取引	振込手数料、EBサービス利用手数料、口座振替手数料、定額自動送金手数料、貸金庫手数料、夜間金庫手数料、代金取立手数料、残高証明書発行手数料、融資関係手数料など
インボイスの発行対象とならない取引	ATMや両替機での取引手数料（インボイスの交付義務が免除される自動販売機特例の対象）

なお、上記のとおり仕入税額控除のためには、原則として、インボイスの入手が必要ですが、一定規模以下の事業者については、令和5年10月1日から令和11年9月30日までの間に国内において行う課税仕入れについて、金額が1万円未満である場合には、一定の事項が記載された帳簿のみの保存により仕入税額控除の適用を受けることができる経過措置が設けられています（平28改所法等附53の2、平30改令附24の2①）。詳しくは、**Q** 4－13をご参照ください。

以上のように、インボイスが物理的に入手できない取引については、その取引が機械装

置のみで完結するものであるかどうかを検討し、その結果に基づいてインボイスの入手の要否を考える必要があります。

Q 4-6 卸売市場を通じた委託販売の場合

卸売市場を通じた委託販売では、インボイスを入手することが困難です。この場合、仕入税額控除はできないのでしょうか。

A 卸売市場(注)での取引では、特に委託販売の形態を取る場合、取引の性質上、インボイスを取得することが困難となる場合が多くあります。この問題を解決するために、消費税法では、卸売市場法に規定する卸売業者(注)が卸売の業務として出荷者から委託を受けて行う生鮮食料品等(注)の販売は、インボイスを交付することが困難な取引として、一定の条件を満たす場合にはインボイスの交付義務が免除され、一定の書類の保存により仕入税額控除が可能となる特例が設けられています（法57の4①、令70の9②二イ）。

この特例の適用を受けるためには、以下の3つの条件のいずれかを満たす必要があります。

① 農林水産大臣の認定を受けた中央卸売市場での取引
② 都道府県知事の認定を受けた地方卸売市場での取引
③ 農林水産大臣が財務大臣と協議して定めた基準を満たし、さらに農林水産大臣の確認を受けた卸売市場での取引

このうち、特に3つ目の条件については、農林水産省が定める基準として以下の5つが挙げられます（令和2年農林水産省告示第683号）。

1．生鮮食料品等の卸売のために開設されていること
2．卸売場、自動車駐車場その他の生鮮食料品等の取引及び荷捌きに必要な施設が設けられていること
3．継続して開場されていること
4．売買取引の方法その他の市場の業務に関する事項及び当該事項を遵守させるための措置に関する事項を内容とする規程が定められていること
5．卸売市場法第2条第4項に規定する卸売をする業務のうち販売の委託を受けて行われるものと買い受けて行われるものが区別して管理されていること

上記条件を満たす卸売市場で生鮮食料品等を購入した事業者は、卸売業務を行う事業者等が作成する一定の書類（出荷者名、日付、品目、数量、金額等が記載されたもの）を保存することで、仕入税額控除を受けることが可能となります。これにより、インボイスの取得が困難な卸売市場での取引でも、仕入税額控除を行うことができます。

(注) 各種用語の内容（卸売市場法第2条）

用語	内容
生鮮食料品等	野菜、果実、魚類、肉類等の生鮮食料品その他一般消費者が日常生活の用に供する食料品及び花きその他一般消費者の日常生活と密接な関係を有する農畜水産物で政令で定めるもの
卸売市場	生鮮食料品等の卸売のために開設される市場であって、卸売場、自動車駐車場その他の生鮮食料品等の取引及び荷さばきに必要な施設を設けて継続して開場されるもの
卸売業者	卸売市場に出荷される生鮮食料品等について、その出荷者から卸売のための販売の委託を受け、又は買い受けて、当該卸売市場において卸売をする業務を行う者

Q 4−7 農協を通じた委託販売の場合

卸売市場と同様、農協を通じた委託販売もインボイスの交付義務が免除されるそうですが、詳細を教えてください。

A 卸売市場における取引と同様に、農協を通じた委託販売についても特例が認められています。農業協同組合法に規定する農業協同組合や農事組合法人、水産業協同組合法に規定する水産業協同組合、森林組合法に規定する森林組合及び中小企業等協同組合法に規定する事業協同組合や協同組合連合会（以下これらを併せて「農協等」といいます。）が関与する一部の取引について、インボイスの交付義務が免除される場合があります。

具体的には、農協等の組合員その他の構成員が、農協等に対して「無条件委託方式」かつ「共同計算方式」により販売を委託した農林水産物の販売（特定の譲渡者を指定せずに行うものに限ります。）について、インボイスの交付が困難であると認められ、インボイスの交付義務が免除されます（法57の4①、令70の9②二ロ）。

「無条件委託方式」とは、売値、出荷時期、出荷先等の条件を付けずに農林水産物の販売を委託する方式を指します。一方、「共同計算方式」とは、一定の期間における農林水産物の譲渡に係る対価を、その農林水産物の種類、品質、等級その他の区分ごとに平均した価格をもって算出し、これを基礎として精算する方式を指します（令70の9②二ロ、規26の5②）。

この特例が適用される場合、農林水産物を購入した事業者は、農協等が作成する一定の書類（出荷者名、日付、品目、数量、金額等が記載されたもの）を保存することで、仕入税額控除を受けることが可能となります。

Q 4-8 インボイス発行事業者と免税の個人が共有する建物を購入する場合

当社は、インボイス制度開始後に中古の建物を購入しました。当該建物は、インボイス発行事業者である法人と、インボイス発行事業者でない社長個人との共有になっております。当社としては、仕入税額控除を受けたいと思っているのですが、どのようにすればよいですか。

A インボイス発行事業者がインボイス発行事業者以外の者と資産を共有している場合、その資産の譲渡や貸付けについては、所有者ごとに取引を合理的に区分する必要があります。そして、相手方の求めがある場合には、インボイス発行事業者の所有割合に応じた部分について、インボイスを交付しなければなりません（基通1-8-7）。

したがって、貴社は、購入先の法人及び個人に対し、所有割合（例えば持分など）に対応する部分を基礎として代金を分割し、それぞれから請求書（法人からはインボイス）を入手する必要があります。これにより、建物の購入代金のうち、インボイス発行事業者である法人の持分に関しては、仕入税額控除を受けることができます。

なお、インボイス発行事業者以外の者（消費者、免税事業者又は登録を受けていない課税事業者）からの課税仕入れ（本件では、社長個人からの購入部分）については、特例の期間に応じて、仕入税額の80％又は50％を控除できます。

Q 4-9 中古車販売（古物商）におけるインボイスの取扱い

当社は中古車販売業を営んでいますが、消費者から車を仕入れた時など、インボイスが入手できない場合があります。この場合でも仕入税額控除はできますか。

A 消費税法における仕入税額控除は、取引先がインボイス発行事業者である場合、その取引に関連する要件を満たしたインボイスを保管することが必須とされています。しかし、特定の業種や状況では、インボイスが提供されない場合や取得が困難である場合があります。その一例として中古車販売業が挙げられます。

具体的には、古物営業法上の許可を受けた古物商（これには中古車販売業者も含まれます。）が、インボイス発行事業者以外の者（例えば、一般消費者）から古物を買い受ける場合、インボイスが提供されないことが一般的です。このような場合でも、消費税法は一定の事項が記載された帳簿のみの保存により仕入税額控除を認めています（法30⑦、令49①一ハ(1)）。

　具体的には、「①課税仕入れの相手方の氏名又は名称及び住所又は所在地」、「②課税仕入れを行った年月日」、「③課税仕入れに係る資産又は役務の内容」、「④課税仕入れに係る支払対価の額」、「⑤帳簿のみの保存で仕入税額控除が認められるいずれかの仕入れに該当する旨」を帳簿に記録し、保存することで、これらの情報に基づいて仕入税額控除を受けることが可能となります。この場合、仕入税額控除は、令和5年10月1日から3年間は仕入税額の80％となります。

　この点、古物営業を営む場合、古物営業法において、古物台帳には①から④の事項の記載が求められているため、古物台帳と⑤の事項について記載した帳簿（総勘定元帳等）を合わせて保存することで、帳簿の保存要件を満たすことができます。

　なお、同様の取扱いは以下の業種や状況でも適用されます（令49①一ハ(2)〜(4)）。

・質屋営業法に規定する質屋営業を営む質屋が、インボイス発行事業者以外の者から質物を取得する場合

・宅地建物取引業法に規定する宅地建物取引業者が、インボイス発行事業者以外の者から同法に規定する建物を購入する場合

・再生資源卸売業その他不特定かつ多数の者から資源の有効な利用の促進に関する法律に規定する再生資源及び再生部品を購入する事業を営む事業者が、インボイス発行事業者以外の者から再生資源及び再生部品を購入する場合

　これらの場合においても、一定の事項が記載された帳簿のみの保存により、仕入税額控除を受けることができます。

　ただし、この制度の適用を受けるためには、購入したものが、上記の各業種において事業として販売する棚卸資産に該当するものでなければなりません。また、取引先がインボイス発行事業者である場合インボイスの提供・保存が必要となりますのでご留意ください。

Ｑ 4-10 郵便切手を購入した場合

　郵便切手を購入した場合、当社では購入時に課税仕入れとして計上しているのですが、インボイス制度開始後も今までどおりの処理でよいのでしょうか。

Ａ　まず前提として、郵便切手類（郵便切手、郵便葉書など）や物品切手等（商品券、ビール券、図書券など）の購入に関する会計処理全般について説明します。これらは、購入時には原則として課税仕入れに該当せず、役務又は物品の引換給付を受けた時に、その引換給付を受けた事業者の課税仕入れとなります。つまり、郵便切手や物品切手を使用してサービスを利用したとき、すなわち切手を使って郵便物を発送した時や、物品切手を使って商品を購入した時などに課税仕入れとなるのです。

　しかし、インボイス制度開始前の取扱いでは一部例外が認められていました。購入した

郵便切手類又は物品切手等のうち、自ら引換給付を受けるものについては、購入時に課税仕入れとして計上することが認められていたのです（基通11－3－7）。これは、事業者が一度に大量に郵便切手等を購入し、その後自社で少しずつ使用する際の会計処理の手間を想定しての措置です。

そして、インボイス制度が導入された後でも、この取扱いは続きます。つまり、郵便切手類や物品切手等のうち、自ら引換給付を受けるものについては、引き続き購入時に課税仕入れとして計上し、一定の事項を記載した帳簿を保存することにより、仕入税額控除の適用を受けることができます（令49①一ニ、規15の4一、令49①一ロ）。この「一定の事項」とは、購入日、購入した切手の種類と数量、購入金額等が含まれます。

まとめると、郵便切手や物品切手の取扱いは、原則として購入時には課税仕入れには該当せず、利用時に課税仕入れとなります。しかし、自社で使用することを想定して購入した場合には、購入時に課税仕入れとして計上することが可能です。その際、必要な帳簿を保存することで仕入税額控除が適用されます。そのため、郵便切手や物品切手を購入する際は、その後の使用目的や税務上の取扱いをよく理解した上で、適切な記録を保持することが重要となります。

なお、上記（一定の事項を記載した帳簿の保存のみで仕入税額控除の適用を受けることができるもの）以外の物品切手等に係る課税仕入れは、購入時ではなく、インボイス等の交付を受けることとなるその引換給付を受けた時に課税仕入れを計上し、仕入税額控除の適用を受けることとなりますので留意が必要です。

Ｑ 4－11　従業員に出張旅費を支払う場合

従業員に出張旅費を支払う場合、従業員からはインボイスが入手できないが、どうすればよいでしょうか。

A まず、従業員に対して出張旅費を支払う場合の一般的な消費税の取扱いについて説明します。従業員に支給する出張旅費、宿泊費、日当等のうち、その旅行に通常必要であると認められる部分の金額については、課税仕入れに係る支払対価の額に該当するものとして取り扱われます。当該取扱いはインボイス制度開始後も変わりません。しかし、従業員はインボイス発行事業者ではないため、従業員に対して出張旅費を支払う場合、インボイスの交付を受けることはできません。そこで、出張旅費、宿泊費、日当等のうち、その旅行に通常必要と認められる部分については、一定の事項を記載した帳簿を保存することで仕入税額控除が認められます（法30⑦、令49①一ニ、規15の4二、基通11－6－4）。

「その旅行に通常必要と認められる部分」については、所得税法に基づき判断します。所得税法では、旅行に必要な運賃、宿泊料、移転料等の支出について、その旅行の目的、

目的地、行程、期間、宿泊の要否、旅行者の職務内容及び地位等から見て、その旅行に通常必要とされる費用の支出に充てられる範囲内の金品が非課税とされています（所得税基本通達9－3）。これに基づき判断し、所得税が非課税となる範囲内であれば、消費税法上もインボイスを入手しなくても、一定の事項を記載した帳簿を保存することで仕入税額控除が認められることになります（通勤手当については Q 4－12参照）。

所得税が非課税となる範囲内の金品に該当するかどうかの判定については、以下の事項を勘案します（所得税基本通達9－3）。

　①　支給額が、使用者等の役員及び使用人全体を通じて適正なバランスが保たれている基準によって計算されたものであるかどうか。

　②　支給額が、使用者等と同業種、同規模の他の使用者等が一般的に支給している金額に照らして相当と認められるものであるかどうか。

したがって、実務上は、まずは出張旅費について上記①、②を満たすよう旅費規定を定める必要があります。その上で、実際に従業員に出張旅費を支払う場合には、当該旅費が規定に沿っているかどうか確認し、問題なければ一定の事項を記載した帳簿を保存することで、仕入税額控除を受けることが可能となります。

なお、仕入税額控除が認められる「一定の事項」には、支払の日付、支払った金額、支払の内容、支払先（従業員の名前）、支払の事由等が含まれます。これらの情報を含む帳簿を作成し、保存することで、税務上の適切な取扱いが可能となります。

Q 4－12　従業員に通勤手当を支払う場合

従業員に通勤手当を支払う場合インボイスを入手できませんが、仕入税額控除は認められるのでしょうか。

A　消費税法における仕入税額控除の適用範囲には、従業員への通勤手当も含まれます。具体的には、従業員へ通勤手当を支給する際に、その金額の中で通勤に通常必要と認められる部分は、課税仕入れに係る支払対価とみなされます。

インボイス制度下においても、この部分の金額については、一定の事項が記載された帳簿を保存することで仕入税額控除が認められます（法30⑦、令49①一ニ、規15の4三、基通11－6－5）。具体的には、通勤手当の支給額、支給日、支給先の社員の氏名、通勤にかかる距離や交通手段など、通勤手当の支給に関する情報を帳簿に適切に記録し、保存することが必要となります。

前問のように出張旅費の場合は、一定の事項を記載した帳簿を保存することで仕入税額控除を受けるための判断基準である「その旅行に通常必要と認められるかどうか」に関しては、所得税法における非課税の範囲内であることが必要です。

これに対して、通勤手当は取扱いが異なります。つまり、通勤手当の場合は所得税法施行令第20条の2において規定される非課税とされる通勤手当の金額を超えていても仕入税額控除が認められます（源泉所得税の課税とは別の問題です。）。したがって、通勤に通常必要と認められるものであればよく、その金額は問われません。

Q 4-13 1万円未満の取引でのインボイス保存（少額特例）

事業者によっては、1万円未満の取引についてはインボイスの保存が必要ないと聞いたのですが、その内容について教えてください。

A インボイス制度下において、一定規模以下の事業者に対する事務負担の軽減措置として、「少額特例の経過措置」が講じられています。具体的には、基準期間における課税売上高が1億円以下又は特定期間における課税売上高が5,000万円以下である事業者が、令和5年10月1日から令和11年9月30日までの間に国内において行う課税仕入れに係る支払対価が税込み1万円未満である場合には、一定の事項が記載された帳簿のみの保存により、当該課税仕入れについて仕入税額控除の適用を受けることができます（平28改所法等附53の2、平30改令附24の2①）。

この特例を適用する際、帳簿に「経過措置（少額特例）の適用がある旨」を明記する必要はありません。ここで、基準期間とは、個人事業者についてはその年の前々年、法人についてはその事業年度の前々事業年度をいい、特定期間とは、個人事業者についてはその年の前年1月1日から6月30日までの期間、法人についてはその事業年度の前事業年度開始の日以後6月の期間をいいます。なお、基準期間の課税売上高が1億円以下である場合であっても、特定期間の要件を満たせば、この規定の適用を受けることができます。ただし、この少額特例における特定期間の判定は、課税売上高のみが採用され、事業者免税点制度のように課税売上高に代えて給与支払額の合計額によることはできません。また、事業者免税点の判定の際の課税売上高は、基準期間も特定期間も1,000万円以下ですが、この少額特例の経過措置における課税売上高は、基準期間が1億円以下であり、特定期間が5,000万円以下となっていることに留意が必要です。

なお、新たに設立した法人における基準期間のない課税期間について、特定期間が存在することとなり、かつ、その特定期間の課税売上高が5,000万円超となった場合であっても、基準期間の課税売上高（そもそも基準期間がありませんので、理解としては基準期間の課税売上高は0です。）で判定することができますので、当該課税期間について、本経過措置の適用を受けることができます（平28年改所法等附53の2）。

また、この特例は、インボイス発行事業者以外からの課税仕入れにも適用されます。つまり、インボイス発行事業者以外からの仕入れであっても、取引の支払対価が1万円未満

である限り、その取引は特例の対象となり、仕入税額控除が認められます。

　なお、「支払対価が1万円未満」に該当するかどうかは、1回の取引全体の課税仕入れに係る金額が税込みで1万円未満かどうかで判断され、個々の商品ごとの金額によっては判断されません。

　まとめると、1万円未満の取引であってもインボイスを取得する必要がないというのは、上述した特定の条件を満たす事業者が対象となります。これにより、小規模事業者の負担軽減が図られています。

Q 4−14 ETCを利用した場合のインボイスの保存について

高速道路でETCを利用した場合、その都度インボイスを取るのが難しいのですが、後日請求されるクレジットカードの利用明細の保存により仕入税額控除を行うことはできますか。

A　一般的にクレジットカード利用明細書は通常、インボイスとは認められません。クレジットカード利用明細書は、課税資産の譲渡等を行った事業者が作成及び交付する書類ではなく、また、課税資産の譲渡等の内容や適用税率の記載などのインボイスの要件を満たさないためです。よって、ETCシステムを用いて料金を支払い、その精算をクレジットカードで行う場合、控除を受けるためには原則として、高速道路会社から「利用証明書」（簡易インボイスの記載事項に関する電磁的記録）を取得し、保存する必要があります。利用証明書は、高速道路会社のホームページ等から、通行料金が確定した後にダウンロードできます。

　ただし、事業者が頻繁に高速道路を利用している場合、すべての利用に関する利用証明書を保存することが困難な場合もあります。そこで、クレジットカード利用明細書（詳細な利用内容がわかるもの）と、利用した高速道路会社ごとに任意の一取引に係る利用証明書をダウンロードして保存することで、仕入税額控除が可能です。

　利用証明書の保存に関しては、すべてのクレジットカード利用明細書に対して、毎月取得・保存する必要はなく、高速道路会社等がインボイス発行事業者であり続ける限り、一度の取得・保存で十分です。また、一度の利用証明書で複数会社を通過（例えば、A社→B社→C社と経由）した場合でも、C社が一括で利用証明書を発行していれば、その利用証明書を保存します。

　なお、空港連絡橋利用税など、消費税非課税の料金に関しては、仕入税額控除の対象となりませんのでご留意ください。

第5章

インボイス制度非対応
取引等への対応

Q 5-1 **インボイス制度非対応取引の処理の概要**

当社の取引先は、比較的小規模なところが多く、インボイス制度の適用開始となっても課税事業者を選択しない取引先（免税事業者）も相当程度ある見込みです。こうしたインボイス制度非対応取引の処理の概要を教えてください。また、その場合の帳簿及び請求書の記載や保存に関しての留意すべき事項を教えてください。

A インボイス発行事業者以外の者から行った課税仕入れは、原則的には仕入税額控除の適用を受けることができませんが、一定の期間内は経過措置があります。なお、経過措置の期間の請求書の記載要件や保存等については一定の要件を満たす必要があります。

① 経過措置の概要

インボイス制度の開始後は、免税事業者や消費者などインボイス発行事業者以外の者（以下「免税事業者等」といいます。）から行った課税仕入れは原則として仕入税額控除の適用を受けることができません（法30⑦）。ただし、令和5年10月1日からの制度開始後6年間は、免税事業者等からの課税仕入れについても仕入税額相当額の一定割合（80％、50％）を仕入税額として控除できる経過措置が設けられています（平28改所法等附52、53）。

その期間と控除割合は令和8年9月30日までは、免税事業者等からの課税仕入れにつき仕入税額の80％相当額が控除可能、令和11年9月30日までは、免税事業者等からの課税仕入れにつき仕入税額の50％相当額が控除可能、令和11年10月1日以降免税事業者等からの仕入税額については、控除不可となります。

なお、この経過措置による仕入税額控除の適用にあたっては、免税事業者から受領する区分記載請求書と同様の記載がされた請求書等の保存と、この経過措置の適用（80％、50％の特例を受ける旨）を記載した帳簿の保存が必要です。

② 具体的処理

例えば、100円の商品売上げを行ったと仮定します。免税事業者は、請求方法について次の2パターンがあります。

① 100円の本体金額に10円の消費税額等を加算して110円請求する場合

② 100円の税込み（消費税額等9円）で請求を行う場合

なお、免税事業者の請求書等に消費税を記載については、国税庁から出された「多く寄せられるご質問（令和5年12月15日更新）」の問④免税事業者の交付する請求書等での回答において、「免税事業者が請求書等に消費税相当額を記載したとしても、それが適格請求書等と誤認されるおそれのあるものでなければ、基本的に罰則の適用対象となるもので

はありません。また、免税事業者であっても、仕入れの際に負担した消費税相当額を取引価格に上乗せして請求することは適正な転嫁として、何ら問題はありません。」とされています。

　仕入れ側の事業者は①の場合、令和５年10月１日から令和８年９月30日までは、仕入税額10円の80％相当額の８円を仕入税額控除とすることができます。令和８年10月１日から令和11年９月30日までは、10円の50％相当額の５円を仕入税額控除とすることができます。上記の計算により仕入税額控除ができなかった金額の２円（令和５年10月１日から令和８年９月30日までの期間）と５円（令和８年10月１日から令和11年９月30日までの期間）は、仕入勘定で仕入金額に含めて処理することになります。②の場合も同様です（当初３年間は80％の７円の仕入税額控除）。

③ 帳簿及び請求書の保存要件

　この経過措置の適用を受けるためには、次の事項が記載された帳簿及び請求書等の保存が要件となります。

(1) 帳簿

　区分記載請求書等保存方式の記載事項に加え、例えば、「80％控除対象」など、経過措置の適用を受ける課税仕入れである旨の記載が必要となります。具体的には、次の事項となります。

　①　課税仕入れの相手方の氏名又は名称
　②　課税仕入れを行った年月日
　③　課税仕入れに係る資産又は役務の内容（課税仕入れが他の者から受けた軽減対象課税資産の譲渡等に係るものである場合には、資産の内容及び軽減対象課税資産の譲渡等に係るものである旨）及び経過措置の適用を受ける課税仕入れである旨
　④　課税仕入れに係る支払対価の額
　（参考）

　　③の「経過措置の適用を受ける課税仕入れである旨」の記載については、個々の取引ごとに「80％控除対象」、「免税事業者からの仕入れ」などと記載する方法のほか、例えば、本経過措置の適用対象となる取引に、「※」や「☆」といった記号・番号等を表示し、かつ、これらの記号・番号等が「経過措置の適用を受ける課税仕入れである旨」を別途「※（☆）は80％控除対象」などと表示する方法も認められます。

(2) 請求書等

　区分記載請求書等と同様の記載事項が必要となります（区分記載請求書等に記載すべき事項に係る電磁的記録を含みます。）。

　①　書類の作成者の氏名又は名称
　②　課税資産の譲渡等を行った年月日

③ 課税資産の譲渡等に係る資産又は役務の内容（課税資産の譲渡等が軽減対象資産の
　譲渡等である場合には、資産の内容及び軽減対象資産の譲渡等である旨）

④ 税率ごとに合計した課税資産の譲渡等の税込価額

⑤ 書類の交付を受ける当該事業者の氏名又は名称

インボイス発行事業者以外の者から受領した請求書等の内容について、③かっこ書きの
「資産の内容及び軽減対象資産の譲渡等である旨」及び④の「税率ごとに合計した課税資
産の譲渡等の税込価額」については、受領者が自ら請求書等に追記して保存することが認
められます。なお、提供された請求書等に係る電磁的記録を整然とした形式及び明瞭な状
態で出力した書面に追記して保存している場合も同様に認められます。

Q 5−2 下請法等の制限に関する留意事項

当社は、インボイス制度実施後の免税事業者との取引につきまして、料金・価格等
の交渉を行う予定です。その場合、下請法等の制限に関する留意事項とはどのような
ものでしょうか。

A **ポイント** 免税事業者等との取引交渉の際には、独占禁止法や下請法との取扱い
に留意が必要である。

1 基本的な考え方

令和 5 年10月 1 日以降は、課税事業者は免税事業者等からの仕入れについては基本的に
は仕入税額控除が認められません（法30⑦）。ただし、経過措置としてインボイス制度の
施行日（令和 5 年10月 1 日）以後 3 年間は仕入れに関する消費税の80％相当額、その後の
3 年間は50％相当額の仕入税額控除が認められます（平28改所法等附52、53）。

このため、このような経過措置を勘案しながら免税事業者等と今後どのように取引を行
うのか検討する必要があります。その場合、免税事業者等の小規模事業者は、売上先の事
業者と比較しますと取引条件について通常、情報量や価格交渉力について格差があります。
このため免税事業者等は一般的に取引条件が不利になる可能性が高いと考えられます。こ
のような環境下で売上先との交渉により取引条件が見直される場合にその方法や内容に関
しては売上先が独占禁止法、下請法、建設業法に抵触して問題となる可能性があります。

なお、免税事業者等へ支払う消費税ですが、免税事業者等も自らの仕入れに関して消費
税を負担しています。このため、免税事業者等はこれを売上価格に転嫁する必要があるこ
とから、免税事業者等が請求書等において消費税を請求すること自体は法的に問題がない
ことを理解しておく必要があります。

まず、取引相手がインボイス発行事業者の登録を行っているかどうかを確認する必要が

あります。その上で取引条件等を見直す等の検討を行う必要があります。

2 取引条件の見直し対象となる項目と留意すべき事項

免税事業者等との取引内容の確認が必要なのは次の項目です。

・免税事業者等がインボイス制度の内容をどの程度理解しているのか。
・免税事業者等の今後のインボイス発行事業者への登録の意思の有無。
現在までは免税事業者等としてやってきたが、これを継続するのかそれともインボイス発行事業者となる意思があるのか。意思があるとすればそれはいつからインボイス発行事業者となる予定なのか。
・現在の請求書の内容が、消費税の「税込み」か「税抜き」か。
・協賛金等を現在どの程度負担しているのか。
・関連する商品やサービスの利用の程度。

上記のような項目を確認した上で取引条件を見直すことになります。

取引条件の見直しは、基本的には取引当事者間の自主的な判断に委ねられる性質ものです。しかし、自己の取引上の地位が相手方より優越している場合に、一方の当事者が相手方にその立場を利用して正常な商習慣から逸脱し、不当な不利益を与える場合には「優先的地位の乱用」として独占禁止法上の問題となる可能性があります。

こうした懸案に対して財務省や公正取引委員会は令和4年1月に「免税事業者及びその取引先のインボイス制度への対応に関するQ&A」を公表しました。

3 独占禁止法・下請法の取扱いについて

公正取引委員会では行為者の地位が相手方に優越していることや免税事業者の今後の取引に与える影響を勘案して、その行為を類型化し、考え方を公表しています。

(1) 取引対価の引下げ

免税事業者に対し、仕入税額控除ができないことを理由に、著しく低い取引対価を提示し、これに従わせることは優越的地位の乱用として問題となります。これに対して、仕入税額控除ができない金額に基づいて取引対価を引き下げることは直ちに問題となることは、ありません。この場合においても、仕入税額控除の経過措置等を適切に織り込んだ取引対価をベースとして双方で協議する必要があります。

(2) 商品・役務の成果物の受領拒否・返品

いったん契約を締結後に仕入先が免税事業者であることを理由として商品の受領を拒否することは優越的地位の乱用に該当し問題となります。また、返品について正当な理由がないにもかかわらず免税事業者へ返品を行うことも同様です。

(3) 協賛金等の負担の要請

取引価格の維持と引き換えに免税事業者へ協賛金、販売促進費等の名目で金銭の負担を

直接の利益等を勘案して合理的と認められる範囲を逸脱した場合には、優越的地位の乱用に該当し問題となります。

⑷　購入・利用強制

取引価格の維持と引き換えに免税事業者へ当該取引に係る商品・役務以外の商品・役務の購入を要請することは、免税事業者が業務遂行上必要ではない場合等には、優越的地位の乱用に該当し問題となります。

⑸　取引の停止

免税事業者に対し、著しく低い価格を提示し不当に不利益を与えることになる場合にこれに応じない時に取引を停止することは、優越的地位の乱用に該当し問題となります。

⑹　登録事業者となるよう執拗な要請と脅し

免税事業者に対し課税事業者になるように要請することそのものは問題ありませんが、こうした要請にとどまらず、課税事業者にならなければ取引価格を引き下げるとか、これに応じなければ取引を停止する等を一方的に通告することは優越的地位の乱用に該当する可能性があります。

Q 5-3　課税事業者が新たな取引先から仕入れを行う場合の留意事項

当社は、消費税の課税事業者です。インボイス発行事業者の登録も済んでいます。令和5年10月1日から当社が新たな取引先（経費の支払先を含む）から仕入れを行う際の留意事項には、どのようなものがあるのでしょうか。また、従来の3万円未満の取引について領収書の記載がなくても帳簿への記載のみで仕入税額控除が可能であった取扱いは変更となるのでしょうか。

一定の規模以下の事業者に対する1万円未満の課税仕入れの軽減措置が新たにできたそうですが、その内容を教えてください。

A　**ポイント**　仕入先が、インボイスの発行事業者であるかどうかにより仕入税額控除の可否が決定されるためインボイス発行事業者の確認が最重要項目である。なお、免税事業者との取引に際して留意すべき事項が多々ある。

1　インボイス発行事業者の登録番号の確認

仕入先が、インボイスの発行事業者であるかどうかにより仕入税額控除の可否が決定されるため（法30⑦）、インボイス発行事業者の確認が最重要項目となります。先方の発行した請求書・領収書に記載のインボイス発行事業者の登録番号について、国税庁のホームページ（国税庁適格請求書発行事業者公表サイト）にアクセスして登録の有無や番号の正

確性を確認する必要があります。これはインボイス発行事業者の登録をしていないのに登録していると偽装する偽のインボイスの交付を防止するためです。

なお、適切な仕入税額控除のためには、取引の都度、取引相手がインボイス発行事業者であるかどうかを国税庁のサイトで確認することが制度の基本となっています。この点について、取引先が多い場合の対処方法として、登録番号の有効性を効率的に確認する方法として、「国税庁適格請求書発行事業者公表サイト」のWeb-API機能又は公表情報ダウンロード機能を利用する、あるいはこれらの機能に対応している会計ソフト等を導入するなどの方法があることが示されています（インボイスＱ＆Ａ問21）。

しかし、現実問題として、事務負担やソフト等の機能により、このような作業を行うことはほぼ不可能であると思われます。したがって、初めての取引先や多額の取引事例の場合には、国税庁のサイトで確認することが実務的な対応であると考えられます。

② 免税事業者との取引の際の留意事項

仕入先が、免税事業者であることが判明した場合には、消費税の取扱いに関する交渉を行うことになります。具体的には取引対価の減額やインボイス制度の登録業者となることを勧奨することになりますが、これについての詳細は Ｑ 5－2下請法等の制限に関する留意事項をご参照ください。

③ インボイス制度開始後の取引についての留意事項

(1) インボイス制度の開始後の免税事業者との取引に際し、先方がインボイス発行事業者であると錯誤した場合

新規取引先が、インボイス発行事業者であると思い込み、総額11万円で契約を締結したところ、実際に入手した請求書はインボイスの記載事項の要件を満たしておらず、消費税額相当額の1万円は、仕入税額控除が全額はできないことが判明しました。

このような場合にも総額11万円を支払う必要があり、こちらの判断で消費税相当額全額の1万円若しくは、経過措置期間における仕入税額控除相当額を1万円から差し引いた金額の支払いを行わないという行為は、下請け代金の減額として下請法違反となる可能性があります。

(2) 免税事業者がインボイス発行事業者になった場合の取引

新規取引先が、免税事業者であることから当初10万円で契約を締結していたところ、新規取引先がその後インボイス発行事業者の登録を行った場合において、この契約金額について先方からの価格の改訂の要請に応じることなく据え置いた場合には、下請法違反となる可能性があります。

(3) クレジットカードの利用明細

クレジットカードの利用明細は、取引の相手先である店舗等が交付したものではありま

せん。このため仕入税額控除を受けるためには、店舗等からインボイスの記載事項を満たす領収書等を受け取り、これを保存する必要があります。

(4) 3万円未満の取引の取扱い

インボイス制度導入後は、従来税込み3万円未満の仕入れに認められていた特例（領収書がなくても帳簿への記載だけで仕入税額控除が認められていました）が、これが適用されなくなります。3万円未満の取引（文房具や飲料等）でも原則としてインボイス等の保存が必要になります。ただし、電車代や自動販売機で購入した飲料等そもそも請求書や領収書の発行が行われないケースでは、これまでどおり帳簿への記載(注2)だけで仕入税額控除が認められます（法30⑦、令49①、規15の4、基通11-6-5）。

(5) 1万円未満の取引

基準期間（個人事業者についてはその年の前々年、法人についてはその事業年度の前々事業年度（法2①十四））の課税売上高が1億円以下又は特定期間（個人事業者についてはその年の前年1月1日から6月30日までの期間、法人についてはその事業年度の前事業年度開始の日以後6月の期間（法9の2④））の課税売上高(注1)が5,000万円以下の事業者はインボイス制度の施行から6年間は1万円未満の課税仕入れについて、インボイス等の保存がなくても仕入税額控除が認められる特例が設けられました（平28改所法等附53の2、平30改令附24の2①）。しかし、帳簿への記載(注2)は必要であることに注意が必要です。なお、この取扱いはインボイス発行事業者以外からの課税仕入れにも適用されます。

(注1) 特定期間の課税売上高については、納税義務の判定の場合と異なり、課税売上高に代えて給与支払額の合計額によることはできません。なお、新たに設立した法人における基準期間のない課税期間については、特定期間の課税売上高が5,000万円超となった場合であっても当該課税期間についてこの経過措置の適用を受けることができます。

(注2) 帳簿への記載内容は次のとおりです。

帳簿へは通常必要な記載事項に加えて、次の事項の記載が必要になります。

・3万円未満の公共交通機関による旅客の運送に該当する場合は、「3万円未満の鉄道料金」である旨
・自動販売機等に該当する場合は、「自動販売機」である旨

また、帳簿に仕入先の住所、所在地の記載が不要なものは主に次のとおりです。

・3万円未満の公共交通機関による旅客の運送を提供した者
・郵便役務の提供者
・課税仕入れに該当する出張旅費等（出張旅費、宿泊費、日当及び通勤手当）の支払い先である使用人等

　今回のインボイス制度への対応に関して税理士事務所としてどのように関与すればいいのでしょうか。

　事業者としての税理士事務所自身の対応と関与先への対応につきまして説明してください。

 A ポイント

1．税理士事務所が免税事業者の場合は、登録申請等の必要性を税理士事務所のおかれている立場や環境を勘案して慎重に検討する必要がある。
2．関与先に対してはインボイス制度の内容のアナウンスを行い、関与先が免税事業者である場合には税理士事務所自身と同様の対応を行い、免税事業者との取引が多い関与先への対応は業種を勘案して検討する必要がある。

1　税理士事務所自身の対応

(1)　税理士事務所が課税事業者の場合

①　登録申請書の提出

　インボイスの登録申請を行っていない場合には速やかにこれを行う必要があります。インボイス発行事業者になる日は登録年月日ですが、具体的には申請後通知される登録通知書の記載内容を確認する必要があります。紙ベースの申請ですと登録までにかなり時間を要しますので、e-Tax による申請をお勧めします。

　なお、インボイス発行事業者の登録が完了した際には、関与先へその旨の通知を行う必要があります。

②　簡易課税制度及び２割特例の選択の検討

　税理士業の場合、課税売上高が5,000万円以下の場合には簡易課税制度を選択できます。この場合には、50％のみなし仕入率を適用することができるため、消費税の負担の減る事例が多いと思われます。また、令和５年10月１日から令和８年９月30日までの日の属する各課税期間において、免税事業者がインボイス発行事業者登録をした場合には、納付税額の計算において控除する金額を、その課税期間における課税標準である金額の合計額に対する消費税額から売上げに係る対価の返還等の金額に係る消費税額の合計額を控除した残額に８割を乗じた額とする特例が新設されました。これは、課税売上高から算出される消費税額の20％相当額を消費税として取り扱うことができる軽減措置で、２割特例といいます（平28改所法等附51の２①②）。この２割特例は、簡易課税のように事前に届出や継続して適用をしなければならないという制限はなく、申告書に２割特

例の適用を受ける旨を付記することにより適用を受けることができます（平28改所法等附51の２③）。この２割特例の詳細につきましては　第8章　をご参照ください。

③　インボイスの発行と業務契約書の改訂

　税理士と顧客である納税者が取り交わした業務契約書に基づいて報酬の決済が行われ、取引の都度、請求書や領収書が交付されないものとして、月次報酬があります。この場合であっても、支払った納税者において仕入税額控除を受けるためには、原則として、インボイスの保存が必要です。

　ただし、事務の簡略化のために、例えば、決算申告の説明等の際に、税理士が１年分の取引をまとめて交付することも認められています。

　また、業務契約書を改訂し、登録番号などのインボイスの必要項目（課税資産の譲渡等の年月日以外のすべての事項になると思われます。）を記載しておくことも簡便な方法です。その場合において納税者は、その改訂後の業務契約書とともに、課税資産の譲渡等の年月日を明らかにするための通帳や振込金受領書などを保存することにより、仕入税額控除をすることができます。なお、税理士と関与する納税者との間で業務契約書が締結されていない場合には、この機会にインボイス対応を踏まえた業務契約書を締結することが望まれます。

④　取引先がインボイス発行事業者か否かの確認

　税理士事務所の取引先（支払先）がインボイス発行事業者であるかを確認する必要があります。特に賃貸事務所の家主が課税事業者であるにもかかわらず登録申請をしていない場合には、インボイス等を発行できないために家賃の仕入税額控除については、経過措置の対象となります。

⑤　関与先の管理及び事務所職員への教育

　事務所職員が関与先からの説明や質問に対応できるように理解を深める必要があります。また、関与先の管理表にインボイス制度に関する項目（関与先が課税事業者か免税事業者か、インボイス発行事業者の登録の有無、消費税課税事業者選択届出書の提出の有無等）を追加して関与先の状況を明確にしておく必要があります。

(2)　税理士事務所が免税事業者の場合

　税理士事務所が免税事業者の場合、関与先への対応として、まずインボイス制度のアナウンスが必要です。その後、関与先に、税理士事務所が免税事業者のままである場合には原則として税理士事務所の顧問料などは仕入税額控除ができなくなる点について、具体的に数字の裏付けを伴った説明を行うことになります。なお、仕入税額控除については免税事業者からの課税仕入れに関する経過措置により、令和５年10月１日から令和８年９月30日までは80％相当額の仕入税額控除が可能であり、また令和８年10月１日から令和11年９月30日までは50％相当額の仕入税額控除が可能である旨の説明も併せて行う必要があります（平28改所法等附52、53）。

2 関与先への対応

関与先への対応ですが、以下のとおりです。

(1) インボイス制度のアナウンス

関与先へインボイス制度の内容と手続きを周知します。インボイス制度については第2章をご参照ください。

(2) 関与先が免税事業者である場合

免税事業者であることによりデメリットが生じ得ることを周知し、取引が継続されない場合や価格の引下げにより対応せざるをえないケースが生じることを認識してもらう必要があります。以下、業種別に説明します。

① 不動産賃貸業の場合

テナントビルの不動産賃貸業を関与先が行っており、関与先が免税事業者である場合には、賃借人にとって毎月の家賃に関する消費税が仕入税額控除できない場合には大きなデメリットになります。このような場合には、前述のデメリットを関与先に十分説明し、インボイス発行事業者の申請を視野に入れることを依頼することも必要です。

② 個人タクシーの場合

3万円未満の公共交通機関（船舶、バス又は鉄道）による場合には、インボイス等の交付義務は免除されます。しかし個人タクシーは公共交通機関に該当しないため、インボイス等の交付義務は免除されません。

③ 開業間もない法人や個人事業主

開業間もない法人や個人事業主の今後の売上げや収入の見込みを適切に予測することは非常に困難です。このため、一概にインボイスの発行事業者になることが必ずしも良い結果をもたらすわけではありません。法人の社長や個人事業主の消費税に関する制度への意思を尊重しこれを勘案する必要がありますが、一般的に社長や個人事業主の年齢がまだ若くこれから事業を積極的に伸ばしていこうと考えている場合には、今後取引先との関係を円滑に進める必要があることからインボイスの発行事業者になることは意味があると考えられます。

(3) 免税事業者との取引が多い関与先への対応

関与先の取引先に免税事業者が多い場合には、関与先の取引先の業種の確認が必要です。

関与先の取引先がインボイス等不要の一般消費者を対象とした業種（美容室、スポーツジム、個人向け飲食店等）や非課税取引しかない業種（居住用物件の賃貸業、保険診療のみの診療所等）の場合、関与先は免税事業者のままでも問題ないと考えられます。また、提供するサービスが唯一無二の地位を獲得しているアーティストや芸術家、講演者等である関与先については、仕入税額控除ができないことを理由に取引先が業務の依頼をしなくなる可能性は低いことから、関与先は免税事業者のままでも問題はないと考えられます。

　しかし、関与先の取引先がインボイス等を必要としている消費税の課税事業者やビジネス利用の顧客（経費利用される飲食店、個人タクシー運転手、俳優等、システムエンジニア、一人親方、デザイナー等）の場合には、関与先の取引先からインボイス発行事業者であることが求められます。

　関与先の取引先から関与先が、インボイス発行事業者であることを求められる場合には、以下の項目の検討が必要になります。

① 　免税事業者である関与先にインボイス発行事業者への登録を促すこと。

② 　免税事業者である関与先へインボイス制度とインボイス発行事業者への登録について説明し、その際に関与先が簡易課税や2割特例を選択できるようアドバイスを行うこと。

Q 5-5 控除対象外消費税額等の法人税法上の取扱い

当社の令和6年3月31日決算の消費税の申告資料は次のとおりです。この場合の控除対象外消費税額等の法人税法上の取扱いはどのようにしたらよいでしょうか。当社は期末税抜処理をしています。

【資料】

1　課税期間

令和5年4月1日から令和6年3月31日

2　課税売上げ（税込み）

標準税率適用分……559,390,029円

軽減税率適用分…… 12,345,600円

3　非課税売上げ

年間計………………289,210,520円

4　課税仕入れ（税込み）

標準税率適用分……329,538,020円

軽減税率適用分…… 8,450,123円

5　一般課税方式により、控除対象仕入税額の計算は一括比例配分方式によります。

6　課税仕入れの区分

（単位：円）

科目		課税仕入れ（税込み）
①商品仕入れ		145,079,610
②経費関係	標準税率	158,752,100
		(216,000)(注)
	軽減税率	8,450,123
③設備投資		
工場建物		0
製造機械1台		25,452,100
パソコン数台		254,210
計		337,988,143
		(216,000)(注)

（注）　216,000円は、経費（標準税率）のうち、令和5年10月1日以降に生じた免税事業者からの課税仕入れで課税売上げにのみ対応するものです。

7　中間申告納付額

消費税額等………… 10,000,000円　（消費税　　　　7,800,000円）
（地方消費税　2,200,000円）

8　基準期間の課税売上高　705,451,700円

A **ポイント** 税抜経理方式を採用している場合に、その課税期間中の課税売上高が5億円超又は課税売上割合(注)が95％未満であるときには、その課税期間の仕入控除税額は、課税仕入れ等に対する消費税額の全額ではなく、課税売上げに対応する部分の金額となります。したがって、全額仕入税額控除ができない場合には、控除対象外消費税額等（仕入税額控除ができない仮払消費税等の額）が生じることになります。

この控除対象外消費税額等は、法人税法上又は所得税法上、次に掲げる方法によって処理します。なお、税込経理方式を採用している場合には、消費税額及び地方消費税額は資産の取得価額又は経費の額に含まれますので、控除対象外消費税額等について特別な処理は要しません。

(注) 課税売上割合＝$\dfrac{\text{当該課税期間の課税売上高（税抜き）}}{\text{当該課税期間の（課税売上高＋輸出による免税売上高＋非課税売上高）}}$

なお、令和5年10月1日以降に生じた免税事業者からの課税仕入れは、原則として、仕入税額控除はできませんが、経過措置により令和5年10月1日から令和8年9月30日までの間に生じた課税仕入れは仕入税額相当額の80％相当額を、令和8年10月1日から令和11年9月30日までの間に生じた課税仕入れは仕入税額相当額の50％相当額を、少額特例を適用できる事業者は令和5年10月1日から令和11年9月30日までの間に生じた課税仕入れは仕入税額相当額の100％を控除することができます（平28改所法等附52、53、53の2。**Q**1－5、**Q**4－1、**Q**4－13、**Q**5－1、**Q**6－18参照）。

また、この取扱いにより、仕入税額控除の対象外となった消費税ですが、前述の控除対象外消費税額等とは取扱いが異なり、繰延消費税額等へ計上して5年間にわたり償却することなく、発生した元の勘定科目に含まれたまま処理することになります。

(1) **資産に係る控除対象外消費税額等**

資産に係る控除対象外消費税額等は、下記のいずれかの方法によって、損金の額又は必要経費に算入します。

① 当該資産の取得価額に算入し、それ以後の事業年度又は年分における償却費などとして損金の額に算入します。

② 下記のいずれかに該当する場合には、法人税法上は、損金経理を要件としてその事業年度の損金の額に算入し、また、所得税法上は、全額をその年分の必要経費に算入します。

イ その事業年度又は年分の課税売上割合が80％以上であること。

ロ 棚卸資産に係る控除対象外消費税額等であること。

ハ 一の資産に係る控除対象外消費税額等が20万円未満であること。

③ 上記に該当しない場合には、「繰延消費税額等」として資産計上し、次に掲げる方法によって損金の額又は必要経費に算入します。

イ 法人税

繰延消費税額等を60で除し、これにその事業年度の月数を乗じて計算した金額の範

囲内で、その法人が損金経理した金額を損金の額に算入します。

　なお、その資産を取得した事業年度においては、上記によって計算した金額の2分の1に相当する金額の範囲内で、その法人が損金経理した金額を損金の額に算入します。

　ロ　所得税

　　繰延消費税額等を60で除し、これにその年において事業所得等を生ずべき業務を行っていた期間の月数を乗じて計算した金額を必要経費に算入します。

　　なお、その資産を取得した年分においては、上記によって計算した金額の2分の1に相当する金額を必要経費の額に算入します。

⑵　控除対象外消費税額等が資産に係るもの以外である場合

　以下に掲げる方法によって損金の額又は必要経費に算入します。

①　法人税

　全額をその事業年度の損金の額に算入します。

　ただし、交際費等に係る控除対象外消費税額等に相当する金額は交際費等の額として、交際費等の損金不算入額を計算します。

②　所得税

　全額をその年分の必要経費に算入します。

　（法30、法人税法施行令139の4、法人税法施行規則28、所得税法施行令182の2、所得税法施行規則38の2、平元直法2－1、平元直所3－8外）

⑶　簡易課税又は2割特例の適用事業者が税抜経理をする場合

　課税仕入れから仕入税額を計算するときは110分の10（軽減税率対象の場合は108分の8）として仮払消費税を求めてよいとされています（(7)ページ参照）。

1　消費税の計算

⑴　課税売上高の計算

	税込金額		税抜金額	
標準税率適用分	$559,390,029円 \times \frac{100}{110} =$		$508,536,390円$	……付表2－3①Bへ
軽減税率適用分	$12,345,600円 \times \frac{100}{108} =$		$11,431,111円$	……付表2－3①Aへ
計	571,735,629円		519,967,501円	

（注）　仮受消費税等

標準税率適用分	559,390,029円－508,536,390円＝50,853,639円
軽減税率適用分	12,345,600円－ 11,431,111円＝ 914,489円
計	51,768,128円

(2) **課税売上割合の計算**

課税売上げ（年間）	519,967,501円	
非課税売上高（年間）	289,210,520円	……付表2－3⑥Cへ
課税売上げ＋非課税売上げ	809,178,021円	……付表2－3⑦Cへ
課税売上割合	64.258%	……付表2－3⑧Cへ

※ここでは、$\dfrac{519,967,501}{809,178,021}$ の数字をそのまま使用します。

(3) **課税仕入れに係る消費税額の計算**

① 税込課税仕入金額

標準税率適用分　（329,538,020円－216,000円）＝329,322,020円……付表2－3⑨Bへ

免税事業者からの課税仕入れ216,000円……付表2－3⑪Bへ

軽減税率適用分　　8,450,123円……付表2－3⑨Aへ

② 課税仕入れに係る消費税額

標準税率適用分　　$329,322,020円 \times \dfrac{7.8}{110}$　＝23,351,925円……付表2－3⑩Bへ

　　　　　　　　　　$216,000円 \times \dfrac{7.8}{110} \times 0.8 =$　　12,253円……付表2－3⑫Bへ

計　　　　　　　　　　　　　　　23,364,178円……付表2－3⑰Bへ

（注）　216,000円は、免税事業者からの仕入れであり、消費税額の80％相当額を課税仕入れに係る消費税額として処理します。

軽減税率適用分　　$8,450,123円 \times \dfrac{6.24}{108} =$　488,229円……付表2－3⑩Aへ

(4) **課税売上高が、5億円を超えている場合の控除対象仕入税額**

一括比例配分方式により計算する控除対象仕入税額の計算

	課税仕入れに係る消費税額	課税売上割合	控除対象仕入税額	
標準税率適用分	23,364,178円	×64.258%	＝ 15,013,523円	……付表2－3㉒Bへ
軽減税率適用分	488,229円	×64.258%	＝ 313,729円	……付表2－3㉒Aへ

いずれも $\dfrac{519,967,501}{809,178,021}$ の割合をそのまま使用します。

2 消費税、地方消費税の納税額の計算

(1) **課税標準額**

標準税率適用分	508,536,390円	……付表1－3①－1B、申告書第二表⑥へ
軽減税率適用分	11,431,111円	……付表1－3①－1A、申告書第二表⑤へ
計	519,967,000円	

（1,000円未満切捨て）

　付表1－3①A、Bへは1,000円未満切捨ての金額を記載し、その合計Cの金額が第二表①を経由して、申告書第一表①の金額となります。

(2) **課税標準額に対する消費税額**

標準税率適用分

  508,536,000円× 7.8％＝39,665,808円……付表1－3②B、申告書第二表⑯へ

軽減税率適用分

  11,431,000円×6.24％＝   713,294円……付表1－3②A、申告書第二表⑮へ

  計   40,379,102円……申告書第二表⑪、申告書第一表②へ

(3) **控除対象仕入税額**

標準税率適用分 23,364,178円×課税売上割合＝15,013,523円……付表1－3④Bへ

軽減税率適用分   488,229円×課税売上割合＝ 313,729円……付表1－3④Aへ

  計 15,327,252円……申告書第一表④へ

(4) **差引消費税額**

消費税額   40,379,102円

控除税額小計   15,327,252円

  差引税額   25,051,850円

  25,051,800円……付表1－3⑨C及び⑪C、
  （100円未満切捨て）   申告書第一表⑨及び⑱、
               申告書第二表⑳及び㉓へ

(5) **地方消費税の計算**

	地方消費税の 課税標準額	地方消費 税率	税額

$\left(\begin{array}{c}\text{標準税率適用分}\\+\\\text{軽減税率適用分}\end{array}\right)$ → $25{,}051{,}800円 \times \dfrac{22}{78} = 7{,}065{,}892円$

  計   7,065,800円……付表1－3⑬C、
        （100円未満切捨て） 申告書第一表⑳へ

(6) **納付額合計**

	税額		中間申告額		差引納付額
消費税	25,051,800円	－	7,800,000円	＝	17,251,800円
地方消費税	7,065,800円	－	2,200,000円	＝	4,865,800円
計	32,117,600円		10,000,000円		22,117,600円

③ 法人税の控除対象外消費税額等の計算

資産に係る控除対象外消費税額等の損金算入の可否について検討します（法人税法施行令139の４）。

この事例では、課税売上割合が80％未満であるため法人税法施行令139の４によりすべてを損金に算入することはできません。

法人税法施行令139の４②により判断し、経費に係るもの、棚卸資産に係るもの、固定資産に係るもので１個又は１台当たり20万円未満のものは損金に算入できます。

（端数は、四捨五入。単位：円）

	税込課税仕入れ	仮払消費税等	控除対象外消費税額等	免税事業者からの控除対象外消費税額等	損金算入額	繰延消費税額等
標準税率適用分	A	A×10/110＝C	C×(1－B)			
仕入高	145,079,610	13,189,055	4,713,936		4,713,936	
経費 課税事業者からの仕入れ	158,536,100	14,412,373	5,151,165		5,151,165	
経費 免税事業者からの仕入れ	216,000	15,709（注1）	5,615	3,927（注2）	5,615	
機械装置	25,452,100	2,313,827	826,991			826,991
器具備品	254,210	23,110	8,260		8,260	
小計	329,538,020	29,954,074	10,705,967	3,927	9,878,976	826,991
軽減税率適用分	D	D×8/108＝E	E×(1－B)			
経費	8,450,123	625,935	223,717		223,717	
合計	337,988,143	30,580,009	10,929,684	3,927	10,102,693	826,991
課税売上割合 B	$\frac{519,967,501}{809,178,021}=0.6425$……端数処理せずにこの数値をそのまま使用します。					

（注１）　免税事業者からの仕入税額控除の経過措置を適用する。本来の仕入税額の80％相当額が控除可能となる。
216,000円×10/110×0.8＝15,709円

（注２）　税込課税仕入額から算定される通常の仮払消費税額（A×10/110＝19,636円）から免税事業者からの仕入れに係る控除対象となる仕入税額15,709円を控除した3,927円は、仕入税額控除の対象外として取り扱い、当初計上された経費科目に含めて処理する。

④ 期末税抜処理

① 売上高（①(1)(注)の金額）

（借）売　　上　　51,768,128　　（貸）仮受消費税等　　51,768,128

② 商品仕入れ

（単位：円）

	税込金額	税抜金額	消費税額等
標準税率適用分	145,079,610	131,890,555	13,189,055

（借）仮払消費税等　　13,189,055　　（貸）商品仕入　　13,189,055

③ 経費関係

（単位：円）

		税込金額	税抜金額	仮払消費税等	控除対象外消費税額等
標準税率適用分	課税事業者からの仕入れ	158,536,100	144,123,727	14,412,373	―
	免税事業者からの仕入れ	216,000	200,291	15,709	3,927
軽減税率適用分		8,450,123	7,824,188	625,935	―
計		167,202,223	152,148,206	15,054,017	3,927

（借）仮払消費税等　　15,054,017　　（貸）経　　費　　15,054,017

④ 機械装置

（単位：円）

	税込金額	税抜金額	消費税額等
標準税率適用分	25,452,100	23,138,273	2,313,827

（借）仮払消費税等　　2,313,827　　（貸）機械装置　　2,313,827

⑤ 器具備品

（単位：円）

	税込金額	税抜金額	消費税額等
標準税率適用分	254,210	231,100	23,110

（借）仮払消費税等　　23,110　　（貸）器具備品　　23,110

5　消費税等の精算

(1) **仮受消費税等**　　　　　　　　　　　51,768,128円—→別表十六（十）⑨へ

(2) **仮払消費税等**

① 商品仕入　　　　　　　13,189,055円

② 経費関係　　　　　　　15,054,017円

③ 機械装置　　　　　　　2,313,827円

④ 器具備品　　　　　　　　23,110円

　　　　　　合計　　30,580,009円—→別表十六（十）⑩へ

(3) 控除対象外消費税額等（地方消費税を含む）

		損金算入	繰延消費税額等	計	
①	商品仕入	4,713,936円	0円	4,713,936円	→別表十六(十)⑯へ
②	経費関係	5,380,497円	0円	5,380,497円	→5,549,187円
③	機械装置	0円	826,991円	826,991円	別表十六(十)⑫へ
④	器具備品	8,260円	0円	8,260円	
	計	10,102,693円	826,991円	10,929,684円	→別表十六(十)⑪へ
				8,260円	→別表十六(十)⑱へ
		4,722,196円			→別表十六(十)⑭へ

(4) 決算仕訳

(借)仮受消費税等	51,768,128円		(貸)仮払消費税等	30,580,009円
(借)租税公課	10,102,693円		(貸)未払消費税等	22,117,600円
			(貸)中間申告仮払税金	10,000,000円
(借)繰延消費税額等	826,991円		(貸)雑　収　入	203円
計	62,697,812円		計	62,697,812円

（注）雑収入203円の原因は課税標準や納税額を計算する端数処理等の差額で、当期の益金又は雑損失は損金に算入されるものです。

付表2-3　課税売上割合・控除対象仕入税額等の計算表

一般

| 課　税　期　間 | 令和 5 . 4 . 1 ～ 令和 6 . 3 . 31 | 氏名又は名称 | |

項　　目		税率 6.24 % 適用分 A	税率 7.8 % 適用分 B	合　　計 C (A+B)
課　税　売　上　額　（　税　抜　き　）	①	11,431,111 円	508,536,390 円	519,967,501 円
免　　税　　売　　上　　額	②			
非課税資産の輸出等の金額、海外支店等へ移送した資産の価額	③			
課税資産の譲渡等の対価の額（①＋②＋③）	④			※第一表の⑮欄へ 519,967,501
課税資産の譲渡等の対価の額（④の金額）	⑤			519,967,501
非　　課　　税　　売　　上　　額	⑥			289,210,520
資産の譲渡等の対価の額（⑤＋⑥）	⑦			※第一表の⑯欄へ 809,178,021
課　税　売　上　割　合　（　④　／　⑦　）	⑧			[64. 25 %] ※端数切捨て
課税仕入れに係る支払対価の額（税込み）	⑨	8,450,123	329,322,020	337,772,143
課　税　仕　入　れ　に　係　る　消　費　税　額	⑩	488,229	23,351,925	23,840,154
適格請求書発行事業者以外の者から行った課税仕入れに係る経過措置の適用を受ける課税仕入れに係る支払対価の額(税込み)	⑪		216,000	216,000
適格請求書発行事業者以外の者から行った課税仕入れに係る経過措置により課税仕入れに係る消費税額とみなされる額	⑫		12,253	12,253
特　定　課　税　仕　入　れ　に　係　る　支　払　対　価　の　額	⑬	※⑬及び⑭欄は、課税売上割合が95%未満、かつ、特定課税仕入れがある事業者のみ記載する。		
特　定　課　税　仕　入　れ　に　係　る　消　費　税　額	⑭		(⑬B欄×7.8/100)	
課　税　貨　物　に　係　る　消　費　税　額	⑮			
納税義務の免除を受けない（受ける）こととなった場合における消費税額の調整（加算又は減算）額	⑯			
課税仕入れ等の税額の合計額（⑩＋⑫＋⑭＋⑮±⑯）	⑰	488,229	23,364,178	23,852,407
課税売上高が5億円以下、かつ、課税売上割合が95%以上の場合（⑰の金額）	⑱			
課税売上高が5億円超又は課税売上割合が95%未満の場合 個別対応方式 ⑰のうち、課税売上げにのみ要するもの	⑲			
⑰のうち、課税売上げと非課税売上げに共通して要するもの	⑳			
個別対応方式により控除する課税仕入れ等の税額〔⑲＋（⑳×④／⑦）〕	㉑			
一括比例配分方式により控除する課税仕入れ等の税額（⑰×④／⑦）	㉒	313,729	15,013,523	15,327,252
控除税額の調整 課税売上割合変動時の調整対象固定資産に係る消費税額の調整（加算又は減算）額	㉓			
調整対象固定資産を課税業務用（非課税業務用）に転用した場合の調整（加算又は減算）額	㉔			
居住用賃貸建物を課税賃貸用に供した（譲渡した）場合の加算額	㉕			
差引 控除対象仕入税額〔（⑱、㉑又は㉒の金額）±㉓±㉔＋㉕〕がプラスの時	㉖	※付表1-3の④A欄へ 313,729	※付表1-3の④B欄へ 15,013,523	15,327,252
控除過大調整税額〔（⑱、㉑又は㉒の金額）±㉓±㉔＋㉕〕がマイナスの時	㉗	※付表1-3の③A欄へ	※付表1-3の③B欄へ	
貸　倒　回　収　に　係　る　消　費　税　額	㉘	※付表1-3の③A欄へ	※付表1-3の③B欄へ	

吹き出し内：ここでは 519,967,501 / 809,178,021 を使用します

注意
1　金額の計算においては、1円未満の端数を切り捨てる。
2　⑨、⑩及び⑬欄には、値引き、割戻し、割引きなど仕入対価の返還等の金額がある場合（仕入対価の返還等の金額を仕入金額から直接減額している場合を除く。）には、その金額を控除した後の金額を記載する。
3　⑪及び⑫欄の経過措置とは、所得税法等の一部を改正する法律(平成28年法律第15号)附則第52条又は第53条の適用がある場合をいう。

(R5.10.1以後終了課税期間用)

第4-(9)号様式

付表1－3 税率別消費税額計算表 兼 地方消費税の課税標準となる消費税額計算表

一 般

課 税 期 間	令和 5 · 4 · 1 ～ 令和 6 · 3 · 31	氏 名 又 は 名 称	

区　　　　分		税率 6.24 % 適用分 A	税率 7.8 % 適用分 B	合　　計　　C (A＋B)
課 税 標 準 額	①	11,431,000 円	508,536,000 円	※第二表の①欄へ 519,967,000 円
①の内訳	課税資産の譲渡等の対価の額	①-1	※第二表の⑤欄へ 11,431,111	※第二表の⑥欄へ 508,536,390	※第二表の⑦欄へ 519,967,501
	特定課税仕入れに係る支払対価の額	①-2	※①-2欄は、課税売上割合が95%未満、かつ、特定課税仕入れがある事業者のみ記載する。	※第二表の⑨欄へ	※第二表の⑩欄へ
消　費　税　額	②	※第二表の⑮欄へ 713,294	※第二表の⑯欄へ 39,665,808	※第二表の⑪欄へ 40,379,102
控 除 過 大 調 整 税 額	③	(付表2-3の②・㉓A欄の合計金額)	(付表2-3の②・㉓B欄の合計金額)	※第一表の③欄へ
控除税額	控 除 対 象 仕 入 税 額	④	(付表2-3の㉕A欄の金額) 313,729	(付表2-3の㉕B欄の金額) 15,013,523	※第一表の④欄へ 15,327,252
	返還等対価に係る税額	⑤			※第二表の⑰欄へ
	⑤の内訳	売上げの返還等対価に係る税額	⑤-1			※第二表の⑱欄へ
		特定課税仕入れの返還等対価に係る税額	⑤-2	※⑤-2欄は、課税売上割合が95%未満、かつ、特定課税仕入れがある事業者のみ記載する。		※第二表の⑲欄へ
	貸 倒 れ に 係 る 税 額	⑥			※第一表の⑥欄へ
	控 除 税 額 小 計 (④＋⑤＋⑥)	⑦	313,729	15,013,523	※第一表の⑦欄へ 15,327,252
控 除 不 足 還 付 税 額 (⑦－②－③)	⑧			※第一表の⑧欄へ
差 引 税 額 (②＋③－⑦)	⑨			※第一表の⑨欄へ 25,051,800
地方消費税の課税標準となる消費税額	控 除 不 足 還 付 税 額 (⑧)	⑩			※第一表の⑰欄へ ※マイナス「－」を付して第二表の㉑及び㉓欄へ
	差 引 税 額 (⑨)	⑪			※第一表の⑱欄へ ※第二表の㉒及び㉓欄へ 25,051,800
譲渡割額	還 付 額	⑫			(⑩C欄×22/78) ※第一表の⑲欄へ
	納 税 額	⑬			(⑪C欄×22/78) ※第一表の⑳欄へ 7,065,800

注意　金額の計算においては、1円未満の端数を切り捨てる。

(R5.10.1以後終了課税期間用)

課税標準額等の内訳書

納 税 地	
	（電話番号　　　−　　　−　　　）
（フリガナ）	
法 人 名	
（フリガナ）	
代表者氏名	

整理番号	□□□□□□□□	法人用

改 正 法 附 則 に よ る 税 額 の 特 例 計 算			
軽減売上割合（10営業日）	◯	附則38①	51
小 売 等 軽 減 仕 入 割 合	◯	附則38②	52

第二表

令和四年四月一日以後終了課税期間分

自 令和 **5**年 **4**月 **1**日　**課税期間分の消費税及び地方**
至 令和 **6**年 **3**月**31**日　**消費税の（　確定　）申告書**

中間申告の場合の対象期間　自 令和 □□年□□月□□日　至 令和 □□年□□月□□日

課　　税　　標　　準　　額 ※申告書（第一表）の①欄へ	①	十兆千百十億千百十万千百十一円　　５１９９６７０００	01

課 税 資 産 の 譲 渡 等 の 対 価 の 額 の 合 計 額	3 ％ 適 用 分	②		02
	4 ％ 適 用 分	③		03
	6.3 ％ 適 用 分	④		04
	6.24％ 適 用 分	⑤	１１４３１１１１	05
	7.8 ％ 適 用 分	⑥	５０８５３６３９０	06
	（②〜⑥の合計）	⑦	５１９９６７５０１	07
特定課税仕入れ に係る支払対価 の 額 の 合 計 額 （注1）	6.3 ％ 適 用 分	⑧		11
	7.8 ％ 適 用 分	⑨		12
	（⑧・⑨の合計）	⑩		13

消　　費　　税　　額 ※申告書（第一表）の②欄へ	⑪	４０３７９１０２	21
⑪ の 内 訳	3 ％ 適 用 分	⑫		22
	4 ％ 適 用 分	⑬		23
	6.3 ％ 適 用 分	⑭		24
	6.24％ 適 用 分	⑮	７１３２９４	25
	7.8 ％ 適 用 分	⑯	３９６６５８０８	26

返 還 等 対 価 に 係 る 税 額 ※申告書（第一表）の⑤欄へ	⑰		31
⑰の内訳	売 上 げ の 返 還 等 対 価 に 係 る 税 額	⑱		32
	特定課税仕入れの返還等対価に係る税額 （注1）	⑲		33

地 方 消 費 税 の 課 税 標 準 と な る 消 費 税 額 （注2）	（㉑〜㉓の合計）	⑳	２５０５１８００	41
	4 ％ 適 用 分	㉑		42
	6.3 ％ 適 用 分	㉒		43
	6.24％及び7.8％ 適 用 分	㉓	２５０５１８００	44

（注1）　⑧〜⑩及び⑲欄は、一般課税により申告する場合で、課税売上割合が95％未満、かつ、特定課税仕入れがある事業者のみ記載します。
（注2）　⑳〜㉓欄が還付税額となる場合はマイナス「−」を付してください。

第3-(1)号様式

令和　年　月　日　　　　　　　　　　税務署長殿
収受印

| ○ | （個人の方）振替継続希望 | 法人用 |

納　税　地
（電話番号　　−　　−　　）

（フリガナ）
法　人　名

法　人　番　号

（フリガナ）
代表者氏名

※税務署処理欄
所管
要否
整理番号
申告年月日　令和　　年　　月　　日
申告区分　指導等　庁指定　局指定
通信日付印　確認
指　導　年　月　日　相談　区分1　区分2　区分3
令和

第一表

自 平成・令和 **5**年 **4**月 **1**日
至 令和 **6**年 **3**月 **31**日

課税期間分の消費税及び地方消費税の（ 確定 ）申告書

中間申告の場合の対象期間
自 平成・令和　　年　　月　　日
至 令和　　年　　月　　日

令和五年十月一日以後終了課税期間分（一般用）

この申告書による消費税の税額の計算

課税標準額	①	5 1 9 9 6 7 0 0 0　03
消費税額	②	4 0 3 7 9 1 0 2　06
控除過大調整税額	③	07
控除税額 控除対象仕入税額	④	1 5 3 2 7 2 5 2　08
返還等対価に係る税額	⑤	09
貸倒れに係る税額	⑥	10
控除税額小計（④+⑤+⑥）	⑦	1 5 3 2 7 2 5 2
控除不足還付税額（⑦-②-③）	⑧	13
差引税額（②+③-⑦）	⑨	2 5 0 5 1 8 0 0　15
中間納付税額	⑩	7 8 0 0 0 0 0　16
納付税額（⑨-⑩）	⑪	1 7 2 5 1 8 0 0　17
中間納付還付税額（⑩-⑨）	⑫	18
この申告書が修正申告である場合 既確定税額	⑬	19
差引納付税額	⑭	0 0　20
課税売上割合 課税資産の譲渡等の対価の額	⑮	5 1 9 9 6 7 5 0 1　21
資産の譲渡等の対価の額	⑯	8 0 9 1 7 8 0 2 1　22

この申告書による地方消費税の税額の計算

地方消費税の課税標準となる消費税額 控除不足還付税額	⑰	51
差引税額	⑱	2 5 0 5 1 8 0 0　52
譲渡割額 還付額	⑲	53
納税額	⑳	7 0 6 5 8 0 0　54
中間納付譲渡割額	㉑	2 2 0 0 0 0 0　55
納付譲渡割額（⑳-㉑）	㉒	4 8 6 5 8 0 0　56
中間納付還付譲渡割額（㉑-⑳）	㉓	0 0　57
この申告書が修正申告である場合 既確定譲渡割額	㉔	58
差引納付譲渡割額	㉕	0 0　59
消費税及び地方消費税の合計（納付又は還付）税額	㉖	2 2 1 1 7 6 0 0　60

㉖=（⑪+㉒）-（⑧+⑫+⑲+㉓）・修正申告の場合㉖=⑭+㉕
㉖が還付税額となる場合はマイナス「−」を付してください。

付記事項・参考事項

割賦基準の適用	○	有	●無	31
延払基準等の適用	○	有	●無	32
工事進行基準の適用	○	有	●無	33
現金主義会計の適用	○	有	●無	34
課税標準額に対する消費税額の計算の特例の適用	○	有	●無	35

控除税額の計算方法
| 課税売上高5億円超又は課税売上割合95％未満 | ○ 個別対応方式 / ● 一括比例配分方式 | 41 |
| 上記以外 | ○ 全額控除 |

基準期間の課税売上高　705,451 千円

○ 税額控除に係る経過措置の適用（2割特例）　42

還付を受けようとする金融機関等
銀行　本店・支店
金庫・組合　出張所
農協・漁協　本所・支所
預金　口座番号
ゆうちょ銀行の貯金記号番号　−
郵便局名等

○ （個人の方）公金受取口座の利用

※税務署整理欄

税理士署名
（電話番号　　−　　−　　）

○ 税理士法第30条の書面提出有
○ 税理士法第33条の2の書面提出有

※ 2割特例による申告の場合、⑱欄に⑪欄の数字を記載し、⑱欄×22/78から算出された金額を㉒欄に記載してください。

⑪・㉒又は⑫・㉓の記入をお忘れなく。

資産に係る控除対象外消費税額等の損金算入に関する明細書

事 業年 度	令5・4・1令6・3・31	法人名	

繰 延 消 費 税 額 等（発生した事業年度）	1	826,991 円令5・4・1令6・3・31	円・ ・・ ・	円・ ・・ ・	円・ ・・ ・	円・ ・・ ・	円当 期 分
当 期 の 損 金 算 入 限 度 額 $(1) \times \frac{当期の月数}{60}$ 〔当期発生分については $(1) \times \frac{当期の月数}{60} \times \frac{1}{2}$〕	2	82,699					
当 期 損 金 経 理 額	3	82,699					
差引	損 金 算 入 不 足 額(2) － (3)	4						
	損 金 算 入 限 度 超 過 額(3) － (2)	5						
損金算入限度超過額	前 期 か ら の 繰 越 額	6						
	同上のうち当期損金認容額（(4)と(6)のうち少ない金額）	7						
	翌 期 へ の 繰 越 額(5) ＋ (6) － (7)	8						

当期に生じた資産に係る控除対象外消費税額等の損金算入額等の明細

課税標準額に対する消費税額等（税抜経理分）	9	51,768,128 円	(12)のうち当期損金算入額	14	4,722,196 円
課 税 仕 入 れ 等 の 税 額 等（税抜経理分）	10	30,580,009	同上のうち	(13)の割合が80％以上である場合の資産に係る控除対象外消費税額等の合計額	15	
同上の額のうち課税標準額に対する消費税額等から控除されない部分の金額	11	10,929,684		資産に係る控除対象外消費税額等で棚卸資産に係るものの合計額	16	4,713,936
同上の額のうち資産に係るものの金額（資産に係る控除対象外消費税額等の合計額）	12	5,549,187		資産に係る控除対象外消費税額等で特定課税仕入れに係るものの合計額	17	
				資産に係る控除対象外消費税額等で20万円未満のものの合計額	18	8,260
当期の消費税の課税売上割合	13	64.25%	当 期 の 繰 延 消 費 税 額 等((12) － (15)) 又は ((12) － (16) － (17) － (18))	19	826,991

$$\frac{519,967,501}{809,178,021}$$ を使用します。

140

Q 5-6 繰延消費税額等の所得税法上の取扱い

　私は賃貸マンション（居住用及びオフィス用）を保有して不動産貸付業を営んでいます。令和5年分の決算の消費税の申告資料は次のとおりです。この場合の控除対象外消費税額等の所得税法上の取扱いはどのようにしたらよいでしょうか。私は税抜処理をしています。

【資料】 （単位：円）

1 課税期間 令和5年1月1日から令和5年12月31日

2 売上げ（税抜き）

課税売上げ（標準税率）	34,658,210
非課税売上げ	31,881,190
合　計	66,539,400

3 課税仕入れ（税抜き）

軽減税率適用分	239,500
標準税率適用分	129,298,520
合　計	129,538,020

4 一般課税方式により、控除対象仕入税額の計算は一括比例配分方式によります。

5 課税仕入れの区分

科目	軽減税率適用分	標準税率適用分	計
① 経費関係	239,500	3,298,520	3,538,020
② 設備投資 　 貸事務所ビル新設	0	126,000,000	126,000,000
計	239,500	129,298,520	129,538,020

6 仮受・仮払消費税額等

	仮受消費税等	仮払消費税等
軽減税率	0	19,160
標準税率	3,465,821	12,929,852
計	3,465,821	12,949,012

7 予定納税及び軽減税率適用対象取引はありません。

 　消費税の納税額の計算を申告書及び付表への記入の順にしてみましょう。

1 消費税等の納税額の計算

⑴ **課税売上高の計算**

　標準税率適用分　　　　　　34,658,210円

⑵ **課税売上割合の計算**

　課税売上げ（年間）　　　　34,658,210円

　非課税売上高（年間）　　　31,881,190円

　課税売上げ＋非課税売上げ　66,539,400円

課税売上割合　$\dfrac{34,658,210}{66,539,400} \fallingdotseq 52\%$　→この数字をこのまま使用します。

(3) 税込課税仕入れの対価の計算

軽減税率適用分　　239,500円＋　　19,160円＝　　258,660円

標準税率適用分129,298,520円＋12,929,852円＝142,228,372円

　　　　計　　　　　　　　　　　142,487,032円

(4) 課税仕入れに係る消費税額の計算

軽減税率適用分　　　　258,660円 $\times \dfrac{6.24}{108}$ ＝　　14,944円

標準税率適用分　142,228,372円 $\times \dfrac{7.8}{110}$ ＝10,085,284円

　　　　計　　　　　　　　　　　10,100,228円

(5) 課税売上割合が95%未満の場合の一括比例配分方式による控除対象仕入税額の計算

	課税仕入れに係る 消費税額		課税売上割合	控除対象仕入税額
軽減税率適用分	14,944円	$\times$	$\dfrac{34,658,210}{66,539,400}$ ＝	7,783円
標準税率適用分	10,085,284円	$\times$	$\dfrac{34,658,210}{66,539,400}$ ＝	5,253,096円
計				5,260,879円

(6) 課税標準額

軽減税率適用分　　　　　　　0 円

標準税率適用分　　　34,658,210円

　　　　計　　　　34,658,000円 (1,000円未満切捨て)

(7) 課税標準額に対する消費税額

標準税率適用分　　34,658,000円 $\times 7.8\%$ ＝2,703,324円

(8) 控除対象仕入税額

軽減税率適用分　　　　7,783円

標準税率適用分　　5,253,096円

　　　　計　　　　5,260,879円

(9) 控除不足額

軽減税率適用分　　7,783円 －　　　0 円 ＝　　7,783円

標準税率適用分　5,253,096円 －2,703,324円 ＝2,549,772円

　　　　計　　　　　　　　2,557,555円

(10) 差引税額

　　△2,557,555円

(11) 地方消費税額の計算

2,557,555円 $\times \dfrac{22}{78}$ ＝721,361円

　　　地方消費税還付額　　△721,361円

⑿ **合計還付税額**

2,557,555円 + 721,361円 = 3,278,916円

2 控除対象外消費税額等

⑴ 軽減税率適用分

① 経費関係　課税仕入れ　239,500円 × 8% × (1 − 課税売上割合 $\frac{34,658,210}{66,539,400}$) = 控除対象外消費税額等 9,180円

……必要経費（租税公課）へ

⑵ 標準税率適用分

① 経費関係　課税仕入れ　3,298,520円 × 10% × (1 − 課税売上割合 $\frac{84,658,210}{66,539,400}$) = 控除対象外消費税額等 158,042円

……必要経費（租税公課）へ

② 設備投資　126,000,000円 × 10% × (1 − 課税売上割合 $\frac{84,658,210}{66,539,400}$) = 6,037,069円

……繰延消費税額等へ

合　計　6,195,111円

3 仮払消費税等と仮受消費税等の精算

　次に、上記の消費税、地方消費税の還付額をもとに控除対象外消費税額の決算時の会計処理をしてみましょう。

⑴ **仮受消費税等**　　　3,465,821円

⑵ **仮払消費税等**　　12,949,012円

⑶ **決算仕訳**

①租税公課　（軽減税率分）9,180円 +（標準税率分）158,042円 = 167,222円

②繰延消費税額等　（標準税率、建物分）6,037,069円

③未収還付消費税等　（消費税）2,557,555円 +（地方消費税）721,361円 = 3,278,916円

④雑収入　（仮払消費税等）12,949,012円 −（仮受消費税等）3,465,821円 −（租税公課）167,222円 −（繰越延消費税額等）6,037,069円 −（未収還付消費税等）3,278,916円 = △16円

（借）仮受消費税等	3,465,821	（貸）仮払消費税等	12,949,012
（借）租税公課	167,222	（貸）雑収入	16
（借）未収還付消費税等	3,278,916		
（借）繰延消費税額等	6,037,069		
計	12,949,028	計	12,949,028

（注）雑収入16円の原因は課税標準や納税額を計算する端数処理等の差額で、当期の収入金額又は雑損失は必要経費に算入されるものです。

第6章

一般課税方式の申告書作成事例

Q 6-1 一般課税方式の場合の申告書の作成手順

消費税及び地方消費税の申告書をどのように作成すればよいか作成手順等を教えてください。なお、旧税率が適用される取引はありません。

A 消費税の申告書の作成にあたっては、消費税率に標準税率、軽減税率といった複数の税率が存在することから、各種の付表を添付することが義務づけられています。

ここでは、一般課税方式の申告書を作成するにあたっての消費税額の計算順序の概要及び申告書及び付表の記載順序について説明します。

なお、旧税率の取引が混在している事業年度については、 **Q** 6 −21をご参照ください。

1　消費税額の計算……申告書（一般用）

イ　控除税額の算出…………………………………付表2 − 3

ロ　課税標準額に対する消費税額の算出………付表1 − 3

ハ　差引税額を算出…………………………………付表1 − 3

これらの差引税額が地方消費税の課税標準となります。

2　地方消費税額の計算……申告書（一般用）

地方消費税は、標準税率適用分、軽減税率適用分ともに、算出された差引税額（上記**1**ハ）に$\frac{22}{78}$を乗じた金額を、付表1 − 3に記載します。

3　納付税額の計算

上記**1**ハの差引税額から中間納付額を控除した金額が納付すべき消費税額となります。

また、上記**2**の計算により算出した地方消費税額から中間納付額を控除した金額が納付すべき地方消費税額となります。

上記**2**及び**3**の計算は、消費税及び地方消費税の申告書（一般用・第3 −(1)号様式、第3 −(2)号様式）で行います。

また、上記**1**の消費税額の計算を行う際の明細書として付表1 − 3（税率別消費税額計算表兼地方消費税の課税標準となる消費税額計算表）、付表2 − 3（課税売上割合・控除対象仕入税額等の計算表）を作成します。

4 計算手順の図解

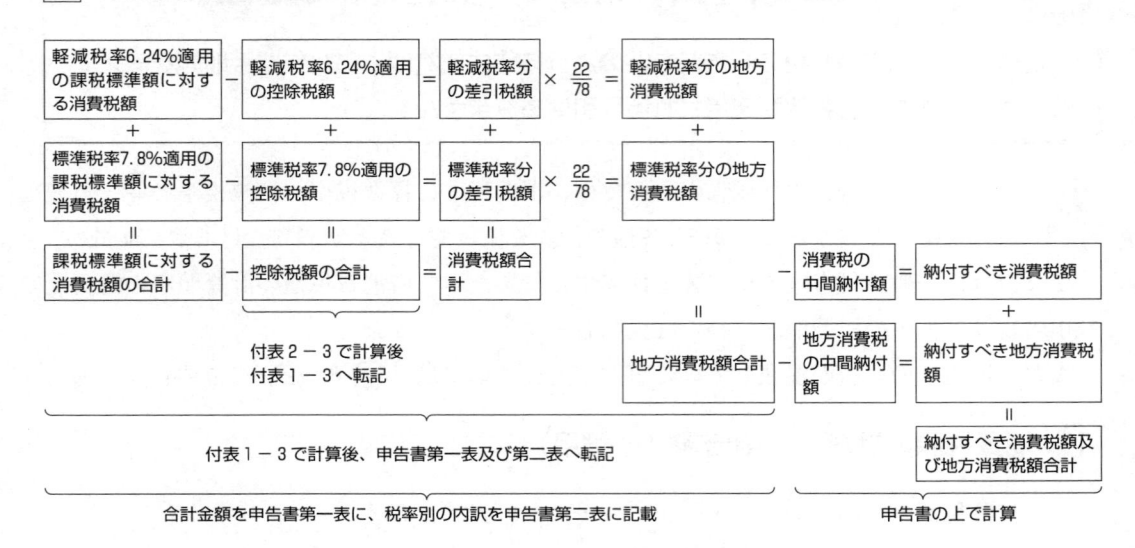

付表2－3で計算後
付表1－3へ転記

付表1－3で計算後、申告書第一表及び第二表へ転記

合計金額を申告書第一表に、税率別の内訳を申告書第二表に記載

申告書の上で計算

 6-2 **課税売上げ、非課税売上げ、課税標準、消費税額の計算**

　下記のような前提条件とした場合の一般課税方式による申告書及び付表の具体的記載方法を教えてください。なお、免税事業者からの課税仕入れについてはすべて令和5年10月1日以後令和8年9月30日以前に行われたものであり、経過措置を適用します。

〈前提条件〉

・消費税の経理方式は税抜経理を採用しています。

・当事業年度中に、予定納税として消費税252,300円、地方消費税71,100円を納付しています。

	軽減税率適用分	標準税率適用分	計
課税売上高（税抜き）	38,503,960円	56,825,978円	95,329,938円
上記に係る仮受消費税等	3,078,591円	5,680,697円	8,759,288円
非課税売上高	－	－	824,967円
インボイス発行事業者から行った課税仕入れに係る支払対価の額（税抜き）	32,608,254円	52,344,218円	84,952,472円
上記に係るインボイスに記載された仕入消費税額合計	2,607,825円	5,232,985円	7,840,810円
インボイス発行事業者以外の者から行った課税仕入れ（税込み）	572,400円	1,006,500円	1,578,900円

 ポイント

① 　付表2-3⇒付表1-3⇒申告書第二表⇒申告書第一表の順序で作成します。

② 　課税仕入れの金額及び仮払消費税等の金額については、軽減税率適用分、標準税率適用分、インボイス発行事業者以外の者からの課税仕入れ分に適切に区分する必要があります。

③ 　端数処理に注意を要します。

1 　付表2-3の作成の手順

付表2-3の作成の手順は、次のとおりです。

(1) 　課税売上額（税抜き）の記載

(2) 　非課税売上額の記載

(3) 　課税売上割合の算出

(4) インボイス発行事業者からの課税仕入れに係る支払対価の額の算出

(5) (4)に係る消費税額の算出

(6) 控除対象仕入税額の算出

なお、本設例では売上税額の計算においては割戻し計算、仕入税額の計算においては積上げ計算を適用するものとします。その他の計算方法については、**Ｑ** 6−10をご参照ください。

(1) 課税売上額の記載

付表2−3の「課税売上額（税抜き）」①欄には、課税期間中の課税資産の譲渡等の税込金額の合計額（本設例の場合は税抜き課税売上高と仮受消費税等の合計）に$\frac{100}{110}$（軽減税率の対象となる場合は$\frac{100}{108}$）を乗じた金額を記入します。

軽減税率適用分　$(38,503,960円 + 3,078,591円) \times \frac{100}{108} = 38,502,362円$

……付表2−3①Ａへ

標準税率適用分　$(56,825,978円 + 5,680,697円) \times \frac{100}{110} = 56,824,250円$

……付表2−3①Ｂへ

課税売上高合計　95,326,612円……付表2−3①Ｃへ

なお、この課税売上高合計額95,326,612円は、「免税売上高」②Ｃ欄と「非課税資産の輸出等の金額、海外支店等へ移送した資産の価額」③Ｃ欄の金額を合計して、「課税資産の譲渡等の対価の額」④Ｃ欄へ記入します（設例では免税売上高等の金額はありませんので、95,326,612円がそのまま④Ｃ欄に記入されます）。

(2) 非課税売上高の記載

非課税売上高合計は824,967円ですので、この金額を、付表2−3の「非課税売上額」⑥Ｃ欄に記入します。非課税売上げの場合、税率は関係ありませんので税率別に区分する必要はありません。この非課税売上高と前述の課税売上高合計額を合計した金額（96,151,579円）を「資産の譲渡等の対価の額」⑦Ｃ欄へ記入します。

(3) 課税売上割合の算出

付表2−3の⑦Ｃ欄の「資産の譲渡等の対価の額」を分母とし、同④Ｃ欄の「課税資産の譲渡等の対価の額」を分子とした課税売上割合を算出し、「課税売上割合（④／⑦）」⑧Ｃ欄へ記載します。設例では小数点以下を切り捨てて「99％」と記入します。

(4) 課税仕入れに係る支払対価の額（税込み）の算出

次に付表2−3の「課税仕入れに係る支払対価の額（税込み）」⑨欄の金額を記入します。税込経理を行っている場合には、軽減税率適用分、標準税率適用分の課税仕入金額をそのまま⑨欄へ記入できます。しかし、設例の場合、税抜経理をしていますので、これを税込金額へ引き直す手続きが必要です。

イ　軽減税率適用分

課税仕入れに係る　　　左記に係る
　支払対価の額　　　　　消費税額
32, 608, 254円 ＋ 2, 607, 825円 ＝ 35, 216, 079円……付表 2 － 3 ⑨ A へ

ロ　標準税率適用分

課税仕入れに係る　　　左記に係る
　支払対価の額　　　　　消費税額
52, 344, 218円 ＋ 5, 232, 985円 ＝ 57, 577, 203円……付表 2 － 3 ⑨ B へ

(5)　課税仕入れに係る消費税額の算出

　次に、「課税仕入れに係る消費税額」⑩欄を記入します。本設例では仕入税額の計算にあたって積上げ計算を採用するため、交付されたインボイス等に記載された課税仕入れに係る消費税額等の合計に $\frac{78}{100}$ を乗じた金額を記載します。

軽減税率適用分　　2, 607, 825円 × $\frac{78}{100}$ ＝ 2, 034, 103円……付表 2 － 3 ⑩ A へ

標準税率適用分　　5, 232, 985円 × $\frac{78}{100}$ ＝ 4, 081, 728円……付表 2 － 3 ⑩ B へ

(6)　免税事業者から行った課税仕入れに係る消費税額の算出

　免税事業者から行った課税仕入れについては、経過措置として仕入税額相当額の一定割合を仕入税額とみなして控除することができます。設例においては、令和 5 年10月 1 日以後令和 8 年 9 月30日以前に行われた免税事業者からの課税仕入れがあり、その仕入税額相当額の80％を仕入税額とみなして控除することができるため、当該仕入れの税込み金額を「適格請求書発行事業者以外の者から行った課税仕入れに係る経過措置の適用を受ける課税仕入れに係る支払対価の額（税込み）」⑪欄に、これに係る控除税額を「適格請求書発行事業者以外の者から行った課税仕入れに係る経過措置により課税仕入れに係る消費税額とみなされる額」⑫欄に、それぞれ記入します。

イ　軽減税率適用分

572, 400円 × $\frac{6.24}{108}$ × 80％ ＝ 26, 457円……付表 2 － 3 ⑫ A へ

　　　↓

付表 2 － 3 ⑪ A へ

ロ　標準税率適用分

1, 006, 500円 × $\frac{7.8}{110}$ × 80％ ＝ 57, 096円……付表 2 － 3 ⑫ B へ

　　　↓

付表 2 － 3 ⑪ B へ

(7)　控除対象仕入税額の算出

　上記(5)と(6)で計算した消費税額等の合計を「課税仕入れ等の税額の合計額」⑰欄に記入します。

軽減税率適用分　　2, 034, 103円 ＋ 26, 457円 ＝ 2, 060, 560円……付表 2 － 3 ⑰ A へ

標準税率適用分　　4, 081, 728円 ＋ 57, 096円 ＝ 4, 138, 824円……付表 2 － 3 ⑰ B へ

　また、設例の場合、課税売上高が 5 億円以下、かつ、課税売上割合が95％以上（99％）ですので、⑰欄の金額がそのまま「控除対象仕入税額」となります。付表 2 － 3 ⑰欄の金

額を⑱欄及び㉖欄に転記します。

なお、仮に課税売上高が5億円超又は課税売上割合が95％未満の場合には、個別対応方式又は一括比例配分方式による控除対象仕入税額の計算を行うことになります。課税売上高が5億円超又は課税売上割合が95％未満の場合の取扱いについては、**Ｑ** 6−12を参照してください。

2 付表1−3、申告書第二表の作成の手順

付表1−3、申告書第二表の作成の手順は、次のとおりです。
(1) 課税標準額の記入
(2) 課税標準額に対する消費税額の算出
(3) 控除税額の記入
(4) 差引税額の算出
(5) 地方消費税の計算

(1) 課税標準額の記入

付表2−3作成時に使用した課税売上高をもとに、付表1−3「課税標準額」①欄、「課税資産の譲渡等の対価の額」①−1欄、及び申告書第二表①〜⑦欄へ記入します。

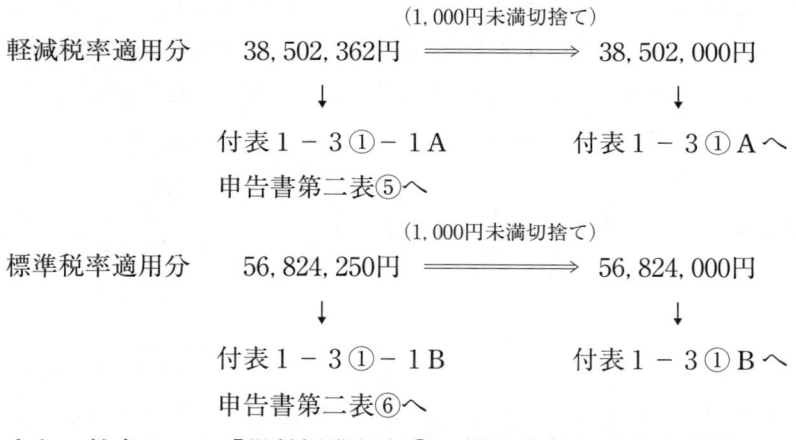

（1,000円未満切捨て）
軽減税率適用分　38,502,362円 ⟹ 38,502,000円
↓　　　　　　　　　↓
付表1−3①−1Ａ　　　付表1−3①Ａへ
申告書第二表⑤へ

（1,000円未満切捨て）
標準税率適用分　56,824,250円 ⟹ 56,824,000円
↓　　　　　　　　　↓
付表1−3①−1Ｂ　　　付表1−3①Ｂへ
申告書第二表⑥へ

また、付表1−3「課税標準額」①Ｃ欄の合計額を申告書第二表①欄へ、付表1−3「課税資産の譲渡等の対価の額」①−1Ｃ欄の合計額を申告書第二表⑦欄へ、それぞれ転記します。

(2) 消費税額の算出

課税標準額にかかる消費税額を算出し、付表1−3「消費税額」②欄及び申告書第二表⑪〜⑯欄に記入します。

軽減税率適用分の消費税額
38,502,000円×6.24％＝2,402,524円……付表1−3②Ａ及び申告書第二表⑮へ

標準税率適用分の消費税額

　56,824,000円×7.8％＝4,432,272円……付表1-3②B及び申告書第二表⑯へ

　上記の合計消費税額6,834,796円を付表1-3②C欄、及び申告書第二表の「消費税額」⑪欄に記入します。

⑶　控除税額の記入

　付表2-3「控除対象仕入税額」㉖欄の金額を付表1-3「控除対象仕入税額」④欄へ転記します。設例では他に控除税額がないため、「控除税額小計」⑦欄にも同額を記入します。

⑷　差引税額の算出

　付表1-3の「消費税額」合計②C欄から「控除税額小計」合計⑦C欄の金額を控除し、プラスであれば「差引税額」⑨C欄に、マイナスであれば「控除不足還付税額」⑧欄に記入します。なお、税率別の記載（A・B欄）は不要です。設例では、消費税額から控除税額小計の金額を控除したものはプラスとなるため、⑨C欄に差引税額を記入します。

⑸　地方消費税の計算

　上記⑷で計算した付表1-3「差引税額」⑨C欄の金額を⑪C欄及び申告書第二表⑳欄・㉓欄へ転記し、これに$\frac{22}{78}$を乗じた金額を譲渡割額の付表1-3「納税額」⑬C欄に記入します。

　なお、⑷で控除不足還付税額となった場合は、付表1-3⑧C欄の金額を⑩C欄及び申告書第二表⑳欄・㉓欄に転記し、これに$\frac{22}{78}$を乗じた金額を譲渡割額の付表1-3「還付額」⑫C欄に記入することになります。

③　申告書第一表の作成

　申告書第一表に、付表2-3、付表1-3及び申告書第二表に記入した金額を転記し、納付税額を算出します。

〈この申告書による消費税の税額の計算〉

「課税標準額」①……申告書第二表①より転記

「消費税額」②……申告書第二表⑪より転記

「控除対象仕入税額」④……付表1-3④Cより転記

「控除税額小計」⑦……付表1-3⑦Cより転記

「差引税額」⑨……付表1-3⑨Cより転記

「中間納付税額」⑩……設例の前提条件より納付税額252,300円を記入

「納付税額」⑪……「差引税額」⑨から「中間納付税額」⑩を控除した金額を記入

「課税資産の譲渡等の対価の額」⑮……付表2-3④Cより転記

「資産の譲渡等の対価の額」⑯……付表2-3⑦Cより転記

〈この申告書による地方消費税の税額の計算〉

「差引税額」⑱……付表1-3⑪Cより転記

「納税額」⑳……付表1-3⑬Cより転記

「中間納付譲渡割額」㉑……設例の前提条件より納付税額71,100円を記入

「納付譲渡割額」㉒……「納税額」⑳から「中間納付譲渡割額」㉑を控除した金額を記入

「消費税及び地方消費税の合計税額」㉖……⑪と㉒の合計額を記入

第4-(10)号様式

付表2-3　　課税売上割合・控除対象仕入税額等の計算表　　　　　　　　　　　　　　　　　　　　　　一 般

| 課 税 期 間 | ・ ・ ～ ・ ・ | 氏 名 又 は 名 称 | |

項　　目		税率 6.24 % 適用分 A	税率 7.8 % 適用分 B	合　　計　C (A＋B)
課 税 売 上 額 (税 抜 き)	①	38,502,362 円	56,824,250 円	95,326,612 円
免 税 売 上 額	②			
非 課 税 資 産 の 輸 出 等 の 金 額 、海 外 支 店 等 へ 移 送 し た 資 産 の 価 額	③			
課 税 資 産 の 譲 渡 等 の 対 価 の 額 (①＋②＋③)	④			※第一表の⑮欄へ 95,326,612
課 税 資 産 の 譲 渡 等 の 対 価 の 額 (④ の 金 額)	⑤			95,326,612
非 課 税 売 上 額	⑥			824,967
資 産 の 譲 渡 等 の 対 価 の 額 (⑤＋⑥)	⑦			※第一表の⑯欄へ 96,151,579
課 税 売 上 割 合 (④ ／ ⑦)	⑧			[99 %] ※端数切捨て
課 税 仕 入 れ に 係 る 支 払 対 価 の 額 (税 込 み)	⑨	35,216,079	57,577,203	92,793,282
課 税 仕 入 れ に 係 る 消 費 税 額	⑩	2,034,103	4,081,728	6,115,831
適格請求書発行事業者以外の者から行った課税仕入れに係る経過措置の適用を受ける課税仕入れに係る支払対価の額(税込み)	⑪	572,400	1,006,500	1,578,900
適格請求書発行事業者以外の者から行った課税仕入れに係る経過措置により課税仕入れに係る消費税額とみなされる額	⑫	26,457	57,096	83,553
特 定 課 税 仕 入 れ に 係 る 支 払 対 価 の 額	⑬	※⑬及び⑭欄は、課税売上割合が95%未満、かつ、特定課税仕入れがある事業者のみ記載する。		
特 定 課 税 仕 入 れ に 係 る 消 費 税 額	⑭		(⑬B欄×7.8/100)	
課 税 貨 物 に 係 る 消 費 税 額	⑮			
納 税 義 務 の 免 除 を 受 け な い (受 け る) こ と と な っ た 場 合 に お け る 消 費 税 額 の 調 整 (加 算 又 は 減 算) 額	⑯			
課 税 仕 入 れ 等 の 税 額 の 合 計 額 (⑩＋⑫＋⑭＋⑮±⑯)	⑰	2,060,560	4,138,824	6,199,384
課 税 売 上 高 が 5 億 円 以 下 、 か つ 、課 税 売 上 割 合 が 95 % 以 上 の 場 合 (⑰の金額)	⑱	2,060,560	4,138,824	6,199,384

課5課95税億税%売売未円上上満超割の高又合場がはが合	個別対応方式	⑰のうち、課 税 売 上 げ に の み 要 す る も の	⑲			
		⑰のうち、課 税 売 上 げ と 非 課 税 売 上 げ に 共 通 し て 要 す る も の	⑳			
		個 別 対 応 方 式 に よ り 控 除 す る 課 税 仕 入 れ 等 の 税 額 〔⑲＋(⑳×④／⑦)〕	㉑			
		一 括 比 例 配 分 方 式 に よ り 控 除 す る 課 税 仕 入 れ 等 の 税 額 (⑰×④／⑦)	㉒			
控除税額の調整		課 税 売 上 割 合 変 動 時 の 調 整 対 象 固 定 資 産 に 係 る 消 費 税 額 の 調 整 (加 算 又 は 減 算) 額	㉓			
		調 整 対 象 固 定 資 産 を 課 税 業 務 用 (非 課 税 業 務 用) に 転 用 し た 場 合 の 調 整 (加 算 又 は 減 算) 額	㉔			
		居 住 用 賃 貸 建 物 を 課 税 賃 貸 用 に 供 し た (譲 渡 し た) 場 合 の 加 算 額	㉕			
差引		控 除 対 象 仕 入 税 額 〔(⑱、㉑又は㉒の金額)±㉓±㉔＋㉕〕がプラスの時	㉖	※付表1-3の④A欄へ 2,060,560	※付表1-3の④B欄へ 4,138,824	6,199,384
		控 除 過 大 調 整 税 額 〔(⑱、㉑又は㉒の金額)±㉓±㉔＋㉕〕がマイナスの時	㉗	※付表1-3の③A欄へ	※付表1-3の③B欄へ	
貸 倒 回 収 に 係 る 消 費 税 額			㉘	※付表1-3の③A欄へ	※付表1-3の③B欄へ	

注意　1　金額の計算においては、1円未満の端数を切り捨てる。
　　　2　⑨、⑩及び⑪欄には、値引き、割戻し、割引きなど仕入対価の返還等の金額がある場合(仕入対価の返還等の金額を仕入金額から直接減額している場合を除く。)には、その金額を控除した後の金額を記載する。
　　　3　⑪及び⑫欄の経過措置とは、所得税法等の一部を改正する法律(平成28年法律第15号)附則第52条又は第53条の適用がある場合をいう。

(R5.10.1以後終了課税期間用)

付表1－3　税率別消費税額計算表　兼　地方消費税の課税標準となる消費税額計算表

一 般

課　税　期　間	・　・　～　・　・	氏　名　又　は　名　称	

区　　　　分		税率 6.24 % 適 用 分 A	税率 7.8 % 適 用 分 B	合　　　計　　　C (A＋B)
課　税　標　準　額 ①		円 38,502,000	円 56,824,000	※第二表の①欄へ 円 95,326,000
①の内訳	課 税 資 産 の 譲 渡 等 の 対 価 の 額 ①-1	※第二表の⑤欄へ 38,502,362	※第二表の⑥欄へ 56,824,250	※第二表の⑦欄へ 95,326,612
	特 定 課 税 仕 入 れ に 係 る 支 払 対 価 の 額 ①-2	※①-2欄は、課税売上割合が95%未満、かつ、特定課税仕入れがある事業者のみ記載する。 ※第二表の⑨欄へ		※第二表の⑩欄へ
消　　費　　税　　額 ②		※第二表の⑬欄へ 2,402,524	※第二表の⑯欄へ 4,432,272	※第二表の⑪欄へ 6,834,796
控 除 過 大 調 整 税 額 ③		(付表2-3の㉗・㉘A欄の合計金額)	(付表2-3の㉗・㉘B欄の合計金額)	※第一表の③欄へ
控除税額	控 除 対 象 仕 入 税 額 ④	(付表2-3の㉖A欄の金額) 2,060,560	(付表2-3の㉖B欄の金額) 4,138,824	※第一表の④欄へ 6,199,384
	返 還 等 対 価 に 係 る 税 額 ⑤			※第二表の⑰欄へ
	⑤の内訳 売 上 げ の 返 還 等 対 価 に 係 る 税 額 ⑤-1			※第二表の⑱欄へ
	特 定 課 税 仕 入 れ の 返 還 等 対 価 に 係 る 税 額 ⑤-2	※⑤-2欄は、課税売上割合が95%未満、かつ、特定課税仕入れがある事業者のみ記載する。		※第二表の⑲欄へ
	貸 倒 れ に 係 る 税 額 ⑥			※第一表の⑥欄へ
	控 除 税 額 小 計 (④＋⑤＋⑥) ⑦	2,060,560	4,138,824	※第一表の⑦欄へ 6,199,384
控 除 不 足 還 付 税 額 (⑦－②－③) ⑧				※第一表の⑧欄へ
差 引 税 額 (②＋③－⑦) ⑨				※第一表の⑨欄へ 635,400
地方消費税の課税標準となる消費税額	控 除 不 足 還 付 税 額 (⑧) ⑩			※第一表の⑰欄へ ※マイナス「－」を付して第二表の㉑及び㉓欄へ
	差 引 税 額 (⑨) ⑪			※第一表の⑱欄へ ※第二表の㉒及び㉓欄へ 635,400
譲渡割額	還 付 額 ⑫			(⑩C欄×22/78) ※第一表の⑲欄へ
	納 税 額 ⑬			(⑪C欄×22/78) ※第一表の⑳欄へ 179,200

注意　　金額の計算においては、1円未満の端数を切り捨てる。

第3-(2)号様式

課税標準額等の内訳書

納 税 地	
	（電話番号 － － ）
（フリガナ）	
法 人 名	
（フリガナ）	
代表者氏名	

整理番号 □□□□□□□□　法人用

改 正 法 附 則 に よ る 税 額 の 特 例 計 算		
軽 減 売 上 割 合（10営業日）	◯	附則38① 51
小 売 等 軽 減 仕 入 割 合	◯	附則38② 52

第二表

自 令和 □□年□□月□□日
至 令和 □□年□□月□□日

課税期間分の消費税及び地方消費税の（ 確定 ）申告書

中間申告 自 令和 □□年□□月□□日
の場合の
対象期間 至 令和 □□年□□月□□日

令和四年四月一日以後終了課税期間分

課 税 標 準 額 ※申告書（第一表）の①欄へ	①	十兆千百十億千百十万千百十一円　　　　　9 5 3 2 6 0 0 0	01

課 税 資 産 の 譲 渡 等 の 対 価 の 額 の 合 計 額	3 ％ 適 用 分	②		02
	4 ％ 適 用 分	③		03
	6.3 ％ 適 用 分	④		04
	6.24 ％ 適 用 分	⑤	3 8 5 0 2 3 6 2	05
	7.8 ％ 適 用 分	⑥	5 6 8 2 4 2 5 0	06
	（②～⑥の合計）	⑦	9 5 3 2 6 6 1 2	07
特定課税仕入れに係る支払対価の額の合計額 （注1）	6.3 ％ 適 用 分	⑧		11
	7.8 ％ 適 用 分	⑨		12
	（⑧・⑨の合計）	⑩		13

消 費 税 額 ※申告書（第一表）の②欄へ	⑪	6 8 3 4 7 9 6	21
⑪ の 内 訳	3 ％ 適 用 分 ⑫		22
	4 ％ 適 用 分 ⑬		23
	6.3 ％ 適 用 分 ⑭		24
	6.24 ％ 適 用 分 ⑮	2 4 0 2 5 2 4	25
	7.8 ％ 適 用 分 ⑯	4 4 3 2 2 7 2	26

返 還 等 対 価 に 係 る 税 額 ※申告書（第一表）の⑤欄へ	⑰		31
⑰の内訳	売上げの返還等対価に係る税額 ⑱		32
	特定課税仕入れの返還等対価に係る税額 （注1） ⑲		33

地 方 消 費 税 の 課 税 標 準 と な る 消 費 税 額 （注2）	（㉑～㉓の合計）	⑳	6 3 5 4 0 0	41
	4 ％ 適 用 分	㉑		42
	6.3 ％ 適 用 分	㉒		43
	6.24%及び7.8% 適 用 分	㉓	6 3 5 4 0 0	44

（注1） ⑧～⑩及び⑲欄は、一般課税により申告する場合で、課税売上割合が95％未満、かつ、特定課税仕入れがある事業者のみ記載します。
（注2） ⑳～㉓欄が還付税額となる場合はマイナス「－」を付してください。

第3−(1)号様式

令和　年　月　日　　　　　　　　　　税務署長殿

収受印

納　税　地

（電話番号　　　　−　　　−　　　）

（フリガナ）

法　人　名

法　人　番　号

（フリガナ）

代表者氏名

（個人の方）振替継続希望

※税務署処理欄

所管	要否	整理番号

申告年月日　令和　　年　　月　　日

申告区分　指導等　庁指定　局指定

通信日付印　確認

年　　月　　日

指導　年　　月　　日　相談　区分1　区分2　区分3

令和

自　平成・令和　□□年　□□月　□□日
至　令和　□□年　□□月　□□日

課税期間分の消費税及び地方
消費税の（　確定　）申告書

中間申告
の場合の
対象期間
自　平成・令和　□□年　□□月　□□日
至　令和　□□年　□□月　□□日

令和五年十月一日以後終了課税期間分（一般用）

この申告書による消費税の税額の計算

		十兆千百十億千百十万千百十一円	
課税標準額	①	953260 00	03
消費税額	②	6834796	06
控除過大調整税額	③		07
控除税額　控除対象仕入税額	④	6199384	08
返還等対価に係る税額	⑤		09
貸倒れに係る税額	⑥		10
控除税額小計（④＋⑤＋⑥）	⑦	6199384	11
控除不足還付税額（⑦−②−③）	⑧		13
差引税額（②＋③−⑦）	⑨	635400	15
中間納付税額	⑩	252300	16
納付税額（⑨−⑩）	⑪	383100	17
中間納付還付税額（⑩−⑨）	⑫	00	18
この申告書が修正申告である場合　既確定税額	⑬		19
差引納付税額	⑭	00	20
課税売上割合　課税資産の譲渡等の対価の額	⑮	95326612	21
資産の譲渡等の対価の額	⑯	96151579	22

この申告書による地方消費税の税額の計算

地方消費税の課税標準となる消費税額　控除不足還付税額	⑰		51
差引税額	⑱	635400	52
譲渡割額　還付額	⑲		53
納税額	⑳	179200	54
中間納付譲渡割額	㉑	71100	55
納付譲渡割額（⑳−㉑）	㉒	108100	56
中間納付還付譲渡割額（㉑−⑳）	㉓	00	57
この申告書が修正申告である場合　既確定譲渡割額	㉔		58
差引納付譲渡割額	㉕	00	59
消費税及び地方消費税の合計（納付又は還付）税額	㉖	491200	60

付記事項・参考事項

付記事項	割賦基準の適用	○有 ●無	31
	延払基準等の適用	○有 ●無	32
	工事進行基準の適用	○有 ●無	33
参考事項	現金主義会計の適用	○有 ●無	34
	課税標準額に対する消費税額の計算の特例の適用	○有 ●無	35
控除税額の計算方法	課税売上高5億円超又は課税売上割合95％未満	個別対応方式／一括比例配分方式	41
	上記以外	●全額控除	
	基準期間の課税売上高	千円	

○ 税額控除に係る経過措置の適用（2割特例）　42

還付を受けようとする金融機関等

銀行		本店・支店
金庫・組合		出張所
農協・漁協		本所・支所

預金　口座番号

ゆうちょ銀行の貯金記号番号　　−

郵便局名等

○ （個人の方）公金受取口座の利用

※税務署整理欄

税理士署名

（電話番号　　　−　　　−　　　）

○ 税理士法第30条の書面提出有

○ 税理士法第33条の2の書面提出有

㉖＝（⑪＋㉒）−（⑧＋⑫＋⑲＋㉓）・修正申告の場合㉖＝⑭＋㉕
㉖が還付税額となる場合はマイナス「−」を付してください。

※　2割特例による申告の場合、⑮欄に⑪欄の数字を記載し、
⑱欄×22/78から算出された金額を⑳欄に記載してください。

⑪・㉒又は⑫・㉓の記入をお忘れなく。

Q 6－3　消費税額の積上げ計算をしている場合

当社は、コンビニエンスストアを運営しています。このため、売上げのほとんどは少額の現金売上げであり、また件数が非常に多いのが特徴です。当社の場合、消費税に関してどのように取り扱えばよいのでしょうか。申告書の記載も併せて教えてください。

　ポイント　売上税額の計算について、交付したインボイスの写しを保存している場合等には、積上げ計算によることができます。

1 基本的な考え方

Q 6－2でも触れたとおり、課税売上げにかかる消費税額の計算においては割戻し計算、すなわち課税資産の譲渡等の税込金額に$\frac{100}{110}$（軽減税率対象取引については$\frac{100}{108}$）をかけて計算した課税標準額に、7.8％（軽減税率対象取引については6.24％）をかけて消費税額の国税分を計算するのが原則です。

もっとも、この方法に代えて、インボイス及び簡易インボイスの写し（電磁的記録により提供したものを含む）を保存している場合は、当該インボイス等に記載された税率ごとの消費税額等の合計額に$\frac{78}{100}$（軽減税率の場合も同じ）をかけて計算した金額を消費税額の国税分とすることもできます（積上げ計算、法45⑤、令62）。

2 積上げ計算適用の留意点

(1) 売上税額の計算においては、取引先ごと又は事業ごとにそれぞれ別の方式によるなど、割戻し計算と積上げ計算を併用することも認められます（基通15－2－1の2）。

(2) 簡易インボイスの写しを保存する場合において、交付した簡易インボイスに適用税率のみを記載し、税率ごとの消費税額等を記載していない場合には、積上げ計算を適用することはできません。

(3) 売上税額の計算において積上げ計算を適用した場合、仕入税額の計算方法に割戻し計算を適用することはできません。

3 具体的申告書の記載

(1) 前提条件

	軽減税率適用分	標準税率適用分
積上げ計算により求めた消費税額等の合計額	5,174,298円	3,814,112円
課税売上高合計（税抜き）	64,723,100円	38,296,500円

(2) 申告書の記載

付表1－3「消費税額」②欄には、税率ごとに積上げ計算により求めた消費税額等の合計額に $\frac{78}{100}$ をかけた金額を記入します。

軽減税率適用分　　$5,174,298円 \times \frac{78}{100} = 4,035,952円$……付表1－3②Aへ

標準税率適用分　　$3,814,112円 \times \frac{78}{100} = 2,975,007円$……付表1－3②Bへ

また、申告書第一表の参考事項欄の「課税標準額に対する消費税額の計算の特例の適用」の有に○印を記入します。

第4-(9)号様式

付表1-3　税率別消費税額計算表　兼　地方消費税の課税標準となる消費税額計算表

一 般

| 課　税　期　間 | ・　・　～　・　・ | 氏　名　又　は　名　称 | |

区　　　　　　分		税率 6.24 ％ 適用分 A	税率 7.8 ％ 適用分 B	合　　　　　計　　C （A＋B）
課　税　標　準　額	①	64,723,000 円	38,296,000 円	※第二表の①欄へ 103,019,000 円
①の内訳　課税資産の譲渡等の対価の額	①-1	※第二表の⑤欄へ 64,723,100	※第二表の⑥欄へ 38,296,500	※第二表の⑦欄へ 103,019,600
①の内訳　特定課税仕入れに係る支払対価の額	①-2	※①-2欄は、課税売上割合が95%未満、かつ、特定課税仕入れがある事業者のみ記載する。 ※第二表の⑨欄へ		※第二表の⑩欄へ
消　　費　　税　　額	②	※第二表の⑮欄へ 4,035,952	※第二表の⑯欄へ 2,975,007	※第二表の⑪欄へ 7,010,959
控　除　過　大　調　整　税　額	③	（付表2-3の㉗・㉘A欄の合計金額）	（付表2-3の㉗・㉘B欄の合計金額）	※第一表の③欄へ
控除税額　控除対象仕入税額	④	（付表2-3の㉕A欄の金額）	（付表2-3の㉕B欄の金額）	※第一表の④欄へ
控除税額　⑤返還等対価に係る税額	⑤			※第二表の⑰欄へ
控除税額　⑤の内訳　売上げの返還等対価に係る税額	⑤-1			※第二表の⑱欄へ
控除税額　⑤の内訳　特定課税仕入れの返還等対価に係る税額	⑤-2	※⑤-2欄は、課税売上割合が95%未満、かつ、特定課税仕入れがある事業者のみ記載する。		※第二表の⑲欄へ
控除税額　貸倒れに係る税額	⑥			※第一表の⑥欄へ
控除税額　控除税額小計（④+⑤+⑥）	⑦			※第一表の⑦欄へ
控　除　不　足　還　付　税　額（⑦-②-③）	⑧			※第一表の⑧欄へ
差　引　税　額（②+③-⑦）	⑨			※第一表の⑨欄へ 00
地方消費税の課税標準となる消費税額　控除不足還付税額（⑧）	⑩			※第一表の⑰欄へ ※マイナス「－」を付して第二表の㉑及び㉓欄へ
地方消費税の課税標準となる消費税額　差引税額（⑨）	⑪			※第一表の⑱欄へ ※第二表の㉒及び㉓欄へ 00
譲渡割額　還　付　額	⑫			（⑩C欄×22/78） ※第一表の⑲欄へ
譲渡割額　納　税　額	⑬			（⑪C欄×22/78） ※第一表の⑳欄へ 00

注意　金額の計算においては、1円未満の端数を切り捨てる。

（R5.10.1以後終了課税期間用）

第3-(1)号様式

令和　年　月　日　　　　　　　　　　　　税務署長殿

収受印

納税地　　　　　（電話番号　　　－　　　－　　　）

（フリガナ）

法人名

法人番号

（フリガナ）

代表者氏名

○（個人の方）振替継続希望

※税務署処理欄

所管	要否	整理番号								

申告年月日　令和　　年　　月　　日

申告区分　　指導等　　庁指定　　局指定

通信日付印　確認

　年　月　日

指導　年　月　日　　相談　区分1　区分2　区分3

令和

自 平成・令和 □□年□□月□□日
至 令和 □□年□□月□□日

課税期間分の消費税及び地方消費税の（　確定　）申告書

中間申告の場合の対象期間　自 平成・令和 □□年□□月□□日　至 令和 □□年□□月□□日

令和五年十月一日以後終了課税期間分（一般用）

この申告書による消費税の税額の計算

		十兆千百十億千百十万千百十一円	
課税標準額	①	1030190000	03
消費税額	②	70010959	06
控除過大調整税額	③		07
控除税額	控除対象仕入税額 ④		08
	返還等対価に係る税額 ⑤		09
	貸倒れに係る税額 ⑥		10
	控除税額小計（④+⑤+⑥）⑦		11
控除不足還付税額（⑦-②-③）⑧			13
差引税額（②+③-⑦）⑨		00	15
中間納付税額 ⑩		00	16
納付税額（⑨-⑩）⑪		00	17
中間納付還付税額（⑩-⑨）⑫		00	18
この申告書が修正申告である場合	既確定税額 ⑬		19
	差引納付税額 ⑭	00	20
課税売上割合	課税資産の譲渡等の対価の額 ⑮		21
	資産の譲渡等の対価の額 ⑯		22

この申告書による地方消費税の税額の計算

地方消費税の課税標準となる消費税額	控除不足還付税額 ⑰		51
	差引税額 ⑱	00	52
譲渡割額	還付額 ⑲	00	53
	納税額 ⑳	00	54
中間納付譲渡割額 ㉑		00	55
納付譲渡割額（⑳-㉑）㉒		00	56
中間納付還付譲渡割額（㉑-⑳）㉓		00	57
この申告書が修正申告である場合	既確定譲渡割額 ㉔		58
	差引納付譲渡割額 ㉕	00	59
消費税及び地方消費税の合計（納付又は還付）税額 ㉖			60

⑪・⑫又は⑫・㉓の記入をお忘れなく。

㉖=（⑪+㉒）-（⑧+⑫+⑬+㉓）・修正申告の場合㉖=⑭+㉕
㉖が還付税額となる場合はマイナス「-」を付してください。

付記事項	割賦基準の適用	○有 ○無	31
	延払基準等の適用	○有 ○無	32
	工事進行基準の適用	○有 ○無	33
	現金主義会計の適用	○有 ○無	34
参考事項	課税標準額に対する消費税額の計算の特例の適用	●有 ○無	35
	控除税額の計算の方法	課税売上高5億円超又は課税売上割合95％未満 ○個別対応方式 ○一括比例配分方式	41
		上記以外 ○全額控除	
	基準期間の課税売上高	千円	

○ 税額控除に係る経過措置の適用（2割特例）　42

還付を受けようとする金融機関等

銀行　本店・支店
金庫・組合　出張所
農協・漁協　本所・支所

預金　口座番号

ゆうちょ銀行の貯金記号番号　　　－

郵便局名等

○（個人の方）公金受取口座の利用

※税務署整理欄

税理士署名

（電話番号　　　－　　　－　　　）

○ 税理士法第30条の書面提出有
○ 税理士法第33条の2の書面提出有

※ 2割特例による申告の場合、⑫欄に⑪欄の数字を記載し、
⑱欄×22/78から算出された金額を⑳欄に記載してください。

162

Q 6-4　輸出免税取引がある場合

当社は、機械装置の製造を行っています。販売先は、国内の販売代理店及び東南アジアを中心とした海外のディーラーです。輸出取引について消費税は免税であるということですが、申告書の作成等に関してどのような点に注意しなければなりませんか。

A ポイント

① 輸出取引等については消費税が免除され、0％課税の課税売上げとして取り扱います。

② 簡易課税（基準期間の課税売上高5,000万円以下）、小規模事業者の免税（基準期間の課税売上高1,000万円以下）、及び仕入税額控除の全額控除（当該課税期間の課税売上高5億円以下）の適用の可否の判定の際には、輸出売上高を含めてこれを行います。

③ 課税売上割合の算式の分母及び分子に、輸出売上高を含めます。

1　輸出免税の対象となる取引

下記の輸出取引等については、消費税が免除されます（法7①、令17）。

① 国内からの輸出として行われる資産の譲渡又は貸付け

② 外国貨物の譲渡又は貸付け

③ 国内及び海外の地域にわたって行われる旅客若しくは貨物の輸送又は通信

④ 専ら③の輸送の用に供される船舶又は航空機の譲渡・貸付け・修理等

⑤ 国内及び海外の地域にわたって行われる郵便又は信書便

⑥ 非居住者に対する鉱業権、工業所有権、著作権、営業権等の無体財産権の譲渡又は貸付け

⑦ 非居住者に対する役務の提供（非居住者が国内で飲食・宿泊する等国内で直接便益を受ける場合を除きます。）

2　輸出免税の要件

輸出免税が適用される要件は、次のとおりです（基通7-1-1）。

① 資産の譲渡等が課税事業者によって行われたものであること

② 資産の譲渡等は国内で行われたものであること

③ 原則として課税資産の譲渡等であること

④ 消費税法第7条第1項各号に掲げる輸出取引等であること

⑤ 上記④の取引であることの証明がなされたものであること

上記の①については、基準期間や特定期間の課税売上高が1,000万円以下の事業者（「新設法人」や「特定新規設立法人」を除きます。）が輸出免税の適用を受けて輸出取引につ

いての仕入税額の控除又は還付を受けるためには、あらかじめ消費税法第9条第4項の課税事業者の選択の規定により課税事業者の選択をする必要があります。

②については、消費税等が国内取引を対象とし、輸出免税は本来課税の対象となる取引について国境税調整のため消費税等を免除する趣旨のものですので、国外取引に関しては輸出免税を適用する余地はありません。

③については、非課税資産の譲渡を行った場合には消費税が課されないことから、輸出免税は原則として課税資産の譲渡等に対してだけ適用されるのが原則です。しかし、輸出免税の適用がない場合には、輸出取引を行うため国内取引として行った仕入れに係る消費税額の控除ができないことから、消費税法第31条第1項又は第2項において、非課税資産の輸出又は自己の使用等のために資産を輸出した場合、所定の証明を得たときには、課税資産の譲渡等に係る輸出取引等とみなして仕入税額控除ができる旨を定めています。これは付表2-3の③欄に記入することになる取引であり、課税売上割合の計算上、輸出免税取引と同様の取扱いになります。

④については、消費税法第7条第1項及び消費税法施行令第17条（輸出取引等の範囲）に列挙している取引に限り輸出免税の適用があることを、また、⑤については、当該取引について証明がなされたものであることが必要である旨を定めています（法7②）。

③ 申告書作成の際の留意事項

前述のように輸出取引は、消費税法上は一定の要件を前提とした「免税取引」として取り扱われています。しかし、輸出取引を行うため国内取引として行った課税仕入れに係る消費税額の控除はできます。このため、売上げに係る消費税等は課されませんが、課税仕入れに係る消費税が控除できない「非課税取引」とは明確に区分する必要があります。したがって、輸出免税については、これをゼロ税率適用取引（0％課税）として取り扱うことになります。

非課税取引、免税取引及び不課税取引の消費税法等における各規定等との関係は、次のようになります。

各種規定	非課税取引	免税取引	不課税取引	
消費税の免税事業者の判定	対象外	対象	対象外	（注1）
簡易課税の適用可否の判定	対象外	対象	対象外	（注2）
課税売上割合の計算	対象（分母）	対象	対象外	（注3）

（注1）　基準期間や特定期間の課税資産の譲渡等の対価の額（判定時、免税事業者の場合は税込み、課税事業者の場合は、税抜き。以下同じ。）が1,000万円以下の場合は、「新設法人」や「特定新規設立法人」を除き、免税事業者です（基通1-4-6）。

（注2）　基準期間の課税資産の譲渡等の対価の額が5,000万円以下の事業者に適用があります。

（注3）　非課税取引は、課税売上割合の算式の分母に、免税取引は、算式の分母及び分子に含めます。

したがって、課税取引、非課税取引、免税取引及び不課税取引の区分を適切に行うこと

が必要です。その上で各種規定の適用の可否を判断することになります。

4 申告書の作成

　輸出免税取引は、前述のようにゼロ税率が適用されるものの課税資産の譲渡等に該当します。このため課税売上割合の算定を行う際の算式の分母及び分子に当該金額を含めて考えることになります。申告書の作成においては、付表2－3の「免税売上額」②C欄に当該取引金額を記載します。以下の条件のもとに付表2－3の記載例を示します。

取引区分	軽減税率適用分	標準税率適用分	合　計
課 税 売 上 げ	1,269,240円	153,508,998円	154,778,238円
免 税 売 上 げ			10,614,844円
非課税売上げ			3,890,191円
計			169,283,273円

第4-(10)号様式

付表2－3　　課税売上割合・控除対象仕入税額等の計算表　　　　　　　　　　　　　　　　　　　　　一般

課　税　期　間		・・ ～ ・・	氏 名 又 は 名 称		

項　目		税率 6.24 % 適用分 A	税率 7.8 % 適用分 B	合　　計 C (A＋B)
課 税 売 上 額 （ 税 抜 き ）	①	1,269,240 円	153,508,998 円	154,778,238 円
免 税 売 上 額	②			10,614,844
非 課 税 資 産 の 輸 出 等 の 金 額 、海 外 支 店 等 へ 移 送 し た 資 産 の 価 額	③			
課税資産の譲渡等の対価の額（①＋②＋③）	④			※第一表の⑳欄へ 165,393,082
課税資産の譲渡等の対価の額（④の金額）	⑤			165,393,082
非 課 税 売 上 額	⑥			3,890,191
資 産 の 譲 渡 等 の 対 価 の 額 （ ⑤ ＋ ⑥ ）	⑦			※第一表の㉑欄へ 169,283,273
課 税 売 上 割 合 （ ④ ／ ⑦ ）	⑧			［ 97 ％］ ※端数切捨て
課税仕入れに係る支払対価の額（税込み）	⑨			

非課税資産の輸出又は資産を海外支店等に移送した場合の取扱い

当社は、建設業を営んでいます。海外工事で使用する工事用資材や建設機械のうち現地で調達が困難なものについては、国内でこれらを調達した上で、海外の工事現場へ輸出の形で転送する予定です。このような工事用資材等の仕入れに関しては輸出承認を受けていない段階でも輸出免税取引のための課税仕入れとして仕入税額控除の対象になるのでしょうか。

また、当社は、個別対応方式を採用していますが、このような仕入れは、課税売上げにのみ要する課税仕入れとして取り扱ってもよいのでしょうか。

A ポイント

① 非課税資産の輸出及び資産の海外支店等への移送は、輸出取引等とみなし、当該資産の仕入れに係る消費税額は、仕入税額控除の対象とすることができます。

② 課税売上割合を計算する場合の分母及び分子には、海外支店等への転送輸出の額（FOB 価格）を含めます。

1 輸出免税の適用範囲について

輸出取引等については輸出免税が適用され、０％課税として取り扱う旨を Q 6-4 で説明しました。

消費税法第７条第１項では、輸出免税取引の範囲について限定列挙しています。輸出免税は課税資産の譲渡等に対してだけ適用されるため、非課税資産の輸出については、原則として輸出免税の適用がなく、輸出取引を行うために国内取引として行った仕入れに係る消費税額の控除ができません。もっとも、当該非課税資産の譲渡が輸出取引等に該当するものであることにつき財務省令に定めるところにより証明がされたときは、課税資産の譲渡等に係る輸出取引等に該当するものとみなして仕入税額控除をすることができます（法31①）。

また、事業者が、国内以外の地域における資産の譲渡等又は自己の使用のため、資産を輸出した場合において、当該資産が輸出されたことにつき財務省令で定めるところにより証明がなされた場合には、これを課税資産の譲渡等に係る輸出取引等に該当するものとみなして仕入税額控除をすることができます（法31②）。

設例については、対価を得るものではなく単に海外の工事現場に工事用資材や建設機械を移送しているに過ぎないため、消費税の課税要件である「対価を得て行うものであるこ

と」には該当せず、これらの工事用資材等の移送取引は、課税資産の譲渡には該当しないのが原則です。もっとも、輸出の証明を得ている場合は、輸出取引等に該当するものとみなされ、これに係る国内調達取引については、仕入税額控除の対象となります。なお、この輸出証明をするためには、輸出の事実を証明する書類又は帳簿を整理し、その輸出をした日の属する課税期間の末日の翌日から2月を経過した日から7年間、事務所等に保存しなければなりません（規16②）。

また、これらの工事用資材等に係る仕入税額控除の時期については、当該課税期間に輸出承認を受けているかどうかに関係なく、その課税仕入れのあった日の属する課税期間において仕入税額控除の対象とすることができます。

2 当該仕入れの個別対応方式における区分

個別対応方式により控除対象仕入税額を計算する場合には、課税仕入れ等について、①課税売上げにのみ要するもの、②非課税売上げにのみ要するもの、③課税・非課税に共通して要するものに区分する必要があります。

国外において行う資産の譲渡等のための課税仕入れ等については、課税資産の譲渡等にのみ要するものに該当することになります。したがって個別対応方式により控除対象仕入税額を計算する場合には、海外工事で使用する工事用資材や建設機械の仕入れは上記の①の課税売上げにのみ要するものとして取り扱うことになります（基通11－2－13）。

3 留意点

事業者が、国内以外の地域における資産の譲渡等又は自己の使用のために資産を輸出した場合には、輸出時に輸出価格（FOB価格）により譲渡があったものとみなして、課税売上割合の計算上、課税売上額（分母及び分子）に算入することになります（令51④）。

また、非課税資産の輸出及び資産の海外支店等への移送については、免税事業者かどうかを判定する際に用いる基準期間の課税売上高には算入しません（基通1－4－2）。

4 申告書の記載例

以下の前提条件のもとに付表2－3の記載例を示します。

課税売上げ（税抜き）	軽減税率適用分	124,000,000円
	標準税率適用分	491,000,000円
免税売上げ		23,158,000円
海外工事現場へ移送した資産の価額		37,231,000円
非課税売上げ		5,250,000円

付表2－3　課税売上割合・控除対象仕入税額等の計算表　　　　　　　　　　　　　　　　　　　　　一　般

項　目		税率 6.24 ％ 適用分 A 円	税率 7.8 ％ 適用分 B 円	合　計 C (A＋B) 円
課　税　売　上　額（税　抜　き）	①	124,000,000	491,000,000	615,000,000
免　税　売　上　額	②			23,158,000
非課税資産の輸出等の金額、海外支店等へ移送した資産の価額	③			37,231,000
課税資産の譲渡等の対価の額（①＋②＋③）	④			※第一表の⑮欄へ 675,389,000
課税資産の譲渡等の対価の額（④の金額）	⑤			675,389,000
非　課　税　売　上　額	⑥			5,250,000
資産の譲渡等の対価の額（⑤＋⑥）	⑦			※第一表の⑯欄へ 680,639,000
課　税　売　上　割　合（④／⑦）	⑧			［ 99 ％］ ※端数切捨て
課税仕入れに係る支払対価の額（税込み）	⑨			

Q 6－6　課税売上割合の算定

　課税売上割合の内容を説明してください。また、消費税の取扱いに関してどのような影響があるのでしょうか。併せて誤りやすい事例を教えてください。

A ポイント

①　課税標準額に対する消費税額から課税仕入れに係る消費税額の全額を控除できるのは、課税売上高が5億円以下で、かつ課税売上割合が95％以上の場合に限られます。

②　課税売上高が5億円を超える場合、又は課税売上割合が95％未満の場合には、課税仕入れに係る消費税額のうち個別対応方式又は一括比例配分方式により算定された金額だけが、控除対象となります。

③　課税売上割合（法人税の当該事業年度について算定されたもの）が、80％以上の場合は、控除対象外消費税額等は全額損金算入可能ですが、80％未満の場合で、かつ、一つの固定資産に係る控除対象外消費税額等が20万円以上であるものについては、当該金額を繰延消費税額等として処理した上で5年間の均等償却を行います。

1　課税売上割合の計算式

　課税売上割合とは、当該課税期間中の国内における資産の譲渡等の対価の額の合計額に占める当該課税期間中の国内における課税資産の譲渡等の対価の割合をいいます（法30⑥、

令48）。

　具体的算式は、次のとおりです。

$$課税売上割合＝\frac{当該課税期間中に国内で行われた課税資産の譲渡等の対価の合計額 － 課税資産の売上げに係る対価の返還等の金額}{当該課税期間中に国内で行われた資産の譲渡等の対価の合計額 － 売上げに係る対価の返還等の金額}$$

……申告書 第一表⑮へ
……申告書 第一表⑯へ

（注１）　分母、分子ともに税抜金額で計算します。

（注２）　輸出免税取引、非課税資産の輸出等、海外支店等への資産の移送は、分母及び分子に含めます。

（注３）　対価の返還等の金額とは、返品、値引き、割戻し及び割引をいいます。なお、貸倒損失は対価の返還等として取り扱いません。

（注４）　不課税取引は、上記の算式には、一切含めません。

　なお、課税売上割合に端数が生じた場合、付表2－3⑱欄以下で控除対象仕入税額を計算するにあたっては原則として端数処理は行いませんが、任意の桁で切り捨てることが認められています（基通11－5－6）。

2　課税売上割合の取扱い

　前述の算式により算出した課税売上割合により、消費税、法人税等の取扱いが次のように異なります。

(1)　課税売上高が5億円以下で、かつ課税売上割合が95％以上の場合

　課税仕入れに係る消費税額の全額を課税標準額に対する消費税額から控除できます。

(2)　課税売上高が5億円を超える場合、又は課税売上割合が95％未満の場合

　課税仕入れに係る消費税額のうち個別対応方式若しくは一括比例配分方式により算出された金額だけが、課税標準額に対する消費税額から控除できます（法30②）。

(3)　法人税の事業年度について算定された課税売上割合が80％未満の場合

　税抜処理方式により仮払消費税額等に経理した課税仕入れに係る消費税額等のうち控除できなかった金額相当額は、当該事業年度において全額損金算入することができません。

　経費及び棚卸資産に係る控除対象外消費税等は、すべて損金算入可能ですが、一つの固定資産に係る控除対象外消費税額等が、20万円以上のものである場合には、当該金額は、繰延消費税額等として処理した上で5年間の均等償却を行うことになります（法人税法施行令139の4④）。なお、その資産を取得した事業年度においては、上記によって計算した金額の2分の1に相当する金額を必要経費の額に算入します（法人税法施行令139の4③）。

3　消費税申告書における記載

　課税売上割合の申告書における記載は、付表2－3「課税売上割合・控除対象仕入税額等の計算表」において、資産等の譲渡等の対価の額及び課税資産等の譲渡等の対価の額を記載後、これらの数字を申告書へ転記する形で行います。なお、付表2－3の「課税売上

割合」欄は95％以上又は80％以上かどうかを判定するために、小数点以下切捨て記入が原則ですが、79.9…％又は94.9…％となるとき以外は％の小数点以下2位未満を四捨五入してさしつかえありません。正規の課税売上割合は適宜の単位で端数切捨て又は申告書第一表の⑮／⑯の割合によります。

以下において簡単な数字を前提とし、付表2-3及び申告書第一表の記載例を示します。

	軽減税率適用分	標準税率適用分	合　　計
課税売上高（税抜き）	28,420,000円	72,830,000円	101,250,000円
輸出免税売上高			4,100,000円
海外支店への移送			1,000,000円
非課税売上高			1,967,800円
合　　計			108,317,800円

申告書第一表の⑮欄に前述の算式の分子の金額を、⑯欄に算式の分母の金額を記載することになります。

第4-(10)号様式

付表2-3　課税売上割合・控除対象仕入税額等の計算表　　　一　般

課　税　期　間	・・～・・	氏 名 又 は 名 称	

項　　目		税率 6.24 ％ 適用分 A	税率 7.8 ％ 適用分 B	合　　計 C (A+B)
課　税　売　上　額　（　税　抜　き　）	①	28,420,000 円	72,830,000 円	101,250,000 円
免　　税　　売　　上　　額	②			4,100,000
非 課 税 資 産 の 輸 出 等 の 金 額 、海 外 支 店 等 へ 移 送 し た 資 産 の 価 額	③			1,000,000
課 税 資 産 の 譲 渡 等 の 対 価 の 額 （①＋②＋③）	④			※第一表の⑮欄へ　106,350,000
課 税 資 産 の 譲 渡 等 の 対 価 の 額 （④の金額）	⑤			106,350,000
非　　課　　税　　売　　上　　額	⑥			1,967,800
資 産 の 譲 渡 等 の 対 価 の 額 （⑤＋⑥）	⑦			※第一表の⑯欄へ　108,317,800
課　税　売　上　割　合　（　④　／　⑦　）	⑧			［ 98 ％ ］ ※端数切捨て
課 税 仕 入 れ に 係 る 支 払 対 価 の 額 （税込み）	⑨			

170

第3-(1)号様式

令和　年　月　日		税務署長殿

収受印

※（個人の方）振替継続希望

法人用

納　税　地	
	（電話番号　　－　　－　　）
（フリガナ）	
法　人　名	
法　人　番　号	
（フリガナ）	
代表者氏名	

※税務署処理欄

所管		要否		整理番号								

| 申告年月日 | | 令和 | | | 年 | | 月 | | 日 |

| 申告区分 | | | 指導等 | 庁指定 | 局指定 |

通信日付印	確認		
年　月　日			

指　導　年　月　日			相談	区分1	区分2	区分3
令和						

第一表

自 平成・令和 □□年□□月□□日

至 令和 □□年□□月□□日

課税期間分の消費税及び地方消費税の（　確定　）申告書

中間申告の場合の対象期間　自 平成・令和 □□年□□月□□日　至 令和 □□年□□月□□日

令和五年十月一日以後終了課税期間分（一般用）

この申告書による消費税の税額の計算

			十兆千百十億千百十万千百十一円	
課税標準額	①		0 0 0	03
消費税額	②			06
控除過大調整税額	③			07
控除税額 控除対象仕入税額	④			08
返還等対価に係る税額	⑤			09
貸倒れに係る税額	⑥			10
控除税額小計（④+⑤+⑥）	⑦			13
控除不足還付税額（⑦-②-③）	⑧			13
差引税額（②+③-⑦）	⑨		0 0	15
中間納付税額	⑩		0 0	16
納付税額（⑨-⑩）	⑪		0 0	17
中間納付還付税額（⑩-⑨）	⑫		0 0	18
この申告書が修正申告である場合 既確定税額	⑬			19
差引納付税額	⑭		0 0	20
課税売上割合 課税資産の譲渡等の対価の額	⑮		1 0 6 3 5 0 0 0 0	21
資産の譲渡等の対価の額	⑯		1 0 8 3 1 7 8 0 0	22

この申告書による地方消費税の税額の計算

地方消費税の課税標準となる消費税額 控除不足還付税額	⑰			51
差引税額	⑱		0 0	52
譲渡割額 還付額	⑲			53
納税額	⑳		0 0	54
中間納付譲渡割額	㉑		0 0	55
納付譲渡割額（⑳-㉑）	㉒		0 0	56
中間納付還付譲渡割額（㉑-⑳）	㉓		0 0	57
この申告書が修正申告である場合 既確定譲渡割額	㉔			58
差引納付譲渡割額	㉕		0 0	59
消費税及び地方消費税の合計（納付又は還付）税額	㉖			60

⑪・㉒又は⑫・㉓の記入をお忘れなく。

㉖=（⑪+㉒）-（⑧+⑱+⑲+㉓）・修正申告の場合㉖=⑭+㉕
㉖が還付税額となる場合はマイナス「-」を付してください。

付記事項・参考事項

割賦基準の適用	○有 ○無	31
延払基準等の適用	○有 ○無	32
工事進行基準の適用	○有 ○無	33
現金主義会計の適用	○有 ○無	34
課税標準額に対する消費税額の計算の特例の適用	○有 ○無	35
控除税額の計算方法 課税売上高5億円超又は課税売上割合95%未満	個別対応方式 一括比例配分方式	41
上記以外	全額控除	
基準期間の課税売上高	千円	

○ 税額控除に係る経過措置の適用（2割特例） 42

還付を受けようとする金融機関等	銀行 金庫・組合 農協・漁協	本店・支店 出張所 本所・支所
	預金 口座番号	
	ゆうちょ銀行の貯金記号番号	－
	郵便局名等	

○（個人の方）公金受取口座の利用

※税務署整理欄

税理士署名	
（電話番号　　－　　－　　）	

○ 税理士法第30条の書面提出有
○ 税理士法第33条の2の書面提出有

※ 2割特例による申告の場合、⑱欄に⑨欄の数字を記載し、⑨欄×22/78から算出された金額を㉒欄に記載してください。

　当社は、衣服の製造業を営んでいます。販売先である問屋に対し売上割戻しを一定率で行っています。また、製品の不具合により問屋から返品や値引きの要請を受けることがあります。当社は、これまで上記のような売上割戻し、返品や値引きはすべて売上金額の減額として処理してきており、消費税も減額した売上金額を基礎に算定してきました。このような処理を続けても問題はないのでしょうか。

　また、今後、問屋からの売掛金の回収を行う際に従来の手形の受領に替えて銀行振込みによる方法を検討中です。この場合には、手形割引料が不要になりますので利息相当額の売上割引が生じることになりますが、この場合の処理も併せて説明してください。

A ポイント

①　返品、値引き、売上割戻し及び売上割引は、消費税法上すべて売上対価の返還として扱われます。

②　対価の返還については、売上金額から直接控除する処理も認められますが、申告書作成上は、返還等がない場合の課税標準から算出される消費税額から、返還等に係る消費税額を控除するのが原則です。

1　売上げに係る対価の返還に関する消費税の取扱い

　事業者（免税事業者を除く。）が、①国内において行った課税資産の譲渡等について、返品・値引き・割戻しにより売上げに係る対価の返還等を行った場合、②課税資産の譲渡等に係る対価について売上割引を行った場合、及び③課税資産の譲渡等の税込価額に係る売掛金その他の債権の金額を全部又は一部を減額した場合（以下、①②を「売上げに係る対価の返還等」といいます。）には、当該売上げに係る対価の返還等をした日の属する課税期間の課税標準額に対する消費税額から当該課税期間において行った売上げに係る対価の返還等の金額に係る消費税額を控除します（法38、基通14−1−4）。

　すなわち、消費税法上の取扱いの原則的方法は、課税売上げ（対価の返還等を控除する前の総額）に係る消費税額をいったん算出した後に、売上げに係る対価の返還等に係る消費税額を控除する処理となります。

　しかし、経理の実務においては、返品、値引き及び割戻しについては、これを売上げの控除項目として処理する場合も多いようです。このため、こうした実務上の処理に鑑み、対価の返還額を控除した後の純売上額を算定基礎として消費税の計算を行うことも継続的適用を条件とした上で認められています（基通14−1−8）。

2 　対価の返還等に係る消費税額の計算の特例

　売上げに係る対価の返還等に係る消費税額は、返還等をした税込価額の$\frac{7.8}{110}$（軽減税率適用取引の場合は$\frac{6.24}{108}$）を乗じた金額となるのが原則です。

　もっとも、事業者が売上げに係る対価の返還等につき交付した返還インボイスの写しを保管している等の場合には、当該返還インボイスに記載している消費税額等に$\frac{78}{100}$を乗じた金額を、売上げに係る対価の返還等に係る消費税額とすることができます（令58①）。

　また、売上げに係る対価の返還等につき、標準税率適用対象部分と軽減税率適用対象部分とに合理的に区分されていないときは、当該売上げに係る対価の返還等の税込価額の合計額のうち、軽減税率適用対象取引の税込価額の占める割合を乗じた金額を、軽減税率適用対象取引として取り扱うこととします（令58②）。

3 　返還インボイスの交付義務

　インボイス発行事業者が国内で行った課税資産の譲渡等につき、返品や値引き、割戻しなどの売上げに係る対価の返還等を行った場合には、原則として当該対価の返還等を受ける事業者に対して返還インボイスを交付しなければなりません（法57の4③）。

　もっとも、対価の返還等に係る税込価額が1万円未満の場合については、返還インボイスの交付義務が免除されます（法57の4③ただし書、令70の9③二）。

4 　留意事項

(1)　課税売上げと非課税売上げを同一の相手先に行っている場合の取扱い

　同一の相手先に対して、課税売上げと非課税売上げを計上しており、これらを一括した金額を基礎として売上割戻し、値引きを行った場合には、当該対価の返還金額を課税売上げに係る分と非課税売上げに係る分とに合理的に区分し、課税売上げに係る分だけが対価の返還の調整対象となります（基通14-1-5）。

(2)　過年度に免税事業者であった場合の取扱い

　過年度に免税事業者であった課税事業者が免税事業者であったときに行った課税資産の譲渡等に関し、課税事業者になってから売上げに係る対価の返還をした場合には、前述の対価の返還税額に係る調整対象とはなりません（基通14-1-6）。

以下の仮定のもとに申告書の記載を検討します（税抜き）。

		軽減税率適用分	標準税率適用分
①	課税売上高総額	10,000,000円	1,000,000,000円
②	①に係る値引金額	100,000円	5,000,000円
③	①に係る売上割戻額	200,000円	4,000,000円
④	①に係る返品金額	700,000円	12,000,000円
⑤	①に係る売上割引金額	60,000円	3,000,000円

計算

(1) **軽減税率適用分**

① 課税標準額に対する消費税額　$10,000,000円 \times 6.24\% = 624,000円$

② 対価の返還に係る消費税額

$(100,000円 + 200,000円 + 700,000円 + 60,000円) \times 6.24\% = 66,144円$

……付表1－3⑤－1Aへ

(2) **標準税率適用分**

① 課税標準額に対する消費税額　$1,000,000,000円 \times 7.8\% = 78,000,000円$

② 対価の返還に係る消費税額

$(5,000,000円 + 4,000,000円 + 12,000,000円 + 3,000,000円) \times 7.8\% = 1,872,000円$

……付表1－3⑤－1Bへ

第4-(9)号様式

付表1-3 税率別消費税額計算表 兼 地方消費税の課税標準となる消費税額計算表

一 般

課 税 期 間	・ ・ ～ ・ ・	氏 名 又 は 名 称	

区　　　　　分		税率 6.24 % 適用分 A	税率 7.8 % 適用分 B	合　　　　計　　　C （A＋B）
課 税 標 準 額	①	円 10,000,000	円 1,000,000,000	※第二表の①欄へ 円 1,010,000,000
①の内訳　課 税 資 産 の 譲 渡 等 の 対 価 の 額	①-1	※第二表の⑤欄へ 10,000,000	※第二表の⑥欄へ 1,000,000,000	※第二表の⑦欄へ 1,010,000,000
特 定 課 税 仕 入 れ に 係 る 支 払 対 価 の 額	①-2	※①-2欄は、課税売上割合が95%未満、かつ、特定課税仕入れがある事業者のみ記載する。 ※第二表の⑨欄へ		※第二表の⑩欄へ
消 費 税 額	②	※第二表の⑮欄へ 624,000	※第二表の⑯欄へ 78,000,000	※第二表の⑪欄へ 78,624,000
控 除 過 大 調 整 税 額	③	（付表2-3の㉗・㉘A欄の合計金額）	（付表2-3の㉗・㉘B欄の合計金額）	※第一表の③欄へ
控除税額　控 除 対 象 仕 入 税 額	④	（付表2-3の㉕A欄の金額）	（付表2-3の㉕B欄の金額）	※第一表の④欄へ
返 還 等 対 価 に 係 る 税 額	⑤	66,144	1,872,000	※第二表の⑰欄へ 1,938,144
⑤の内訳　売 上 げ の 返 還 等 対 価 に 係 る 税 額	⑤-1	66,144	1,872,000	※第二表の⑱欄へ 1,938,144
特 定 課 税 仕 入 れ の 返 還 等 対 価 に 係 る 税 額	⑤-2	※⑤-2欄は、課税売上割合が95%未満、かつ、特定課税仕入れがある事業者のみ記載する。		※第二表の⑲欄へ
貸 倒 れ に 係 る 税 額	⑥			※第一表の⑥欄へ
控 除 税 額 小 計 （④＋⑤＋⑥）	⑦			※第一表の⑦欄へ
控 除 不 足 還 付 税 額 （⑦－②－③）	⑧			※第一表の⑧欄へ
差 引 税 額 （②＋③－⑦）	⑨			※第一表の⑨欄へ 00
地方消費税の課税標準となる消費税額　控 除 不 足 還 付 税 額 （⑧）	⑩			※第一表の⑰欄へ ※マイナス「－」を付して第二表の㉑及び㉓欄へ
差 引 税 額 （⑨）	⑪			※第一表の⑱欄へ ※第二表の㉑及び㉓欄へ 00
譲渡割額　還 付 額	⑫			（⑩C欄×22/78） ※第一表の⑲欄へ
納 税 額	⑬			（⑪C欄×22/78） ※第一表の⑳欄へ 00

注意　金額の計算においては、1円未満の端数を切り捨てる。

（R5.10.1以後終了課税期間用）

課税標準額等の内訳書

整理番号		法人用

納　税　地	
	（電話番号　　　－　　　－　　　）
（フリガナ）	
法　人　名	
（フリガナ）	
代表者氏名	

改 正 法 附 則 に よ る 税 額 の 特 例 計 算			
軽減売上割合（10営業日）	○	附則38①	51
小 売 等 軽 減 仕 入 割 合	○	附則38②	52

第二表

自 令和 □□ 年 □□ 月 □□ 日　　**課税期間分の消費税及び地方**
至 令和 □□ 年 □□ 月 □□ 日　　**消費税の（　確定　）申告書**

（中間申告 自 令和 □□ 年 □□ 月 □□ 日
の場合の
対象期間 至 令和 □□ 年 □□ 月 □□ 日）

令和四年四月一日以後終了課税期間分

課　　税　　標　　準　　額 ※申告書（第一表）の①欄へ	①	十兆千百十億千百十万千百十一円 　　　　　1 0 1 0 0 0 0 0 0 0 0	01

課税資産の 譲 渡 等 の 対 価 の 額 の 合 計 額	3　％適用分	②	02
	4　％適用分	③	03
	6.3　％適用分	④	04
	6.24％適用分	⑤	1 0 0 0 0 0 0 0　05
	7.8　％適用分	⑥	1 0 0 0 0 0 0 0 0 0　06
	（②～⑥の合計）	⑦	1 0 1 0 0 0 0 0 0 0　07
特定課税仕入れ に係る支払対価 の 額 の 合 計 額 （注1）	6.3　％適用分	⑧	11
	7.8　％適用分	⑨	12
	（⑧・⑨の合計）	⑩	13

消　　費　　税　　　額 ※申告書（第一表）の②欄へ	⑪	7 8 6 2 4 0 0 0　21

⑪ の 内 訳	3　％適用分	⑫	22
	4　％適用分	⑬	23
	6.3　％適用分	⑭	24
	6.24％適用分	⑮	6 2 4 0 0 0　25
	7.8　％適用分	⑯	7 8 0 0 0 0 0　26

返 還 等 対 価 に 係 る 税 額 ※申告書（第一表）の⑤欄へ	⑰	1 9 3 8 1 4 4　31

⑰の内訳	売上げの返還等対価に係る税額	⑱	1 9 3 8 1 4 4　32
	特定課税仕入れの返還等対価に係る税額　（注1）	⑲	33

地方消費税の 課税標準となる 消 費 税 額 （注2）	（㉑～㉓の合計）	⑳	41
	4　％適用分	㉑	42
	6.3　％適用分	㉒	43
	6.24％及び7.8％適用分	㉓	44

（注1）　⑧～⑩及び⑲欄は、一般課税により申告する場合で、課税売上割合が95％未満、かつ、特定課税仕入れがある事業者のみ記載します。
（注2）　⑳～㉓欄が還付税額となる場合はマイナス「－」を付してください。

第3-(1)号様式

令和　年　月　日　　　　　　　　　　　　　税務署長殿
収受印

納　税　地	（電話番号　　　－　　　－　　　）
（フリガナ）	
法　人　名	
法　人　番　号	
（フリガナ）	
代表者氏名	

| ◯ | （個人の方）振替継続希望 | 法人用 |

※税務署処理欄	所管	要否	整理番号	
	申告年月日	令和　　年　　月　　日
	申告区分	指導等	庁指定	局指定
	通信日付印　確認	
	年　月　日	指導年月日	相談	区分1	区分2	区分3
	令和	

第一表

自　平成令和　　年　　月　　日
至　令和　　年　　月　　日

課税期間分の消費税及び地方消費税の（　確定　）申告書

中間申告の場合の対象期間
自　平成令和　　年　　月　　日
至　令和　　年　　月　　日

令和五年十月一日以後終了課税期間分（一般用）

この申告書による消費税の税額の計算

			十兆千百十億千百十万千百十一円	
課　税　標　準　額	①	1 0 1 0 0 0 0 0 0 0	03
消　費　税　額	②	7 8 6 2 4 0 0 0	06
控除過大調整税額	③		07
控除税額 控除対象仕入税額	④		08
返還等対価に係る税額	⑤	1 9 3 8 1 4 4	09
貸倒れに係る税額	⑥		10
控除税額小計（④+⑤+⑥）	⑦		
控除不足還付税額（⑦-②-③）	⑧		13
差　引　税　額（②+③-⑦）	⑨	0 0	15
中間納付税額	⑩	0 0	16
納　付　税　額（⑨-⑩）	⑪	0 0	17
中間納付還付税額（⑩-⑨）	⑫	0 0	18
この申告書が修正申告である場合 既確定税額	⑬		19
差引納付税額	⑭	0 0	20
課税売上割合 課税資産の譲渡等の対価の額	⑮		21
資産の譲渡等の対価の額	⑯		22

この申告書による地方消費税の税額の計算

地方消費税の課税標準となる消費税額 控除不足還付税額	⑰		51
差　引　税　額	⑱	0 0	52
譲渡割額 還　付　額	⑲		53
納　税　額	⑳	0 0	54
中間納付譲渡割額	㉑	0 0	55
納付譲渡割額（⑳-㉑）	㉒	0 0	56
中間納付還付譲渡割額（㉑-⑳）	㉓	0 0	57
この申告書が修正申告である場合 既確定譲渡割額	㉔		58
差引納付譲渡割額	㉕	0 0	59
消費税及び地方消費税の合計（納付又は還付）税額	㉖		60

⑪・㉒又は⑫・㉓の記入をお忘れなく。

㉖＝（⑪+㉒）-（⑧+⑱+㉓）・修正申告の場合㉖＝⑭+㉕
⑳が還付税額となる場合はマイナス「-」を付してください。

付記事項	割賦基準の適用	◯ 有	◯ 無	31
	延払基準等の適用	◯ 有	◯ 無	32
	工事進行基準の適用	◯ 有	◯ 無	33
	現金主義会計の適用	◯ 有	◯ 無	34
参考事項	課税標準額に対する消費税額の計算の特例の適用	◯ 有	◯ 無	35
控除税額の計算方法	課税売上高5億円超又は課税売上割合95％未満	◯ 個別対応方式 ◯ 一括比例配分方式	41
	上　記　以　外	全額控除	
	基準期間の課税売上高	千円	

| ◯ 税額控除に係る経過措置の適用（2割特例） | 42 |

還付を受けようとする金融機関等	銀行 金庫・組合 農協・漁協	本店・支店 出張所 本所・支所
	預金　口座番号	
	ゆうちょ銀行の貯金記号番号	－
	郵便局名等	

| ◯ （個人の方）公金受取口座の利用 |

※税務署整理欄

| 税理士署名 | |
| | （電話番号　　　－　　　－　　　） |

| ◯ 税理士法第30条の書面提出有 |
| ◯ 税理士法第33条の2の書面提出有 |

※　2割特例による申告の場合、⑱欄に⑪欄の数字を記載し、⑱欄×22/78から算出された金額を⑳欄に記載してください。

当社は、機械の製造を営んでいます。当期に入ってから売掛金の貸倒れが1,545,000円、貸付金の回収不能が2,000,000円発生しました。この場合の消費税に関する取扱いはどのようになりますか。具体的に説明してください。なお、貸付金2,000,000円のうち500,000円は標準税率による売上げに係る売掛金を貸付金へ振替処理したもので、売掛金のうち150,000円は軽減税率適用売上分です。

A **ポイント** 一定の要件を満たす債権の貸倒れが発生した場合、当該貸倒債権に係る消費税額を課税標準額に対する消費税額から控除します。控除税額は、貸倒債権発生の起因となった課税売上時の税率により計算します。

1 基本的考え方

消費税法第39条第1項は、貸倒れが生じた課税期間の課税標準額に対する消費税額から、貸倒れに係る消費税額を控除するという調整計算を行うことを定めており、納付消費税額等の軽減が図られています。

具体的には、課税事業者が国内において課税資産の譲渡等を行った場合において、当該課税資産の譲渡等の相手方に対する売掛金その他の債権につき、会社更生法の規定による更生計画認可の決定により債権の切捨てがあったことその他これに準ずる一定の事実が生じたため、当該債権等の全部又は一部を回収することができなくなった場合には、貸倒れとなった日の属する課税期間の課税標準額に対する消費税額から、貸倒債権等の税込価額に$\frac{7.8}{110}$（軽減税率が適用された課税資産の譲渡等に係る売掛金が貸倒れとなった場合は$\frac{6.24}{108}$）を乗じた消費税額を控除することとされています。

2 対象となる事実

上記の貸倒れに係る調整計算が適用されるのは、下記の事実が生じた場合です（法39①、令59、規18）。

① 会社更生法の規定による更生計画認可の決定により債権の切捨てがあったこと

② 再生計画認可の決定により債権の切捨てがあったこと

③ 特別清算に係る協定の認可の決定により債権の切捨てがあったこと

④ 債権に係る債務者の財産の状況、支払能力等からみて当該債務者が債務の全額を弁済できないことが明らかであること

⑤ 法令の規定による整理手続きによらない関係者の協議決定で次に掲げるものにより債権の切捨てがあったこと

　イ 債権者集会の協議決定で合理的な基準により債務者の負債整理を定めているもの

ロ　行政機関又は金融機関その他の第三者のあっせんによる当事者間の協議により締結された契約でその内容がイに準ずるもの

⑥　債務者の債務超過の状態が相当期間継続し、その債務を弁済できないと認められる場合において、その債務者に対し書面により債務の免除を行ったこと

⑦　債務者について次に掲げる事実が生じた場合において、その債務者に対して有する債権につき、事業者が当該債権の額から備忘価額を控除した残額を貸倒れとして経理したこと

イ　継続的な取引を行っていた債務者につきその資産の状況、支払能力等が悪化したことにより、当該債務者との取引を停止した時（最後の弁済期又は最後の弁済の時が当該取引を停止した時以後である場合には、これらのうち最も遅い時）以後1年以上経過した場合（当該債権について担保物がある場合を除く。）

ロ　事業者が同一地域の債務者について有する当該債権の総額がその取立てのために要する旅費その他の費用に満たない場合において、当該債務者に対し支払を督促したにもかかわらず弁済がないとき

③ 留意事項

この調整計算をするにあたり、留意しなければならない事項は次のとおりです。

(1) 貸倒れの内容

調整措置が適用できる貸倒れの内容は、法人税法上の貸倒れの範囲とほぼ同様になっています。しかし、貸倒引当金への繰入額については、これは部分的な売掛金等の債権の評価であり、消費税法に規定する貸倒れの事実の発生に該当しないため、調整措置の適用対象とはなりません。

(2) 免税事業者に関する取扱い

①　免税事業者であった期間に行った課税資産の譲渡等の対価が課税事業者になった後に貸倒れになった場合には、貸倒れに係る消費税額の控除の規定は適用されません（基通14－2－4）。

②　課税事業者が事業を廃止し、又は免税事業者になった後に課税事業者であった期間に行った課税資産の譲渡等の対価が貸倒れになった場合にも、貸倒れに係る消費税額の控除の規定は適用されません（基通14－2－5）。

(3) 貸倒債権の種類

①　国内における課税資産の譲渡等の相手方に対する売掛金その他の債権の貸倒れについては消費税額の控除ができますが、これ以外の資産の譲渡に係る債権（非課税資産の譲渡等に係る債権）及び貸付金等の金銭貸付けによる債権（原債権が課税資産の譲渡等に係る売掛債権であったものの振替分を除く。）について貸倒れが発生した場合には、貸倒れに係る消費税額の控除の規定は適用されません。

② 貸倒れとなった債権のうちに課税資産の譲渡に係る売掛金等とその他の債権がある場合には、これらを区分する必要があります。しかしこれらの区分が著しく困難である場合には、それぞれに係る売掛金等の額の割合により課税資産の譲渡等に係る貸倒額を計算することができます（基通14－2－3）。

4 具体的処理

設例の場合、貸倒れの内容のうち売掛金の1,545,000円は、課税資産の譲渡等に係る債権の貸倒れであるため消費税の調整措置の対象となります。また、貸付金2,000,000円のうち500,000円は原債権が売掛金であることから、同様に消費税の調整措置の対象となります。

仮に、課税資産の譲渡等の金額を100,000,000円（税抜き）、これに対する7.8％の消費税額を7,800,000円として申告書の記載例を示します。

　イ　貸倒れに係る消費税の調整措置の対象金額

　　　$1,545,000円＋500,000円＝2,045,000円$

　ロ　貸倒れに係る控除税額……売掛金150,000円は軽減税率適用分による課税売上分、売掛金の残額1,395,000円と貸付金500,000円とは標準税率適用分とします。

　　　$150,000円 \times \dfrac{6.24}{108} ＝8,666円$

　　　$(1,395,000円＋500,000円) \times \dfrac{7.8}{110} ＝134,372円$

　　　　　　　　　　　　　　　　　計　143,038円

付表1－3において、それぞれの税率の⑥欄に区分記載します。

5 その他

貸倒れに係る調整規定の適用を受けるためには、貸倒れの事実が生じたことを証する書類を整理し、領収できないこととなった日の属する課税期間の末日の翌日から2か月を経過した日から7年間、これを納税地又はその取引に係る事務所、事業所その他これらに準ずるものの所在地に保存しなければならないこととされています（規19）。

第4-(9)号様式

付表1－3 税率別消費税額計算表 兼 地方消費税の課税標準となる消費税額計算表

一 般

| 課 税 期 間 | ・ ・ ～ ・ ・ | 氏 名 又 は 名 称 | |

区　　　　　分		税率 6.24 ％ 適用分 A	税率 7.8 ％ 適用分 B	合　　　計　　　C (A＋B)
課　税　標　準　額	①	000 円	100,000,000 円	※第二表の①欄へ 100,000,000 円
①の内訳	課税資産の譲渡等の対価の額 ①-1	※第二表の⑤欄へ	※第二表の⑥欄へ 100,000,000	※第二表の⑦欄へ 100,000,000
	特定課税仕入れに係る支払対価の額 ①-2	※①-2欄は、課税売上割合が95%未満、かつ、特定課税仕入れがある事業者のみ記載する。	※第二表の⑨欄へ	※第二表の⑩欄へ
消　費　税　額	②	※第二表の⑮欄へ	※第二表の⑯欄へ 7,800,000	※第二表の⑪欄へ 7,800,000
控除過大調整税額	③	(付表2-3の㉗・㉘A欄の合計金額)	(付表2-3の㉗・㉘B欄の合計金額)	※第一表の③欄へ
控除税額	控除対象仕入税額 ④	(付表2-3の㉔A欄の金額)	(付表2-3の㉔B欄の金額)	※第一表の④欄へ
	返還等対価に係る税額 ⑤			※第二表の⑰欄へ
	⑤の内訳 売上げの返還等対価に係る税額 ⑤-1			※第二表の⑱欄へ
	特定課税仕入れの返還等対価に係る税額 ⑤-2	※⑤-2欄は、課税売上割合が95%未満、かつ、特定課税仕入れがある事業者のみ記載する。		※第二表の⑲欄へ
	貸倒れに係る税額 ⑥	8,666	134,372	※第一表の⑥欄へ 143,038
	控除税額小計 (④＋⑤＋⑥) ⑦			※第一表の⑦欄へ
控除不足還付税額 (⑦－②－③)	⑧			※第一表の⑧欄へ
差　引　税　額 (②＋③－⑦)	⑨			※第一表の⑨欄へ 00
地方消費税の課税標準となる消費税額	控除不足還付税額 (⑧) ⑩			※第一表の⑰欄へ ※マイナス「－」を付して第二表の㉑及び㉓欄へ
	差　引　税　額 (⑨) ⑪			※第一表の⑱欄へ ※第二表の㉒及び㉓欄へ 00
譲渡割額	還　付　額 ⑫			(⑩C欄×22/78) ※第一表の⑲欄へ
	納　税　額 ⑬			(⑪C欄×22/78) ※第一表の⑳欄へ 00

注意　金額の計算においては、1円未満の端数を切り捨てる。

(R5.10.1以後終了課税期間用)

第3-(1)号様式

令和　　年　　月　　日　　　　　　　　　　税務署長殿

収受印

納　税　地	（電話番号　　　－　　　－　　　）
（フリガナ）	
法　人　名	
法　人　番　号	
（フリガナ）	
代表者氏名	

※税務署処理欄

○（個人の方）振替継続希望

所轄	要否	整理番号	

申告年月日　令和　　年　　月　　日

申告区分	指導等	庁指定	局指定

通信日付印	確　認
年　月　日	

指　導　年　月　日	相談	区分1	区分2	区分3
令和				

自　平成／令和　　年　　月　　日
至　令和　　年　　月　　日

**課税期間分の消費税及び地方
消費税の（　確定　）申告書**

中間申告
の場合の
対象期間　自　平成／令和　　年　　月　　日
　　　　　至　令和　　年　　月　　日

この申告書による消費税の税額の計算

				十兆千百十億千百十万千百十一円	
課　税　標　準　額	①		100000000	03
消　費　税　額	②		7800000	06
控除過大調整税額	③			07
控除税額	控除対象仕入税額	④		08
	返還等対価に係る税額	⑤		09
	貸倒れに係る税額	⑥	143038	10
	控除税額小計（④+⑤+⑥）	⑦		11
控除不足還付税額（⑦-②-③）	⑧		13
差　引　税　額（②+③-⑦）	⑨	00	15
中間納付税額	⑩	00	16
納付税額（⑨-⑩）	⑪	00	17
中間納付還付税額（⑩-⑨）	⑫	00	18
この申告書が修正申告である場合	既確定税額	⑬		19
	差引納付税額	⑭	00	20
課税売上割合	課税資産の譲渡等の対価の額	⑮		21
	資産の譲渡等の対価の額	⑯		22

この申告書による地方消費税の税額の計算

地方消費税の課税標準となる消費税額	控除不足還付税額	⑰		51
	差　引　税　額	⑱	00	52
譲渡割額	還　付　額	⑲		53
	納　税　額	⑳	00	54
中間納付譲渡割額	㉑	00	55
納付譲渡割額（⑳-㉑）	㉒	00	56
中間納付還付譲渡割額（㉑-⑳）	㉓	00	57
この申告書が修正申告である場合	既確定譲渡割額	㉔	00	58
	差引納付譲渡割額	㉕	00	59
消費税及び地方消費税の合計（納付又は還付）税額	㉖		60

㉖=（⑪+㉒）-（⑧+⑫+㉓）・修正申告の場合㉖=⑭+㉕
㉖が還付税額となる場合はマイナス「-」を付してください。

⑪・㉒又は⑫・㉓の記入をお忘れなく。

付記事項	割　賦　基　準　の　適　用	○有　○無	31
	延払基準等の適用	○有　○無	32
	工事進行基準の適用	○有　○無	33
	現金主義会計の適用	○有　○無	34
参考事項	課税標準額に対する消費税額の計算の特例の適用	○有　○無	35
	控除税額の計算方法	課税売上高5億円超又は課税売上割合95％未満	○個別対応方式　○一括比例配分方式	41
		上　記　以　外	○全額控除	
	基準期間の課税売上高	千円	

○　税額控除に係る経過措置の適用（2割特例）　42

還付を受けようとする金融機関等

銀　行　　　本店・支店
金庫・組合　　出張所
農協・漁協　　本所・支所
預金　口座番号
ゆうちょ銀行の貯金記号番号　　－
郵便局名等

○（個人の方）公金受取口座の利用

※税務署整理欄

税理士署名	
（電話番号　　　－　　　－　　　）	

○　税理士法第30条の書面提出有
○　税理士法第33条の2の書面提出有

※　2割特例による申告の場合、⑱欄に⑪欄の数字を記載し、⑱欄×22/78から算出された金額を⑳欄に記載してください。

182

Q 6-9 貸倒れの回収がある場合

Q 6-8の貸倒れが発生した翌事業年度に、償却済債権の回収が1,200,000円生じました。この場合、どのように処理すればよいのでしょうか。

A 1 考え方

貸倒れによる調整措置を適用した後に貸倒債権の一部又は全部を領収した場合には、その領収をした税込価額に係る消費税額を課税資産の譲渡等に係る消費税額とみなして、領収をした日の属する課税期間の課税標準額に対する消費税額に加算することになります（法39③）。

なお、課税標準額に対する消費税額に加算する消費税を算定する際の税率は、貸倒れによる調整措置を適用した時の税率によります。

2 具体的計算

設問の場合、**Q** 6-8の貸倒れの内容は、売掛金1,545,000円（軽減税率適用150,000円、標準税率適用1,395,000円）と貸付金2,000,000円（うち原債権が標準税率適用売掛金のもの500,000円）でした。翌事業年度の償却済債権の回収額1,200,000円の科目別の内訳が不明の場合には、これを売掛金1,545,000円と貸付金2,000,000円の金額の比で按分することになります。

すなわち、$1,200,000円 \times \dfrac{150,000円}{1,545,000円 + 2,000,000円} = 50,775円$ が軽減税率適用分、

$1,200,000円 \times \dfrac{1,395,000円 + 500,000円}{1,545,000円 + 2,000,000円} = 641,466円$ が標準税率適用分の回収額であり、

$1,200,000円 - (50,775円 + 641,466円) = 507,759円$ が貸付金の回収として処理する金額になります。

したがって、消費税法上の課税売上げに係る貸倒債権の回収額は50,775円 + 641,466円 = 692,241円となります。課税標準額に対する消費税額に加算する金額は、軽減税率適用分50,775円 $\times \dfrac{6.24}{108} = 2,933円$、標準税率適用分は641,466円 $\times \dfrac{7.8}{110} = 45,485円$ となります。

付表2-3では各税率の㉘欄に記入します。また、付表2-3の㉗欄・㉘欄の合計額を付表1-3の「控除過大調整税額」③欄に記入します。

付表2-3　課税売上割合・控除対象仕入税額等の計算表

一般

| 課　税　期　間 | ・・～・・ | 氏名又は名称 | |

項　　目		税率6.24％適用分 A	税率7.8％適用分 B	合　計 C (A+B)
課　税　売　上　額（　税　抜　き　）①		円	円	円

額整	に供した〔譲渡した〕場合の加算額			
差	控　除　対　象　仕　入　税　額 〔（⑱、㉑又は㉒の金額）±㉓±㉔＋㉕〕がプラスの時 ㉖	※付表1-3の④A欄へ	※付表1-3の④B欄へ	
引	控　除　過　大　調　整　税　額 〔（⑱、㉑又は㉒の金額）±㉓±㉔＋㉕〕がマイナスの時 ㉗	※付表1-3の③A欄へ	※付表1-3の③B欄へ	
貸	倒　回　収　に　係　る　消　費　税　額 ㉘	※付表1-3の③A欄へ 2,933	※付表1-3の③B欄へ 45,485	48,418

注意　1　金額の計算においては、1円未満の端数を切り捨てる。
　　　2　⑨、⑪及び⑬欄には、値引き、割戻し、割引きなど仕入対価の返還等の金額がある場合（仕入対価の返還等の金額を仕入金額から直接減額している場合を除く。）には、その金額を控除した後の金額を記載する。
　　　3　⑪及び⑬欄の経過措置とは、所得税法等の一部を改正する法律（平成28年法律第15号）附則第52条又は第53条の適用がある場合をいう。

(R5.10.1以後終了課税期間用)

付表1-3　税率別消費税額計算表　兼　地方消費税の課税標準となる消費税額計算表

一般

| 課　税　期　間 | | ・・～・・ | 氏名又は名称 | |

区　　　　分		税率6.24％適用分 A	税率7.8％適用分 B	合　計 C (A+B)
課　税　標　準　額 ①		円 000	円 000	※第二表の①欄へ 円 000
①の内訳	課税資産の譲渡等の対価の額 ①-1	※第二表の⑤欄へ	※第二表の⑥欄へ	※第二表の⑦欄へ
	特定課税仕入れに係る支払対価の額 ①-2	※①-2欄は、課税売上割合が95％未満、かつ、特定課税仕入れがある事業者のみ記載する。	※第二表の⑨欄へ	※第二表の⑩欄へ
消　費　税　額 ②		※第二表の⑮欄へ	※第二表の⑯欄へ	※第二表の⑪欄へ
控　除　過　大　調　整　税　額 ③		(付表2-3の㉗・㉘A欄の合計金額) 2,933	(付表2-3の㉗・㉘B欄の合計金額) 45,485	※第一表の③欄へ 48,418
控	控除対象仕入税額 ④	(付表2-3の㉖A欄の金額)	(付表2-3の㉖B欄の金額)	※第一表の④欄へ

第3-(1)号様式

令和　年　月　日	税務署長殿

（収受印）

納　税　地

（電話番号　　－　　－　　）

（フリガナ）

法　人　名

法　人　番　号

（フリガナ）

代表者氏名

法人用

第一表

◯	（個人の方）振替継続希望		
※税務署処理欄	所管	要否	整理番号
	申告年月日	令和　　年　　月　　日	
	申告区分	指導等　庁指定　局指定	
	通信日付印　確認		
	年　月　日		
	指　導　年　月　日　相談 区分1 区分2 区分3		
	令和		

自 平成・令和 □□年 □□月 □□日

至 令和 □□年 □□月 □□日

課税期間分の消費税及び地方消費税の（　確定　）申告書

中間申告　自 平成・令和 □□年 □□月 □□日
の場合の
対象期間　至 令和 □□年 □□月 □□日

令和五年十月一日以後終了課税期間分（一般用）

この申告書による消費税の税額の計算

			十兆千百十億千百十万千百十一円	
課 税 標 準 額	①		0 0 0	03
消 費 税 額	②			06
控除過大調整税額	③		4 8 4 1 8	07
控除税額	控除対象仕入税額	④		08
	返還等対価に係る税額	⑤		09
	貸倒れに係る税額	⑥		10
	控除税額小計(④+⑤+⑥)	⑦		11
控除不足還付税額(⑦-②-③)	⑧			13
差引税額(②+③-⑦)	⑨		0 0	15
中間納付税額	⑩		0 0	16
納付税額(⑨-⑩)	⑪		0 0	17
中間納付還付税額(⑩-⑨)	⑫		0 0	18
この申告書が修正申告である場合	既確定税額	⑬		19
	差引納付税額	⑭		0 0	20
課税売上割合	課税資産の譲渡等の対価の額	⑮		21
	資産の譲渡等の対価の額	⑯		22

この申告書による地方消費税の税額の計算

地方消費税の課税標準となる消費税額	控除不足還付税額	⑰		51
	差引税額	⑱	0 0	52
譲渡割額	還付額	⑲		53
	納税額	⑳	0 0	54
中間納付譲渡割額	㉑		0 0	55
納付譲渡割額(⑳-㉑)	㉒		0 0	56
中間納付還付譲渡割額(㉑-⑳)	㉓		0 0	57
この申告書が修正申告である場合	既確定譲渡割額	㉔		58
	差引納付譲渡割額	㉕	0 0	59
消費税及び地方消費税の合計(納付又は還付)税額	㉖			60

⑪・㉒又は⑫・㉓の記入をお忘れなく。

付記事項・参考事項

割賦基準の適用	◯ 有	◯ 無	31
延払基準等の適用	◯ 有	◯ 無	32
工事進行基準の適用	◯ 有	◯ 無	33
現金主義会計の適用	◯ 有	◯ 無	34
課税標準額に対する消費税額の計算の特例の適用	◯ 有	◯ 無	35

控除税額の計算方法	課税売上高5億円超又は課税売上割合95%未満	◯ 個別対応方式　◯ 一括比例配分方式	41
	上記以外	◯ 全額控除	

基準期間の課税売上高　　　　千円

◯ 税額控除に係る経過措置の適用（2割特例）　42

還付を受けようとする金融機関等

銀　行	本店・支店
金庫・組合	出張所
農協・漁協	本所・支所

預金　口座番号

ゆうちょ銀行の貯金記号番号　　－

郵便局名等

◯ （個人の方）公金受取口座の利用

※税務署整理欄

税理士署名

（電話番号　　－　　－　　）

◯ 税理士法第30条の書面提出有

◯ 税理士法第33条の2の書面提出有

㉖＝（⑪+㉒）－（⑧+⑫+⑲+㉓）・修正申告の場合㉖＝⑭+㉕
㉖が還付税額となる場合はマイナス「－」を付してください。

※ 2割特例による申告の場合、⑱欄に⑨欄の数字を記載し、⑱欄×22/78から算出された金額を⑳欄に記載してください。

インボイス制度の導入により、課税仕入れに係る消費税額の原則的処理が変更になったとのことですが、変更内容を説明してください。

A ポイント インボイス制度導入前は、「割戻し計算」が原則的処理、「積上げ計算」が特例的処理とされていましたが、インボイス制度導入後は、「積上げ計算」が原則的処理、「割戻し計算」が特例的処理となります（法30①、令46①③）。

1 課税仕入れに係る消費税額の原則的処理

(1) 積上げ計算について

① 請求書等積上げ計算

相手方から交付を受けたインボイス及び簡易インボイスなどの請求書等（提供を受けた電磁的記録を含む。）に記載されている消費税額等のうち課税仕入れに係る部分の金額の合計額に、$\frac{78}{100}$ を乗じて仕入税額を算出します（法30①、令46①）。

② 帳簿積上げ計算

積上げ計算については、請求書等積上げ計算以外の方法として、課税仕入れの都度、課税仕入れに係る支払対価の額に $\frac{10}{110}$（軽減税率の対象となる場合は $\frac{8}{108}$）を乗じて算出した金額（1円未満の端数が生じたときは、端数を切捨て又は四捨五入）を仮払消費税額等などとし、帳簿に記載している場合は、その金額の合計額に $\frac{78}{100}$ を乗じて算出する方法も認められます（令46②）。

この場合の「課税仕入れの都度」には、例えば、課税仕入れに係るインボイスの交付を受けた際に、当該インボイスを単位として帳簿に仮払消費税額等として記載している場合のほか、課税期間の範囲内で一定の期間内に行った課税仕入れにつきまとめて交付を受けたインボイスを単位として帳簿に仮払消費税額等として記載している場合が含まれます（基通11−1−10）。

(2) インボイスの記載方法等による計算方法の違い（法30①、令46②）

① 簡易インボイスの場合

インボイスに記載する消費税額等と同様の方法により計算した金額のうち、課税仕入れに係る部分の金額を基として仕入税額を計算します。例えば、簡易インボイスに記載された金額が税込金額の場合は、その金額に $\frac{10}{110}$（軽減税率の対象となる場合は $\frac{8}{108}$）を乗じて消費税額等を算出し、その金額を基礎として仕入税額の積上げ計算を行います。

② 公共交通機関特例など、帳簿のみの保存で仕入税額控除が認められる場合

課税仕入れに係る支払対価の額に $\frac{10}{110}$（軽減税率の対象となる場合は $\frac{8}{108}$）を乗じて算出した金額（1円未満の端数が生じたときは、端数を切捨て又は四捨五入）を基として仕

入税額を計算します。

2 課税仕入れに係る消費税額の特例的処理

(1) 割戻し計算について

　課税期間中の課税仕入れに係る支払対価の額を税率ごとに合計した金額に、$\frac{7.8}{110}$（軽減税率の対象となる場合は$\frac{6.24}{108}$）を乗じて算出した金額を仕入税額とします（法30①、令46③）。

　なお、控除対象仕入税額の算定の基礎となる課税仕入れに係る消費税額については、積上げ計算よりも割戻し計算の方が大きくなるため有利であると考えられます。

(2) 割戻し計算における制限事項

① 仕入税額を割戻し計算することができるのは、売上税額を割戻し計算している場合に限られます。

② 仕入税額の計算にあたり、請求書等積上げ計算と帳簿積上げ計算を併用することも認められますが、これらの方法と割戻し計算を併用することは認められません（基通11－1－9）。

Q 6-11 課税貨物に係る消費税の取扱い

　保税地域から引き取られる課税貨物に係る消費税等の課税標準及び消費税等の取扱いはインボイス制度の導入に伴いどのようになるのでしようか。具体的に教えてください。

A ポイント

① 保税地域から引き取られる外国貨物に係る消費税等の納税義務者は、免税事業者を含むすべての輸入者です。

② 課税標準は、関税の課税価格、関税額及び酒税・たばこ税等の個別消費税の合計額です。

③ 納税義務者が輸入の際に課されていた消費税額は、国内における課税資産の譲渡等に係る消費税額から課税仕入れ等に係る税額としてこれを控除できます。

④ 課税仕入れ等に係る税額としてこれを控除するためには、（インボイスではなく）課税貨物を保税地域から引き取る事業者が税関長から交付を受ける当該課税貨物の輸入の許可があったことを証する書類その他の政令で定める書類が必要とされており、インボイス制度の導入前後で取扱いに変更はありません（法30⑨）。

1 基本的な考え方

(1) 輸入取引における課税対象の範囲

消費税法第4条第2項では、「保税地域から引き取られる外国貨物には消費税を課する」ことを明らかにしています。この場合の保税地域とは、関税法第29条（保税地域の種類）に規定する地域をいいます。また、外国貨物とは、関税法第2条第1項第3号に規定しているものをいいます。なお、輸入取引においては、以下のもの及び関税の課税価格の合計額が1万円以下のものが非課税とされています。

① 有価証券及び支払手段（収集品及び販売用のものは除く。）

② 郵便切手類、印紙、証紙

③ 物品切手等

④ 身体障害者用物品

⑤ 教科用図書

注意しなければならないのは、たとえ無償で輸入するものであっても課税対象となる点（この場合、無償で輸入した貨物に係る課税標準は、関税定率法第4条から第4条の9までに定める「課税価格の計算方法」の規定により計算した金額です。）及び外国貨物の引取りが事業として行われないものであっても（個人輸入であっても）課税対象となる点です。

(2) 課税標準額及び消費税額の計算

保税地域から引き取られる課税貨物に係る消費税の課税標準は、関税の課税価格（通常はCIF価格）に関税額及び消費税以外の個別消費税額（酒税・たばこ税等）の合計額を加算した金額です（法28④）。

この場合、関税の課税価格に加算する関税額及び個別消費税の額は、それぞれ100円未満の端数を切り捨てたものです。

◤ **具体的な計算式** ◢

消費税額＝（A＋B＋C）×7.8%

地方消費税額＝消費税額×$\frac{22}{78}$

A……関税の課税価格

B……関税額

C……個別消費税額（酒税・たばこ税等）

(3) 課税貨物に係る消費税の取扱い

上記の消費税額及び地方消費税額は、いったん納税義務者である輸入を行った事業者が納付します（通関業者が納税義務者に代わって納税する場合を含みます。）。その後、保税地域から課税貨物を引き取った日の属する課税期間における課税標準額に対する消費税額から、課税貨物に係る消費税額を課税仕入れ等に係る消費税額に含めて当該納税義務者が

控除することになります（法30①）。

② 申告書の記載要領

上記の課税貨物に係る消費税額の付表2－1への記載は、「課税貨物に係る消費税額」
⑮欄に記入します。この後、同じく「課税仕入れに係る消費税額」⑩欄や⑪欄、⑫欄、⑯
欄の消費税額の調整額を加減し、「課税仕入れ等の税額の合計額」⑰欄を算出します。

第4-(2)号様式

付表2－1　課税売上割合・控除対象仕入税額等の計算表
〔経過措置対象課税資産の譲渡等を含む課税期間用〕　　　　　　　　　　一般

課 税 期 間	・ ・ ～ ・ ・	氏 名 又 は 名 称	

項　　　　　目		旧 税 率 分 小 計 X	税率6.24％適用分 D	税率7.8％適用分 E	合　　計 F (X+D+E)
課 税 売 上 額 （ 税 抜 き ）	①	(付表2-2の①X欄の金額) 円	円	円	円

課 税 仕 入 れ に 係 る 支 払 対 価 の 額 （ 税 込 み ）	⑨	(付表2-2の⑨X欄の金額)			
課 税 仕 入 れ に 係 る 消 費 税 額	⑩	(付表2-2の⑩X欄の金額)			
適格請求書発行事業者以外の者から行った課税仕入れに係る経過措置の適用を受ける課税仕入れに係る支払対価の額(税込み)	⑪	(付表2-2の⑪X欄の金額)			
適格請求書発行事業者以外の者から行った課税仕入れに係る経過措置により課税仕入れに係る消費税額とみなされる額	⑫	(付表2-2の⑫X欄の金額)			
特 定 課 税 仕 入 れ に 係 る 支 払 対 価 の 額	⑬	(付表2-2の⑬X欄の金額)	※⑬及び⑭欄は、課税売上割合が95％未満、かつ、特定課税仕入れがある事業者のみ記載する。		
特 定 課 税 仕 入 れ に 係 る 消 費 税 額	⑭	(付表2-2の⑭X欄の金額)		(⑬E欄×7.8/100)	
課 税 貨 物 に 係 る 消 費 税 額	⑮	(付表2-2の⑮X欄の金額)			
納 税 義 務 の 免 除 を 受 け な い （ 受 け る ） こ と と な っ た 場 合 に お け る 消 費 税 額 の 調 整 （ 加 算 又 は 減 算 ） 額	⑯	(付表2-2の⑯X欄の金額)			
課 税 仕 入 れ 等 の 税 額 の 合 計 額 （⑩＋⑫＋⑭＋⑮±⑯）	⑰	(付表2-2の⑰X欄の金額)			

Q 6－12　課税売上高が５億円超、又は課税売上割合が95％未満の場合の消費税の取扱いの概要

当社は、パソコンの販売業を営んでいます。この度、本社移転のために本社の土地
及び建物を売却しました。また、従来から保有していた土地に本社の新社屋を建設し
ました。このため、消費税の課税売上割合は95％未満となる予定です。この場合、仕
入れ等に要した費用に関する仮払消費税額等の取扱いはどのようになるのでしょう
か。

A ポイント 課税仕入れに係る消費税は、課税売上高が５億円以下で、かつ課税売
上割合が95％以上の場合は全額控除可能ですが、課税売上高が５億円を超える場合、

又は課税売上割合が95％未満の場合は、個別対応方式又は一括比例配分方式により算出した金額が控除対象となります。

1 控除対象仕入税額の計算

　課税売上割合は、当該課税期間中の資産の譲渡等の対価の合計額（対価の返還額控除後の税抜金額）に占める課税資産の譲渡等の対価の合計額（対価の返還額控除後の税抜金額）の割合をいいます（法30⑥、令48）。

　一般課税方式において控除対象仕入税額とされる金額は、原則として、「課税仕入れ等に係る消費税額（インボイス又は簡易インボイスの記載事項を基礎として計算した金額その他の政令で定めるところにより計算した金額＋特定課税仕入れに係る消費税額＋保税地域からの引取りに係る課税貨物につき課された又は課されるべき消費税額）」の合計額となります（法30①）。しかし、課税売上高が5億円を超える場合又は課税売上割合が95％未満である場合には、個別対応方式、一括比例配分方式のいずれかの方式により計算した金額となります（法30②）。

　なお、インボイス制度導入後は、インボイス又は簡易インボイスの保存がないものは仕入税額控除の適用を受けることができませんが、インボイス発行事業者以外の者から行った課税仕入れについては、一定の期間、仕入税額相当額の一定割合を課税仕入れに係る消費税額とみなす経過措置が設けられています（法30①、平28改所法等附52、53）。経過措置の内容については、Ⓠ6－18をご参照ください。

① 個別対応方式

　当該課税期間中において行った課税仕入れ等に係る消費税額を次に掲げる3つに区分します。

　　イ　課税資産の譲渡等にのみ要するもの

　　ロ　その他の資産の譲渡等にのみ要するもの

　　ハ　課税資産の譲渡等とその他の資産の譲渡等に共通して要するもの

　　その後、

　　　イの仕入れに係る消費税額＋（ハの共通する仕入れに係る消費税額×課税売上割合）

の算式により計算した金額をもって「控除対象仕入税額」とする方法です（法30②一）。

② 一括比例配分方式

　これに対し、一括比例配分方式は、

　　　課税仕入れ等に係る消費税額の合計額×課税売上割合

により計算した金額をもって「控除対象仕入税額」とする方法をいいます（法30②二）。

　上記の個別対応方式、一括比例配分方式の選択適用の取扱いについて述べますと、次のようになります。

① 従来から個別対応方式を採用している場合

個別対応方式及び一括比例配分方式により「控除対象仕入税額」を試算し、有利な方（金額の大きな方）を選択適用できます。

② 従来から一括比例配分方式を採用している場合

一括比例配分方式を適用した課税期間の初日から、同日以後2年を経過する日までの間に開始する課税期間において、その方法を継続した後の課税期間でなければ個別対応方式を選択することはできません（法30⑤）。したがって、直前課税期間から一括比例配分方式を適用している場合には、当該課税期間においては、個別対応方式は選択できないことになります。

なお、たまたま土地の譲渡があった場合には、課税売上割合に代えて課税売上割合に準ずる割合の承認を受けて適用することもできます。

2 課税売上割合

課税期間における課税売上割合は、新旧税率が混在する場合や、新税率における標準税率と軽減税率が混在する場合でも、一つの割合のみとなります。これは旧税率の課税売上げがある場合は付表2-2から計算を始め、付表2-1の①X欄に金額を記入した後、新税率（標準税率、軽減税率）の課税売上げを加えた「課税期間の課税売上額合計」①F欄に、「免税売上額」②F欄と「非課税資産の輸出等の金額、海外支店等へ移送した資産の価額」③F欄を加えた合計額④F欄が、「資産の譲渡等の対価の額（⑤＋⑥）」⑦F欄に対する割合となるからです。

3 控除対象外消費税額等の処理 （第5章 参照）

上記1の控除対象仕入税額の計算を行った結果生じる控除対象外消費税額等（地方消費税部分を含む。）は、税抜経理方式を採用している場合には仮払消費税額等勘定に残りますが、これについては、即時損金算入処理が可能であるのか、資産の取得価額等とするのかが問題となりますが、これは次表のような取扱いとなります（法人税法施行令139の4①②）。ただしインボイス発行事業者以外の者から行った課税仕入れに係る取引については、仮払消費税等の額はないことになるため、税抜経理方式を採用している場合であっても控除対象外消費税額等は発生しません（消費税経理通達14の2）（経過措置に基づき仕入税額相当額の一定割合を課税仕入れに係る消費税額とみなす場合を除きます。）。

なお、表内の課税売上割合は課税期間単位で求めます。

区　　　　分			処　　理
経費に係る控除対象外消費税額等			損金経理を条件として全額損金算入
資産に係る控除対象外消費税額等	課税売上割合が80%以上		損金経理を条件として全額損金算入
	課税売上割合が80%未満	棚卸資産に係るもの及び固定資産に係るもので一つの資産に係る控除対象外消費税額等が20万円未満のもの	損金経理を条件として全額損金算入
		上記以外のもの	繰延消費税額等に計上し5年（注1）で償却又は資産の取得価額に算入（注2）

（注1）この場合、控除対象外消費税額等が生じた事業年度における償却限度額は、下記の算式により計算した金額の2分の1相当額です（法人税法施行令139の4③）。したがって、実質的には6年間にわたり償却することになります。

$$繰延消費税額等 \times \frac{その事業年度の月数}{60} = 損金算入限度額$$

　　なお、この損金算入額等の計算は、法人税法施行規則別表十六㈩「資産に係る控除対象外消費税額等の損金算入に関する明細書」に記載して行い、これを確定申告書に添付する必要があります（同令139の5）。

（注2）資産の取得原価に算入するか繰延消費税額等に計上し償却するかの選択は、資産に係る控除対象外消費税額等の全額について行わねばなりません。すなわち、特定の資産に係る控除対象外消費税額等については、取得原価に算入し、別の資産に係る控除対象外消費税額等については繰延消費税額等として処理することはできません。

（注3）「控除対象外消費税額等」には地方消費税に係る金額を含みますが、地方消費税に係る控除対象仕入税額は、地方消費税を税率2.2%又は1.78%の消費税とみなして、消費税に準じて計算した金額によります（同令139の4⑤⑥）。

Q 6−13　一括比例配分方式

　Q 6−12により、仕入れに関する仮払消費税額等の取扱いについては、理解できました。当社は、期中の課税仕入れに関して課税売上用・非課税売上用・課税非課税共通売上用の区分処理を行っていないため、一括比例配分方式を選択せざるを得ないわけですが、この場合の控除対象仕入税額の計算方法を説明してください。

 　以下の前提条件のもとに説明します。
　　・課税売上割合……70%
・課税仕入れに係る消費税額
　A……新社屋の建設に要した費用に係る消費税額
　B……取引先に立て替えてもらった経費に係る消費税額
　C……その他の課税仕入れの対価（仕入れと経費に係るもの）に係る消費税額

控除対象仕入税額の計算

　課税売上割合が70%であり、課税仕入れに係る消費税額の全額を控除対象仕入税額とす

ることはできず、控除対象外消費税額等が生じます。そして、課税売上割合が80％未満であるため、Aに係る控除対象外消費税額等の法人税法上の処理については、繰延消費税額に計上し5年間で償却することになります。

　なお、上記A、B、Cともにインボイス制度に基づく仕入税額控除の要件を満たさない消費税額は控除対象仕入税額の計算に含めることができないため、インボイス等の不備の是正や保管を徹底する必要があります。また、Bの取引先に立て替えてもらった経費などの立替えが発生する場合は、立替金精算書の保管が必要となるため留意が必要です（立替えに関する詳細は 3－6参照）。

(1)　控除対象仕入税額の計算

　　　一括比例配分方式による控除対象仕入税額

　　　（A＋B＋C）×課税売上割合（70％）＝控除対象仕入税額

　　　（注）　A、B、Cともにインボイス制度に基づく仕入税額控除の要件を満たしていることを前提とします。

(2)　控除対象外消費税額等の処理

　Aの新社屋に係る控除対象外消費税額等については、「仮払消費税額等」の科目から「繰延消費税額等」の科目に振り替え、5年間で償却を行いますが、**Q 6－12**で説明しているように、初年度は$\frac{1}{2}$が損金算入の対象となります。

　B及びCに係る控除対象外消費税額等については、全額損金処理が可能ですので、期中取引の仕訳時に「仮払消費税額等」として処理していた科目から、租税公課等の科目へ振替処理します（ただし、交際費等に係るものは、交際費等の額に含めます。）。

Q 6－14　個別対応方式

　Q 6－13の場合において、仮に当社が従前より課税仕入れについて個別対応方式（個々の取引ごとに消費税の課税・非課税・課税非課税共通の区分を行っている）を採用していた場合の控除対象仕入税額の計算方法を説明してください。

A 　以下の前提条件のもとに説明します。

　　　・課税売上割合……70％

・課税仕入れに係る消費税額及び課税・非課税・課税非課税共通の区分

　A……新社屋の建設に要した費用に係る消費税額（課税資産の譲渡等に要する金額）

　B……取引先に立て替えてもらった経費に係る消費税額（非課税資産の譲渡等に要する金額）

　C……その他の課税仕入れの対価（仕入れと経費に係るもの）に係る消費税額（課税資産の譲渡等と非課税資産の譲渡等に共通して要する金額）

控除対象仕入税額の計算

　控除対象仕入税額の計算に際しては、個別対応方式と一括比例配分方式による控除対象仕入税額の計算結果を比較し、有利な方を選択します。ここでは個別対応方式が一括比例配分方式より有利であると仮定し、個別対応方式の計算例を示します。

(1)　控除対象仕入税額の計算

　個別対応方式による控除対象仕入税額

　　A＋C×課税売上割合（70％）＝控除対象仕入税額

　（注）　A、Cともにインボイス制度に基づく仕入税額控除の要件を満たしていることを前提とします。

(2)　控除対象外消費税額等の処理

　Aの新社屋に係る控除対象外消費税額等については、「仮払消費税額等」の科目から「繰延消費税額等」の科目に振り替え、5年間で償却を行いますが、**Q** 6−12で説明しているように、初年度は$\frac{1}{2}$が損金算入の対象となります。

　B及びCに係る控除対象外消費税額等については、全額損金処理が可能ですので、期中取引の仕訳時に「仮払消費税額等」として処理していた科目から、租税公課等の科目へ振替処理します（ただし、交際費等に係るものは、交際費等の額に含めます。）。

Q 6−15
課税売上割合の変動による調整対象固定資産に係る控除対象仕入税額の調整

　当社は、前々期に、オフィスビル一棟を購入しました。また、この資金を捻出するために土地の売却をしています。このため、前々期、前期、当期では、消費税の課税売上割合が相当変動しています。このような場合には、控除対象仕入税額の計算の調整を行う必要があるのですか。なお、当社は、一括比例配分方式を採用しています。

A　**ポイント**　調整対象固定資産を保有する課税事業者の、3年後の通算課税売上割合が、当該固定資産を取得した課税期間における課税売上割合に対して著しい変動があった場合には、第3年度の課税期間において控除対象仕入税額を加減算する方法により調整します。なお、加減算する金額の基となる調整対象基準税額は当該固定資産取得時の税率によりますので、税率の区分ごとに計算します。

1　消費税法第33条の内容

　事業者（免税事業者を除きます。）が国内において調整対象固定資産(注1)の課税仕入れを行い、又は、調整対象固定資産に該当する課税貨物を保税地域から引き取り、その課税仕入れ等に係る消費税額につき比例配分法(注2)により控除対象仕入税額を計算した場合

及び課税売上割合が95％以上であったために当該調整対象固定資産に係る課税仕入れ等に係る消費税額の全額を控除対象仕入税額とした場合に、当該事業者が取得の日を含む課税期間の開始の日から３年を経過する日の属する課税期間（第３年度の課税期間）の末日において、当該調整対象固定資産を有しており(注3)、かつ、第３年度の課税期間における通算課税売上割合(注4)が、その固定資産の取得時の課税期間における課税売上割合に比べて著しく変動したときは(注5)、第３年度の課税期間において控除対象仕入税額に一定額を加減算する方法により調整します。

(注１) **調整対象固定資産**

棚卸資産以外の資産で、一取引単位についての税込支払対価の額の$\frac{100}{110}$に相当する金額が、100万円以上のものをいいます（令５）。例えば、通常の有形固定資産及び無形固定資産に加え、生物（牛、馬、果樹等）、回路配置利用権、預託金方式のゴルフ会員権、課税資産を賃借するために支出する権利金等及びソフトウェア購入費用等が挙げられます（基通12－２－１）。

(注２) **比例配分法**

個別対応方式の共通部分の課税仕入れ等に係る消費税額のうち控除対象仕入税額を課税売上割合により按分計算で求める方式及び一括比例配分方式による控除対象仕入税額の計算方法をいいます（法33②）。

(注３) **除却、譲渡等した調整対象固定資産**

課税売上割合が著しく変動しても、除却、廃棄、減失又は譲渡があったため第３年度の課税期間の末日に有していないものは、控除対象仕入税額の調整の対象になりません（基通12－３－３）。

(注４) **通算課税売上割合**

通算課税売上割合とは、取得時の課税期間から第３年度の課税期間までの各課税期間における資産の譲渡等の対価の合計額のうちに占める同期間の課税売上高の合計額の割合をいいます（令53③④）。なお、調整対象固定資産の取得の日を含む課税期間から第３年度の課税期間までの間に、消費税を免除される課税期間が含まれている場合であっても、その免税期間の資産の譲渡等の対価の額を含めて通算課税売上割合を計算することになりますので、注意が必要です（基通12－３－１）。ただし、第３年度の課税期間において免税事業者であるときは、この調整を行う必要はありません。

(注５) **著しい変動と通算課税売上割合**

調整を行うのは、固定資産の取得課税期間において適用した課税売上割合（以下「当初課税売上割合」といいます。）に比べて、通算課税売上割合が著しく変動した場合です。この場合の「著しい変動」とは、次の算式の両方に該当するケースをいいます。

$$\left.\begin{array}{c}\cfrac{当初課税売上割合-通算課税売上割合}{当初課税売上割合}\geqq\cfrac{50}{100} \\ （当初課税売上割合-通算課税売上割合）\geqq\cfrac{5}{100}\end{array}\right\} \begin{pmatrix}以下、この算式により計算される \\ 率を「変動率」といいます。\end{pmatrix}$$

※〔通算課税売上割合＞当初課税売上割合〕の場合…上記のマイナス算式の左右を入れ替えて判定します。

2 調整の内容

消費税法施行令第53条では、第３年度の課税期間において控除対象仕入税額に加算又は減算する額は、当該固定資産についてその仕入れ等の課税期間において計算された課税仕入れ等に係る消費税額《調整対象基準税額》を基として次により計算することとしています。

(1) **変動率が50%以上で、かつ、当初課税売上割合に比べて通算課税売上割合が5％以上高くなる場合**

$$\text{第3年度の控除対象仕入税額}\atop\text{の調整加算} = \left(\text{調整対象}\atop\text{基準税額}\times\text{通算課税}\atop\text{売上割合}\right) - \left(\text{調整対象}\atop\text{基準税額}\times\text{当初課税}\atop\text{売上割合}\right)$$

(2) **変動率が50%以上で、かつ、当初課税売上割合に比べて通算課税売上割合が5％以上低くなる場合**

$$\text{第3年度の控除対象仕入税額}\atop\text{の調整減算} = \left(\text{調整対象}\atop\text{基準税額}\times\text{当初課税}\atop\text{売上割合}\right) - \left(\text{調整対象}\atop\text{基準税額}\times\text{通算課税}\atop\text{売上割合}\right)$$

③ 具体例

以下の条件のもとに調整すべき金額の計算及び申告書の記載について説明します。

	税抜課税売上げ	非課税売上げ	計 （単位：円）
前々期	1,000,000,000	1,000,000,000	2,000,000,000
前期	2,700,000,000	50,000,000	2,750,000,000
当期	2,800,000,000	60,000,000	2,860,000,000
計	6,500,000,000	1,110,000,000	7,610,000,000

前々期のオフィスビルの取得価額	380,000,000円 （税抜き）
当期の課税仕入れの支払対価の額	2,000,000,000円 （税抜き）
仮払消費税等	200,000,000円

(1) **調整対象基準税額の算出**

380,000,000円×7.8％＝29,640,000円…オフィスビルの課税仕入れに係る消費税額

(2) **調整の必要性の有無の判定と調整金額**

$$\text{通算課税売上割合} = \frac{6,500,000,000円}{7,610,000,000円} = 0.854$$

$$\text{当初（前々期）課税売上割合} = \frac{1,000,000,000円}{1,000,000,000円 + 1,000,000,000円} = 0.5$$

$$\frac{\text{通算課税売上割合} - \text{当初（前々期）課税売上割合}}{\text{当初（前々期）課税売上割合}} = \frac{0.854 - 0.5}{0.5} = 0.708 \geqq \frac{50}{100}$$

$$\text{通算課税売上割合} - \text{当初（前々期）課税売上割合} = 0.854 - 0.5 = 0.354 \geqq \frac{5}{100}$$

上記2つの要件を満たしますので通算課税売上割合が著しく変動した場合に該当します。したがって、第3年度の控除対象仕入税額に加算する金額は、次のようになります。

$$\underset{\text{(調整対象基準税額)}}{29,640,000円} \times \underset{\text{(通算課税売上割合)}}{\frac{6,500,000,000円}{7,610,000,000円}} - \underset{\text{(調整対象基準税額)}}{29,640,000円} \times \underset{\text{(当初課税売上割合)}}{\frac{1,000,000,000円}{2,000,000,000円}} = 10,496,688円$$

⑶　**申告書における記載**

　ここでは、付表2-1の記載例を示します（なお、仕入税額控除の金額の算定については一括比例配分方式を採用するものとします。）。

付表2－1　課税売上割合・控除対象仕入税額等の計算表
〔経過措置対象課税資産の譲渡等を含む課税期間用〕

　　　　　　　　　　　　　　　　　　　　　　　　　　　　一　般

| 課　税　期　間 | ・　・　～　・　・ | 氏　名　又　は　名　称 | |

項　　目		旧税率分小計 X (付表2-2の①X欄の金額)　円	税率 6.24 % 適用分 D　円	税率 7.8 % 適用分 E　円	合　　計　F (X＋D＋E)　円
課　税　売　上　額　（　税　抜　き　）	①			2,800,000,000	2,800,000,000
免　　税　　売　　上　　額	②				
非課税資産の輸出等の金額、海外支店等へ移送した資産の価額	③				
課税資産の譲渡等の対価の額（①＋②＋③）	④				※第一表の⑮欄へ ※付表2-2の④X欄へ 2,800,000,000
課税資産の譲渡等の対価の額（④の金額）	⑤				2,800,000,000
非　　課　　税　　売　　上　　額	⑥				60,000,000
資産の譲渡等の対価の額（⑤＋⑥）	⑦				※第一表の⑯欄へ ※付表2-2の⑦X欄へ 2,860,000,000
課　税　売　上　割　合　（　④　／　⑦　）	⑧				※付表2-2の⑧X欄へ [97 %]　※端数切捨て
課税仕入れに係る支払対価の額（税込み）	⑨	(付表2-2の⑨X欄の金額)		2,200,000,000	2,200,000,000
課　税　仕　入　れ　に　係　る　消　費　税　額	⑩	(付表2-2の⑩X欄の金額)		156,000,000	156,000,000
適格請求書発行事業者以外の者から行った課税仕入れに係る経過措置の適用を受ける課税仕入れに係る支払対価の額（税込み）	⑪	(付表2-2の⑪X欄の金額)			
適格請求書発行事業者以外の者から行った課税仕入れに係る経過措置により課税仕入れに係る消費税額とみなされる額	⑫	(付表2-2の⑫X欄の金額)			
特定課税仕入れに係る支払対価の額	⑬	(付表2-2の⑬X欄の金額)	※⑬及び⑭欄は、課税売上割合が95%未満、かつ、特定課税仕入れがある事業者のみ記載する。		
特定課税仕入れに係る消費税額	⑭	(付表2-2の⑭X欄の金額)		(⑬E欄×7.8/100)	
課　税　貨　物　に　係　る　消　費　税　額	⑮	(付表2-2の⑮X欄の金額)			
納税義務の免除を受けない（受ける）こととなった場合における消費税額の調整（加算又は減算）額	⑯	(付表2-2の⑯X欄の金額)			
課税仕入れ等の税額の合計額（⑩＋⑫＋⑭＋⑮±⑯）	⑰	(付表2-2の⑰X欄の金額)		156,000,000	156,000,000
課税売上高が5億円以下、かつ、課税売上割合が95％以上の場合（⑰の金額）	⑱	(付表2-2の⑱X欄の金額)			
課5課95 税億税% 売円売未 上満上超割の 高又合がは合 控の除調税額整	個別対応方式	⑰のうち、課税売上げにのみ要するもの	⑲	(付表2-2の⑲X欄の金額)		
		⑰のうち、課税売上げと非課税売上げに共通して要するもの	⑳	(付表2-2の⑳X欄の金額)		
		個別対応方式により控除する課税仕入れ等の税額〔⑲＋（⑳×④／⑦）〕	㉑	(付表2-2の㉑X欄の金額)		
	一括比例配分方式により控除する課税仕入れ等の税額（⑰×④／⑦）		㉒	(付表2-2の㉒X欄の金額)		152,727,272	152,727,272
	課税売上割合変動時の調整対象固定資産に係る消費税額の調整（加算又は減算）額		㉓	(付表2-2の㉓X欄の金額)		10,496,688	10,496,688
	調整対象固定資産を課税業務用（非課税業務用）に転用した場合の調整（加算又は減算）額		㉔	(付表2-2の㉔X欄の金額)			
	居住用賃貸建物を課税賃貸用に供した（譲渡した）場合の加算額		㉕	(付表2-2の㉕X欄の金額)			
差引	控　除　対　象　仕　入　税　額〔（⑱、㉑又は㉒の金額）±㉓±㉔＋㉕〕がプラスの時		㉖	(付表2-2の㉖X欄の金額)	※付表1-1の④D欄へ	※付表1-1の④E欄へ 163,223,960	163,223,960
	控　除　過　大　調　整　税　額〔（⑱、㉑又は㉒の金額）±㉓±㉔＋㉕〕がマイナスの時		㉗	(付表2-2の㉗X欄の金額)	※付表1-1の③D欄へ	※付表1-1の③E欄へ	
貸　倒　回　収　に　係　る　消　費　税　額		㉘	(付表2-2の㉘X欄の金額)	※付表1-1の③D欄へ	※付表1-1の③E欄へ	

注意　1　金額の計算においては、1円未満の端数を切り捨てる。
　　　2　旧税率が適用された取引がある場合は、付表2-2を作成してから当該付表を作成する。
　　　3　⑪、⑫及び⑬欄には、値引き、割戻し、割引きなど仕入対価の返還等の金額がある場合（仕入対価の返還等の金額を仕入金額から直接減額している場合を除く。）には、その金額を控除した後の金額を記載する。
　　　4　⑪及び⑫欄の経過措置とは、所得税法等の一部を改正する法律（平成28年法律第15号）附則第52条又は第53条の適用がある場合をいう。

(R5.10.1以後終了課税期間用)

198

Q 6-16 調整対象固定資産を課税取引用・非課税取引用間で転用した場合の控除対象仕入税額の調整

　幼稚園を運営している当学校法人では、遊休土地を利用してオフィスビルの賃貸業を営んでいます。ある教育用建物について立地条件の良さから、近年これをオフィスとして使用したい旨の計画があり、この際思い切ってオフィスとして貸し付けたいと思います。このような場合、調整対象固定資産を非課税・課税間で転用するケースに該当すると思いますが、控除対象仕入税額の調整は、どのように行うことになるのでしようか。申告書の記載も併せて説明してください。なお、当社は、個別対応方式を採用する3月決算会社です。

A　**ポイント**　個別対応方式を採用している事業者が、調整対象固定資産を取得した日から3年以内に課税業務用・非課税業務用間で転用した場合には、経過年数に応じ調整対象税額の一部又は全部を控除対象仕入税額に加減算します。調整対象税額は固定資産取得時の税率によります。

1　消費税法第35条の内容

　事業者（免税事業者を除きます。）が国内において調整対象固定資産の課税仕入れを行い、又は調整対象固定資産に該当する課税貨物を保税地域から引き取り、当該課税仕入れ等の税額につき非課税業務用にのみ要するものとして取り扱い、個別対応方式による控除対象仕入税額が生じないものとした場合に、当該事業者が、調整対象固定資産を仕入れ等の日から3年以内に課税業務用に転用したときは、転用した日が次の①〜③に掲げる期間のいずれに属するかに応じそれぞれに掲げる金額を同日の属する課税期間における控除対象仕入税額に加算し、当該加算をした後の金額を当該課税期間における控除対象仕入税額とみなします。

① 仕入れ等の日から同日以後1年を経過する日までの期間
　調整対象税額に相当する金額

（注）調整対象税額……当該調整対象固定資産の課税仕入れ等の対価 × $\dfrac{税率}{1 + 税率}$

② ①の期間の末日の翌日から同日以後1年を経過する日までの期間
　調整対象税額の $\dfrac{2}{3}$ に相当する金額

③ ②の期間の末日の翌日から同日以後1年を経過する日までの期間
　調整対象税額の $\dfrac{1}{3}$ に相当する金額

2 留意すべき事項

(1) 課税業務用から非課税業務用への転用の場合

上記①は、調整対象固定資産を非課税業務用から課税業務用へ転用した場合の取扱いですが、逆に課税業務用から非課税業務用へ転用した場合には、上記①の①から③に掲げる期間に応じて計算したその転用した日の属する課税期間の控除対象仕入税額から控除することになり、その控除後の金額を当該課税期間における控除対象仕入税額とみなします（法34①）。なお、この場合、控除しきれない金額があるときは、当該控除しきれない金額を課税資産の譲渡等に係る消費税額とみなして課税標準額に対する消費税額に加算します（法34②）。

(2) 課税非課税共通用に転用した場合等（基通12−4−1、12−5−1）

調整対象固定資産を課税非課税共通用に転用した場合等の取扱いは、次々ページの【転用による調整の要否判定表】を参照してください。

上記①及び②(1)の消費税法第34条第1項及び同法第35条の取扱いは、次の場合には適用されません。

① 課税業務用又は非課税業務用調整対象固定資産を課税非課税共通用へ転用した場合
② 課税非課税共通用調整対象固定資産を課税業務用又は非課税業務用へ転用した場合

(3) 免税事業者となった課税期間が含まれている場合の取扱い（基通12−4−2、12−5−2）

上記①及び②(1)の取扱いは、課税仕入れ等を行った日の属する課税期間と転用のあった日の属する課税期間との間に免税事業者となった課税期間又は簡易課税の適用を受けた課税期間が含まれている場合にも適用されます。

3 具体例

以下の条件のもとに調整すべき金額の計算及び申告書の記載について説明します。

教育用建物の取得価額3億円（税抜き）……令和4年6月購入

  ケースⅠ 令和5年5月にオフィス用へ転用した場合

  ケースⅡ 令和6年5月にオフィス用へ転用した場合

  ケースⅢ 令和7年5月にオフィス用へ転用した場合

(1) 調整金額の計算

貴社は、個別対応方式を採用していますから、教育用建物の取得に際し、発生した消費税額（3億円×7.8%＝2,340万円）についてはこれを控除対象仕入税額には含めずに非課税業務用に係る控除対象外消費税額等（地方消費税に係る金額を含め3,000万円）として、損金処理（課税売上割合が80%以上の場合）、又は、繰延消費税額等として償却（課税売上割合が80%未満の場合）しているものと推定されます。

① ケースⅠの場合

　令和5年3月期の決算を経た後5月にオフィス用に転用しているわけですから、仕入れ等の日から同日以後1年を経過するまでの期間に転用が行われており、調整対象税額（2,340万円）全額を、令和6年3月期の消費税の申告書作成に際して、控除対象仕入税額に加算します。

② ケースⅡの場合

　令和6年5月にオフィス用へ転用しているわけですから、仕入れ等の日から同日以後1年超2年を経過する日までの期間に転用が行われており、調整対象税額（2,340万円）の3分の2相当額である1,560万円を令和7年3月期の消費税の申告書作成に際して控除対象仕入税額に加算します。

③ ケースⅢの場合

　令和7年5月にオフィス用へ転用しているわけですから、仕入れ等の日から同日以後2年超3年を経過するまでの期間に転用が行われていることになります。したがって、調整対象税額（2,340万円）の3分の1相当額である780万円を令和8年3月期の消費税の申告書作成に際して控除対象仕入税額に加算します。

(2)　申告書の記載

　ここでは付表2-1の「調整対象固定資産を課税業務用（非課税業務用）に転用した場合の調整（加算又は減算）額」㉔欄の記載例をケースⅢについて示します。

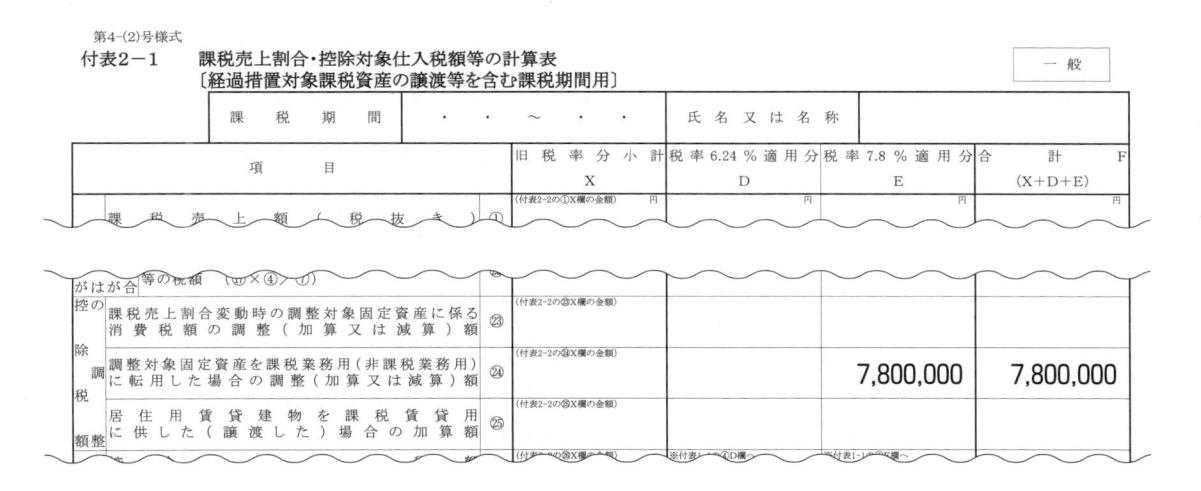

【転用による調整の要否判定表】

(A)：課税業務用　(B)：非課税業務用　(C)：課税非課税共通用

ケース	転用パターン	調整の要否	参照条文・通達
①	(A) → (B)	必要	法34
②	(A) → (C)	不要	基通12-4-1(1)
③	(B) → (A)	必要	法35
④	(B) → (C)	不要	基通12-5-1(1)
⑤	(C) → (A)	不要	基通12-5-1(2)
⑥	(C) → (B)	不要	基通12-4-1(2)
⑦	(A) → (C) → (B)	必要	基通12-4-1(注)1
⑧	(B) → (C) → (A)	必要	基通12-5-1(注)

Q 6-17 課税仕入れに係る対価の返還

　当社は、3月決算会社です。令和5年8月から12月にかけて仕入れの計上を行った物品に対する返品が令和6年1月1日以降に発生しました。なお、仕入先は令和5年10月1日にインボイス発行事業者となっています。インボイス制度導入前後の仕入れに対する返品が混在していますが、課税仕入れに係る対価の返還があった場合の控除対象外消費税額はどのように行えばよいのでしょうか。

A ポイント

① 仕入れに係る対価の返還には、返品、値引き、割戻し及び割引等があります。

② 売上げに係る対価の返還等を行うインボイス発行事業者は、当該売上げに係る対価の返還等を受ける他の事業者に対して返還インボイスを交付する必要があるため、返還インボイスに基づき仕入れに係る対価の返還等の金額を集計することになります（法57の4③）。ただし、インボイス発行事業者が、インボイス発行事業者の登録を受ける前に行った課税資産の譲渡等（当該事業者が免税事業者であった課税期間に行ったものを除く。）について、登録を受けた日以後に売上げに係る対価の返還等を行う場合には、返還インボイスの交付義務はありません（基通1-8-18）。

　なお、3万円未満の公共交通機関による旅客の運送や生鮮食料品等の卸売など特定の取引、又は返還等に係る税込価額が1万円未満の場合などには、返還インボイスの発行義務も免除されます（詳細は Q 3-5参照）。

③ 課税仕入れに係る対価の返還があった場合の控除対象仕入税額の計算方法は、課税売上高が5億円以下で、かつ課税売上割合が95％以上の場合と、課税売上高が5億円超又は課税売上割合が95％未満で個別対応方式によっている場合又は一括比例配分方式に

よっている場合とで、以下の**2**のとおり処理方法が異なります。

1 考え方

事業者（免税事業者を除く。）が、国内において行った課税仕入れについて仕入れに係る対価の返還等を受けた場合には、その対価の返還等を受けた日の属する課税期間において、その課税期間中の課税仕入れ等に係る消費税額の合計額から、仕入れに係る対価の返還等の金額に係る消費税額の合計額を一定の方法により控除した残額をその課税期間中の課税仕入れ等に係る消費税額とみなします（法32①）。この仕入れに係る対価の返還には、返品、値引き、割戻しのほか仕入割引等があります（基通12－1－4）。なお、実務的には、仕入れの返品や値引等に関しては、仕入高からこれらを控除する方法が広く採用されていますので、その課税期間の課税仕入れの金額から仕入れに係る対価の返還等の金額を控除した後の金額の合計額をその課税期間の課税仕入れの支払対価の額の合計額として消費税法第30条（仕入れに係る消費税額の控除）の規定を継続して適用しているときには、この処理が認められます（基通12－1－12）。

なお、仕入先がインボイス発行事業者の登録を受けた日以後（本事例の場合は令和5年10月1日以降）に行った課税資産の譲渡等に係る対価の返還等については、仕入先から返還インボイスを入手して控除対象仕入税額を計算する必要があります。他方で、登録日前（本事例の場合は令和5年9月30日以前）に行った課税資産の譲渡等に係る対価の返還等については、仕入先に返還インボイスの発行義務がないため返還インボイスを入手して控除対象仕入税額を計算する必要はありません。

2 控除の計算方法

仕入れに係る対価の返還等があった場合の控除対象仕入税額の計算は、次の3つの場合に分けて考える必要があります。

(1) 課税売上高が5億円以下で、かつ課税売上割合が95％以上の場合

この場合は、課税仕入れに係る消費税額の全額が控除できますから、対価の返還等があった場合にも、その返還対価に係る消費税額の全額を課税仕入れに係る消費税額から差し引き、控除対象仕入税額を求めます。

(2) 個別対応方式によっている場合

以下のイ及びロの算式により計算した金額の合計額を控除対象仕入税額とします。

イ　課税売上げに対応する分 (対価は税込金額)

$$\text{課税売上げに対する課税仕入れの対価} \times \frac{7.8}{110} - \text{課税売上げに対応する課税仕入れの返還対価} \times \frac{7.8}{110}$$

(注) $\frac{7.8}{110}$ は、軽減税率適用取引の場合は $\frac{6.24}{108}$ に、旧税率適用取引の場合は $\frac{6.3}{108}$、$\frac{4}{105}$ 又は $\frac{3}{103}$ となります。(3)までにおいて同じです。

□　課税・非課税共通分に対応する分 (対価は税込金額)

$$\left(\begin{array}{l}\text{課税・非課税共通}\\ \text{分に対応する課税}\\ \text{仕入れの対価}\end{array} \times \frac{7.8}{110} \times \begin{array}{l}\text{課税}\\ \text{売上}\\ \text{割合}\end{array}\right) - \left(\begin{array}{l}\text{課税・非課税共通分}\\ \text{に対応する課税仕}\\ \text{入れに係る返還対価}\end{array} \times \frac{7.8}{110} \times \begin{array}{l}\text{課税}\\ \text{売上}\\ \text{割合}\end{array}\right)$$

(3)　**一括比例配分方式によっている場合**

以下の算式により計算した金額を控除対象仕入税額とします。

$$\left(\begin{array}{l}\text{課税仕入れの}\\ \text{対価の額}\end{array} \times \frac{7.8}{110} \times \text{課税売上割合}\right) - \left(\begin{array}{l}\text{課税仕入れに係る}\\ \text{返還対価の額}\end{array} \times \frac{7.8}{110} \times \text{課税売上割合}\right)$$

(注)　申告書上では(1)及び(3)の計算は、税込課税仕入れの対価を対価の返還額を控除後の金額で付表2−1の⑨欄に記入することによって行われ、(2)の計算はイ、ロ（課税売上割合を乗ずる前の金額）の税額を同表の⑲〜⑳欄に記入することによって行います。

Ⓠ 6−18 インボイス発行事業者以外の者からの課税仕入れが発生した場合

当社は、3月決算会社です。インボイス制度導入前後の令和5年9月から10月にかけてインボイス発行事業者以外の者からの課税仕入れがありました。この場合、課税仕入れに係る消費税額の計算はどのように行えばよいのでしょうか。

Ⓐ **ポイント** インボイス制度導入後におけるインボイス発行事業者以外の者からの課税仕入れについても、一定の期間については仕入税額相当額の一定割合を課税仕入れに係る消費税額とみなす経過措置が設けられています（平28改所法等附52、53）。

1 考え方

インボイス制度導入後は、インボイス又は簡易インボイスの保存がないものは仕入税額控除の適用を受けることができないため、インボイス発行事業者以外の者（消費者、免税事業者又は登録を受けていない課税事業者）からの課税仕入れについて仕入税額控除の適用を受ける課税仕入れに係る消費税額はないこととなります（法30①）。

ただし、インボイス制度導入後6年間は、インボイス発行事業者以外の者からの課税仕入れについても、仕入税額相当額の一定割合を課税仕入れの税額とみなして仕入税額控除の対象とする経過措置が設けられています（平28改所法等附52、53）（Ⓠ 4−1 参照）。

・令和5年10月1日から令和8年9月30日までの間に行われた課税仕入れ

課税仕入れに係る支払対価の額 $\times \frac{7.8}{110}$ (注) $\times 80\%$

＝課税仕入れに係る消費税額とみなされる額

・令和8年10月1日から令和11年9月30日までの間に行われた課税仕入れ

課税仕入れに係る支払対価の額 $\times \frac{7.8}{110}$ (注) $\times 50\%$

＝課税仕入れに係る消費税額とみなされる額

(注) 軽減税率が適用される場合は $\frac{6.24}{108}$ になります。

なお、仕入税額について「積上げ計算」を適用している場合は、上記経過措置の計算についても「積上げ計算」により計算する必要があり、仕入税額について「割戻し計算」を適用している場合は、上記経過措置の計算についても「割戻し計算」により計算する必要がある点に留意が必要です（「積上げ計算」及び「割戻し計算」は Q 6-10参照）。

2 課税仕入れに係る消費税額の計算例

以下の条件のもとに仕入税額控除の適用を受ける課税仕入れに係る消費税額の計算例を示します。

インボイス発行事業者以外の者からの課税仕入れに係る支払対価の額（標準税率）

・令和5年9月……110,000円（税込み）

・令和5年10月……220,000円（税込み）

(1) **令和5年9月の課税仕入れ（インボイス制度導入前）**

$110,000円 \times \frac{7.8}{110}$ (注) $= 7,800円$

(2) **令和5年10月の課税仕入れ（インボイス制度導入後）**

$220,000円 \times \frac{7.8}{110}$ (注) $\times 80\% = 12,480円$

令和5年10月は経過措置の期間内の取引であるため、仕入税額相当額の一定割合(80%)を課税仕入れに係る消費税額とみなすことができます。

なお、課税仕入れに係る消費税額とみなされなかった金額（本計算例の場合は20%に該当する部分）については、そもそも課税仕入れに係る消費税額ではないため、控除対象外消費税額等には該当しません（支出した費用又は資産の金額に含まれます。）。

(注) 軽減税率が適用される場合は $\frac{6.24}{108}$ である点に留意してください。

3 申告書の記載要領

上記の経過措置にかかる付表2-1への記載について、課税仕入れに係る支払対価の額は「適格請求書発行事業者以外の者から行った課税仕入れに係る経過措置の適用を受ける課税仕入れに係る支払対価の額（税込み）」⑪欄に、課税仕入れに係る消費税額とみなされた額は「適格請求書発行事業者以外の者から行った課税仕入れに係る経過措置により課税仕入れに係る消費税額とみなされる額」⑫欄にそれぞれ記入します。

付表2－1　課税売上割合・控除対象仕入税額等の計算表
〔経過措置対象課税資産の譲渡等を含む課税期間用〕

一 般

| 課 税 期 間 | ・ ・ ～ ・ ・ | 氏 名 又 は 名 称 | |

項　　　目	旧 税 率 分 小 計 X	税率6.24%適用分 D	税率7.8%適用分 E	合　　　計 F (X＋D＋E)
課 税 売 上 額 （ 税 抜 き ） ①	(付表2-2の①X欄の金額)	円	円	円

課 税 仕 入 れ に 係 る 支 払 対 価 の 額 （ 税 込 み ） ⑨	(付表2-2の⑨X欄の金額)			
課 税 仕 入 れ に 係 る 消 費 税 額 ⑩	(付表2-2の⑩X欄の金額)			
適格請求書発行事業者以外の者から行った課税仕入れに係る経過措置の適用を受ける課税仕入れに係る支払対価の額（税込み） ⑪	(付表2-2の⑪X欄の金額)		220,000	220,000
適格請求書発行事業者以外の者から行った課税仕入れに係る経過措置により課税仕入れに係る消費税額とみなされる額 ⑫	(付表2-2の⑫X欄の金額)		12,480	12,480
特 定 課 税 仕 入 れ に 係 る 支 払 対 価 の 額 ⑬	(付表2-2の⑬X欄の金額)	※⑬欄及び⑭欄は、課税売上割合が95%未満、かつ、特定課税仕入れがある事業者のみ記載する。		
特 定 課 税 仕 入 れ に 係 る 消 費 税 額 ⑭	(付表2-2の⑭X欄の金額)		(⑬E欄×7.8/100)	
課 税 貨 物 に 係 る 消 費 税 額 ⑮	(付表2-2の⑮X欄の金額)			
納 税 義 務 の 免 除 を 受 け な い （ 受 け る ） こ と と な っ た 場 合 に お け る 消 費 税 額 の 調 整 （ 加 算 又 は 減 算 ） 額 ⑯	(付表2-2の⑯X欄の金額)			
課 税 仕 入 れ 等 の 税 額 の 合 計 額 （⑩＋⑫＋⑭＋⑮±⑯） ⑰	(付表2-2の⑰X欄の金額)			

【コラム】 **インボイス制度導入に伴いインボイス発行事業者以外の事業者について、どのような影響が想定されるか**

　インボイス発行事業者以外の事業者が、免税事業者であるか課税事業者であるかによって異なります。

■**免税事業者の場合**

　インボイスの発行義務もなく、仕入税額控除の計算も不要であるため、インボイス制度導入の影響はありません。

■**課税事業者の場合**

　インボイスを発行できないため、売上げに関する事務について影響はありません。他方で、仕入税額控除の計算はインボイス制度の要件にしたがって実施する必要があるため、インボイス発行事業者と同様に影響があります。

Q 6-19　国外事業者から事業者向け電気通信利用役務の提供を受けた場合（リバースチャージ方式）

当社は、海外の事業者が提供するクラウドサービスを契約し、当期は利用料金2,000,000円（税抜き）を支払っています。このような取引の消費税の取扱いについて教えてください。

なお、当社は課税売上割合が95％未満となっています。

A 消費税法においては、課税資産の譲渡等を行った事業者が、当該課税資産の譲渡等に係る申告・納税を行うこととされています。しかし、国外事業者が行う電気通信利用役務の提供については、「事業者向け電気通信利用役務の提供」と「それ以外のもの」とに区分され、前者については、国外事業者から当該役務の提供を受けた国内事業者が「特定課税仕入れ」として申告・納税を行います。この課税方式をリバースチャージ方式といいます。なお、「事業者向け電気通信利用役務の提供」とは、国外事業者が行う電気通信利用役務の提供のうち、「役務の性質又は当該役務の提供に係る取引条件などから、当該役務の提供を受ける者が通常事業者に限られるもの」をいいます。

1 リバースチャージ方式の適用対象

リバースチャージ方式が適用される特定課税仕入れとは、国内において役務の提供が行われる次の取引です。

(1) 国外事業者が行う事業者向け電気通信利用役務

(2) 国外事業者が行う、映画若しくは演劇の俳優、音楽家その他の芸能人又は職業運動家の役務の提供を主たる内容とする事業として行う役務の提供のうち、当該国外事業者が他の事業者（不特定多数に対して役務の提供を行うものを除く）に対して行うもの（令2の2）

国内において役務の提供が行われたかどうかの判定は、役務の提供を受けた場所によって行いますが、電気通信利用役務の提供の場合は、役務の提供を受けた事業者の住所、居所、本店、主たる事務所の所在地が国内かどうかで判定します（法4③二、三）。

2 申告書及び付表の作成方法

(1) 付表2-3

課税売上割合の計算上、特定課税仕入れは考慮しません。そのため、付表2-3の「課税資産の譲渡等の対価の額」④欄、「資産の譲渡等の対価の額」⑦欄に特定課税仕入れの金額は含めないことに注意が必要です。

また、特定課税仕入れは相手方の名称や役務の提供を受けた年月日、内容等を記載した

帳簿の保存を要件として仕入税額控除の対象となります（法30）。この場合、付表2－3の「特定課税仕入れに係る支払対価の額」⑬欄、及び「特定課税仕入れに係る消費税額」⑭欄に支払対価とこれに係る消費税額（支払対価の額×$\frac{7.8}{100}$）を記入します。

⑵　付表1－3

付表1－3の「特定課税仕入れに係る支払対価の額」①－2欄に、特定課税仕入れの支払金額を記入します。これと①－1欄に記入された課税資産の譲渡等の対価の額を合算し、1,000円未満を切り捨てた金額を「課税標準額」①欄に記入し、消費税額を計算します。

⑶　申告書第二表

付表1－3の①－2B欄及びC欄に記入された金額を、申告書第二表の「特定課税仕入れに係る支払対価の額の合計額」⑨欄及び⑩欄にそれぞれ転記します。

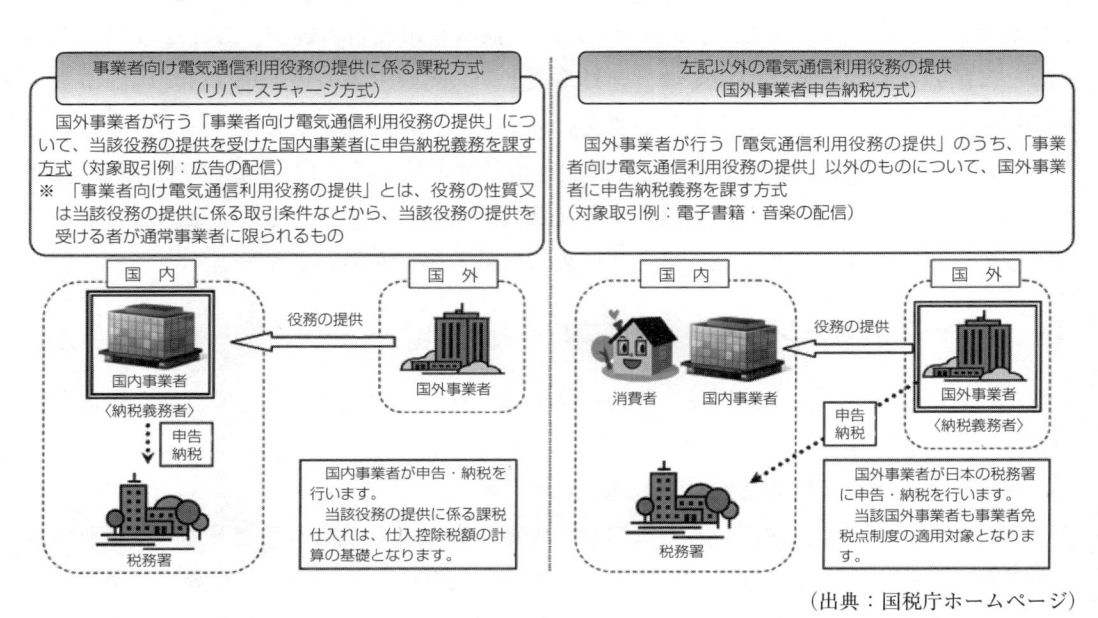

（出典：国税庁ホームページ）

第4-(10)号様式

付表2－3　　課税売上割合・控除対象仕入税額等の計算表

一般

課　税　期　間	・・～・・	氏名又は名称	

項　　　目		税率 6.24 ％ 適用分 A	税率 7.8 ％ 適用分 B	合　　計　 C (A＋B)
課　税　売　上　額　（　税　抜　き　）①			100,000,000 円	100,000,000 円
免　　税　　売　　上　　額 ②				
非 課 税 資 産 の 輸 出 等 の 金 額 、海 外 支 店 等 へ 移 送 し た 資 産 の 価 額 ③				
課税資産の譲渡等の対価の額（①＋②＋③）④				※第一表の⑮欄へ 100,000,000
課税資産の譲渡等の対価の額（④の金額）⑤				100,000,000
非　　課　　税　　売　　上　　額 ⑥				50,000,000
資 産 の 譲 渡 等 の 対 価 の 額 （ ⑤ ＋ ⑥ ）⑦				※第一表の⑯欄へ 150,000,000
課　税　売　上　割　合　（　④／⑦　）⑧				［ 66 ％］ ※端数切捨て
課 税 仕 入 れ に 係 る 支 払 対 価 の 額（ 税 込 み ）⑨			88,000,000	88,000,000
課　税　仕　入　れ　に　係　る　消　費　税　額 ⑩			6,240,000	6,240,000
適格請求書発行事業者以外の者から行った課税仕入れに係る経過措置の適用を受ける課税仕入れに係る支払対価の額（税込み）⑪				
適格請求書発行事業者以外の者から行った課税仕入れに係る経過措置により課税仕入れに係る消費税額とみなされる額 ⑫				
特 定 課 税 仕 入 れ に 係 る 支 払 対 価 の 額 ⑬	※⑬及び⑭欄は、課税売上割合が95%未満、かつ、特定課税仕入れがある事業者のみ記載する。		2,000,000	2,000,000
特 定 課 税 仕 入 れ に 係 る 消 費 税 額 ⑭		(⑬B欄×7.8/100)	156,000	156,000
課　税　貨　物　に　係　る　消　費　税　額 ⑮				
納 税 義 務 の 免 除 を 受 け な い （ 受 け る ）こ と と な っ た 場 合 に お け る 消 費 税 額の　調　整　（　加　算　又　は　減　算　）　額 ⑯				
課 税 仕 入 れ 等 の 税 額 の 合 計 額 （⑩＋⑫＋⑭＋⑮±⑯）⑰			6,396,000	6,396,000
課 税 売 上 高 が 5 億 円 以 下 、 か つ 、課 税 売 上 割 合 が 95 ％ 以 上 の 場 合（⑰の金額）⑱				
課5課95税億売%上上超割未円又合満がのは高合がはい場合 個別対応方式	⑰のうち、課税売上げにのみ要するもの ⑲			
	⑰のうち、課税売上げと非課税売上げに共 通 し て 要 す る も の ⑳			
	個 別 対 応 方 式 に よ り 控 除 す る課 税 仕 入 れ 等 の 税 額［⑲＋（⑳×④／⑦）］㉑			
控除税額の調整	一括比例配分方式により控除する課税仕入れ等の税額　（⑰×④／⑦）㉒		4,264,000	4,264,000
	課 税 売 上 割 合 変 動 時 の 調 整 対 象 固 定 資 産 に 係 る消 費 税 額 の 調 整 （ 加 算 又 は 減 算 ） 額 ㉓			
	調 整 対 象 固 定 資 産 を 課 税 業 務 用 （ 非 課 税 業 務 用 ）に 転 用 し た 場 合 の 調 整 （ 加 算 又 は 減 算 ） 額 ㉔			
	居 住 用 賃 貸 建 物 を 課 税 賃 貸 用に 供 し た （ 譲 渡 し た ） 場 合 の 加 算 額 ㉕			
差引	控　除　対　象　仕　入　税　額［（⑱、㉑又は㉒の金額）±㉓±㉔＋㉕］がプラスの時 ㉖	※付表1-3の④A欄へ	※付表1-3の④B欄へ 4,264,000	4,264,000
	控　除　過　大　調　整　税　額［（⑱、㉑又は㉒の金額）±㉓±㉔＋㉕］がマイナスの時 ㉗	※付表1-3の③A欄へ	※付表1-3の③B欄へ	
貸 倒 回 収 に 係 る 消 費 税 額 ㉘		※付表1-3の③A欄へ	※付表1-3の③B欄へ	

注意　1　金額の計算においては、1円未満の端数を切り捨てる。
　　　2　⑨、⑬及び⑭欄には、値引き、割戻し、割引など仕入対価の返還等の金額がある場合（仕入対価の返還等の金額を仕入金額から直接減額している場合を除く。）には、その金額を控除した後の金額を記載する。
　　　3　⑪及び⑫欄の経過措置とは、所得税法等の一部を改正する法律（平成28年法律第15号）附則第52条又は第53条の適用がある場合をいう。

(R5.10.1以後終了課税期間用)

付表1-3　税率別消費税額計算表　兼　地方消費税の課税標準となる消費税額計算表

		一　般

課　税　期　間	・　・　～　・　・	氏　名　又　は　名　称	

区　　　分		税率 6.24 ％ 適用分 A	税率 7.8 ％ 適用分 B	合　　　計　　　C (A＋B)
課　税　標　準　額	①	円 000	円 102,000,000	※第二表の①欄へ　　　円 102,000,000
① の 内 訳	課税資産の譲渡等 の　対　価　の　額　① -1	※第二表の⑤欄へ	※第二表の⑥欄へ 100,000,000	※第二表の⑦欄へ 100,000,000
	特定課税仕入れに 係る支払対価の額　① -2	※①-2欄は、課税売上割合が95%未満、かつ、特定課税仕入れがある事業者のみ記載する。 ※第二表の⑨欄へ 2,000,000	※第二表の⑩欄へ 2,000,000
消　　費　　税　　額	②		7,956,000	7,956,000
控　除　過　大　調　整　税　額	③	(付表2-3の㉗・㉘A欄の合計金額)	(付表2-3の㉗・㉘B欄の合計金額)	※第一表の③欄へ
控除税額	控　除　対　象　仕　入　税　額	④	(付表2-3の㉕A欄の金額)	(付表2-3の㉕B欄の金額) 4,264,000	※第二表の④欄へ 4,264,000
	返　還　等　対　価 に　係　る　税　額	⑤			※第二表の⑰欄へ
	⑤ の 内 訳	売上げの返還等 対価に係る税額	⑤ -1			※第二表の⑱欄へ
		特定課税仕入れ の返還等対価 に　係　る　税　額	⑤ -2	※⑤-2欄は、課税売上割合が95%未満、かつ、特定課税仕入れがある事業者のみ記載する。		※第二表の⑲欄へ
	貸　倒　れ　に　係　る　税　額	⑥			※第一表の⑥欄へ
	控　除　税　額　小　計 (④＋⑤＋⑥)	⑦		4,264,000	※第一表の⑦欄へ 4,264,000
控　除　不　足　還　付　税　額 (⑦－②－③)	⑧			※第一表の⑧欄へ
差　　引　　税　　額 (②＋③－⑦)	⑨			※第一表の⑨欄へ 00
地方消費税の課税標準となる消費税額	控　除　不　足　還　付　税　額 (⑧)	⑩			※第一表の⑰欄へ ※マイナス「－」を付して第二表の㉑及び㉓欄へ
	差　　引　　税　　額 (⑨)	⑪			※第一表の⑱欄へ ※第二表の㉒及び㉓欄へ 00
譲渡割額	還　　付　　額	⑫			(⑩C欄×22/78) ※第一表の⑲欄へ
	納　　税　　額	⑬			(⑪C欄×22/78) ※第一表の⑳欄へ 00

注意　　金額の計算においては、1円未満の端数を切り捨てる。

(R5.10.1以後終了課税期間用)

第3-(2)号様式

課税標準額等の内訳書

納 税 地	
	（電話番号　　－　　－　　）
（フリガナ）	
法 人 名	
（フリガナ）	
代表者氏名	

整理番号 ☐☐☐☐☐☐☐☐　法人用

改 正 法 附 則 に よ る 税 額 の 特 例 計 算		
軽 減 売 上 割 合 （10営業日）	○	附則38① 51
小 売 等 軽 減 仕 入 割 合	○	附則38② 52

第二表

令和四年四月一日以後終了課税期間分

自 令和 ☐☐年☐☐月☐☐日
至 令和 ☐☐年☐☐月☐☐日

課税期間分の消費税及び地方消費税の（ 確定 ）申告書

中間申告の場合の対象期間　自 令和 ☐☐年☐☐月☐☐日　至 令和 ☐☐年☐☐月☐☐日

課　税　標　準　額 ※申告書（第一表）の①欄へ	①	十兆千百十億千百十万千百十一円　1 0 2 0 0 0 0 0 0 0	01

課税資産の 譲 渡 等 の 対 価 の 額 の 合 計 額	3 ％ 適 用 分	②		02
	4 ％ 適 用 分	③		03
	6.3 ％ 適 用 分	④		04
	6.24 ％ 適 用 分	⑤		05
	7.8 ％ 適 用 分	⑥	1 0 0 0 0 0 0 0 0 0	06
	（②〜⑥の合計）	⑦	1 0 0 0 0 0 0 0 0 0	07

特定課税仕入れ に係る支払対価 の額の合計額	6.3 ％ 適 用 分	⑧		11
	7.8 ％ 適 用 分	⑨	2 0 0 0 0 0 0	12
	（⑧・⑨の合計）　（注1）	⑩	2 0 0 0 0 0 0	13

消　費　税　額 ※申告書（第一表）の②欄へ	⑪	7 9 5 6 0 0 0	21

⑪ の 内 訳	3 ％ 適 用 分	⑫		22
	4 ％ 適 用 分	⑬		23
	6.3 ％ 適 用 分	⑭		24
	6.24 ％ 適 用 分	⑮		25
	7.8 ％ 適 用 分	⑯	7 9 5 6 0 0 0	26

返 還 等 対 価 に 係 る 税 額 ※申告書（第一表）の⑤欄へ	⑰		31

⑰の内訳	売上げの返還等対価に係る税額	⑱		32
	特定課税仕入れの返還等対価に係る税額 （注1）	⑲		33

地 方 消 費 税 の 課税標準となる 消 費 税 額	（㉑〜㉓の合計）	⑳		41
	4 ％ 適 用 分	㉑		42
	6.3 ％ 適 用 分	㉒		43
	6.24％及び7.8％適用分 （注2）	㉓		44

（注1）　⑧〜⑩及び⑲欄は、一般課税により申告する場合で、課税売上割合が95％未満、かつ、特定課税仕入れがある事業者のみ記載します。
（注2）　㉑〜㉓欄が還付税額となる場合はマイナス「－」を付してください。

Q 6−20

修正申告に伴う消費税、法人税の申告書の記載例

　当社は、前期の消費税申告において誤って税額を過少に申告してしまったため、消費税の修正申告をしようとしています。このとき、消費税の修正申告書はどのように作成すればよいでしょうか。また、前期の法人税に影響はないでしょうか。

A　消費税の修正申告を行う場合、売上金額・仕入金額の修正、納付すべき消費税額の修正等により、法人税の課税所得の金額に影響が出ることがあります。

　修正申告対象事業年度における法人税の課税所得が増加する場合は、当該事業年度の法人税についても修正申告を行う必要があります。他方、法人税の課税所得が減少する場合は、当該事業年度の法人税について更正の請求を行うことになります。

　以下、売上げの計上もれがあった場合を例に挙げて、消費税及び法人税の修正申告書の記載について示します。

1　修正申告書等の作成

(1)　前提条件

　当社は、当期に計上すべき売上げ10,000,000円（税抜き、標準税率適用）を誤って翌期に計上してしまったため、当期の消費税及び法人税について修正申告することにしました。

　なお、当社は税抜経理を行っており、仕入税額控除については一括比例配分方式を採用しています。資産に係る控除対象外消費税額等はないものとします。また、当社の取引はすべて標準税率適用対象です。

	当初申告	売上げの過小計上	修正申告
課税売上高（税抜き）	100,000,000円	10,000,000円	110,000,000円
消費税額（国税部分）	7,800,000円		8,580,000円
非課税売上高	25,000,000円		25,000,000円
課税売上割合	80%		81%
課税仕入れ（税込み）	77,000,000円		77,000,000円
控除対象仕入税額	4,368,000円(注1)		4,448,888円(注2)
差引税額	3,432,000円		4,131,100円
譲渡割額	968,000円		1,165,100円
中間納付税額	1,560,000円		1,560,000円
中間納付譲渡割額	440,000円		440,000円

（注1）　$77,000,000円 \times \dfrac{7.8}{110} \times \dfrac{100,000,000円}{100,000,000円 + 25,000,000円} = 4,368,000円$

（注2）　$77,000,000円 \times \dfrac{7.8}{110} \times \dfrac{110,000,000円}{110,000,000円 + 25,000,000円} = 4,448,888.8円$
→4,448,888円

⑵　消費税の修正申告

　消費税の修正申告においては、あるべき金額を申告書に記載していくことになりますが、当初申告における納付税額を申告書第一表の⑬欄、㉔欄へ記入し、修正申告による納付税額を⑭欄、㉕欄へ記入します。また、㉖欄には⑭欄と㉕欄の合計額を記入します。

⑶　法人税の取扱い

	税務上の処理	会計上の処理
当期	（借）売　掛　金　11,000,000円 　　（貸）売　上　高　10,000,000円 　　（貸）仮受消費税等　1,000,000円 （借）仮受消費税等　1,000,000円 　　（貸）未払消費税等　896,200円 　　（貸）雑　収　入　103,800円 　　　　（消費税差額） （注）　未払消費税等の金額は次ページ、消費税申告書㉖より 税務上認識した売上高10,000,000円、及び消費税差額103,800円を別表四において加算します。 また、売掛金と未払消費税等の税務上と会計上の差額を別表五（一）において調整します。	仕訳なし
翌期	翌期になって会計上認識された売上高及び前期損益修正益（消費税差額）は修正申告対象事業年度において既に課税されているので、別表四において減算します。 また、売掛金と未払消費税等に係る税務上と会計上の差異も翌期において解消されるため、別表五（一）において調整します。	（借）売　掛　金　11,000,000円 　　（貸）売　上　高　10,000,000円 　　（貸）仮受消費税等　1,000,000円 （借）仮受消費税等　1,000,000円 　　（貸）未払消費税等　896,200円 　　（貸）前期損益修正益　103,800円 　　　　（消費税差額）

当期修正申告

第3-(1)号様式

令和　年　月　日　　　　　　　　税務署長殿

（個人の方）振替継続希望

納税地　　　（電話番号　　－　　－　　）

（フリガナ）
法人名

法人番号

（フリガナ）
代表者氏名

※税務署処理欄

所署	要否	整理番号	
申告年月日		令和　　年　　月　　日	
申告区分	指導等	庁指定	局指定
通信日付印	確認		
年　月　日			
指導　年　月　日		相談 区分1 区分2 区分3
令和		

自 平成・令和　□□年□□月□□日
至 令和　□□年□□月□□日

課税期間分の消費税及び地方消費税の（修正確定）申告書

中間申告の場合の
自 平成・令和　□□年□□月□□日
対象期間 至 令和　□□年□□月□□日

この申告書による消費税の税額の計算

		十兆千百十億千百十万千百十一円	
課税標準額	①	110000000	03
消費税額	②	8580000	06
控除過大調整税額	③		07
控除税額 控除対象仕入税額	④	4448888	08
返還等対価に係る税額	⑤		09
貸倒れに係る税額	⑥		10
控除税額小計（④＋⑤＋⑥）	⑦	4448888	13
控除不足還付税額（⑦－②－③）	⑧		13
差引税額（②＋③－⑦）	⑨	4131100	15
中間納付税額	⑩	1560000	16
納付税額（⑨－⑩）	⑪	2571100	17
中間納付還付税額（⑩－⑨）	⑫	00	18
この申告書が修正申告である場合 既確定税額	⑬	1872000	19
差引納付税額	⑭	699100	20
課税売上割合 課税資産の譲渡等の対価の額	⑮	110000000	21
資産の譲渡等の対価の額	⑯	135000000	22

この申告書による地方消費税の税額の計算

地方消費税の課税標準となる消費税額 控除不足還付税額	⑰		51
差引税額	⑱	4131100	52
譲渡割額 還付額	⑲		53
納税額	⑳	1165100	54
中間納付譲渡割額	㉑	440000	55
納付譲渡割額（⑳－㉑）	㉒	725100	56
中間納付還付譲渡割額（㉑－⑳）	㉓	00	57
この申告書が修正申告である場合 既確定譲渡割額	㉔	528000	58
差引納付譲渡割額	㉕	197100	59
消費税及び地方消費税の合計（納付又は還付）税額	㉖	896200	60

⑪・㉒又は⑫・㉓の記入をお忘れなく。

㉖＝（⑪＋㉒）－（⑧＋⑫＋⑲＋㉓）・修正申告の場合㉖＝⑭＋㉕
㉖が還付税額となる場合はマイナス「－」を付してください。

付記事項・参考事項

割賦基準の適用	有 ○無	31
延払基準等の適用	有 ○無	32
工事進行基準の適用	有 ○無	33
現金主義会計の適用	有 ○無	34
課税標準額に対する消費税額の計算の特例の適用	有 ○無	35

控除税額の計算方法	課税売上高5億円超又は課税売上割合95％未満 ○	個別対応方式 ○
	●	一括比例配分方式 ●
	上記以外 ○	全額控除 ○	41

基準期間の課税売上高　　　　千円

○ 税額控除に係る経過措置の適用（2割特例）　42

還付を受けようとする金融機関等

銀行　本店・支店	
金庫・組合　出張所	
農協・漁協　本所・支所	
預金 口座番号	
ゆうちょ銀行の貯金記号番号　－	
郵便局名等	

○ （個人の方）公金受取口座の利用

※税務署整理欄

税理士署名

（電話番号　　－　　－　　）

○ 税理士法第30条の書面提出有
○ 税理士法第33条の2の書面提出有

※ 2割特例による申告の場合、⑱欄に⑪欄の数字を記載し、⑱欄×22/78から算出された金額を⑳欄に記載してください。

214

当期修正申告

所得の金額の計算に関する明細書（簡易様式）

| 事業年度 | ： ： | 法人名 | | 別表四（簡易様式） |

区　　分		総　額	処　　　　分		
			留　保	社 外 流 出	
		①	②	③	
当 期 利 益 又 は 当 期 欠 損 の 額	1	円	円	配当	円
				その他	
加	損金経理をした法人税及び地方法人税（附帯税を除く。）	2			
	損金経理をした道府県民税及び市町村民税	3			
	損 金 経 理 を し た 納 税 充 当 金	4			
	損金経理をした附帯税（利子税を除く。）、加算金、延滞金（延納分を除く。）及び過怠税	5			その他
	減 価 償 却 の 償 却 超 過 額	6			
	役 員 給 与 の 損 金 不 算 入 額	7			その他
	交 際 費 等 の 損 金 不 算 入 額	8			その他
	通 算 法 人 に 係 る 加 算 額（別表四付表「5」）	9			外 ※
	売上計上もれ	10	10,000,000	10,000,000	
算	雑収入計上もれ		103,800	103,800	
	小　　　　計	11			外 ※
	減価償却超過額の当期認容額	12			

当期修正申告

利益積立金額及び資本金等の額の計算に関する明細書

| 事業年度 | ： ： | 法人名 | | 別表五（一） |

I　利益積立金額の計算に関する明細書					
区　　分		期首現在利益積立金額	当　期　の　増　減		差引翌期首現在利益積立金額①－②＋③
			減	増	
		①	②	③	④
利 益 準 備 金	1	円	円	円	円
積 立 金	2				
売掛金	3			11,000,000	11,000,000
未払消費税等	4			△896,200	△896,200
	5				
	6				

所得の金額の計算に関する明細書（簡易様式）

| 事業年度 | ： ： | 法人名 | | 別表四（簡易様式） |

区　　　分	総　額	処　　　　分		
		留　保	社　外　流　出	
	①	②	③	
	円	円	配　当　　　　円	

		円	円	配　当　　　　円	
小　　　　計	11				
減	減価償却超過額の当期認容額	12				
	納税充当金から支出した事業税等の金額	13				
	受取配当等の益金不算入額（別表八（一）「5」）	14			※	
	外国子会社から受ける剰余金の配当等の益金不算入額（別表八（二）「26」）	15			※	
	受贈益の益金不算入額	16			※	
	適格現物分配に係る益金不算入額	17			※	
	法人税等の中間納付額及び過誤納に係る還付金額	18				
	所得税額等及び欠損金の繰戻しによる還付金額等	19			※	
	通算法人に係る減算額（別表四付表「10」）	20			※	
	売上計上もれ	21	10,000,000	10,000,000		
	前期損益修正益否認		103,800	103,800		
算						
	小　　　　計	22			外※	
	仮　　　　計	23			外※	

利益積立金額及び資本金等の額の計算に関する明細書

| 事業年度 | ： ： | 法人名 | | 別表五（一） |

I　利益積立金額の計算に関する明細書				
区　　　分	期首現在利益積立金額	当　期　の　増　減		差引翌期首現在利益積立金額 ①－②＋③
		減	増	
	①	②	③	④
利　益　準　備　金	1	円	円	円	円
積　立　金	2				
売掛金	3	11,000,000	11,000,000		
未払消費税等	4	△896,200	△896,200		
	5				
	6				

216

Q 6-21　旧税率が混在する場合の申告書の作成手順

　当社には、消費税率等に関する経過措置により旧税率8％が適用される仕入れがあります。下記の前提条件における申告書及び付表の記載方法を教えてください。

	旧税率 適用分	軽減税率 適用分	標準税率 適用分	計
課税売上高（税抜き）	—	38,503,960円	56,825,978円	95,329,938円
上記に係る仮受消費税等	—	3,078,591円	5,680,697円	8,759,288円
非課税売上高	—	—	—	824,967円
課税仕入れに係る 支払対価の額（税抜き）	1,200,000円	32,608,254円	52,344,218円	86,152,472円
上記に係るインボイスに記載された仕入消費税額合計	96,000円	2,607,825円	5,232,985円	7,936,810円

A **ポイント**　旧税率が適用される取引が混在している事業年度の消費税については、付表1-3、2-3は使用せず、旧税率適用分については付表1-2、2-2を作成し、現行税率適用分については付表1-1、2-1を使用して申告書を作成します。

1　消費税率等に関する経過措置が適用される場合

　令和元年10月1日以降に行われた課税資産の譲渡等であっても、平成31年4月1日以前に契約が締結された資産の貸付け等の一定の契約に基づいて行われたものである場合は、経過措置として旧税率が適用されます（平24改法附16②）。

　消費税を申告する事業年度内に経過措置が適用される取引がある場合においては、消費税及び地方消費税の申告書の作成にあたり、付表1-3、2-3は使用せず、旧税率適用分について付表1-2、2-2を作成し、その後に現行税率適用分も併せて付表1-1、2-1を作成することになります。

2　申告書の作成手順

　課税売上割合や仕入税額控除等の計算については、付表2-3の代わりに付表2-1、2-2を、消費税額等の計算については付表1-3の代わりに付表1-1、1-2をそれぞれ使用します。

　各付表の具体的な作成手順及び申告書第一表、第二表の作成手順については Q 6-2 と同様ですので、そちらもご参照ください。

(1)　付表2-1、2-2の作成

　まず、先に旧税率適用分の取引について付表2-2を作成します。設例では課税仕入れ

取引のみがありますので、付表2－2⑨C欄に税込みの仕入金額1,296,000円を記入し、これに係る消費税額96,000円×$\frac{6.3}{8}$＝75,600円を⑩C欄に記載します。設例では仕入税額控除は全額となりますので、⑩C欄の金額を⑰C欄、⑱C欄、㉖C欄に転記します。これらの金額は旧税率分小計のX欄に転記します。

　付表2－2を作成した後、現行税率適用分の取引について付表2－1を作成します。付表2－2X欄の金額をすべて付表2－1の旧税率分小計X欄に転記し、軽減税率適用分をD欄、標準税率適用分をE欄にそれぞれ記入し、課税売上割合及び仕入税額控除の金額を計算します。

　　なお、⑩D欄は2,607,825×6.24÷8＝2,034,103

　　　　　⑩E欄は5,232,985×7.8÷10＝4,081,728

として計算しています。

(2)　**付表1－1、1－2及び申告書第二表の作成**

　付表2－1、2－2の場合と同様、旧税率適用分について付表1－2を先に作成し、その後現行税率適用分の付表1－1を作成します。

　課税標準額、控除税額等を付表1－1、1－2の該当する欄に記入し消費税額等を計算していきます。控除税額等については付表2－1、2－2で計算した仕入税額控除等の金額を付表1－1、1－2に転記します。設例では付表2－1、2－2の㉖欄の金額を付表1－1、1－2の④欄に転記することになります。

　付表1－1、1－2の「差引税額」⑨欄以下は注意が必要です。付表1－1、1－2の⑨欄、⑩欄、⑫欄、⑮欄、⑯欄では100円未満の切捨ては行わず、申告書第一表において切捨てを行います。付表1－1、1－2においては、⑪欄以下で旧税率分は税率ごとに、現行税率分は軽減税率と標準税率を合計して地方消費税の納税額及び還付額を計算します。なお、付表1－1では⑩F欄と⑯F欄に全税率分を合算した消費税の差引税額及び地方消費税の差引税額をそれぞれ記入する点にも注意してください。

　申告書第二表については、旧税率分も記入することになります。設例では旧税率適用分の売上げはありませんが、地方消費税の課税標準額はありますので、付表1－2⑬C欄の金額を申告書第二表の㉒欄に転記することに注意してください。

3 計算手順の図解

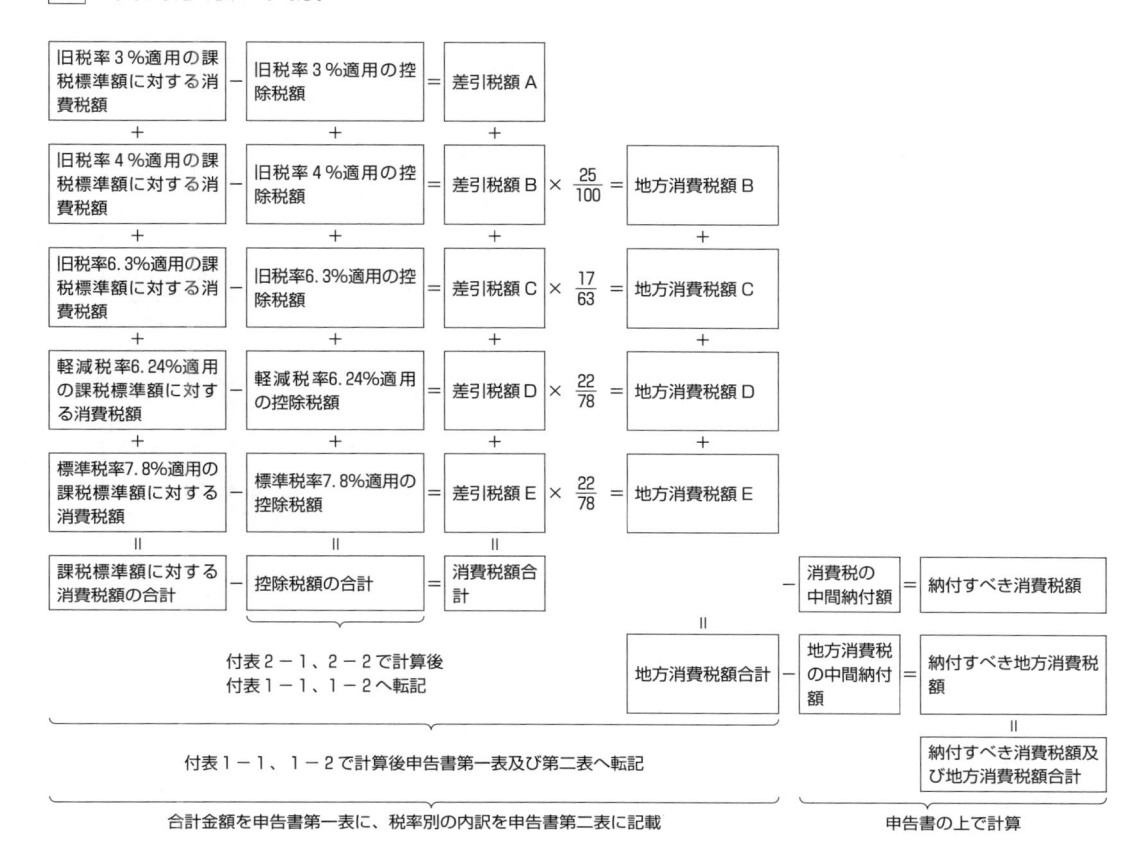

付表2−2　課税売上割合・控除対象仕入税額等の計算表

〔経過措置対象課税資産の譲渡等を含む課税期間用〕

一般

| 課　税　期　間 | ・　・　〜　・　・ | 氏名又は名称 | |

項　目		税率3%適用分 A	税率4%適用分 B	税率6.3%適用分 C	旧税率分小計 X (A+B+C)
課 税 売 上 額 （ 税 抜 き ）	①	円	円	円	※付表2-1の①X欄へ 円
免 税 売 上 額	②				
非 課 税 資 産 の 輸 出 等 の 金 額、海 外 支 店 等 へ 移 送 し た 資 産 の 価 額	③				
課税資産の譲渡等の対価の額（①＋②＋③）	④				(付表2-1の④F欄の金額) 95,326,612
課 税 資 産 の 譲 渡 等 の 対 価 の 額 （④の金額）	⑤				
非 課 税 売 上 額	⑥				
資 産 の 譲 渡 等 の 対 価 の 額 （⑤＋⑥）	⑦				(付表2-1の⑦F欄の金額) 96,151,579
課 税 売 上 割 合 （ ④／⑦ ）	⑧				(付表2-1の⑧F欄の割合) ［ 99 % ］ ※端数切捨て
課 税 仕 入 れ に 係 る 支 払 対 価 の 額（税込み）	⑨			1,296,000	※付表2-1の⑨X欄へ 1,296,000
課 税 仕 入 れ に 係 る 消 費 税 額	⑩			75,600	※付表2-1の⑩X欄へ 75,600
適格請求書発行事業者以外の者から行った課税仕入れに係る経過措置の適用を受ける課税仕入れに係る支払対価の額（税込み）	⑪				※付表2-1の⑪X欄へ
適格請求書発行事業者以外の者から行った課税仕入れに係る経過措置により課税仕入れに係る消費税額とみなされる額	⑫				※付表2-1の⑫X欄へ
特 定 課 税 仕 入 れ に 係 る 支 払 対 価 の 額	⑬		※⑬及び⑭欄は、課税売上割合が95%未満、かつ、特定課税仕入れがある事業者のみ記載する。		※付表2-1の⑬X欄へ
特 定 課 税 仕 入 れ に 係 る 消 費 税 額	⑭			(⑬C欄×6.3/100)	※付表2-1の⑭X欄へ
課 税 貨 物 に 係 る 消 費 税 額	⑮				※付表2-1の⑮X欄へ
納 税 義 務 の 免 除 を 受 け な い（受 け る）こ と と な っ た 場 合 に お け る 消 費 税 額 の 調 整（加 算 又 は 減 算）額	⑯				※付表2-1の⑯X欄へ
課 税 仕 入 れ 等 の 税 額 の 合 計 額（⑩＋⑫＋⑭＋⑮±⑯）	⑰			75,600	※付表2-1の⑰X欄へ 75,600
課 税 売 上 高 が 5 億 円 以 下、か つ、課 税 売 上 割 合 が 95 % 以 上 の 場 合（⑰の金額）	⑱			75,600	※付表2-1の⑱X欄へ 75,600
課5課95税億%税未売円上満割の合場がが合控の調除税額整	個別対応方式	⑰のうち、課 税 売 上 げ に の み 要 す る も の	⑲			※付表2-1の⑲X欄へ
		⑰のうち、課 税 売 上 げ と 非 課 税 売 上 げ に 共 通 し て 要 す る も の	⑳			※付表2-1の⑳X欄へ
		個 別 対 応 方 式 に よ り 控 除 す る 課 税 仕 入 れ 等 の 税 額 〔⑲＋（⑳×④／⑦）〕	㉑			※付表2-1の㉑X欄へ
	一括比例配分方式により控除する課税仕入れ等の税額（⑰×④／⑦）		㉒			※付表2-1の㉒X欄へ
控除税額の調整	課 税 売 上 割 合 変 動 時 の 調 整 対 象 固 定 資 産 に 係 る 消 費 税 額 の 調 整（加 算 又 は 減 算）額		㉓			※付表2-1の㉓X欄へ
	調 整 対 象 固 定 資 産 を 課 税 業 務 用（非 課 税 業 務 用）に 転 用 し た 場 合 の 調 整（加 算 又 は 減 算）額		㉔			※付表2-1の㉔X欄へ
	居 住 用 賃 貸 建 物 を 課 税 賃 貸 用 に 供 し た（譲 渡 し た）場 合 の 加 算 額		㉕			※付表2-1の㉕X欄へ
差引	控 除 対 象 仕 入 税 額 〔（⑱、㉑又は㉒の金額）±㉓±㉔＋㉕〕がプラスの時		㉖	※付表1-2の④A欄へ	※付表1-2の④B欄へ	※付表1-2の④C欄へ 75,600	※付表2-1の㉖X欄へ 75,600
	控 除 過 大 調 整 税 額 〔（⑱、㉑又は㉒の金額）±㉓±㉔＋㉕〕がマイナスの時		㉗	※付表1-2の③A欄へ	※付表1-2の③B欄へ	※付表1-2の③C欄へ	※付表2-1の㉗X欄へ
貸 倒 回 収 に 係 る 消 費 税 額		㉘	※付表1-2の③A欄へ	※付表1-2の③B欄へ	※付表1-2の③C欄へ	※付表2-1の㉘X欄へ

注意
1　金額の計算においては、1円未満の端数を切り捨てる。
2　旧税率が適用された取引がある場合は、当該付表を作成してから付表2-1を作成する。
3　⑪、⑫及び㉑欄のX欄には、付表2-1のF欄の金額を計算した後に記載する。
4　⑨、⑩及び⑪欄については、値引き、割戻し、割引きなど仕入対価の返還等の金額がある場合（仕入対価の返還等の金額を仕入金額から直接減額している場合を除く。）には、その金額を控除した後の金額を記載する。
5　⑪及び⑫欄の経過措置とは、所得税法等の一部を改正する法律（平成28年法律第15号）附則第52条又は第53条の適用がある場合をいう。

(R5.10.1以後終了課税期間用)

第4-(2)号様式

付表2-1　課税売上割合・控除対象仕入税額等の計算表
〔経過措置対象課税資産の譲渡等を含む課税期間用〕

一 般

| 課　税　期　間 | ・　・　～　・　・ | 氏　名　又　は　名　称 | |

項　目		旧税率分小計 X	税率6.24%適用分 D	税率7.8%適用分 E	合　計 F (X+D+E)
課 税 売 上 額 （ 税 抜 き ）	①	円	38,502,362 円	56,824,250 円	95,326,612 円
免 税 売 上 額	②				
非 課 税 資 産 の 輸 出 等 の 金 額 、海 外 支 店 等 へ 移 送 し た 資 産 の 価 額	③				
課税資産の譲渡等の対価の額（①＋②＋③）	④				※第一表の①欄へ ※付表2-2の④X欄へ 95,326,612
課 税 資 産 の 譲 渡 等 の 対 価 の 額 （ ④ の 金 額 ）	⑤				95,326,612
非 課 税 売 上 額	⑥				824,967
資 産 の 譲 渡 等 の 対 価 の 額 （ ⑤ ＋ ⑥ ）	⑦				※第一表の⑩欄へ ※付表2-2の⑦X欄へ 96,151,579
課 税 売 上 割 合 （ ④ ／ ⑦ ）	⑧				※付表2-2の⑧X欄へ ［ 99 ％］ ※端数切捨て
課 税 仕 入 れ に 係 る 支 払 対 価 の 額 （ 税 込 み ）	⑨	（付表2-2の⑨X欄の金額） 1,296,000	35,216,079	57,577,203	94,089,282
課 税 仕 入 れ に 係 る 消 費 税 額	⑩	（付表2-2の⑩X欄の金額） 75,600	2,034,103	4,081,728	6,191,431
適格請求書発行事業者以外の者から行った課税仕入れに係る経過措置の適用を受ける課税仕入れに係る支払対価の額（税込み）	⑪	（付表2-2の⑪X欄の金額）			
適格請求書発行事業者以外の者から行った課税仕入れに係る経過措置により課税仕入れに係る消費税額とみなされる額	⑫	（付表2-2の⑫X欄の金額）			
特 定 課 税 仕 入 れ に 係 る 支 払 対 価 の 額	⑬	（付表2-2の⑬X欄の金額）	※⑬及び⑭欄は、課税売上割合が95%未満、かつ、特定課税仕入れがある事業者のみ記載する。		
特 定 課 税 仕 入 れ に 係 る 消 費 税 額	⑭	（付表2-2の⑭X欄の金額）		（⑬E欄×7.8/100）	
課 税 貨 物 に 係 る 消 費 税 額	⑮	（付表2-2の⑮X欄の金額）			
納 税 義 務 の 免 除 を 受 け な い （ 受 け る ） こ と と な っ た 場 合 に お け る 消 費 税 額 の 調 整 （ 加 算 又 は 減 算 ） 額	⑯	（付表2-2の⑯X欄の金額）			
課 税 仕 入 れ 等 の 税 額 の 合 計 額 （⑩＋⑫＋⑭＋⑮±⑯）	⑰	（付表2-2の⑰X欄の金額） 75,600	2,034,103	4,081,728	6,191,431
課 税 売 上 高 が 5 億 円 以 下 、 か つ 、課 税 売 上 割 合 が 95 ％ 以 上 の 場 合 （⑰の金額）	⑱	（付表2-2の⑱X欄の金額） 75,600	2,034,103	4,081,728	6,191,431
課税売上高が5億円超又は課税売上割合が95%未満の場合　個別対応方式　⑰のうち、課税売上げにのみ要するもの	⑲	（付表2-2の⑲X欄の金額）			
⑰のうち、課税売上げと非課税売上げに共 通 し て 要 す る も の	⑳	（付表2-2の⑳X欄の金額）			
個 別 対 応 方 式 に よ り 控 除 す る 課 税 仕 入 れ 等 の 税 額 〔⑲＋（⑳×④／⑦）〕	㉑	（付表2-2の㉑X欄の金額）			
一 括 比 例 配 分 方 式 に よ り 控 除 す る 課 税 仕 入 れ 等 の 税 額 （⑰×④／⑦）	㉒	（付表2-2の㉒X欄の金額）			
控除税額の調整　課 税 売 上 割 合 変 動 時 の 調 整 対 象 固 定 資 産 に 係 る 消 費 税 額 の 調 整 （ 加 算 又 は 減 算 ） 額	㉓	（付表2-2の㉓X欄の金額）			
調 整 対 象 固 定 資 産 を 課 税 業 務 用 （ 非 課 税 業 務 用 ） に 転 用 し た 場 合 の 調 整 （ 加 算 又 は 減 算 ） 額	㉔	（付表2-2の㉔X欄の金額）			
居 住 用 賃 貸 建 物 を 課 税 賃 貸 用 に 供 し た （ 譲 渡 し た ） 場 合 の 加 算 額	㉕	（付表2-2の㉕X欄の金額）			
差 引　控 除 対 象 仕 入 税 額 〔（⑱、㉑又は㉒の金額）±㉓±㉔＋㉕〕がプラスの時	㉖	（付表2-2の㉖X欄の金額） 75,600	※付表1-1の④D欄へ 2,034,103	※付表1-1の④E欄へ 4,081,728	6,191,431
控 除 過 大 調 整 税 額 〔（⑱、㉑又は㉒の金額）±㉓±㉔＋㉕〕がマイナスの時	㉗	（付表2-2の㉗X欄の金額）	※付表1-1の③D欄へ	※付表1-1の③E欄へ	
貸 倒 回 収 に 係 る 消 費 税 額	㉘	（付表2-2の㉘X欄の金額）	※付表1-1の③D欄へ	※付表1-1の③E欄へ	

注意
1　金額の計算においては、1円未満の端数を切り捨てる。
2　旧税率が適用された取引がある場合は、付表2-2を作成してから当該付表を作成する。
3　⑨、⑪、⑬及び⑨欄には、値引き、割戻し、割引きなど仕入対価の返還等の金額がある場合（仕入対価の返還等の金額を仕入金額から直接減額している場合を除く。）には、その金額を控除した後の金額を記載する。
4　⑪及び⑫欄の経過措置とは、所得税法等の一部を改正する法律（平成28年法律第15号）附則第52条又は第53条の適用がある場合をいう。

(R5.10.1以後終了課税期間用)

付表1-2　税率別消費税額計算表　兼　地方消費税の課税標準となる消費税額計算表
〔経過措置対象課税資産の譲渡等を含む課税期間用〕

一 般

課 税 期 間	・ ・ ～ ・ ・	氏 名 又 は 名 称	

区　　　　　分		税率3％適用分 A	税率4％適用分 B	税率6.3％適用分 C	旧税率分小計 X (A+B+C)
課 税 標 準 額	①	円 000	円 000	円 000	※付表1-1の①X欄へ 円 000
①の内訳 課税資産の譲渡等の対価の額	①-1	※第二表の②欄へ	※第二表の③欄へ	※第二表の④欄へ	※付表1-1の①-1X欄へ
特定課税仕入れに係る支払対価の額	①-2	※①-2欄は、課税売上割合が95%未満、かつ、特定課税仕入れがある事業者のみ記載する。	※第二表の⑧欄へ	※付表1-1の①-2X欄へ	
消 費 税 額	②	※第二表の⑫欄へ	※第二表の⑬欄へ	※第二表の⑭欄へ	※付表1-1の②X欄へ
控 除 過 大 調 整 税 額	③	(付表2-2の㉗・㉘A欄の合計金額)	(付表2-2の㉗・㉘B欄の合計金額)	(付表2-2の㉗・㉘C欄の合計金額)	※付表1-1の③X欄へ
控除税額 控除対象仕入税額	④	(付表2-2の㉖A欄の金額)	(付表2-2の㉖B欄の金額)	(付表2-2の㉖C欄の金額) 75,600	※付表1-1の④X欄へ 75,600
返 還 等 対 価 に 係 る 税 額	⑤				※付表1-1の⑤X欄へ
⑤の内訳 売上げの返還等対価に係る税額	⑤-1				※付表1-1の⑤-1X欄へ
特定課税仕入れの返還等対価に係る税額	⑤-2	※⑤-2欄は、課税売上割合が95%未満、かつ、特定課税仕入れがある事業者のみ記載する。			※付表1-1の⑤-2X欄へ
貸 倒 れ に 係 る 税 額	⑥				※付表1-1の⑥X欄へ
控 除 税 額 小 計 (④+⑤+⑥)	⑦			75,600	※付表1-1の⑦X欄へ 75,600
控 除 不 足 還 付 税 額 (⑦-②-③)	⑧		※⑪B欄へ	※⑪C欄へ 75,600	※付表1-1の⑧X欄へ 75,600
差 引 税 額 (②+③-⑦)	⑨		※⑫B欄へ	※⑫C欄へ	※付表1-1の⑨X欄へ
合 計 差 引 税 額 (⑨-⑧)	⑩				
地方消費税の課税標準となる消費税額 控除不足還付税額	⑪		(⑧B欄の金額)	(⑧C欄の金額) 75,600	※付表1-1の⑪X欄へ 75,600
差 引 税 額	⑫		(⑨B欄の金額)	(⑨C欄の金額)	※付表1-1の⑫X欄へ
合計差引地方消費税の課税標準となる消費税額 (⑫-⑪)	⑬		※第二表の㉑欄へ	※第二表の㉒欄へ △75,600	※付表1-1の⑬X欄へ △75,600
譲渡割額 還 付 額	⑭		(⑪B欄×25/100)	(⑪C欄×17/63) 20,400	※付表1-1の⑭X欄へ 20,400
納 税 額	⑮		(⑫B欄×25/100)	(⑫C欄×17/63)	※付表1-1の⑮X欄へ
合 計 差 引 譲 渡 割 額 (⑮-⑭)	⑯				

注意　1　金額の計算においては、1円未満の端数を切り捨てる。
　　　2　旧税率が適用された取引がある場合は、当該付表を作成してから付表1-1を作成する。

(R5.10.1以後終了課税期間用)

第4-(1)号様式

付表1-1 税率別消費税額計算表 兼 地方消費税の課税標準となる消費税額計算表 〔経過措置対象課税資産の譲渡等を含む課税期間用〕

一 般

課 税 期 間	・ ・ 〜 ・ ・	氏 名 又 は 名 称	

区 分		旧税率分小計 X	税率6.24％適用分 D	税率7.8％適用分 E	合 計 F (X＋D＋E)
課 税 標 準 額 ①		(付表1-2の①X欄の金額) 円 000	円 38,502,000	円 56,824,000	※第二表の①欄へ 円 95,326,000
①の内訳	課税資産の譲渡等の対価の額 ①-1	(付表1-2の①-1X欄の金額)	※第二表の⑤欄へ 38,502,362	※第二表の⑥欄へ 56,824,250	※第二表の⑦欄へ 95,326,612
	特定課税仕入れに係る支払対価の額 ①-2	(付表1-2の①-2X欄の金額)	※①-2欄は、課税売上割合が95%未満、かつ、特定課税仕入れがある事業者のみ記載する。 ※第二表の⑩欄へ		※第二表の⑩欄へ
消 費 税 額 ②		(付表1-2の②X欄の金額)	※第二表の⑮欄へ 2,402,524	※第二表の⑯欄へ 4,432,272	※第二表の⑪欄へ 6,834,796
控 除 過 大 調 整 税 額 ③		(付表1-2の③X欄の金額)	(付表2-1の⑦・㉘D欄の合計金額)	(付表2-1の⑦・㉘E欄の合計金額)	※第一表の③欄へ
控除税額	控除対象仕入税額 ④	(付表1-2の④X欄の金額) 75,600	(付表2-1の㉔D欄の金額) 2,034,103	(付表2-1の㉘E欄の金額) 4,081,728	※第一表の④欄へ 6,191,431
	返還等対価に係る税額 ⑤	(付表1-2の⑤X欄の金額)			※第二表の⑰欄へ
	⑤の内訳 売上げの返還等対価に係る税額 ⑤-1	(付表1-2の⑤-1X欄の金額)			※第二表の⑱欄へ
	特定課税仕入れの返還等対価に係る税額 ⑤-2	(付表1-2の⑤-2X欄の金額)	※⑤-2欄は、課税売上割合が95%未満、かつ、特定課税仕入れがある事業者のみ記載する。		※第二表の⑲欄へ
	貸倒れに係る税額 ⑥	(付表1-2の⑥X欄の金額)			※第一表の⑥欄へ
	控除税額小計 (④＋⑤＋⑥) ⑦	(付表1-2の⑦X欄の金額) 75,600	2,034,103	4,081,728	※第一表の⑦欄へ 6,191,431
控除不足還付税額 (⑦−②−③) ⑧		(付表1-2の⑧X欄の金額) 75,600	※⑪E欄へ	※⑪E欄へ	75,600
差 引 税 額 (②＋③−⑦) ⑨		(付表1-2の⑨X欄の金額)	※⑫E欄へ 368,421	※⑫E欄へ 350,544	718,965
合 計 差 引 税 額 (⑨−⑧) ⑩					※マイナスの場合は第一表の⑧欄へ ※プラスの場合は第一表の⑨欄へ 643,365
地方消費税の課税標準となる消費税額	控除不足還付税額 ⑪	(付表1-2の⑪X欄の金額) 75,600		(⑧D欄と⑧E欄の合計金額)	75,600
	差 引 税 額 ⑫	(付表1-2の⑫X欄の金額)		(⑨D欄と⑨E欄の合計金額) 718,965	718,965
合計差引地方消費税の課税標準となる消費税額 (⑫−⑪) ⑬		(付表1-2の⑬X欄の金額) △75,600		※第二表の㉓欄へ 718,965	※マイナスの場合は第一表の⑰欄へ ※プラスの場合は第一表の⑱欄へ ※第二表の㉚欄へ 643,365
譲渡割額	還 付 額 ⑭	(付表1-2の⑭X欄の金額) 20,400		(⑪E欄×22/78)	20,400
	納 税 額 ⑮	(付表1-2の⑮X欄の金額)		(⑫E欄×22/78) 202,785	202,785
合 計 差 引 譲 渡 割 額 (⑮−⑭) ⑯					※マイナスの場合は第一表の⑲欄へ ※プラスの場合は第一表の⑳欄へ 182,385

注意 1 金額の計算においては、1円未満の端数を切り捨てる。
2 旧税率が適用された取引がある場合は、付表1-2を作成してから当該付表を作成する。

(R5.10.1以後終了課税期間用)

課税標準額等の内訳書

納 税 地	
	（電話番号　　　－　　　－　　　　）
（フリガナ）	
法 人 名	
（フリガナ）	
代表者氏名	

整理番号 ☐☐☐☐☐☐☐☐　**法人用**

改 正 法 附 則 に よ る 税 額 の 特 例 計 算			
軽減売上割合（10営業日）	○	附則38①	51
小 売 等 軽 減 仕 入 割 合	○	附則38②	52

第二表

自 令和 ☐☐年☐☐月☐☐日　　**課税期間分の消費税及び地方**
至 令和 ☐☐年☐☐月☐☐日　　**消費税の（　確定　）申告書**

中間申告 自 令和 ☐☐年☐☐月☐☐日
の場合の
対象期間 至 令和 ☐☐年☐☐月☐☐日

令和四年四月一日以後終了課税期間分

課 税 標 準 額　※申告書（第一表）の①欄へ	①	9 5 3 2 6 0 0 0	01

課 税 資 産 の 譲 渡 等 の 対 価 の 額 の 合 計 額	3 ％ 適 用 分	②		02
	4 ％ 適 用 分	③		03
	6.3 ％ 適 用 分	④		04
	6.24％ 適 用 分	⑤	3 8 5 2 0 3 6 2	05
	7.8 ％ 適 用 分	⑥	5 6 8 2 4 2 5 0	06
	（②～⑥の合計）	⑦	9 5 3 2 6 6 1 2	07
特 定 課 税 仕 入 れ に 係 る 支 払 対 価 の 額 の 合 計 額　（注1）	6.3 ％ 適 用 分	⑧		11
	7.8 ％ 適 用 分	⑨		12
	（⑧・⑨の合計）	⑩		13

消 費 税 額　※申告書（第一表）の②欄へ	⑪	6 8 3 4 7 9 6	21

⑪ の 内 訳	3 ％ 適 用 分	⑫		22
	4 ％ 適 用 分	⑬		23
	6.3 ％ 適 用 分	⑭		24
	6.24 ％ 適 用 分	⑮	2 4 0 2 5 2 4	25
	7.8 ％ 適 用 分	⑯	4 4 3 2 2 7 2	26

返 還 等 対 価 に 係 る 税 額　※申告書（第一表）の⑤欄へ	⑰		31
⑰の内訳　売上げの返還等対価に係る税額	⑱		32
特定課税仕入れの返還等対価に係る税額 （注1）	⑲		33

地 方 消 費 税 の 課 税 標 準 と な る 消 費 税 額 （注2）	（㉑～㉓の合計）	⑳	6 4 3 3 6 5	41
	4 ％ 適 用 分	㉑		42
	6.3 ％ 適 用 分	㉒	△ 7 5 6 0 0	43
	6.24％及び7.8％ 適 用 分	㉓	7 1 8 9 6 5	44

（注1）　⑧～⑩及び⑲欄は、一般課税により申告する場合で、課税売上割合が95％未満、かつ、特定課税仕入れがある事業者のみ記載します。
（注2）　⑳～㉓欄が還付税額となる場合はマイナス「－」を付してください。

第3-(1)号様式

令和　年　月　日	税務署長殿

収受印

納　税　地

（電話番号　　　－　　　－　　　）

（フリガナ）

法　人　名

法　人　番　号

（フリガナ）

代表者氏名

自 平成・令和 □□年 □□月 □□日
至 令和 □□年 □□月 □□日

課税期間分の消費税及び地方消費税の（ 確定 ）申告書

中間申告の場合の対象期間　自 平成・令和 □□年 □□月 □□日　至 令和 □□年 □□月 □□日

令和五年十月一日以後終了課税期間分（一般用）

法人用

○（個人の方）振替継続希望

※税務署処理欄

所管　要否　整理番号

申告年月日　令和 □□年 □□月 □□日

申告区分　指導等　庁指定　局指定

通信日付印　確認

指導年月日　令和　年　月　日　相談　区分1　区分2　区分3

第一表

この申告書による消費税の税額の計算

課税標準額	①	9 5 3 2 6 0 0 0	03
消費税額	②	6 8 3 4 7 9 6	06
控除過大調整税額	③		07
控除税額 控除対象仕入税額	④	6 1 9 1 4 3 1	08
返還等対価に係る税額	⑤		09
貸倒れに係る税額	⑥		10
控除税額小計（④+⑤+⑥）	⑦	6 1 9 1 4 3 1	11
控除不足還付税額（⑦-②-③）	⑧		13
差引税額（②+③-⑦）	⑨	6 4 3 3 0 0	15
中間納付税額	⑩	0 0	16
納付税額（⑨-⑩）	⑪	6 4 3 3 0 0	17
中間納付還付税額（⑩-⑨）	⑫	0 0	18
この申告書が修正申告である場合 既確定税額	⑬		19
差引納付税額	⑭	0 0	20
課税売上割合 課税資産の譲渡等の対価の額	⑮	9 5 3 2 6 6 1 2	21
資産の譲渡等の対価の額	⑯	9 6 1 5 1 5 7 9	22

⑪・⑫又は⑫・⑬の記入をお忘れなく。

この申告書による地方消費税の税額の計算

地方消費税の課税標準となる消費税額 控除不足還付税額	⑰		51
差引税額	⑱	6 4 3 3 0 0	52
譲渡割額 還付額	⑲		53
納税額	⑳	1 8 2 3 0 0	54
中間納付譲渡割額	㉑	0 0	55
納付譲渡割額（⑳-㉑）	㉒	1 8 2 3 0 0	56
中間納付還付譲渡割額（㉑-⑳）	㉓	0 0	57
この申告書が修正申告である場合 既確定譲渡割額	㉔		58
差引納付譲渡割額	㉕	0 0	59
消費税及び地方消費税の合計（納付又は還付）税額	㉖	8 2 5 6 0 0	60

付記事項・参考事項

割賦基準の適用	○ 有	⚫ 無	31
延払基準等の適用	○ 有	⚫ 無	32
工事進行基準の適用	○ 有	⚫ 無	33
現金主義会計の適用	○ 有	⚫ 無	34
課税標準額に対する消費税額の計算の特例の適用	○ 有	⚫ 無	35

控除税額の計算方法

課税売上高5億円超又は課税売上割合95%未満	○ 個別対応方式 ○ 一括比例配分方式	41
上記以外	⚫ 全額控除	

基準期間の課税売上高　　　　　千円

○ 税額控除に係る経過措置の適用（2割特例） 42

還付を受けようとする金融機関等

銀行　本店・支店
金庫・組合　出張所
農協・漁協　本所・支所

預金　口座番号

ゆうちょ銀行の貯金記号番号　　　－

郵便局名等

○（個人の方）公金受取口座の利用

※税務署整理欄

税理士署名

（電話番号　　　－　　　－　　　）

○ 税理士法第30条の書面提出有
○ 税理士法第33条の2の書面提出有

㉖=（⑪+㉒）-（⑧+⑫+⑲+㉓）・修正申告の場合㉖=⑭+㉕
㉖が還付税額となる場合はマイナス「-」を付してください。

※　2割特例による申告の場合、⑬欄に⑪欄の数字を記載し、⑫欄×22/78から算出された金額を⑳欄に記載してください。

第7章

簡易課税制度の申告書作成事例

7－1 簡易課税制度とインボイス制度について（請求書等の関係書類の保存管理について）

簡易課税制度を選択しておりますが、インボイス制度の対応について教えてください。

A **ポイント** 簡易課税制度は、課税売上げに係る消費税額にみなし仕入率を乗じて仕入れに係る消費税額を計算し、納税額を算出します。

よって、課税売上げを区分し管理していれば、みなし仕入率を適用できますので、この点にのみ着目すれば、簡易課税事業者は、インボイス制度のインボイス発行事業者になる必要はありません。

1 簡易課税制度

簡易課税制度は、課税事業者である中小企業の事務負担を軽減することが目的ですので、一定要件をクリアすれば、任意に選択することができます。

本来、課税事業者になると一般課税が適用されます。

一般課税とは、仕入れに係る消費税額を正確に計算し、課税売上げに係る消費税額との差額をもって納付額（又は還付額）を算出します。

一方、簡易課税制度では、課税売上げに係る消費税額にみなし仕入率を乗じて仕入れに係る消費税額を計算し、納付額を算出します。

みなし仕入率は、次のように業種ごとに定められています。

事業区分	該当事業	みなし仕入率
第一種事業	卸売業	90%
第二種事業	小売業	80%
第三種事業	製造業等	70%
第四種事業	飲食店業その他の事業	60%
第五種事業	運輸通信業、金融業、保険業及びサービス業（飲食店業を除く）	50%
第六種事業	不動産業	40%

特に、複数の事業を営んでいる企業は、一般課税と同様に業種ごとの課税売上げを区分管理しておく必要があります。区分管理をしないで一括管理している場合は、最も低いみなし仕入率を用いて計算することになっていますので、請求書等の関係書類の保存管理については、業種ごとに区分管理する必要があります。

次に簡易課税制度とインボイス制度との関係ですが、インボイス発行事業者に登録しなくとも、簡易課税制度を適用することができます。

一般課税の事業者の場合、仕入税額控除の対象となるのは、インボイス発行事業者が発行したインボイスであり、その保存が必要となります。

しかし、簡易課税制度適用事業者は、課税売上げの消費税額にみなし仕入率を乗じて仕入税額控除の計算をするため、インボイス制度によるインボイスを必要としませんし、その保存も必要とされません。

つまり、これまでどおりの計算方式で、消費税の申告・納付を行い、従来どおりの関係書類の保存・管理でよいということです。

なお、簡易課税を選択している事業者は、取引先の関係でインボイス発行事業者になっても、消費税の納付額の計算には影響ありません。

Q 7-2　2割特例が適用できなくなる場合の簡易課税制度の選択について

2割特例の適用を受けていた事業者が、翌課税期間から2割特例が適用できなくなる場合、簡易課税制度の適用を受けるには、どうしたらいいですか。

A　ポイント　インボイス発行事業者で2割特例の適用を受けている場合、2割特例が適用できなくなる翌課税期間中に「消費税簡易課税制度選択届出書」を提出すれば、簡易課税制度の適用が受けられます。

2割特例の適用対象者は、インボイス登録をして、免税事業者からインボイス発行事業者として課税事業者になった者であり、具体的には、免税事業者がインボイス発行事業者の登録を受け、課税事業者となった者で、基準期間の課税売上高又は特定期間の課税売上高が1,000万円以下の事業者などが対象となります。

したがって、インボイス発行事業者の登録を受けていない場合には、2割特例の対象とはなりません。

この2割特例を適用できる期間は、令和5年10月1日から令和8年9月30日までの日の属する各課税期間となります。

例えば、免税事業者が「適格請求書発行事業者の登録申請書」と共に「消費税簡易課税制度選択届出書」も提出した場合において、2割特例の適用できる期間内において簡易課税の要件を満たしているときは、簡易課税の申告か2割特例の申告かの選択が可能です。

　一方、「消費税簡易課税制度選択届出書」の提出をしていないが、インボイスの登録申請をした免税事業者は、2割特例の適用期間内は、一般課税の申告か2割特例の申告かの選択が可能です。そこで、簡易課税の申告をするためには、2割特例の適用期間が終わった翌課税期間中に「消費税簡易課税制度選択届出書」を提出すれば、その課税期間から簡易課税の申告ができます。

（例：個人事業者が3年間の経過措置期間が終了する翌課税期間において、簡易課税制度を適用する場合）

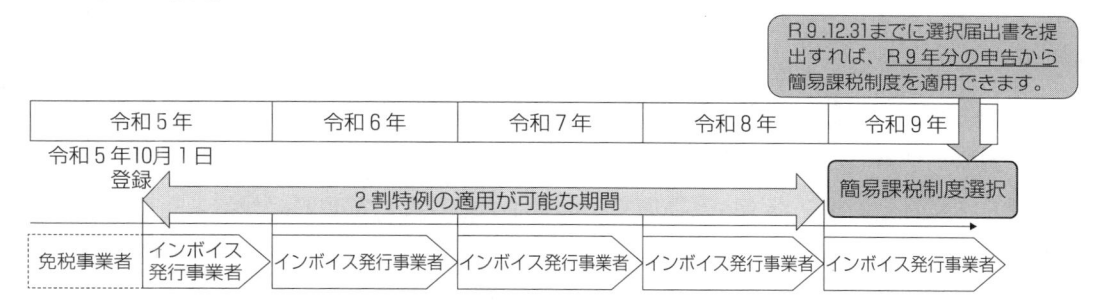

（例：個人事業者の基準期間における課税売上高が1千万円を超える課税期間がある場合）

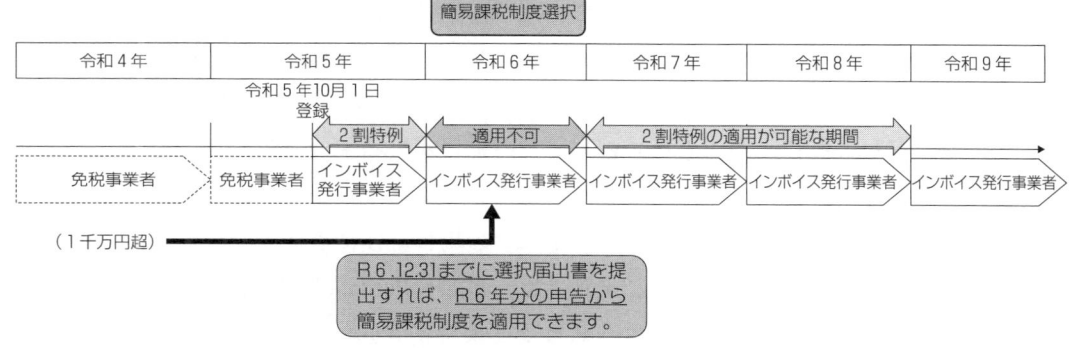

（出典：国税庁ホームページ「2割特例（インボイス発行事業者となる小規模事業者に対する負担軽減措置）の概要」）

Q 7-3　**インボイス制度の下での売上税額の積上げ計算における留意点**

当社（A社）は、インボイス制度が導入される前から、売上げに係る消費税額等を積上げ計算してきました。インボイス制度が導入された後、何か留意することがありますか。

A　インボイス制度における売上税額の計算方法は、原則として、割戻し計算です。すなわち、課税期間中の課税資産の譲渡等の税込金額の合計額 $\times \frac{100}{110}$（軽減税率の対象となる場合は $\frac{100}{108}$）を乗じて計算した課税標準額に7.8%（軽減税率の対象となる場合6.24%）を乗じて算出します。

ただし、交付したインボイス及び簡易インボイスの写し（電磁的記録により提供したものも含みます。）を保存している場合に、その請求書等に記載された標準税率と軽減税率の税率ごとの消費税額等の合計額に $\frac{78}{100}$ を乗じて積上げ計算した金額を売上税額とすることもできます（積上げ計算）（法45⑤、令62）。

なお、「交付したインボイス及び簡易インボイスの写し」の要件ですが、小売店等で、商品販売時に顧客に対し、簡易インボイスであるレシートを交付しようとしたところ、顧客が受け取らなかった場合も、当該インボイス等の写しを保存しておけば、「交付したインボイス等の写しの保存」があるものとして、売上税額の積上げ計算が可能です。

また、取引先の中に、先方（B社）の仕入明細書で支払を行い、A社のインボイスを受け取ってもらえないケースも考えられますが、この場合、B社が仕入明細書を仕入税額控除の要件として保存すべき請求書等とするには、当該仕入明細書に記載されている事項について売り手であるA社の確認を受けることが必要です。

この確認の結果、A社とB社との間で仕入明細書に記載された消費税額等について共有されることになるので、A社がインボイスを交付できない場合であっても、仕入明細書に記載されている事項の相互確認にあたって仕入明細書を受領しており、かつ、当該受領した仕入明細書を課税売上のインボイス等の写しと同様の期間・方法により保存している場合には「交付したインボイス等の写しの保存」があるものとして、売上税額の積上げ計算を行うことができます。

なお、売上税額の計算は、取引先ごとに積上げ計算と割戻し計算を分けて適用することが可能です。しかし、取引先ごとに併用した場合であっても売上税額の計算につき積上げ計算を適用した場合に当たるため、一般課税の場合、仕入税額の計算方法に割戻し計算を適用することはできません（基通15-2-1の2）。

Q 7－4 売上げに係る消費税額を積上げ計算している場合

当社（Ｉ社）は、消費税の経理処理について税抜経理方式によっており、簡易課税制度を選択しています。簡易課税の事業区分は小売業（みなし仕入率80％）で、レジシステムは簡易インボイスとしての要件を満たし、税率区分ごとに、取引価格の総額と消費税額を記載しています。

軽減税率の適用もある商品も取り扱っている場合の、積上げ計算の適用にあたって申告書の作成手順を教えてください。

当課税期間（令和5年4月1日～令和6年3月31日）の課税売上げの状況は以下のとおりです。

			軽減税率8％ （うち国税6.24％）		標準税率10％ （うち国税7.8％）	
課税売上高（税抜き）			12,000,000円		8,000,000円	
積上げ仮受消費税等			959,200円	①	799,000円	②
内訳	消費税	①②×0.78	748,176円		623,220円	
	地方消費税	①②×0.22	211,024円		175,780円	

A Q 7－3の条件を満たす、インボイス制度の下での売上税額の積上げ計算を行っている会社（Ｉ社）の申告書作成手順です。今回は売上高に旧税率（8％：国税6.3％、5％：国税4％、3％：国税3％）が含まれていないケースです。この場合必要な消費税及び地方消費税の申告書（以下 第7章 において「申告書」といいます。）は第一表、第二表及び付表4－3、付表5－3です。旧税率が含まれている場合は、付表4－1、4－2、5－1、5－2を使用することになります。

まず、付表4－3「税率別消費税額計算表 兼 地方消費税の課税標準となる消費税額計算表」と付表5－3「控除対象仕入税額等の計算表」を作成します。

1 課税標準額

軽減税率6.24％適用分	ⓐ	12,000,000円
標準税率7.8％適用分	ⓑ	8,000,000円
合計	ⓒ	20,000,000円

上記金額を付表4－3①のA、B、Cに記入します。

2 控除対象仕入税額の計算の基礎となる課税標準に対する積上げ計算をした消費税額

軽減税率6.24%適用分	ⓓ	748,176円
標準税率7.8%適用分	ⓔ	623,220円
合計	ⓕ	1,371,396円

上記金額を、付表4-3②のA、B、Cと付表5-3①のA、B、Cに記入します。

3 1種類の事業のみを行う専業者の場合の控除対象仕入税額

Ⅰ社は小売業のみに専業する会社のため、控除対象仕入税額は、上記ⓓ、ⓔの80%（1円未満の端数のある場合は切り捨てます。）となります。

軽減税率6.24%適用分	ⓖ	598,540円
標準税率7.8%適用分	ⓗ	498,576円
合計	ⓘ	1,097,116円

上記金額を付表4-3④のA、B、Cと付表5-3⑤のA、B、Cに記入します。

ⓘの1,097,116円を申告書第一表の④へ転記します。

4 課税標準額等の内訳書（第二表）への転記

⑴ 課税資産の譲渡等の対価の額の合計額

上記 **1** の軽減税率6.24%適用分ⓐ12,000,000円を第二表の⑤に、標準税率7.8%適用分ⓑ8,000,000円を第二表の⑥に、合計ⓒ20,000,000円を第二表の⑦に転記します。

⑵ 消費税額

上記 **2** の軽減税率6.24%適用分ⓓ748,176円を第二表の⑮、標準税率7.8%適用分ⓔ623,220円を第二表の⑯に、合計ⓕ1,371,396円を第二表の⑪に転記します。

⑶ 地方消費税の課税標準となる消費税額

	ⓕ	積上げした消費税額	（軽減税率分＋標準税率分）	1,371,396円
－	ⓘ	控除対象仕入税額	（軽減税率分＋標準税率分）	<u>1,097,116円</u>
				274,280円
				→274,200円を⑳に転記

5 申告書第一表の作成

⑴ ①課税標準額　　　　第二表の①から転記　　20,000,000円

⑵ ②消費税額　　　　　第二表の⑪から転記　　 1,371,396円

⑶ ④控除対象仕入税額　付表4-3④Cから転記　 1,097,116円

⑷　⑨差引税額　　　　　付表4－3⑨Ｃから転記274,200円（地方消費税の課税標準
　　　　　　　　　　　　　　　　　　　　　　　　　　　　　　　となる消費税額）

⑸　⑳地方消費税の譲渡割額　付表4－3⑬Ｃから転記　77,300円

　なお、⑷⑸ともに、申告書第一表に転記される際に100円未満の端数が切り捨てられ
ます。

⑹　㉖消費税及び地方消費税の合計　351,500円（⑪274,200円＋㉒77,300円）

付表4−3　税率別消費税額計算表　兼　地方消費税の課税標準となる消費税額計算表

| 簡 易 |

| 課　税　期　間 | 令和 5 ・ 4 ・ 1 〜 令和 6 ・ 3 ・ 31 | 氏名又は名称 | I社 |

区　　　　　分		税 率 6.24 ％ 適 用 分 A	税 率 7.8 ％ 適 用 分 B	合　　計　　C (A＋B)
課　税　標　準　額	①	12,000,000 円	8,000,000 円	※第二表の①欄へ 20,000,000 円
課 税 資 産 の 譲 渡 等 の 対 価 の 額	①-1	※第二表の⑤欄へ 12,000,000	※第二表の⑥欄へ 8,000,000	※第二表の⑦欄へ 20,000,000
消　　費　　税　　額	②	※付表5-3の①A欄へ ※第二表の⑮欄へ 748,176	※付表5-3の①B欄へ ※第二表の⑯欄へ 623,220	※付表5-3の①C欄へ ※第二表の⑪欄へ 1,371,396
貸倒回収に係る消費税額	③	※付表5-3の②A欄へ	※付表5-3の②B欄へ	※付表5-3の②C欄へ ※第一表の③欄へ
控除税額　控除対象仕入税額	④	(付表5-3の⑤A欄又は㉗A欄の金額) 598,540	(付表5-3の⑤B欄又は㉗B欄の金額) 498,576	(付表5-3の⑤C欄又は㉗C欄の金額) ※第一表の④欄へ 1,097,116
返 還 等 対 価 に 係 る 税 額	⑤	※付表5-3の③A欄へ	※付表5-3の③B欄へ	※付表5-3の③C欄へ ※第二表の⑰欄へ
貸 倒 れ に 係 る 税 額	⑥			※第一表の⑥欄へ
控 除 税 額 小 計 (④＋⑤＋⑥)	⑦	598,540	498,576	※第一表の⑦欄へ 1,097,116
控 除 不 足 還 付 税 額 (⑦−②−③)	⑧			※第一表の⑧欄へ
差 引 税 額 (②＋③−⑦)	⑨			※第一表の⑨欄へ 274,200
地方消費税の課税標準となる消費税額　控除不足還付税額 (⑧)	⑩			※第一表の⑰欄へ ※マイナス「−」を付して第二表の㉑及び㉓欄へ
差 引 税 額 (⑨)	⑪			※第一表の⑱欄へ ※第二表の㉑及び㉓欄へ 274,200
譲渡割額　還 付 額	⑫			(⑩C欄×22/78) ※第一表の⑲欄へ
納 税 額	⑬			(⑪C欄×22/78) ※第一表の⑳欄へ 77,300

注意　金額の計算においては、1円未満の端数を切り捨てる。

(R1.10.1以後終了課税期間用)

第4-(12)号様式

付表5-3　控除対象仕入税額等の計算表

簡 易

課税期間	令和 5 4 1 ～ 令和 6 3 31	氏名又は名称	I 社

I　控除対象仕入税額の計算の基礎となる消費税額

項　目		税率6.24%適用分 A	税率7.8%適用分 B	合計 C (A+B)
課税標準額に対する消費税額	①	(付表4-3の②A欄の金額) 748,176 円	(付表4-3の②B欄の金額) 623,220 円	(付表4-3の②C欄の金額) 1,371,396 円
貸倒回収に係る消費税額	②	(付表4-3の③A欄の金額)	(付表4-3の③B欄の金額)	(付表4-3の③C欄の金額)
売上対価の返還等に係る消費税額	③	(付表4-3の⑤A欄の金額)	(付表4-3の⑤B欄の金額)	(付表4-3の⑤C欄の金額)
控除対象仕入税額の計算の基礎となる消費税額 (①＋②－③)	④	748,176	623,220	1,371,396

II　1種類の事業の専業者の場合の控除対象仕入税額

項　目		税率6.24%適用分 A	税率7.8%適用分 B	合計 C (A+B)
④ × みなし仕入率 (90%・⑳80%・70%・60%・50%・40%)	⑤	※付表4-3の④A欄へ 598,540 円	※付表4-3の④B欄へ 498,576 円	※付表4-3の④C欄へ 1,097,116 円

III　2種類以上の事業を営む事業者の場合の控除対象仕入税額

(1) 事業区分別の課税売上高(税抜き)の明細

項　目		税率6.24%適用分 A	税率7.8%適用分 B	合計 C (A+B)	売上割合
事業区分別の合計額	⑥	円	円	円	
第一種事業 (卸売業)	⑦			※第一表「事業区分」欄へ	%
第二種事業 (小売業等)	⑧			※　〃	
第三種事業 (製造業等)	⑨			※　〃	
第四種事業 (その他)	⑩			※　〃	
第五種事業 (サービス業等)	⑪			※　〃	
第六種事業 (不動産業)	⑫			※　〃	

(2) (1)の事業区分別の課税売上高に係る消費税額の明細

項　目		税率6.24%適用分 A	税率7.8%適用分 B	合計 C (A+B)
事業区分別の合計額	⑬	円	円	円
第一種事業 (卸売業)	⑭			
第二種事業 (小売業等)	⑮			
第三種事業 (製造業等)	⑯			
第四種事業 (その他)	⑰			
第五種事業 (サービス業等)	⑱			
第六種事業 (不動産業)	⑲			

注意　1　金額の計算においては、1円未満の端数を切り捨てる。
　　　2　課税売上げにつき返品を受け又は値引き・割戻しをした金額(売上対価の返還等の金額)があり、売上(収入)金額から減算しない方法で経理して経費に含めている場合には、⑥から⑫欄には売上対価の返還等の金額(税抜き)を控除した後の金額を記載する。

(1／2)

(R1.10.1以後終了課税期間用)

第3-(2)号様式

課税標準額等の内訳書

法人用

第二表

令和四年四月一日以後終了課税期間分

納　税　地	
	（電話番号　　　－　　　－　　　）
（フリガナ）	
法　人　名	Ｉ社
（フリガナ）	
代表者氏名	

整理番号	

改正法附則による税額の特例計算

軽減売上割合（10営業日）	○	附則38①	51
小売等軽減仕入割合	○	附則38②	52

自 令和 **5**年 **4**月 **1**日　**課税期間分の消費税及び地方消費税の（　確定　）申告書**

至 令和 **6**年 **3**月**31**日

中間申告の場合の対象期間　自 令和 ［　］年［　］月［　］日　至 令和 ［　］年［　］月［　］日

課　税　標　準　額 ※申告書（第一表）の①欄へ	①	十兆千百十億千百十万千百十一円　　20000000	01

課税資産の譲渡等の対価の額の合計額	3　％適用分	②		02
	4　％適用分	③		03
	6.3　％適用分	④		04
	6.24　％適用分	⑤	12000000	05
	7.8　％適用分	⑥	8000000	06
	（②～⑥の合計）	⑦	20000000	07
特定課税仕入れに係る支払対価の額の合計額　（注1）	6.3　％適用分	⑧		11
	7.8　％適用分	⑨		12
	（⑧・⑨の合計）	⑩		13

消　費　税　額 ※申告書（第一表）の②欄へ	⑪	1371396	21
⑪　の　内　訳	3　％適用分	⑫		22
	4　％適用分	⑬		23
	6.3　％適用分	⑭		24
	6.24％適用分	⑮	748176	25
	7.8　％適用分	⑯	623220	26

返　還　等　対　価　に　係　る　税　額 ※申告書（第一表）の⑤欄へ	⑰		31
⑰の内訳	売上げの返還等対価に係る税額	⑱		32
	特定課税仕入れの返還等対価に係る税額　（注1）	⑲		33

地方消費税の課税標準となる消費税額	（㉑～㉓の合計）	⑳	274200	41
	4　％適用分	㉑		42
	6.3　％適用分	㉒		43
	6.24％及び7.8％適用分　（注2）	㉓	274200	44

（注1）　⑧～⑩及び⑲欄は、一般課税により申告する場合で、課税売上割合が95％未満、かつ、特定課税仕入れがある事業者のみ記載します。
（注2）　⑳～㉓欄が還付税額となる場合はマイナス「－」を付してください。

238

第3-(3)号様式

令和　年　月　日　　　　　　　　　　税務署長殿

収受印

納税地	（電話番号　　−　　−　　）
（フリガナ）	
法人名	I社
法人番号	
（フリガナ）	
代表者氏名	

○（個人の方）振替継続希望

※税務署処理欄

所管	要否	整理番号	
申告年月日		令和　　年　　月　　日	
申告区分	指導等	庁指定	局指定
通信日付印　確認			
年　月　日			
指導　年　月　日		相談 区分1 区分2 区分3
令和		

簡　法人用　第一表　令和五年十月一日以後終了課税期間分（簡易課税用）

自 平成・令和 **5** 年 **4** 月 **1** 日
至 令和 **6** 年 **3** 月 **31** 日

課税期間分の消費税及び地方消費税の（　確定　）申告書

中間申告の場合の対象期間　自 平成・令和　　年　　月　　日　至 令和　　年　　月　　日

この申告書による消費税の税額の計算

		十兆千百十億千百十万千百十一円	
課税標準額	①	20000000	03
消費税額	②	1371396	06
貸倒回収に係る消費税額	③		07
控除税額 控除対象仕入税額	④	1097116	08
返還等対価に係る税額	⑤		09
貸倒れに係る税額	⑥		10
控除税額小計（④+⑤+⑥）	⑦	1097116	13
控除不足還付税額（⑦-②-③）	⑧		13
差引税額（②+③-⑦）	⑨	274200	15
中間納付税額	⑩	00	16
納付税額（⑨-⑩）	⑪	274200	17
中間納付還付税額（⑩-⑨）	⑫	00	18
この申告書が修正申告である場合 既確定税額	⑬		19
この申告書が修正申告である場合 差引納付税額	⑭	00	20
この課税期間の課税売上高	⑮	20000000	21
基準期間の課税売上高	⑯		

この申告書による地方消費税の税額の計算

地方消費税の課税標準となる消費税額 控除不足還付税額	⑰		51
地方消費税の課税標準となる消費税額 差引税額	⑱	274200	52
譲渡割額 還付額	⑲		53
譲渡割額 納税額	⑳	77300	54
中間納付譲渡割額	㉑		55
納付譲渡割額（⑳-㉑）	㉒	77300	56
中間納付還付譲渡割額（㉑-⑳）	㉓	00	57
この申告書が修正申告である場合 既確定譲渡割額	㉔		58
この申告書が修正申告である場合 差引納付譲渡割額	㉕	00	59
消費税及び地方消費税の合計（納付又は還付）税額	㉖	351500	60

㉖=(⑪+㉒)-(⑧+⑫+⑲+㉓)・修正申告の場合㉖=⑭+㉕
㉖が還付税額となる場合はマイナス「−」を付してください。

付記事項

割賦基準の適用	○ 有 **○** 無	31
延払基準等の適用	○ 有 **○** 無	32
工事進行基準の適用	○ 有 **○** 無	33
現金主義会計の適用	○ 有 **○** 無	34
課税標準額に対する消費税額の計算の特例の適用	**○** 有 ○ 無	35

参考事項　事業区分

区分	課税売上高（免税売上高を除く）	売上割合 %	
	千円		
第1種			36
第2種	20,000	100.0	37
第3種			38
第4種			39
第5種			42
第6種			43
特例計算適用（令57③）	○ 有 **○** 無	40

○ 税額控除に係る経過措置の適用（2割特例）　44

還付を受けようとする金融機関等

	銀行・金庫・組合・農協・漁協	本店・支店 出張所 本所・支所
預金 口座番号		
ゆうちょ銀行の貯金記号番号	−	
郵便局名等		

○（個人の方）公金受取口座の利用

※税務署整理欄

税理士署名	（電話番号　　−　　−　　）

○ 税理士法第30条の書面提出有
○ 税理士法第33条の2の書面提出有

※ 2割特例による申告の場合、⑱欄に⑪欄の数字を記載し、⑱欄×22/78から算出された金額を㉒欄に記載してください。

⑪・㉒又は⑫・㉓の記入をお忘れなく。

 7－5

課税売上げの対価の返還がある場合
（免税事業者がインボイス発行事業者になる場合）

当社（J社）は、基準年度の課税売上高が1,000万円以下である免税事業者でしたが、この度インボイス制度導入に伴い、登録申請書を提出し、令和5年10月1日より消費税課税事業者となりました。当社は小売業を営んでおり、通常の事業年度の実際の課税仕入高は、課税売上高の約60％です。一般課税、簡易課税、2割特例の選択について有利な方法を教えてください。また、有利な方法を選択する場合の税務手続きをご教授ください。

なお、当社は売上値引きの会計処理について、売上高から控除せずに売上値引き勘定で処理しています。当課税期間（令和5年4月1日〜令和6年3月31日）の業種区分ごとの売上高及び売上値引きは以下のとおりです（税込経理）。この場合の付表及び申告書の作成方法について教えてください。

（金額は税込み）

		標準税率の対象商品の売上高	軽減税率の対象商品の売上高
令和5年4月〜令和5年9月	売上げ	1,980,000円	2,700,000円
令和5年10月〜令和6年3月	売上げ	2,200,000円	2,592,000円
	売上値引き	55,000円	51,840円

売上値引きは、令和5年10月1日以降の期間の売上高に対応するものです。

 ポイント

① 一般課税、簡易課税、2割特例のいずれを選択するかを検討します。

② 売上値引きについては、同一取引先に対する値引き等でも適用税率の異なるものは区分し、かつ、業種区分ごとに集計しなければなりません。

消費税の免税事業者が令和5年10月1日より、インボイス発行事業者の登録を受け、課税事業者になった場合、2割特例の適用を受けることができます。この特例の適用を受けるために追加して提出すべき書類はありません。J社はこの条件を満たしていますので、2割特例が適用できます。それでは、J社は一般課税、簡易課税、2割特例のいずれを選択すべきでしょうか。

J社が一般課税を採用して消費税等を申告した場合、課税仕入高は課税売上高の約60％ですから、課税売上高から課税仕入高を差し引いた残りの40％部分に対して消費税等を納付することになります。簡易課税を選択した場合は、小売業は第二種事業に該当し、みなし仕入率は80％ですので、課税売上高の20％に対し消費税等を納めることになります。2

割特例を選択した場合は、消費税の納税額を計算する上での仕入税額控除を「売上税額×80%」で計算するという特例ですので、簡易課税を選択した第二種事業者が支払う消費税額と一致します。したがって、簡易課税か2割特例を適用して申告することになります。

この2割特例は、令和5年10月1日から令和8年9月30日までの日の属する各課税期間についてのみ適用される経過措置であり、また、基準期間の課税売上高が1,000万円を超える課税期間など一定の場合には、2割特例は適用されません。したがって、本事例のように簡易課税と2割特例のいずれかが選択肢となる事業者の場合は、簡易課税の選択も検討しておく必要があります。

簡易課税制度を適用して申告する場合には、その適用を受けようとする課税期間の初日の前日までに「消費税簡易課税制度選択届出書」を提出することが原則です。この点、次の2つの経過措置があります。

① 登録に係る経過措置の適用を受けている場合

免税事業者が令和5年10月1日から令和11年9月30日までの日の属する課税期間中にインボイス発行事業者の登録を受けた場合には、登録日から課税事業者となる経過措置が設けられています（平28改所法等附44④、基通21－1－1）。この経過措置の適用を受ける事業者が、登録日の属する課税期間中にその課税期間から簡易課税制度の適用を受ける旨を記載した「消費税簡易課税制度選択届出書」を提出した場合には、その課税期間の初日の前日に消費税簡易課税制度選択届出書を提出したものとみなされます（平30改令附18）。

したがって、最初の課税期間が終了する前に、「一般課税と2割特例」の予定でゆくのか、「簡易課税と2割特例」に変更（簡易課税の方が2割特例よりも有利であると見込まれる場合など）するのかの選択が可能となります。本事例の場合や卸売業（みなし仕入率90％）の場合において、高額な設備投資をする予定等がないときは、「簡易課税と2割特例」を選択しておくべきであると考えられます。

② 既に2割特例の経過措置を受けた場合

2割特例の適用を受けた事業者が、その課税期間の翌課税期間中に当該翌課税期間から簡易課税の適用を受けようする旨を記載した「消費税簡易課税制度選択届出書」を提出した場合には、その課税期間の初日の前日にその届出書の提出があったものとみなされます（平28改所法等附51の2⑥）。

本事例では簡易課税制度を採用した申告書の作成手順を説明します。

簡易課税制度は、その課税期間の課税標準額に対する消費税額から、その課税期間の売上げに係る対価の返還等の金額に係る消費税額の合計額を控除した全額に一定の仕入率を乗じて計算した金額を控除対象仕入税額とみなして控除し、支払うべき消費税額を計算します（法37①）。

すなわち、事業者が課税資産の譲渡等につき、返品を受け、又は値引き若しくは割戻し

をした場合には、原則として、売上げに係る対価の返還等をした日の属する課税期間において、課税標準額に対する消費税額から、対価の返還等に係る消費税額を控除した残額に、みなし仕入率を適用して計算することになります。

　ただし、課税資産の譲渡等の金額からその売上げに係る対価の返還等の金額を控除する経理処理を継続して行っているときは、この処理も認められます。この場合には課税標準額は、売上高からその売上げに係る対価の返還等の金額を控除した残額により計算されていますので、これに対する消費税額にみなし仕入率を適用して計算することになります。この直接控除方式の場合は、付表4－3の⑤、付表5－3の③の対価の返還等に係る消費税額はないことになります。

1 　付表4－3の作成

(1)　課税標準額の計算

　まず、課税標準額を求めます。税込経理ですので税抜価格を計算し、付表4－3の①A、Bに記入し、合計（A＋B）を①Cに記入します。いずれも1,000円未満は切り捨て、令和5年10月1日～令和6年3月31日の売上げが対象となります。

税率6.24%適用分	$2,592,000円 \times \dfrac{100}{108} = 2,400,000円$ …付表4－3①Aへ
税率7.8%適用分	$2,200,000円 \times \dfrac{100}{110} = 2,000,000円$ …付表4－3①Bへ
合　計	$2,400,000円 + 2,000,000円 = 4,400,000円$ …付表4－3①Cへ

　付表4－3①Cの金額は申告書第二表の①に転記します。

(2)　課税標準額に対する消費税額の計算

　次に消費税額を求めます。課税標準額にそれぞれの消費税率を乗じて計算し、付表4－3の②A、Bに記入し、合計（A＋B）を②Cに記入します。

税率6.24%適用分	$2,400,000円 \times 6.24\% = 149,760円$ …付表4－3②Aへ
税率7.8%適用分	$2,000,000円 \times 7.8\% = 156,000円$ …付表4－3②Bへ
合　計	$149,760円 + 156,000円 = 305,760円$ …付表4－3②Cへ

　付表4－3②Aの149,760円を付表5－3の①Aと申告書第二表の⑮へ、付表4－3②Bの156,000円を付表5－3の①Bと申告書第二表の⑯へ、付表4－3②Cの金額305,760円は付表5－3①Cと申告書第二表の⑪に転記します。

(3)　対価の返還等に係る消費税額の計算

　続いて、売上値引きに係る消費税額を、軽減税率（6.24％国税）、標準税率（7.8％国税）ごとに集計します。

税率6.24%適用分	$51,840円 \times \dfrac{6.24}{108} = 2,995円 \cdots$ 付表4－3⑤Aへ
税率7.8%適用分	$55,000円 \times \dfrac{7.8}{110} = 3,900円 \cdots$ 付表4－3⑤Bへ
合　計	$2,995円 + 3,900円 = 6,895円 \cdots$ 付表4－3⑤Cへ

　付表4－3⑤Aの2,995円を付表5－3③Aへ、付表4－3⑤Bの3,900円を付表5－3③Bへ、付表4－3⑤Cの6,895円を付表5－3③Cと申告書第二表の⑰へ転記します。

2　付表5－3の作成

(1)　控除対象仕入税額の基礎となる消費税額の計算

　簡易課税制度を採用しているため、軽減税率、標準税率ごとに課税売上金額に対する消費税額から対価の返還等に係る消費税額を控除して、控除対象仕入税額の計算の基礎となる消費税額を計算します。

	軽減税率 6.24%適用分	標準税率 7.8%適用分	合　計
課税標準額に対する 消費税額①	付表4－3②Aより 149,760円	付表4－3②Bより 156,000円	付表4－3②Cより 305,760円
売上対価の返還等に 係る消費税額③	付表4－3⑤Aより 2,995円	付表4－3⑤Bより 3,900円	付表4－3⑤Cより 6,895円
控除対象仕入税額の 計算の基礎となる 消費税額④＝①－③	146,765円	152,100円	298,865円

(2)　みなし仕入率を事業区分ごとに適用して控除対象仕入税額を計算

	軽減税率 6.24%適用分	標準税率 7.8%適用分	合　計
小売事業区分 （みなし仕入率80%） ⑤＝④×80%	146,765円×80% 117,412円	152,100円×80% 121,680円	付表4－3④C、 申告書第一表④へ 239,092円

3　申告書第一表の作成

(1)　消費税（国税）の計算

　②消費税額305,760円－④簡易課税制度による控除対象仕入税額239,092円－

　⑤返還等対価に係る消費税額6,895円＝⑨59,700円（100円未満切捨て）

(2) **地方消費税の計算**

⑱59,700円 × $\frac{22}{78}$ ＝ ⑳16,800円 （100円未満切捨て）

　参考に2割特例を選択した場合の申告書等を末尾に記載します。申告書（第一表、第二表）以外に付表6が必要になります。

　なお、2割特例のための申告書付表6は通常版と簡易版があります。貸倒れや貸倒れの回収がある場合は通常版を使ってください。その他の場合(貸倒れと貸倒回収がないとき)は簡易版の付表6を使うこともできます（**Ｑ** 8−4参照)。

〔簡易課税の場合〕

第4-(11)号様式

付表4-3 税率別消費税額計算表 兼 地方消費税の課税標準となる消費税額計算表

簡 易

課 税 期 間		令和 令和 5 · 4 · 1 ~ 6 · 3 · 31		氏名又は名称	J社
区 分		税率 6.24 % 適 用 分 A	税率 7.8 % 適 用 分 B	合 計 C (A+B)	
課 税 標 準 額	①	円 2,400,000	円 2,000,000	※第二表の①欄へ 円 4,400,000	
課 税 資 産 の 譲 渡 等 の 対 価 の 額	①-1	※第二表の⑤欄へ 2,400,000	※第二表の⑥欄へ 2,000,000	※第二表の⑦欄へ 4,400,000	
消 費 税 額	②	※付表5-3の①A欄へ ※第二表の⑮欄へ 149,760	※付表5-3の①B欄へ ※第二表の⑯欄へ 156,000	※付表5-3の①C欄へ ※第二表の⑪欄へ 305,760	
貸倒回収に係る消費税額	③	※付表5-3の②A欄へ	※付表5-3の②B欄へ	※付表5-3の②C欄へ ※第一表の③欄へ	
控	控 除 対 象 仕 入 税 額	④	(付表5-3の⑤A欄又は㉗A欄の金額) 117,412	(付表5-3の⑤B欄又は㉗B欄の金額) 121,680	(付表5-3の⑤C欄又は㉗C欄の金額) ※第一表の④欄へ 239,092
除	返 還 等 対 価 に 係 る 税 額	⑤	※付表5-3の③A欄へ 2,995	※付表5-3の③B欄へ 3,900	※付表5-3の③C欄へ ※第二表の⑰欄へ 6,895
税	貸 倒 れ に 係 る 税 額	⑥			※第一表の⑥欄へ
額	控 除 税 額 小 計 (④+⑤+⑥)	⑦	120,407	125,580	※第一表の⑦欄へ 245,987
控 除 不 足 還 付 税 額 (⑦-②-③)	⑧			※第一表の⑧欄へ	
差 引 税 額 (②+③-⑦)	⑨			※第一表の⑨欄へ 59,700	
地方となる消費税の課税標準となる消費税額	控 除 不 足 還 付 税 額 (⑧)	⑩			※第一表の⑰欄へ ※マイナス「ー」を付して第二表の㉑及び㉓欄へ
	差 引 税 額 (⑨)	⑪			※第一表の⑱欄へ ※第二表の㉒及び㉓欄へ 59,700
譲渡割額	還 付 額	⑫			(⑩C欄×22/78) ※第一表の⑲欄へ
	納 税 額	⑬			(⑪C欄×22/78) ※第一表の⑳欄へ 16,800

注意 金額の計算においては、1円未満の端数を切り捨てる。

(R1.10.1以後終了課税期間用)

〔簡易課税の場合〕

付表5-3　控除対象仕入税額等の計算表

| 簡 易 |

| 課 税 期 間 | 令和 5 4 1 ~ 令和 6 3 31 | 氏名又は名称 | J社 |

Ⅰ　控除対象仕入税額の計算の基礎となる消費税額

項　目		税率6.24%適用分 A	税率7.8%適用分 B	合計 C (A+B)
課 税 標 準 額 に 対 す る 消 費 税 額	①	(付表4-3の②A欄の金額) 149,760	(付表4-3の②B欄の金額) 156,000	(付表4-3の②C欄の金額) 305,760
貸 倒 回 収 に 係 る 消 費 税 額	②	(付表4-3の③A欄の金額)	(付表4-3の③B欄の金額)	(付表4-3の③C欄の金額)
売 上 対 価 の 返 還 等 に 係 る 消 費 税 額	③	(付表4-3の⑤A欄の金額) 2,995	(付表4-3の⑤B欄の金額) 3,900	(付表4-3の⑤C欄の金額) 6,895
控 除 対 象 仕 入 税 額 の 計 算 の 基 礎 と な る 消 費 税 額 (①+②-③)	④	146,765	152,100	298,865

Ⅱ　1種類の事業の専業者の場合の控除対象仕入税額

項　目		税率6.24%適用分 A	税率7.8%適用分 B	合計 C (A+B)
④ × みなし仕入率 (90%・80%・70%・60%・50%・40%)	⑤	※付表4-3の④A欄へ 117,412	※付表4-3の④B欄へ 121,680	※付表4-3の④C欄へ 239,092

Ⅲ　2種類以上の事業を営む事業者の場合の控除対象仕入税額

(1)　事業区分別の課税売上高(税抜き)の明細

項　目		税率6.24%適用分 A	税率7.8%適用分 B	合計 C (A+B)	
事 業 区 分 別 の 合 計 額	⑥	円	円	円	売上 割合
第 一 種 事 業 (卸 売 業)	⑦			※第一表「事業区分」欄へ	%
第 二 種 事 業 (小 売 業 等)	⑧			※　〃	
第 三 種 事 業 (製 造 業 等)	⑨			※　〃	
第 四 種 事 業 (そ の 他)	⑩			※　〃	
第 五 種 事 業 (サ ー ビ ス 業 等)	⑪			※　〃	
第 六 種 事 業 (不 動 産 業)	⑫			※　〃	

(2)　(1)の事業区分別の課税売上高に係る消費税額の明細

項　目		税率6.24%適用分 A	税率7.8%適用分 B	合計 C (A+B)
事 業 区 分 別 の 合 計 額	⑬	円	円	円
第 一 種 事 業 (卸 売 業)	⑭			
第 二 種 事 業 (小 売 業 等)	⑮			
第 三 種 事 業 (製 造 業 等)	⑯			
第 四 種 事 業 (そ の 他)	⑰			
第 五 種 事 業 (サ ー ビ ス 業 等)	⑱			
第 六 種 事 業 (不 動 産 業)	⑲			

注意　1　金額の計算においては、1円未満の端数を切り捨てる。
　　　2　課税売上げにつき返品を受け又は値引き・割戻しをした金額(売上対価の返還等の金額)があり、売上(収入)金額から減算しない方法で経理して経費に含めている場合には、⑥から⑫欄には売上対価の返還等の金額(税抜き)を控除した後の金額を記載する。

(R1.10.1以後終了課税期間用)

〔簡易課税の場合〕

第3-(2)号様式

課税標準額等の内訳書

| | 整理番号 | | | | | | | | | 法人用 |

改正法附則による税額の特例計算		
軽減売上割合（10営業日）	○	附則38① 51
小売等軽減仕入割合	○	附則38② 52

納 税 地	
	（電話番号　　－　　－　　）
（フリガナ）	
法 人 名	J社
（フリガナ）	
代表者氏名	

第二表

自 令和 **5** 年 **4** 月 **1** 日
至 令和 **6** 年 **3** 月 **31** 日

課税期間分の消費税及び地方消費税の（ 確定 ）申告書

中間申告 自 令和 □□年 □□月 □□日
の場合の 対象期間 至 令和 □□年 □□月 □□日

令和四年四月一日以後終了課税期間分

課　税　標　準　額　※申告書（第一表）の①欄へ	①	十兆千百十億千百十万千百十一円　4 4 0 0 0 0 0	01

課税資産の譲渡等の対価の額の合計額	3 ％ 適用分	②		02
	4 ％ 適用分	③		03
	6.3 ％ 適用分	④		04
	6.24 ％ 適用分	⑤	2 4 0 0 0 0 0	05
	7.8 ％ 適用分	⑥	2 0 0 0 0 0 0	06
	（②～⑥の合計）	⑦	4 4 0 0 0 0 0	07
特定課税仕入れに係る支払対価の額の合計額 （注1）	6.3 ％ 適用分	⑧		11
	7.8 ％ 適用分	⑨		12
	（⑧・⑨の合計）	⑩		13

消　費　税　額　※申告書（第一表）の②欄へ	⑪	3 0 5 7 6 0	21

⑪ の 内 訳	3 ％ 適用分	⑫		22
	4 ％ 適用分	⑬		23
	6.3 ％ 適用分	⑭		24
	6.24 ％ 適用分	⑮	1 4 9 7 6 0	25
	7.8 ％ 適用分	⑯	1 5 6 0 0 0	26

返　還　等　対　価　に　係　る　税　額　※申告書（第一表）の⑤欄へ	⑰	6 8 9 5	31

⑰の内訳	売上げの返還等対価に係る税額	⑱	6 8 9 5	32
	特定課税仕入れの返還等対価に係る税額 （注1）	⑲		33

地方消費税の課税標準となる消費税額 （注2）	（㉑～㉓の合計）	⑳	5 9 7 0 0	41
	4 ％ 適用分	㉑		42
	6.3 ％ 適用分	㉒		43
	6.24％及び7.8％ 適用分	㉓	5 9 7 0 0	44

（注1）　⑧～⑩及び⑲欄は、一般課税により申告する場合で、課税売上割合が95％未満、かつ、特定課税仕入れがある事業者のみ記載します。
（注2）　⑳～㉓欄が還付税額となる場合はマイナス「－」を付してください。

〔簡易課税の場合〕

令和　年　月　日　　　　　　　　　　　　　税務署長殿

収受印

納　税　地	（電話番号　　　－　　　－　　　）
（フリガナ）	
法 人 名	J社
法 人 番 号	
（フリガナ）	
代表者氏名	

○（個人の方）振替継続希望　　　　　　　　　簡

※税務署処理欄

所管／要否／整理番号

申告年月日　令和　　年　　月　　日

申告区分　指導等　庁指定　局指定

通信日付印　確認

指　導　年　月　日　相談　区分1　区分2　区分3

令和

法人用

第一表

自 平成・令和 **5**年 **4**月 **1**日　　**課税期間分の消費税及び地方消費税の（ 確定 ）申告書**　　至 令和 **6**年 **3**月 **31**日

中間申告の場合の対象期間　自 平成・令和　　年　　月　　日　至 令和　　年　　月　　日

令和五年十月一日以後終了課税期間分（簡易課税用）

この申告書による消費税の税額の計算

			十兆千百十億千百十万千百十一円	
課 税 標 準 額	①		4 4 0 0 0 0 0	03
消 費 税 額	②		3 0 5 7 6 0	06
貸倒回収に係る消費税額	③			07
控除税額	控除対象仕入税額	④	2 3 9 0 9 2	08
	返還等対価に係る税額	⑤	6 8 9 5	09
	貸倒れに係る税額	⑥		10
	控除税額小計（④+⑤+⑥）	⑦	2 4 5 9 8 7	11
控除不足還付税額（⑦-②-③）	⑧			13
差 引 税 額（②+③-⑦）	⑨		5 9 7 0 0	15
中 間 納 付 税 額	⑩		0 0	16
納 付 税 額（⑨-⑩）	⑪		5 9 7 0 0	17
中間納付還付税額（⑩-⑨）	⑫		0 0	18
この申告書が修正申告である場合	既確定税額	⑬		19
	差引納付税額	⑭	0 0	20
この課税期間の課税売上高	⑮			21
基準期間の課税売上高	⑯			

この申告書による地方消費税の税額の計算

地方消費税の課税標準となる消費税額	控除不足還付税額	⑰		51
	差 引 税 額	⑱	5 9 7 0 0	52
譲渡割額	還 付 額	⑲		53
	納 税 額	⑳	1 6 8 0 0	54
中間納付譲渡割額	㉑		0 0	55
納付譲渡割額（⑳-㉑）	㉒		1 6 8 0 0	56
中間納付還付譲渡割額（㉑-⑳）	㉓		0 0	57
この申告書が修正申告である場合	既確定譲渡割額	㉔		58
	差引納付譲渡割額	㉕	0 0	59
消費税及び地方消費税の合計（納付又は還付）税額	㉖		7 6 5 0 0	60

㉖=（⑪+⑫）-（⑧+⑫+⑲+㉓・修正申告の場合㉖=⑭+㉕
㉖が還付税額となる場合はマイナス「－」を付してください。

⑪・㉒又は⑫・㉓の記入をお忘れなく。

付記事項

割 賦 基 準 の 適 用	○	有	○無	31
延 払 基 準 等 の 適 用	○	有	○無	32
工 事 進 行 基 準 の 適 用	○	有	○無	33
現 金 主 義 会 計 の 適 用	○	有	○無	34
課税標準額に対する消費税額の計算の特例の適用	○	有	○無	35

参考事項／事業区分

区分	課税売上高（免税売上高を除く）	売上割合%	
	千円		
第1種			36
第2種	4,302	1 0 0 . 0	37
第3種			38
第4種			39
第5種			42
第6種			43

特例計算適用（令57③）　○ 有 ○無 40

○ 税額控除に係る経過措置の適用（2割特例）44

還付を受けようとする金融機関等	銀行　金庫・組合　農協・漁協	本店・支店　出張所　本所・支所
	預金　口座番号	
	ゆうちょ銀行の貯金記号番号	－
	郵便局名等	

○（個人の方）公金受取口座の利用

※税務署整理欄

税理士署名	
（電話番号　　－　　－　　）	

○ 税 理 士 法 第 30 条 の 書 面 提 出 有
○ 税 理 士 法 第 33 条 の 2 の 書 面 提 出 有

※ 2割特例による申告の場合、⑬欄に⑪欄の数字を記載し、⑬欄×22/78から算出された金額を㉒欄に記載してください。

〔参考： 2割特例適用の場合〕

第3-(3)号様式

令和　年　月　日　（収受印）　　　　　　　　　　　税務署長殿		
納　税　地	（電話番号　　　−　　　−　　　）	
（フリガナ）		
法　人　名	J社	
法人番号		
（フリガナ）		
代表者氏名		

○（個人の方）振替継続希望　　　　　　　　　　㉘　法人用

※税務署処理欄

所管	要否	整理番号			
申告年月日		令和　　年　　月　　日			
申告区分		指導等	庁指定	局指定	
通信日付印　確認					
年　月　日					
指　導　年　月　日			相談 区分1 区分2 区分3		
令和					

第一表

自 平成・令和 ⑤年 ④月 ①日
至 令和 ⑥年 ③月 ③①日

課税期間分の消費税及び地方消費税の（ 確定 ）申告書

中間申告 自 平成・令和　　年　　月　　日
の場合の 対象期間 至 令和　　年　　月　　日

令和五年十月一日以後終了課税期間分（簡易課税用）

この申告書による消費税の税額の計算

		十兆千百十億千百十万千百十一	
課　税　標　準　額	①	4 4 0 0 0 0 0	03
消　費　税　額	②	3 0 5 7 6 0	06
貸倒回収に係る消費税額	③		07
控除税額　控除対象仕入税額	④	2 3 9 0 9 2	08
返還等対価に係る税額	⑤	6 8 9 5	09
貸倒れに係る税額	⑥		10
控除税額小計（④+⑤+⑥）	⑦	2 4 5 9 8 7	
控除不足還付税額（⑦-②-③）	⑧		13
差引税額（②+③-⑦）	⑨	5 9 7 0 0	15
中間納付税額	⑩	0 0	16
納付税額（⑨-⑩）	⑪	5 9 7 0 0	17
中間納付還付税額（⑩-⑨）	⑫	0 0	18
この申告書が修正申告である場合 既確定税額	⑬		19
差引納付税額	⑭	0 0	20
この課税期間の課税売上高	⑮		21
基準期間の課税売上高	⑯		

この申告書による地方消費税の税額の計算

地方消費税の課税標準となる消費税額 控除不足還付税額	⑰		51
差引税額	⑱	5 9 7 0 0	52
譲渡割額　還付額	⑲		53
納税額	⑳	1 6 8 0 0	54
中間納付譲渡割額	㉑	0 0	55
納付譲渡割額（⑳-㉑）	㉒	1 6 8 0 0	56
中間納付還付譲渡割額（㉑-⑳）	㉓	0 0	57
この申告書が修正申告である場合 既確定譲渡割額	㉔		58
差引納付譲渡割額	㉕		59
消費税及び地方消費税の合計（納付又は還付）税額	㉖	7 6 5 0 0	60

㉖=（⑪+⑫）-（⑭+⑱+⑲+㉓）・修正申告の場合㉖=⑭+㉕
㉖が還付税額となる場合はマイナス「−」を付してください。

付記事項・参考事項

割賦基準の適用	○有 ●無	31
延払基準等の適用	○有 ●無	32
工事進行基準の適用	○有 ●無	33
現金主義会計の適用	○有 ●無	34
課税標準額に対する消費税額の計算の特例の適用	○有 ●無	35

区分	課税売上高（免税売上高を除く）	売上割合%	
	千円		
第1種			36
第2種			37
第3種			38
第4種			39
第5種			42
第6種			43

特例計算適用（令57③）	○有 ●無	40
● 税額控除に係る経過措置の適用（2割特例）		44

還付を受けようとする金融機関等

銀行	本店・支店
金庫・組合	出張所
農協・漁協	本所・支所
預金　口座番号	
ゆうちょ銀行の貯金記号番号	−
郵便局名等	

○（個人の方）公金受取口座の利用

※税務署整理欄

税理士署名	
（電話番号　　−　　−　　）	

○ 税理士法第30条の書面提出有
○ 税理士法第33条の2の書面提出有

※　2割特例による申告の場合、⑱欄に⑪欄の数字を記載し、⑱欄×22/78から算出された金額を㉒欄に記載してください。

〔参考：2割特例適用の場合〕

第3-(2)号様式

課税標準額等の内訳書

整理番号	□□□□□□□□

納 税 地	
	（電話番号　　－　　－　　）
（フリガナ）	
法 人 名	Ｊ社
（フリガナ）	
代表者氏名	

改正法附則による税額の特例計算

軽減売上割合（10営業日）	○	附則38①	51
小売等軽減仕入割合	○	附則38②	52

第二表

自 令和 **5**年 **4**月 **1**日
至 令和 **6**年 **3**月 **31**日

課税期間分の消費税及び地方消費税の（　確定　）申告書

中間申告の場合の対象期間
自 令和 □□年□□月□□日
至 令和 □□年□□月□□日

令和四年四月一日以後終了課税期間分

課 税 標 準 額 ※申告書（第一表）の①欄へ	①	十兆千百十億千百十万千百十一円　4 4 0 0 0 0 0	01

課税資産の譲渡等の対価の額の合計額	3 ％ 適用分	②		02
	4 ％ 適用分	③		03
	6.3 ％ 適用分	④		04
	6.24 ％ 適用分	⑤	2 4 0 0 0 0 0	05
	7.8 ％ 適用分	⑥	2 0 0 0 0 0 0	06
	（②〜⑥の合計）	⑦	4 4 0 0 0 0 0	07
特定課税仕入れに係る支払対価の額の合計額　（注1）	6.3 ％ 適用分	⑧		11
	7.8 ％ 適用分	⑨		12
	（⑧・⑨の合計）	⑩		13

消 費 税 額 ※申告書（第一表）の②欄へ	⑪	3 0 5 7 6 0	21
⑪ の 内 訳	3 ％ 適用分	⑫		22
	4 ％ 適用分	⑬		23
	6.3 ％ 適用分	⑭		24
	6.24 ％ 適用分	⑮	1 4 9 7 6 0	25
	7.8 ％ 適用分	⑯	1 5 6 0 0 0	26

返 還 等 対 価 に 係 る 税 額 ※申告書（第一表）の⑤欄へ	⑰	6 8 9 5	31
⑰の内訳	売上げの返還等対価に係る税額	⑱	6 8 9 5	32
	特定課税仕入れの返還等対価に係る税額　（注1）	⑲		33

地方消費税の課税標準となる消費税額	（㉑〜㉓の合計）	⑳	5 9 7 0 0	41
	4 ％ 適用分	㉑		42
	6.3 ％ 適用分	㉒		43
	6.24%及び7.8% 適用分　（注2）	㉓	5 9 7 0 0	44

（注1）　⑧〜⑩及び⑲欄は、一般課税により申告する場合で、課税売上割合が95％未満、かつ、特定課税仕入れがある事業者のみ記載します。
（注2）　⑳〜㉓欄が還付税額となる場合はマイナス「－」を付してください。

〔参考：2割特例適用の場合（通常版）〕

第4-(13)号様式

付表6　税率別消費税額計算表
〔小規模事業者に係る税額控除に関する経過措置を適用する課税期間用〕

特　別

課　税　期　間	令和　　　令和 5・4・1 ～ 6・3・31	氏名又は名称	J社

I　課税標準額に対する消費税額及び控除対象仕入税額の計算の基礎となる消費税額

区　　　　　　分	税率 6.24 % 適用分 A	税率 7.8 % 適用分 B	合　　　計　　C （A＋B）
課 税 資 産 の 譲 渡 等 の　対　価　の　額　①	※第二表の⑤欄へ　　　　　　　円 2,400,000	※第二表の⑥欄へ　　　　　　　円 2,000,000	※第二表の⑦欄へ　　　　　　　円 4,400,000
課　税　標　準　額　②	①A欄（千円未満切捨て） 2,400,000	①B欄（千円未満切捨て） 2,000,000	※第二表の①欄へ 4,400,000
課 税 標 準 額 に 対 す る 消 費 税 額　③	（②A欄×6.24/100） ※第二表の⑮欄へ 149,760	（②B欄×7.8/100） ※第二表の⑯欄へ 156,000	※第二表の⑪欄へ 305,760
貸 倒 回 収 に 係 る 消 費 税 額　④			※第一表の③欄へ
売 上 対 価 の 返 還 等 に 係 る 消 費 税 額　⑤	2,995	3,900	※第二表の⑰、⑱欄へ 6,895
控 除 対 象 仕 入 税 額 の 計 算 の 基 礎 と な る 消 費 税 額 （ ③ ＋ ④ － ⑤ ）　⑥	146,765	152,100	298,865

II　控除対象仕入税額とみなされる特別控除税額

項　　　　　　目	税率 6.24 % 適用分 A	税率 7.8 % 適用分 B	合　　　計　　C （A＋B）
特 別 控 除 税 額 （ ⑥ × 80 % ）　⑦	117,412	121,680	※第一表の④欄へ 239,092

III　貸倒れに係る税額

項　　　　　　目	税率 6.24 % 適用分 A	税率 7.8 % 適用分 B	合　　　計　　C （A＋B）
貸 倒 れ に 係 る 税 額　⑧			※第一表の⑥欄へ

注意　金額の計算においては、1円未満の端数を切り捨てる。

(R5.10.1以後終了課税期間用)

〔参考：2割特例適用の場合（簡易版）〕

第4-(13)号様式

付表6　税率別消費税額計算表【簡易版】
〔小規模事業者に係る税額控除に関する経過措置を適用する課税期間用〕

特　別

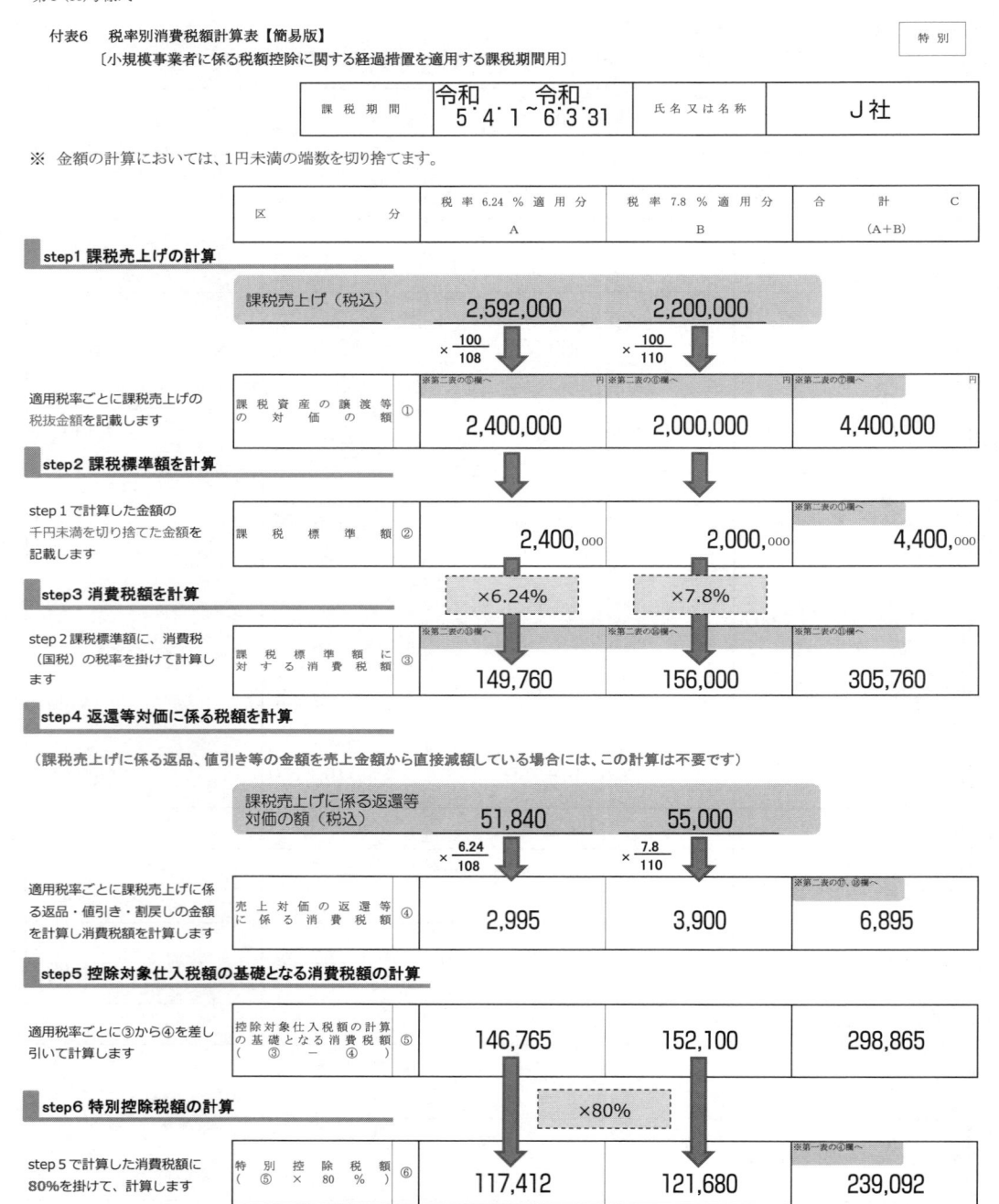

| 課税期間 | 令和 5 4 1 ~ 令和 6 3 31 | 氏名又は名称 | J社 |

※　金額の計算においては、1円未満の端数を切り捨てます。

| 区　　　分 | 税率 6.24 % 適用分 A | 税率 7.8 % 適用分 B | 合　計　C (A+B) |

step1 課税売上げの計算

課税売上げ（税込）： 2,592,000 | 2,200,000

× 100/108　× 100/110

適用税率ごとに課税売上げの税抜金額を記載します
課税資産の譲渡等の対価の額 ① ： 2,400,000 | 2,000,000 | 4,400,000

step2 課税標準額を計算

step1で計算した金額の千円未満を切り捨てた金額を記載します
課税標準額 ② ： 2,400,000 | 2,000,000 | 4,400,000

step3 消費税額を計算

×6.24%　×7.8%

step2課税標準額に、消費税（国税）の税率を掛けて計算します
課税標準額に対する消費税額 ③ ： 149,760 | 156,000 | 305,760

step4 返還等対価に係る税額を計算

（課税売上げに係る返品、値引き等の金額を売上金額から直接減額している場合には、この計算は不要です）

課税売上げに係る返還等対価の額（税込）： 51,840 | 55,000

× 6.24/108　× 7.8/110

適用税率ごとに課税売上げに係る返品・値引き・割戻しの金額を計算し消費税額を計算します
売上対価の返還等に係る消費税額 ④ ： 2,995 | 3,900 | 6,895

step5 控除対象仕入税額の基礎となる消費税額の計算

適用税率ごとに③から④を差し引いて計算します
控除対象仕入税額の計算の基礎となる消費税額（③ー④）⑤ ： 146,765 | 152,100 | 298,865

step6 特別控除税額の計算

×80%

step5で計算した消費税額に80%を掛けて、計算します
特別控除税額（⑤ × 80 %）⑥ ： 117,412 | 121,680 | 239,092

(R5.10.1以後終了課税期間用)

252

Q 7-6 みなし仕入率により控除対象仕入税額を計算する場合の判断手順

当社（Ｌ社）は、基準年度の課税売上高が1,000万円以下である免税事業者です。この度インボイス制度導入に伴い、登録申請書を提出し、令和5年10月1日より消費税課税事業者となりました。また、当社は消費税の計算において消費税簡易課税制度選択届出書を提出しました。事業区分が2種類以上にわたる事業の課税売上げがある場合、みなし仕入率による控除対象仕入税額の計算には複数の方法があるそうですが、有利な方法を選択する手順を教えてください。また、2割特例を適用した場合はどうなりますか。

 ポイント

① 簡易課税を選択する場合の有利な方法の採用方法。

② 簡易課税の有利な方法と2割特例を比べ、いずれが有利かを検討。

①について、2種類以上の事業を営む事業者の場合、みなし仕入率の算定に当たっては、「加重平均法」が原則ですが、一定の場合、みなし仕入率の特例（75％ルール）の選択が認められています（令57②③）。

課税期間の総課税売上高に占める特定の1業種の課税売上高の割合（売上割合）が75％以上（3種類以上の事業を営む場合は2種類の合計でも可）であれば特例計算が認められ「みなし仕入率の特例（75％ルール）」とよばれます。なお、この場合の課税売上高は税抜金額であり、税抜対価の返還控除後の金額です。

この「みなし仕入率の特例（75％ルール）」での控除対象仕入税額の計算は、1種類の事業での売上割合が75％以上のときは、すべての課税売上高に対し、当該75％ルールに該当するみなし仕入率を適用し計算することができます。また、3種類以上の事業を営む場合で2種類の事業の組み合わせで売上割合が75％以上のときは、2種類の事業のうち、みなし仕入率の高い方の課税売上高には当該仕入率を適用し、残りの課税売上高（全課税売上高－みなし仕入率の高い方の課税売上高）には低い方のみなし仕入率を適用します。そのうえで、原則法で計算した場合と比較して有利な方を選択することができます。

例1 みなし仕入率の特例が適用できないケース

令和5年10月～令和6年3月事業区分別の税抜売上高（消費税率10%（国税＋地方税））

		課税売上高	構成比率
事業区分	卸売・第一種事業（みなし仕入率90%）	2,000,000	40%
	小売・第二種事業（みなし仕入率80%）	1,600,000	32%
	不動産賃貸・第六種事業（みなし仕入率40%）	<u>1,400,000</u>	28%
	合　計	5,000,000円	

例1のケースでは上記の3つの事業の課税売上高は、いずれも1事業では全体5,000,000円の75%すなわち3,750,000円を超えていません。また、いずれの2業種の課税売上高を合計しても3,750,000円を超えていません。この場合は、上記75%ルールは適用されず、加重平均の原則法で控除対象仕入税額を計算することになります。

2,000,000円×7.8%×90%＋1,600,000円×7.8%×80%＋1,400,000円×7.8%×40%＝283,920円

次に、2割特例の控除対象仕入税額を計算し、比較します。

（2,000,000円＋1,600,000円＋1,400,000円）×7.8%×80%＝312,000円

この場合、簡易課税よりも2割特例が有利となりますのでこちらを採用し、申告書（第一表、第二表）及び付表6を作成します。消費税額は5,000,000円×7.8%＝390,000円から上記312,000円を控除した78,000円、地方消費税額は78,000円×22／78＝22,000円となります。申告書第一表の中央右下の「税額控除に係る経過措置の適用（2割特例）」に○印を付けます。

例1の2割特例の場合の申告書（第一表、第二表）及び付表6は次のとおりです。

なお、2割特例のための申告書付表6は通常版と簡易版があります。貸倒れや貸倒れの回収がある場合は通常版を使ってください。その他の場合（貸倒れと貸倒回収がないとき）は簡易版の付表6を使うこともできます（**Q** 8－4参照）。

なお、2割特例を選択した場合は、申告書第一表の事業区分ごとの課税売上高及び売上割合（%）欄は記載不要です。

第3-(3)号様式

令和　年　月　日　　　　　　　　　　税務署長殿

納　税　地	（電話番号　　－　　－　　）
（フリガナ）	
法　人　名	L社　例1
法　人　番　号	
（フリガナ）	
代表者氏名	

○　（個人の方）振替継続希望

※税務署処理欄

所轄	要否	整理番号	
申告年月日		令和　　年　　月　　日	
申告区分	指導等	庁指定	局指定
通信日付印	確認		
年　月　日			
指導　年　月　日		相談　区分1　区分2　区分3	
令和			

簡　法人用　第一表

自 平成・令和 **5**年 **4**月 **1**日
至 令和 **6**年 **3**月 **31**日

課税期間分の消費税及び地方消費税の（　確定　）申告書

（中間申告の場合の対象期間　自 平成・令和　　年　　月　　日　至 令和　　年　　月　　日）

令和五年十月一日以後終了課税期間分（簡易課税用）

この申告書による消費税の税額の計算

		十兆千百十億千百十万千百十一円	
課税標準額	①	5000000	03
消費税額	②	390000	06
貸倒回収に係る消費税額	③		07
控除税額　控除対象仕入税額	④	312000	08
返還等対価に係る税額	⑤		09
貸倒れに係る税額	⑥		10
控除税額小計（④+⑤+⑥）	⑦	312000	13
控除不足還付税額（⑦-②-③）	⑧		13
差引税額（②+③-⑦）	⑨	78000	15
中間納付税額	⑩		16
納付税額（⑨-⑩）	⑪	78000	17
中間納付還付税額（⑩-⑨）	⑫	00	18
この申告書が修正申告である場合　既確定税額	⑬		19
差引納付税額	⑭	00	20
この課税期間の課税売上高	⑮		21
基準期間の課税売上高	⑯		

この申告書による地方消費税の税額の計算

地方消費税の課税標準となる消費税額　控除不足還付税額	⑰		51
差引税額	⑱	78000	52
譲渡割額　還付額	⑲		53
納税額	⑳	22000	54
中間納付譲渡割額	㉑		55
納付譲渡割額（⑳-㉑）	㉒	22000	56
中間納付還付譲渡割額（㉑-⑳）	㉓	00	57
この申告書が修正申告である場合　既確定譲渡割額	㉔		58
差引納付譲渡割額	㉕	00	59
消費税及び地方消費税の合計（納付又は還付）税額	㉖	100000	60

㉖=（⑪+㉒）-（⑧+⑱+⑲+㉓）・修正申告の場合㉖=⑭+㉕
㉖が還付税額となる場合はマイナス「-」を付してください。

⑪・㉒又は⑫・㉓の記入をお忘れなく。

付記事項

割賦基準の適用	○ 有 ○有 ● 無	31
延払基準等の適用	○ 有 ● 無	32
工事進行基準の適用	○ 有 ● 無	33
現金主義会計の適用	○ 有 ● 無	34
課税標準額に対する消費税額の計算の特例の適用	○ 有 ● 無	35

参考事項

区分	課税売上高（免税売上高を除く）	売上割合％	
		千円	
業種区分　第1種			36
第2種			37
第3種			38
第4種			39
第5種			42
第6種			43

特例計算適用（令57③）	○ 有 ● 無	40
● 税額控除に係る経過措置の適用（2割特例）		44

還付を受けようとする金融機関等

	銀行　　　　本店・支店
	金庫・組合　　出張所
	農協・漁協　　本所・支所
預金　口座番号	
ゆうちょ銀行の貯金記号番号	－
郵便局名等	

○　（個人の方）公金受取口座の利用

※税務署整理欄

税理士署名	（電話番号　　－　　－　　）

○　税理士法第30条の書面提出有
○　税理士法第33条の2の書面提出有

※　2割特例による申告の場合、⑱欄に⑪欄の数字を記載し、⑱欄×22/78から算出された金額を⑳欄に記載してください。

第3−(2)号様式

課税標準額等の内訳書

納　税　地	
	（電話番号　　　−　　　−　　　　）
（フリガナ）	
法　人　名	L社　例1
（フリガナ）	
代表者氏名	

整理番号 □□□□□□□□

改正法附則による税額の特例計算

軽減売上割合（10営業日）	◯	附則38①	51
小売等軽減仕入割合	◯	附則38②	52

第二表

自 令和 ⑤年 ④月 ①日
至 令和 ⑥年 ③月31日

課税期間分の消費税及び地方消費税の（　確定　）申告書

中間申告 自 令和 □□年□□月□□日
の場合の
対象期間 至 令和 □□年□□月□□日

令和四年四月一日以後終了課税期間分

課　　税　　標　　準　　額　　※申告書（第一表）の①欄へ	①	十兆千百十億千百十万千百十一円　5 0 0 0 0 0 0	01

課税資産の譲渡等の対価の額の合計額	3　％適用分	②		02
	4　％適用分	③		03
	6.3　％適用分	④		04
	6.24％適用分	⑤		05
	7.8　％適用分	⑥	5 0 0 0 0 0 0	06
	（②〜⑥の合計）	⑦	5 0 0 0 0 0 0	07
特定課税仕入れに係る支払対価の額の合計額（注1）	6.3　％適用分	⑧		11
	7.8　％適用分	⑨		12
	（⑧・⑨の合計）	⑩		13

消　　費　　税　　額　　※申告書（第一表）の②欄へ	⑪	3 9 0 0 0 0	21

⑪　の　内　訳	3　％適用分	⑫		22
	4　％適用分	⑬		23
	6.3　％適用分	⑭		24
	6.24％適用分	⑮		25
	7.8　％適用分	⑯	3 9 0 0 0 0	26

返　還　等　対　価　に　係　る　税　額　※申告書（第一表）の⑤欄へ	⑰		31
⑰の内訳　売上げの返還等対価に係る税額	⑱		32
特定課税仕入れの返還等対価に係る税額（注1）	⑲		33

地方消費税の課税標準となる消費税額（注2）	（㉑〜㉓の合計）	⑳	7 8 0 0 0	41
	4　％適用分	㉑		42
	6.3　％適用分	㉒		43
	6.24％及び7.8％適用分	㉓	7 8 0 0 0	44

（注1）　⑧〜⑩及び⑲欄は、一般課税により申告する場合で、課税売上割合が95％未満、かつ、特定課税仕入れがある事業者のみ記載します。
（注2）　⑳〜㉓欄が還付税額となる場合はマイナス「−」を付してください。

〔付表6 【通常版】〕

第4-(13)号様式

付表6　税率別消費税額計算表
〔小規模事業者に係る税額控除に関する経過措置を適用する課税期間用〕

特　別

課　税　期　間	令和　　令和 5·4·1 ～ 6·3·31	氏 名 又 は 名 称	L 社　例1

I　課税標準額に対する消費税額及び控除対象仕入税額の計算の基礎となる消費税額

区　　　　　　分	税 率 6.24 % 適 用 分 A	税 率 7.8 % 適 用 分 B	合　　　　　計　　C (A＋B)
課 税 資 産 の 譲 渡 等 の　対　価　の　額　①	※第二表の⑤欄へ　　　　　　　　円	※第二表の⑥欄へ　　　　　　　円 5,000,000	※第二表の⑦欄へ　　　　　　　円 5,000,000
課　税　標　準　額　②	①A欄（千円未満切捨て） 000	①B欄（千円未満切捨て） 5,000,000	※第二表の①欄へ 5,000,000
課 税 標 準 額 に 対 す る 消 費 税 額　③	（②A欄×6.24/100） ※第二表の⑮欄へ	（②B欄×7.8/100） ※第二表の⑯欄へ 390,000	※第二表の⑪欄へ 390,000
貸 倒 回 収 に 係 る 消 費 税 額　④			※第一表の③欄へ
売 上 対 価 の 返 還 等 に 係 る 消 費 税 額　⑤			※第二表の⑰、⑱欄へ
控除対象仕入税額の計算 の 基 礎 と な る 消 費 税 額 （　③　＋　④　－　⑤　）　⑥		390,000	390,000

II　控除対象仕入税額とみなされる特別控除税額

項　　　　　　　目	税 率 6.24 % 適 用 分 A	税 率 7.8 % 適 用 分 B	合　　　　　計　　C (A＋B)
特 別 控 除 税 額 （　⑥　×　80　%　）　⑦		312,000	※第一表の④欄へ 312,000

III　貸倒れに係る税額

項　　　　　　　目	税 率 6.24 % 適 用 分 A	税 率 7.8 % 適 用 分 B	合　　　　　計　　C (A＋B)
貸 倒 れ に 係 る 税 額　⑧			※第一表の⑥欄へ

注意　金額の計算においては、1円未満の端数を切り捨てる。

（R5.10.1以後終了課税期間用）

〔付表6 【簡易版】〕

第4-(13)号様式

付表6　税率別消費税額計算表【簡易版】
〔小規模事業者に係る税額控除に関する経過措置を適用する課税期間用〕

特　別

※　金額の計算においては、1円未満の端数を切り捨てます。

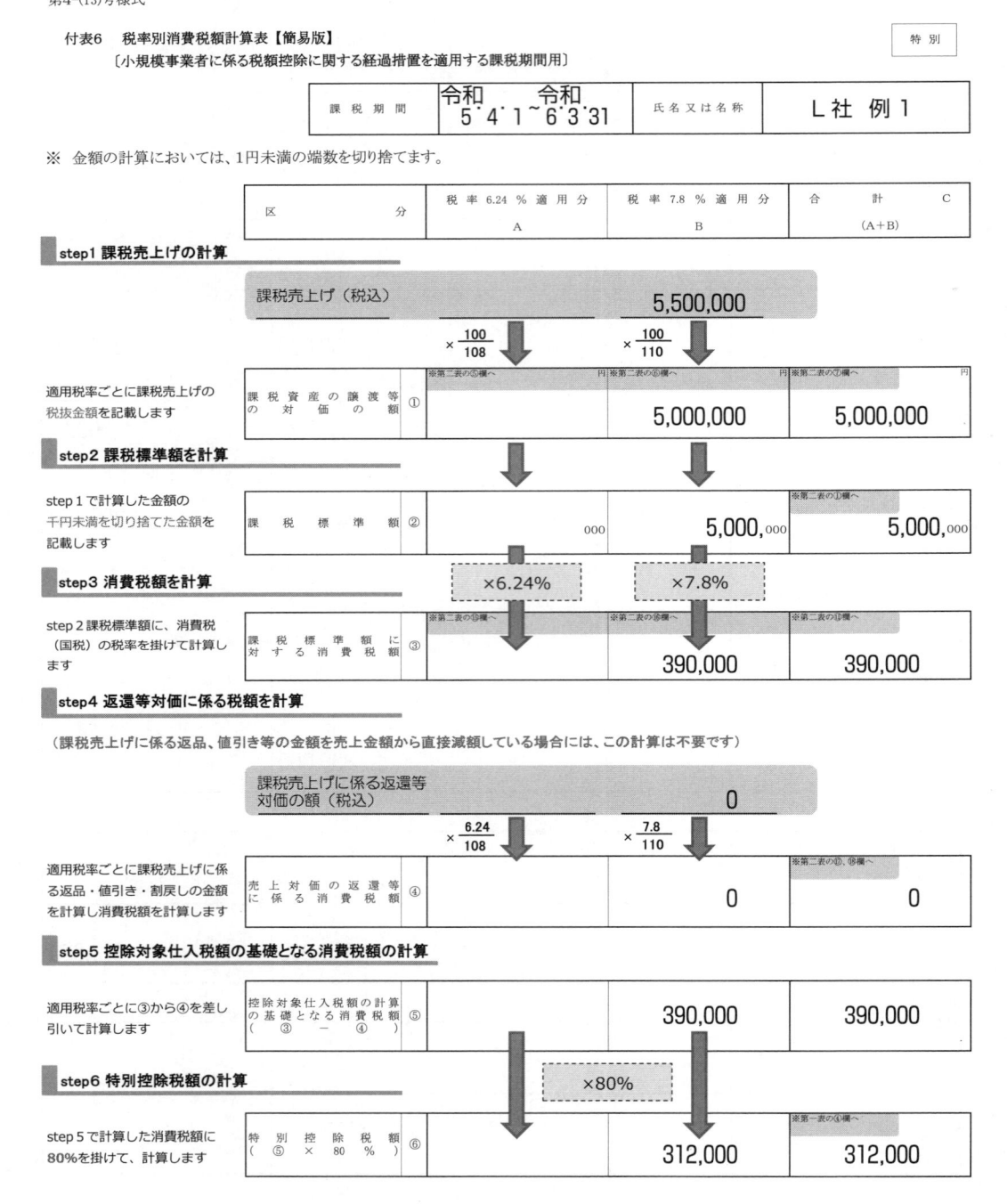

| 課税期間 | 令和 5.4.1 ~ 令和 6.3.31 | 氏名又は名称 | L社 例1 |

258

例2 みなし仕入率の特例が適用できるケース（1業種で75%以上）

令和5年10月～令和6年3月事業区分別の税抜売上高（消費税率10%（国税＋地方税））

	課税売上高	構成比率
事業区分　卸売・第一種事業（みなし仕入率90%）	4,000,000	80%
小売・第二種事業（みなし仕入率80%）	600,000	12%
不動産賃貸・第六種事業（みなし仕入率40%）	400,000	8%
合　計	5,000,000円	

例2のケースでは、卸売・第一種事業だけで課税売上高の80%を占めています。そのため、「みなし仕入率の特例（75%ルール）」の適用が可能です。すなわち、すべての課税売上高に第一種事業のみなし仕入率90%を適用して、5,000,000円×7.8%×90%＝351,000円が控除対象仕入税額となり、原則法の4,000,000円×7.8%×90%＋600,000円×7.8%×80%＋400,000円×7.8%×40%＝330,720円と比べて有利になるわけです。また、2種類以上の事業で75%以上にも該当しますが、1種類の事業で75%以上を選択した方が控除対象仕入税額が多くなります。

次に、2割特例の控除対象仕入税額を計算し、比較します。

(4,000,000円＋600,000円＋400,000円) ×7.8%×80%＝312,000円

この場合、簡易課税制度の計算による控除対象仕入税額が多くなりますので、簡易課税制度を採用することになります。

例2の簡易課税制度の場合の付表5－3は次のとおりです。付表4－3、申告書（第一表、第二表）は省略します。

付表5-3　控除対象仕入税額等の計算表

簡　易

課　税　期　間	令和 5 4 1 ~ 令和 6 3 31	氏名又は名称	L社　例2

I　控除対象仕入税額の計算の基礎となる消費税額

項　　目		税率6.24%適用分 A	税率7.8%適用分 B	合計 C (A+B)
課　税　標　準　額　に 対　す　る　消　費　税　額	①	(付表4-3の②A欄の金額)　円	(付表4-3の②B欄の金額)　390,000	(付表4-3の②C欄の金額)　円　390,000
貸　倒　回　収　に 係　る　消　費　税　額	②	(付表4-3の③A欄の金額)	(付表4-3の③B欄の金額)	(付表4-3の③C欄の金額)
売　上　対　価　の　返　還　等 に　係　る　消　費　税　額	③	(付表4-3の⑤A欄の金額)	(付表4-3の⑤B欄の金額)	(付表4-3の⑤C欄の金額)
控除対象仕入税額の計算 の基礎となる消費税額 （①＋②－③）	④		390,000	390,000

II　1種類の事業の専業者の場合の控除対象仕入税額

項　　目		税率6.24%適用分 A	税率7.8%適用分 B	合計 C (A+B)
④ × みなし仕入率 （90%・80%・70%・60%・50%・40%）	⑤	※付表4-3の④A欄へ　円	※付表4-3の④B欄へ　円	※付表4-3の④C欄へ　円

III　2種類以上の事業を営む事業者の場合の控除対象仕入税額

(1)　事業区分別の課税売上高(税抜き)の明細

項　　目		税率6.24%適用分 A	税率7.8%適用分 B	合計 C (A+B)	売上割合
事　業　区　分　別　の　合　計　額	⑥	円	5,000,000	5,000,000　円	
第　一　種　事　業 （　卸　売　業　）	⑦		4,000,000	※第一表「事業区分」欄へ　4,000,000	80.0 %
第　二　種　事　業 （　小　売　業　等　）	⑧		600,000	※　〃　600,000	12.0
第　三　種　事　業 （　製　造　業　等　）	⑨			※　〃	
第　四　種　事　業 （　そ　の　他　）	⑩			※　〃	
第　五　種　事　業 （　サ　ー　ビ　ス　業　等　）	⑪			※　〃	
第　六　種　事　業 （　不　動　産　業　）	⑫		400,000	※　〃　400,000	8.0

(2)　(1)の事業区分別の課税売上高に係る消費税額の明細

項　　目		税率6.24%適用分 A	税率7.8%適用分 B	合計 C (A+B)
事　業　区　分　別　の　合　計　額	⑬	円	390,000　円	390,000　円
第　一　種　事　業 （　卸　売　業　）	⑭		312,000	312,000
第　二　種　事　業 （　小　売　業　等　）	⑮		46,800	46,800
第　三　種　事　業 （　製　造　業　等　）	⑯			
第　四　種　事　業 （　そ　の　他　）	⑰			
第　五　種　事　業 （　サ　ー　ビ　ス　業　等　）	⑱			
第　六　種　事　業 （　不　動　産　業　）	⑲		31,200	31,200

注意　1　金額の計算においては、1円未満の端数を切り捨てる。
　　　2　課税売上げにつき返品を受け又は値引き・割戻しをした金額（売上対価の返還等の金額）があり、売上（収入）金額から減算しない方法で経理して経費に含めている場合には、⑥から⑫欄には売上対価の返還等の金額（税抜き）を控除した後の金額を記載する。

(1／2)

(R1.10.1以後終了課税期間用)

〔付表5－3〕

(3) 控除対象仕入税額の計算式区分の明細

イ 原則計算を適用する場合

控除対象仕入税額の計算式区分		税率6.24%適用分 A	税率7.8%適用分 B	合計 C (A＋B)
④ × みなし仕入率 $\dfrac{⑭×90\%+⑮×80\%+⑯×70\%+⑰×60\%+⑱×50\%+⑲×40\%}{⑬}$	⑳	円	330,720 円	330,720 円

ロ 特例計算を適用する場合

(イ) 1種類の事業で75%以上

控除対象仕入税額の計算式区分		税率6.24%適用分 A	税率7.8%適用分 B	合計 C (A＋B)
(⑦C／⑥C・⑧C／⑥C・⑨C／⑥C・⑩C／⑥C・⑪C／⑥C・⑫C／⑥C) ≧ 75% ④×みなし仕入率 (⑨0%・80%・70%・60%・50%・40%)	㉑	円	351,000 円	351,000 円

(ロ) 2種類の事業で75%以上

控除対象仕入税額の計算式区分		税率6.24%適用分 A	税率7.8%適用分 B	合計 C (A＋B)
第一種事業及び第二種事業 (⑦C＋⑧C)／⑥C ≧ 75% $④×\dfrac{⑭×90\%+(⑬-⑭)×80\%}{⑬}$	㉒	円	343,200 円	343,200 円
第一種事業及び第三種事業 (⑦C＋⑨C)／⑥C ≧ 75% $④×\dfrac{⑭×90\%+(⑬-⑭)×70\%}{⑬}$	㉓			
第一種事業及び第四種事業 (⑦C＋⑩C)／⑥C ≧ 75% $④×\dfrac{⑭×90\%+(⑬-⑭)×60\%}{⑬}$	㉔			
第一種事業及び第五種事業 (⑦C＋⑪C)／⑥C ≧ 75% $④×\dfrac{⑭×90\%+(⑬-⑭)×50\%}{⑬}$	㉕			
第一種事業及び第六種事業 (⑦C＋⑫C)／⑥C ≧ 75% $④×\dfrac{⑭×90\%+(⑬-⑭)×40\%}{⑬}$	㉖		312,000	312,000
第二種事業及び第三種事業 (⑧C＋⑨C)／⑥C ≧ 75% $④×\dfrac{⑮×80\%+(⑬-⑮)×70\%}{⑬}$	㉗			
第二種事業及び第四種事業 (⑧C＋⑩C)／⑥C ≧ 75% $④×\dfrac{⑮×80\%+(⑬-⑮)×60\%}{⑬}$	㉘			
第二種事業及び第五種事業 (⑧C＋⑪C)／⑥C ≧ 75% $④×\dfrac{⑮×80\%+(⑬-⑮)×50\%}{⑬}$	㉙			
第二種事業及び第六種事業 (⑧C＋⑫C)／⑥C ≧ 75% $④×\dfrac{⑮×80\%+(⑬-⑮)×40\%}{⑬}$	㉚			
第三種事業及び第四種事業 (⑨C＋⑩C)／⑥C ≧ 75% $④×\dfrac{⑯×70\%+(⑬-⑯)×60\%}{⑬}$	㉛			
第三種事業及び第五種事業 (⑨C＋⑪C)／⑥C ≧ 75% $④×\dfrac{⑯×70\%+(⑬-⑯)×50\%}{⑬}$	㉜			
第三種事業及び第六種事業 (⑨C＋⑫C)／⑥C ≧ 75% $④×\dfrac{⑯×70\%+(⑬-⑯)×40\%}{⑬}$	㉝			
第四種事業及び第五種事業 (⑩C＋⑪C)／⑥C ≧ 75% $④×\dfrac{⑰×60\%+(⑬-⑰)×50\%}{⑬}$	㉞			
第四種事業及び第六種事業 (⑩C＋⑫C)／⑥C ≧ 75% $④×\dfrac{⑰×60\%+(⑬-⑰)×40\%}{⑬}$	㉟			
第五種事業及び第六種事業 (⑪C＋⑫C)／⑥C ≧ 75% $④×\dfrac{⑱×50\%+(⑬-⑱)×40\%}{⑬}$	㊱			

ハ 上記の計算式区分から選択した控除対象仕入税額

項目		税率6.24%適用分 A	税率7.8%適用分 B	合計 C (A＋B)
選択可能な計算式区分 (⑳～㊱) の内から選択した金額	㊲	※付表4-3の④A欄へ 円	※付表4-3の④B欄へ 351,000 円	※付表4-3の④C欄へ 351,000 円

注意　金額の計算においては、1円未満の端数を切り捨てる。

(2／2)

例3 みなし仕入率の特例が適用できるケース（2業種で75%以上）

令和5年10月～令和6年3月事業区分別の税抜売上高（消費税率10%（国税＋地方税））

		課税売上高	構成比率
事業区分	卸売・第一種事業（みなし仕入率90%）	3,000,000	60%
	小売・第二種事業（みなし仕入率80%）	1,100,000	22%
	不動産賃貸・第六種事業（みなし仕入率40%）	900,000	18%
	合　計	5,000,000円	

例3 のケースでは、3種類以上の事業を営むL社の卸売・第一種事業だけの課税売上高は3,000,000円で全体の課税売上高の75%におよびませんが、小売・第二種事業の課税売上高1,100,000円を合計すると、82%となり、「みなし仕入率の特例（75%ルール）」を適用することが可能です。この場合、みなし仕入率の高い方は、卸売・第一種事業ですから、3,000,000円にはみなし仕入率90%を適用し、残りの課税売上高（5,000,000円－3,000,000円＝2,000,000円）には、みなし仕入率の低い方（小売・第二種事業）のみなし仕入率80%を適用し、計算するわけです。

例3 の付表と申告書の記入のしかたは次のとおりです。

① 控除対象仕入税額の計算の基礎となる消費税額（付表5－3）

5,000,000円×7.8％＝390,000円①

付表5－3④の控除対象仕入税額の計算の基礎となる金額は、上記計算による390,000円に貸倒回収に係る消費税額を加え、売上対価の返還等に係る消費税額を控除して計算しますが、**例3** のケースではいずれも該当額がないため、付表5－3④の金額は390,000円になります。

② 2種類以上の事業を営む事業者の場合の控除対象仕入税額（付表5－3）

(1) 事業区分別の課税売上高（税抜き）の明細

項　目	税率6.24％適用分 A	税率7.8％適用分 B	合　計　C (A＋B)	
事業区分別合計額　⑥		5,000,000円	5,000,000円	売上割合
第一種事業　⑦		3,000,000円	3,000,000円	60.0%
第二種事業　⑧		1,100,000円	1,100,000円	22.0%
第六種事業　⑫		900,000円	900,000円	18.0%

事業区分別の課税売上高（税抜き）を税区分別に付表5－3⑦～⑫の欄に記入し、合計額5,000,000円を付表5－3⑥B及び⑥Cに記入します。

(2) (1)の事業区分別の課税売上高に係る消費税額の明細

項　目	税率6.24%適用分 A	税率7.8%適用分 B	合　計　C （A＋B）
事業区分別合計額　⑬		390,000円	390,000円
第一種事業　⑭		234,000円	234,000円
第二種事業　⑮		85,800円	85,800円
第六種事業　⑲		70,200円	70,200円

　付表5－3⑦B3,000,000円×7.8％＝234,000円を⑭Bに、⑧B1,100,000円×7.8％＝85,800円を⑮Bに、⑫B900,000円×7.8％＝70,200円を⑲Bに記入します。また、⑭B、⑮B、⑲Bの合計額390,000円を⑬Bに記入します。**例3**では軽減税率に係る課税売上高はありませんのでA欄は記入する必要がありません。そのため、B欄の金額をC欄にも転記します。

(3) 控除対象税額の計算式区分の明細

　イ　原則計算を適用する場合

控除対象仕入税額の計算式区分 ⑳	税率6.24%適用分 A	税率7.8%適用分 B	合　計　C （A＋B）
④×みなし仕入率 $\left(\dfrac{（⑭×90\%＋⑮×80\%＋⑲×40\%）}{⑬}\right)$		307,320円	307,320円

　　原則法のみなし仕入率は、（⑭234,000円×90％＋⑮85,800円×80％＋⑲70,200円×40％）／⑬390,000円＝78.8％となります。

　　④390,000円×78.8％＝307,320円となります。

　ロ　特例計算を適用する場合

　　付表5－3のⅢの(3)のロの「（ロ）　2種類の事業で75％以上」に該当します。

控除対象仕入税額の計算式区分 ⑳		税率7.8%適用分 B	合　計　C （A＋B）
第一種事業及び第二事業で75％以上	$④×\dfrac{（⑭×90\%＋（⑬－⑭）×80\%）}{⑬}$	335,400円	335,400円

　　④390,000円×（⑭234,000円×90％＋（⑬390,000円－⑭234,000円）×80％）／⑬390,000円＝335,400円

「みなし仕入率の特例（75％ルール）」を利用した控除対象仕入税額は335,400円となり、原則法の307,320円より有利なのでこの335,400円を、付表5－3の㊲B、C及び付表4－3の④B、Cに記入します。

　その後、申告書第二表⑪及び申告書第一表②に付表4－3の②Cの390,000円を、申告

263

書第一表④の控除対象仕入税額に付表4－3の④Ｃの335,400円を転記します。

　次に、２割特例の控除対象仕入税額を計算し、比較します。

（3,000,000円＋1,100,000円＋900,000円）×7.8%×80%＝312,000円

　この場合、簡易課税制度の計算による控除対象仕入税額が多くなりますので、簡易課税制度を採用することになります。

例3 の簡易課税の場合の付表4－3、5－3、申告書（第一表、第二表）は次のとおりです。

第4-(11)号様式

付表4−3　税率別消費税額計算表　兼　地方消費税の課税標準となる消費税額計算表

簡 易

課　税　期　間	令和 5・4・1 ~ 令和 6・3・31	氏名又は名称	L社　例3

区　　　　分		税率 6.24 % 適用分 A	税率 7.8 % 適用分 B	合　　計　　C (A+B)
課　税　標　準　額	①	円 000	円 5,000,000	※第二表の①欄へ 円 5,000,000
課 税 資 産 の 譲 渡 等 の 対 価 の 額	①-1	※第二表の⑤欄へ	※第二表の⑥欄へ 5,000,000	※第二表の⑦欄へ 5,000,000
消　　費　　税　　額	②	※付表5-3の①A欄へ ※第二表の⑮欄へ	※付表5-3の①B欄へ ※第二表の⑯欄へ 390,000	※付表5-3の①C欄へ ※第二表の⑪欄へ 390,000
貸倒回収に係る消費税額	③	※付表5-3の②A欄へ	※付表5-3の②B欄へ	※付表5-3の②C欄へ ※第一表の③欄へ
控除税額 控除対象仕入税額	④	(付表5-3の⑤A欄又は㊼A欄の金額)	(付表5-3の⑤B欄又は㊼B欄の金額) 335,400	(付表5-3の⑤C欄又は㊼C欄の金額) ※第一表の④欄へ 335,400
返 還 等 対 価 に 係 る 税 額	⑤	※付表5-3の③A欄へ	※付表5-3の③B欄へ	※付表5-3の③C欄へ ※第二表の⑰欄へ
貸 倒 れ に 係 る 税 額	⑥			※第一表の⑥欄へ
控 除 税 額 小 計 (④+⑤+⑥)	⑦		335,400	※第一表の⑦欄へ 335,400
控 除 不 足 還 付 税 額 (⑦-②-③)	⑧			※第一表の⑧欄へ
差 引 税 額 (②+③-⑦)	⑨			※第一表の⑨欄へ 54,600
地方消費税の課税標準となる消費税額 控除不足還付税額 (⑧)	⑩			※第一表の⑰欄へ ※マイナス「−」を付して第二表の㉑及び㉓欄へ
差 引 税 額 (⑨)	⑪			※第一表の⑱欄へ ※第二表の㉒及び㉓欄へ 54,600
譲渡割額 還 付 額	⑫			(⑩C欄×22/78) ※第一表の⑲欄へ
納 税 額	⑬			(⑪C欄×22/78) ※第一表の⑳欄へ 15,400

注意　金額の計算においては、1円未満の端数を切り捨てる。

(R1.10.1以後終了課税期間用)

付表5-3　控除対象仕入税額等の計算表

簡易

課税期間	令和 5 4 1 ～ 令和 6 3 31	氏名又は名称	L社　例3

Ⅰ 控除対象仕入税額の計算の基礎となる消費税額

項　目		税率6.24%適用分 A	税率7.8%適用分 B	合計 C (A＋B)
課税標準額に対する消費税額	①	(付表4-3の②A欄の金額)　円	(付表4-3の②B欄の金額) 390,000	(付表4-3の②C欄の金額) 390,000
貸倒回収に係る消費税額	②	(付表4-3の③A欄の金額)	(付表4-3の③B欄の金額)	(付表4-3の③C欄の金額)
売上対価の返還等に係る消費税額	③	(付表4-3の⑤A欄の金額)	(付表4-3の⑤B欄の金額)	(付表4-3の⑤C欄の金額)
控除対象仕入税額の計算の基礎となる消費税額 (①＋②－③)	④		390,000	390,000

Ⅱ 1種類の事業の専業者の場合の控除対象仕入税額

項　目		税率6.24%適用分 A	税率7.8%適用分 B	合計 C (A＋B)
④ × みなし仕入率 (90%・80%・70%・60%・50%・40%)	⑤	※付表4-3の④A欄へ　円	※付表4-3の④B欄へ　円	※付表4-3の④C欄へ　円

Ⅲ 2種類以上の事業を営む事業者の場合の控除対象仕入税額

(1) 事業区分別の課税売上高(税抜き)の明細

項　目		税率6.24%適用分 A	税率7.8%適用分 B	合計 C (A＋B)	売上割合
事業区分別の合計額	⑥	円	5,000,000　円	5,000,000	
第一種事業 (卸売業)	⑦		3,000,000	※第一表「事業区分」欄へ 3,000,000	60.0 %
第二種事業 (小売業等)	⑧		1,100,000	※　〃 1,100,000	22.0
第三種事業 (製造業等)	⑨			※　〃	
第四種事業 (その他)	⑩			※　〃	
第五種事業 (サービス業等)	⑪			※　〃	
第六種事業 (不動産業)	⑫		900,000	※　〃 900,000	18.0

(2) (1)の事業区分別の課税売上高に係る消費税額の明細

項　目		税率6.24%適用分 A	税率7.8%適用分 B	合計 C (A＋B)
事業区分別の合計額	⑬	円	390,000　円	390,000　円
第一種事業 (卸売業)	⑭		234,000	234,000
第二種事業 (小売業等)	⑮		85,800	85,800
第三種事業 (製造業等)	⑯			
第四種事業 (その他)	⑰			
第五種事業 (サービス業等)	⑱			
第六種事業 (不動産業)	⑲		70,200	70,200

注意　1　金額の計算においては、1円未満の端数を切り捨てる。
　　　2　課税売上げにつき返品を受け又は値引き・割戻しをした金額(売上対価の返還等の金額)があり、売上(収入)金額から減算しない方法で経理して経費に含めている場合には、⑥から⑫欄には売上対価の返還等の金額(税抜き)を控除した後の金額を記載する。

(R1.10.1以後終了課税期間用)

〔付表5−3〕

(3) 控除対象仕入税額の計算式区分の明細

イ 原則計算を適用する場合

控 除 対 象 仕 入 税 額 の 計 算 式 区 分		税率6.24%適用分 A	税率7.8%適用分 B	合計 C (A＋B)
④ × みなし仕入率 $\dfrac{⑭×90\%+⑮×80\%+⑯×70\%+⑰×60\%+⑱×50\%+⑲×40\%}{⑬}$	⑳	円	307,320	307,320

ロ 特例計算を適用する場合

(イ) 1種類の事業で75%以上

控 除 対 象 仕 入 税 額 の 計 算 式 区 分		税率6.24%適用分 A	税率7.8%適用分 B	合計 C (A＋B)
(⑦C／⑥C・⑧C／⑥C・⑨C／⑥C・⑩C／⑥C・⑪C／⑥C・⑫C／⑥C)≧75% ④×みなし仕入率(90%・80%・70%・60%・50%・40%)	㉑	円		円

(ロ) 2種類の事業で75%以上

控 除 対 象 仕 入 税 額 の 計 算 式 区 分		税率6.24%適用分 A	税率7.8%適用分 B	合計 C (A＋B)
第一種事業及び第二種事業 (⑦C＋⑧C)／⑥C≧75%	④×$\dfrac{⑭×90\%+(⑬-⑭)×80\%}{⑬}$ ㉒	円	335,400	335,400
第一種事業及び第三種事業 (⑦C＋⑨C)／⑥C≧75%	④×$\dfrac{⑭×90\%+(⑬-⑭)×70\%}{⑬}$ ㉓			
第一種事業及び第四種事業 (⑦C＋⑩C)／⑥C≧75%	④×$\dfrac{⑭×90\%+(⑬-⑭)×60\%}{⑬}$ ㉔			
第一種事業及び第五種事業 (⑦C＋⑪C)／⑥C≧75%	④×$\dfrac{⑭×90\%+(⑬-⑭)×50\%}{⑬}$ ㉕			
第一種事業及び第六種事業 (⑦C＋⑫C)／⑥C≧75%	④×$\dfrac{⑭×90\%+(⑬-⑭)×40\%}{⑬}$ ㉖		273,000	273,000
第二種事業及び第三種事業 (⑧C＋⑨C)／⑥C≧75%	④×$\dfrac{⑮×80\%+(⑬-⑮)×70\%}{⑬}$ ㉗			
第二種事業及び第四種事業 (⑧C＋⑩C)／⑥C≧75%	④×$\dfrac{⑮×80\%+(⑬-⑮)×60\%}{⑬}$ ㉘			
第二種事業及び第五種事業 (⑧C＋⑪C)／⑥C≧75%	④×$\dfrac{⑮×80\%+(⑬-⑮)×50\%}{⑬}$ ㉙			
第二種事業及び第六種事業 (⑧C＋⑫C)／⑥C≧75%	④×$\dfrac{⑮×80\%+(⑬-⑮)×40\%}{⑬}$ ㉚			
第三種事業及び第四種事業 (⑨C＋⑩C)／⑥C≧75%	④×$\dfrac{⑯×70\%+(⑬-⑯)×60\%}{⑬}$ ㉛			
第三種事業及び第五種事業 (⑨C＋⑪C)／⑥C≧75%	④×$\dfrac{⑯×70\%+(⑬-⑯)×50\%}{⑬}$ ㉜			
第三種事業及び第六種事業 (⑨C＋⑫C)／⑥C≧75%	④×$\dfrac{⑯×70\%+(⑬-⑯)×40\%}{⑬}$ ㉝			
第四種事業及び第五種事業 (⑩C＋⑪C)／⑥C≧75%	④×$\dfrac{⑰×60\%+(⑬-⑰)×50\%}{⑬}$ ㉞			
第四種事業及び第六種事業 (⑩C＋⑫C)／⑥C≧75%	④×$\dfrac{⑰×60\%+(⑬-⑰)×40\%}{⑬}$ ㉟			
第五種事業及び第六種事業 (⑪C＋⑫C)／⑥C≧75%	④×$\dfrac{⑱×50\%+(⑬-⑱)×40\%}{⑬}$ ㊱			

ハ 上記の計算式区分から選択した控除対象仕入税額

項 目		税率6.24%適用分 A	税率7.8%適用分 B	合計 C (A＋B)
選択可能な計算式区分(⑳〜㊱)の内から選択した金額	㊲	※付表4-3の④A欄へ 円	※付表4-3の④B欄へ 335,400	※付表4-3の④C欄へ 335,400

注意 金額の計算においては、1円未満の端数を切り捨てる。

(2／2)

(R1.10.1以後終了課税期間用)

課税標準額等の内訳書

納　税　地	
	（電話番号　　　　－　　　　－　　　　　）
（フリガナ）	
法　人　名	L 社　例 3
（フリガナ）	
代表者氏名	

整理番号	□□□□□□□□	法人用

改 正 法 附 則 に よ る 税 額 の 特 例 計 算			
軽減売上割合（10営業日）	○	附則38①	51
小 売 等 軽 減 仕 入 割 合	○	附則38②	52

第二表

自 令和 `5`年`4`月`1`日　**課税期間分の消費税及び地方**
至 令和 `6`年`3`月`31`日　**消費税の（　確定　）申告書**

中間申告 自 令和 □□年□□月□□日
の場合の
対象期間 至 令和 □□年□□月□□日

令和四年四月一日以後終了課税期間分

課　　税　　標　　準　　額 ※申告書（第一表）の①欄へ	①	十兆千百十億千百十万千百十一円　　5 0 0 0 0 0 0	01

課税資産の譲渡等の対価の額の合計額	3 ％ 適 用 分	②		02
	4 ％ 適 用 分	③		03
	6.3 ％ 適 用 分	④		04
	6.24 ％ 適 用 分	⑤		05
	7.8 ％ 適 用 分	⑥	5 0 0 0 0 0 0	06
	（ ② ～ ⑥ の 合 計 ）	⑦	5 0 0 0 0 0 0	07
特定課税仕入れに係る支払対価の額の合計額 （注1）	6.3 ％ 適 用 分	⑧		11
	7.8 ％ 適 用 分	⑨		12
	（ ⑧ ・ ⑨ の 合 計 ）	⑩		13

消　　費　　税　　額 ※申告書（第一表）の②欄へ	⑪	3 9 0 0 0 0	21
⑪ の 内 訳	3 ％ 適 用 分 ⑫		22
	4 ％ 適 用 分 ⑬		23
	6.3 ％ 適 用 分 ⑭		24
	6.24 ％ 適 用 分 ⑮		25
	7.8 ％ 適 用 分 ⑯	3 9 0 0 0 0	26

返 還 等 対 価 に 係 る 税 額 ※申告書（第一表）の⑤欄へ	⑰		31
⑰の内訳	売 上 げ の 返 還 等 対 価 に 係 る 税 額 ⑱		32
	特定課税仕入れの返還等対価に係る税額 （注1） ⑲		33

地方消費税の課税標準となる消費税額	（ ㉑ ～ ㉓ の 合 計 ）	⑳	5 4 6 0 0	41
	4 ％ 適 用 分	㉑		42
	6.3 ％ 適 用 分	㉒		43
（注2）	6.24%及び7.8% 適 用 分	㉓	5 4 6 0 0	44

（注1）　⑧～⑩及び⑲欄は、一般課税により申告する場合で、課税売上割合が95％未満、かつ、特定課税仕入れがある事業者のみ記載します。
（注2）　⑳～㉓欄が還付税額となる場合はマイナス「－」を付してください。

第3-（3）号様式

簡　法人用　第一表　令和五年十月一日以後終了課税期間分（簡易課税用）

課税期間分の消費税及び地方消費税の（確定）申告書

税務署長殿

（フリガナ）
法人名　L社　例3
法人番号
（フリガナ）
代表者氏名

自　平成・令和　5年 4月 1日
至　令和　6年 3月31日

中間申告　自　平成・令和
の場合の　至　令和
対象期間

この申告書による消費税の税額の計算

区分	番号	金額
課税標準額 ①	03	5 0 0 0 0 0 0
消費税額 ②	06	3 9 0 0 0 0
貸倒回収に係る消費税額 ③	07	
控除対象仕入税額 ④	08	3 3 5 4 0 0
控除 返還等対価に係る税額 ⑤	09	
税額 貸倒れに係る税額 ⑥	10	
控除税額小計（④+⑤+⑥）⑦	11	3 3 5 4 0 0
控除不足還付税額（⑦-②-③）⑧	13	
差引税額（②+③-⑦）⑨	15	5 4 6 0 0
中間納付税額 ⑩	16	
納付税額（⑨-⑩）⑪	17	5 4 6 0 0
中間納付還付税額（⑩-⑨）⑫	18	0 0
この申告書が修正申告である場合 既確定税額 ⑬	19	
差引納付税額 ⑭	20	0 0
課税売上割合 課税資産の譲渡等の対価の額 ⑮	21	
基準期間の課税売上高 資産の譲渡等の対価の額 ⑯		5 0 0 0 0 0 0

この申告書による地方消費税の税額の計算

区分	番号	金額
地方消費税の課税標準となる消費税額 控除不足還付税額 ⑰	51	
差引税額 ⑱	52	5 4 6 0 0
譲渡割額 還付額 ⑲	53	
納付額 ⑳	54	1 5 4 0 0
中間納付譲渡割額 ㉑	55	0 0
納付譲渡割額（⑳-㉑）㉒	56	1 5 4 0 0
中間納付還付譲渡割額（㉑-⑳）㉓	57	0 0
この申告書が修正申告である場合 既確定譲渡割額 ㉔	58	
差引納付譲渡割額 ㉕	59	0 0
消費税及び地方消費税の合計（納付又は還付）税額 ㉖	60	7 0 0 0 0

参考事項

付記事項		
割賦基準の適用	31	有・無 ○
延払基準等の適用	32	有・無 ○
工事進行基準の適用	33	有・無 ○
現金主義会計の適用	34	有・無 ○
課税標準額に対する消費税額の計算の特例の適用	35	有・無 ○

参考事項	区分		
事業区分	第1種	36	売上割合 % 6 0 . 0
	第2種	37	2 2 . 0
	第3種	38	
	第4種	39	
	第5種	42	
	第6種	43	1 8 . 0
特例計算適用（令57③）	44	有・無 ○

税額控除に係る経過措置の適用（2割特例）

銀行・金庫・組合・農協・漁協　本店・支店　出張所　本所・支店
預金　口座番号
ゆうちょ銀行の貯金記号番号
郵便局名等

（個人の方）公金受取口座の利用

税理士名
（電話番号　　－　　－　　）

税理士法第30条の書面提出　有
税理士法第33条の2の書面提出　有

※　2割特例による申告の場合、㊿欄に「○」印を記載し、⑮欄×22/78から算出された金額を㊿欄に記載してください。

㉖＝（⑪+⑫）－（⑱+⑲＋⑳）＋㉒＋㉓　修正申告の場合㉖＝⑭＋㉕
㉑から算出される金額はマイナス「－」を付してください。

⑪・⑫又は⑲・⑳の記入をお忘れなく。

当社は、基準期間の課税売上高が5,000万円以下で消費税の計算について簡易課税制度を選択しております。事業は小売りのみを行っています。当課税期間に店舗の売却を行ったのですが、この場合のみなし仕入率による控除対象仕入税額を計算する方法を教えてください。

事業年度（令5.1.1～令5.12.31）

	軽減税率6.24%	標準税率7.8%	合計
売上高（税抜き） 消費税額	20,000,000円 1,248,000円	20,000,000円 1,560,000円	40,000,000円 2,808,000円
売上戻り（税抜き） 消費税額	400,000円 24,960円	400,000円 31,200円	800,000円 56,160円

固定資産の売却対価（令和5年3月譲渡）

土地	1,000,000円	
建物	20,000,000円	（消費税額1,560,000円）
		（地方消費税額440,000円）
中間納付消費税額	400,000円	（消費税額312,000円）
		（地方消費税額88,000円）

A 自己において使用していた固定資産の譲渡等については、第四種事業に該当します（基通13－2－9）ので、当課税期間において、貴社は、第二種と第四種の2種類の事業を営むことになります。

2種類の事業を営む場合は、みなし仕入率は売上割合によっては2通りの方法が認められます。

以下、付表5－3を中心に記載要領を述べます。

１ 付表5－3控除対象仕入税額等の計算表の作成について

⑴ 事業区分別の課税売上高（税抜き）

売上戻り等の対価の返還等は、課税売上高から控除し、税率適用区分ごとに課税売上高を税抜きで記入します（付表5－3⑥～⑫のA、B、C）。

	6.24%適用分	7.8%適用分	合計
第二種事業	19,600,000円	19,600,000円	39,200,000円
第四種事業	―	20,000,000円	20,000,000円
税率適用区分ごとの合計	19,600,000円	39,600,000円	59,200,000円

（注）　事業区分別の金額は売上戻りを控除した金額。7.8%適用分は建物の売上金額（20,000,000円）を加えた金額。

(2) (1)の事業区分別の課税売上高に係る消費税額

各課税売上高に対する消費税額を記入します（付表5－3⑬～⑲のA、B、C）。

	6.24%適用分	7.8%適用分	合計
第二種事業	1,223,040円	1,528,800円	2,751,840円
第四種事業	－	1,560,000円	1,560,000円
税率適用区分ごとの合計	1,223,040円	3,088,800円	4,311,840円

(3) みなし仕入率の特例（75%ルール）の適用の可否

(1)より　売上割合

第二種事業　66.2%（39,200,000円／59,200,000円）

第四種事業　33.7%（20,000,000円／59,200,000円）

いずれも、75%未満ですので、原則計算を適用します（付表5－3⑳）。

2　控除対象仕入税額の計算（みなし仕入率は加重平均値を用いる原則法）

付表5－3⑳のA、B、Cに記入します。

税率6.24%適用分	$1,223,040円 \times \dfrac{1,223,040円 \times 80\%}{1,223,040円} = 978,432円$
税率7.8%適用分	$3,088,800円 \times \dfrac{1,528,800円 \times 80\% + 1,560,000円 \times 60\%}{3,088,800円} = 2,159,039円$
合計	978,432円＋2,159,039円＝3,137,471円

上記の金額は、付表5－3㊲のA、B、Cも記入します。同時に、付表4－3④のA、B、Cに転記します。

3　みなし仕入率の適用にあたっての注意事項

付表5－3の課税売上高は、税抜きで、かつ、対価の返還等を控除した後の金額を記入します。課税標準額をそのまま使用するのとは違いますので注意してください。

なお、2種類以上の事業を営む事業者が課税売上高を事業の種類ごとに区分していないものがある場合は、営む事業のうち、最も低いみなし仕入率を適用することになって（令57④）納税者にとって不利になりますので、事業の区分は、必ず行ってください。

ただし、複数の事業のうち1つのみを区分していない場合は、総課税売上高から区分した事業に係る課税売上高を控除することにより区分していない事業の課税売上高として取り扱えることになっています（基通13－3－2）。

付表4−3　税率別消費税額計算表　兼　地方消費税の課税標準となる消費税額計算表　　簡易

課　税　期　間	令和 5・1・1 ～ 令和 5・12・31	氏 名 又 は 名 称	

区　　　　　　分		税率 6.24 % 適用分 A	税率 7.8 % 適用分 B	合　　計　C (A+B)
課　税　標　準　額	①	円 20,000,000	円 40,000,000	※第二表の①欄へ 円 60,000,000
課税資産の譲渡等の対価の額	①-1	※第二表の⑤欄へ 20,000,000	※第二表の⑥欄へ 40,000,000	※第二表の⑦欄へ 60,000,000
消　　費　　税　　額	②	※付表5-3の①A欄へ ※第二表の⑮欄へ 1,248,000	※付表5-3の①B欄へ ※第二表の⑯欄へ 3,120,000	※付表5-3の①C欄へ ※第二表の⑪欄へ 4,368,000
貸倒回収に係る消費税額	③	※付表5-3の②A欄へ	※付表5-3の②B欄へ	※付表5-3の②C欄へ ※第一表の③欄へ
控除税額　控除対象仕入税額	④	(付表5-3の⑤A欄又は㉗A欄の金額) 978,432	(付表5-3の⑤B欄又は㉗B欄の金額) 2,159,039	(付表5-3の⑤C欄又は㉗C欄の金額) ※第一表の④欄へ 3,137,471
返還等対価に係る税額	⑤	※付表5-3の③A欄へ 24,960	※付表5-3の③B欄へ 31,200	※付表5-3の③C欄へ ※第二表の⑰欄へ 56,160
貸倒れに係る税額	⑥			※第一表の⑥欄へ
控除税額小計 (④+⑤+⑥)	⑦	1,003,392	2,190,239	※第一表の⑦欄へ 3,193,631
控除不足還付税額 (⑦-②-③)	⑧			※第一表の⑧欄へ
差　引　税　額 (②+③-⑦)	⑨			※第一表の⑨欄へ 1,174,300
地方消費税の課税標準となる消費税額　控除不足還付税額 (⑧)	⑩			※第一表の⑰欄へ ※マイナス「−」を付して第二表の㉑及び㉓欄へ
差　引　税　額 (⑨)	⑪			※第一表の⑱欄へ ※第二表の㉒及び㉓欄へ 1,174,300
譲渡割額　還　付　額	⑫			(⑩C欄×22/78) ※第一表の⑲欄へ
納　税　額	⑬			(⑪C欄×22/78) ※第一表の⑳欄へ 331,200

注意　　金額の計算においては、1円未満の端数を切り捨てる。

(R1.10.1以後終了課税期間用)

第4-(12)号様式

付表5-3 控除対象仕入税額等の計算表

簡 易

課税期間	令和 令和 5 1 1 ~ 5 12 31	氏名又は名称	

I 控除対象仕入税額の計算の基礎となる消費税額

項　　　　目		税率6.24%適用分 A	税率7.8%適用分 B	合計 C (A＋B)
課税標準額に 対する消費税額	①	(付表4-3の②A欄の金額) 円 1,248,000	(付表4-3の②B欄の金額) 円 3,120,000	(付表4-3の②C欄の金額) 円 4,368,000
貸倒回収に 係る消費税額	②	(付表4-3の③A欄の金額)	(付表4-3の③B欄の金額)	(付表4-3の③C欄の金額)
売上対価の返還等 に係る消費税額	③	(付表4-3の⑤A欄の金額) 24,960	(付表4-3の⑤B欄の金額) 31,200	(付表4-3の⑤C欄の金額) 56,160
控除対象仕入税額の計算 の基礎となる消費税額 （ ① ＋ ② － ③ ）	④	1,223,040	3,088,800	4,311,840

II 1種類の事業の専業者の場合の控除対象仕入税額

項　　　　目		税率6.24%適用分 A	税率7.8%適用分 B	合計 C (A＋B)
④ × みなし仕入率 (90%・80%・70%・60%・50%・40%)	⑤	※付表4-3の④A欄へ 円	※付表4-3の④B欄へ 円	※付表4-3の④C欄へ 円

III 2種類以上の事業を営む事業者の場合の控除対象仕入税額
(1) 事業区分別の課税売上高(税抜き)の明細

項　　　　目		税率6.24%適用分 A	税率7.8%適用分 B	合計 C (A＋B)	
事業区分別の合計額	⑥	19,600,000 円	39,600,000 円	59,200,000	売上 割合
第一種事業 (卸 売 業)	⑦			※第一表「事業区分」欄へ	％
第二種事業 (小 売 業 等)	⑧	19,600,000	19,600,000	※　〃　39,200,000	66.2
第三種事業 (製 造 業 等)	⑨			※　〃	
第四種事業 (そ の 他)	⑩		20,000,000	※　〃　20,000,000	33.7
第五種事業 (サービス業等)	⑪			※　〃	
第六種事業 (不 動 産 業)	⑫			※　〃	

(2) (1)の事業区分別の課税売上高に係る消費税額の明細

項　　　　目		税率6.24%適用分 A	税率7.8%適用分 B	合計 C (A＋B)
事業区分別の合計額	⑬	1,223,040 円	3,088,800 円	4,311,840 円
第一種事業 (卸 売 業)	⑭			
第二種事業 (小 売 業 等)	⑮	1,223,040	1,528,800	2,751,840
第三種事業 (製 造 業 等)	⑯			
第四種事業 (そ の 他)	⑰		1,560,000	1,560,000
第五種事業 (サービス業等)	⑱			
第六種事業 (不 動 産 業)	⑲			

注意　1　金額の計算においては、1円未満の端数を切り捨てる。
　　　2　課税売上げにつき返品を受け又は値引き・割戻しをした金額(売上対価の返還等の金額)があり、売上(収入)金額から減算しない方法で経理して経費に含めている場合には、⑥から⑫欄には売上対価の返還等の金額(税抜き)を控除した後の金額を記載する。

(R1.10.1以後終了課税期間用)

〔付表5－3〕

(3) 控除対象仕入税額の計算式区分の明細

イ 原則計算を適用する場合

控 除 対 象 仕 入 税 額 の 計 算 式 区 分		税率6.24%適用分 A	税率7.8%適用分 B	合計 C (A＋B)
④ × みなし仕入率 $\dfrac{⑭×90\%＋⑮×80\%＋⑯×70\%＋⑰×60\%＋⑱×50\%＋⑲×40\%}{⑬}$	⑳	円 978,432	円 2,159,039	円 3,137,471

ロ 特例計算を適用する場合

(イ) 1種類の事業で75%以上

控 除 対 象 仕 入 税 額 の 計 算 式 区 分		税率6.24%適用分 A	税率7.8%適用分 B	合計 C (A＋B)
(⑦C／⑥C・⑧C／⑥C・⑨C／⑥C・⑩C／⑥C・⑪C／⑥C・⑫C／⑥C) ≧ 75% ④×みなし仕入率（90％・80％・70％・60％・50％・40％）	㉑	円	円	円

(ロ) 2種類の事業で75%以上

控 除 対 象 仕 入 税 額 の 計 算 式 区 分			税率6.24%適用分 A	税率7.8%適用分 B	合計 C (A＋B)
第一種事業及び第二種事業 (⑦C＋⑧C) ／⑥C ≧ 75%	④× $\dfrac{⑭×90\%＋(⑬－⑭)×80\%}{⑬}$	㉒	円	円	円
第一種事業及び第三種事業 (⑦C＋⑨C) ／⑥C ≧ 75%	④× $\dfrac{⑭×90\%＋(⑬－⑭)×70\%}{⑬}$	㉓			
第一種事業及び第四種事業 (⑦C＋⑩C) ／⑥C ≧ 75%	④× $\dfrac{⑭×90\%＋(⑬－⑭)×60\%}{⑬}$	㉔			
第一種事業及び第五種事業 (⑦C＋⑪C) ／⑥C ≧ 75%	④× $\dfrac{⑭×90\%＋(⑬－⑭)×50\%}{⑬}$	㉕			
第一種事業及び第六種事業 (⑦C＋⑫C) ／⑥C ≧ 75%	④× $\dfrac{⑭×90\%＋(⑬－⑭)×40\%}{⑬}$	㉖			
第二種事業及び第三種事業 (⑧C＋⑨C) ／⑥C ≧ 75%	④× $\dfrac{⑮×80\%＋(⑬－⑮)×70\%}{⑬}$	㉗			
第二種事業及び第四種事業 (⑧C＋⑩C) ／⑥C ≧ 75%	④× $\dfrac{⑮×80\%＋(⑬－⑮)×60\%}{⑬}$	㉘			
第二種事業及び第五種事業 (⑧C＋⑪C) ／⑥C ≧ 75%	④× $\dfrac{⑮×80\%＋(⑬－⑮)×50\%}{⑬}$	㉙			
第二種事業及び第六種事業 (⑧C＋⑫C) ／⑥C ≧ 75%	④× $\dfrac{⑮×80\%＋(⑬－⑮)×40\%}{⑬}$	㉚			
第三種事業及び第四種事業 (⑨C＋⑩C) ／⑥C ≧ 75%	④× $\dfrac{⑯×70\%＋(⑬－⑯)×60\%}{⑬}$	㉛			
第三種事業及び第五種事業 (⑨C＋⑪C) ／⑥C ≧ 75%	④× $\dfrac{⑯×70\%＋(⑬－⑯)×50\%}{⑬}$	㉜			
第三種事業及び第六種事業 (⑨C＋⑫C) ／⑥C ≧ 75%	④× $\dfrac{⑯×70\%＋(⑬－⑯)×40\%}{⑬}$	㉝			
第四種事業及び第五種事業 (⑩C＋⑪C) ／⑥C ≧ 75%	④× $\dfrac{⑰×60\%＋(⑬－⑰)×50\%}{⑬}$	㉞			
第四種事業及び第六種事業 (⑩C＋⑫C) ／⑥C ≧ 75%	④× $\dfrac{⑰×60\%＋(⑬－⑰)×40\%}{⑬}$	㉟			
第五種事業及び第六種事業 (⑪C＋⑫C) ／⑥C ≧ 75%	④× $\dfrac{⑱×50\%＋(⑬－⑱)×40\%}{⑬}$	㊱			

ハ 上記の計算式区分から選択した控除対象仕入税額

項 目	税率6.24%適用分 A	税率7.8%適用分 B	合計 C (A＋B)
選択可能な計算式区分（⑳～㊱）の内から選択した金額	※付表4-3の④A欄へ 円 978,432	※付表4-3の④B欄へ 円 2,159,039	※付表4-3の④C欄へ 円 3,137,471
	㊲		

注意　金額の計算においては、1円未満の端数を切り捨てる。

(2／2)

(R1.10.1以後終了課税期間用)

274

第3-(2)号様式

課税標準額等の内訳書

整理番号 ☐☐☐☐☐☐☐☐

法人用

納　税　地	
	（電話番号　　　－　　　－　　　）
（フリガナ）	
法　人　名	
（フリガナ）	
代表者氏名	

改正法附則による税額の特例計算

軽減売上割合（10営業日）	○	附則38①	51
小売等軽減仕入割合	○	附則38②	52

第二表

令和四年四月一日以後終了課税期間分

自 令和 **5**年 **1**月 **1**日
至 令和 **5**年**12**月**31**日

課税期間分の消費税及び地方消費税の（　確定　）申告書

中間申告　自 令和 ☐☐年☐☐月☐☐日
の場合の
対象期間 至 令和 ☐☐年☐☐月☐☐日

課　税　標　準　額 ※申告書（第一表）の①欄へ	①	十兆千百十億千百十万千百十一円　　　　　6 0 0 0 0 0 0 0	01

課税資産の譲渡等の対価の額の合計額	3 ％ 適用分	②		02
	4 ％ 適用分	③		03
	6.3 ％ 適用分	④		04
	6.24 ％ 適用分	⑤	2 0 0 0 0 0 0 0	05
	7.8 ％ 適用分	⑥	4 0 0 0 0 0 0 0	06
	（②〜⑥の合計）	⑦	6 0 0 0 0 0 0 0	07
特定課税仕入れに係る支払対価の額の合計額 （注1）	6.3 ％ 適用分	⑧		11
	7.8 ％ 適用分	⑨		12
	（⑧・⑨の合計）	⑩		13

消　費　税　額 ※申告書（第一表）の②欄へ	⑪	4 3 6 8 0 0 0	21

⑪ の 内 訳	3 ％ 適用分	⑫		22
	4 ％ 適用分	⑬		23
	6.3 ％ 適用分	⑭		24
	6.24 ％ 適用分	⑮	1 2 4 8 0 0 0	25
	7.8 ％ 適用分	⑯	3 1 2 0 0 0 0	26

返　還　等　対　価　に　係　る　税　額 ※申告書（第一表）の⑤欄へ	⑰	5 6 1 6 0	31
⑰の内訳　売上げの返還等対価に係る税額	⑱	5 6 1 6 0	32
特定課税仕入れの返還等対価に係る税額 （注1）	⑲		33

地方消費税の課税標準となる消費税額	（㉑〜㉓の合計）	⑳	1 1 7 4 3 0 0	41
	4 ％ 適用分	㉑		42
	6.3 ％ 適用分	㉒		43
	6.24%及び7.8% 適用分 （注2）	㉓	1 1 7 4 3 0 0	44

（注1）　⑧〜⑩及び⑲欄は、一般課税により申告する場合で、課税売上割合が95％未満、かつ、特定課税仕入れがある事業者のみ記載します。
（注2）　⑳〜㉓欄が還付税額となる場合はマイナス「−」を付してください。

第3-(3)号様式

令和　年　月　日

税務署長殿

○ （個人の方）振替継続希望

| 所管 | 要否 | 整理番号 | | | | | | | | |

簡　法人用　第一表

納税地

（電話番号　　－　　－　　）

（フリガナ）

法人名

法人番号 ☐☐☐☐☐☐☐☐☐☐☐☐☐

（フリガナ）

代表者氏名

申告年月日　令和　　年　　月　　日
申告区分　指導等　庁指定　局指定
通信日付印　確認
　年　月　日
指導年月日　　相談 区分1 区分2 区分3
令和

自 平成・令和 **5**年 **1**月 **1**日
至 令和 **5**年 **12**月 **31**日

課税期間分の消費税及び地方消費税の（ 確定 ）申告書

中間申告 自 平成・令和 ☐☐年☐☐月☐☐日
の場合の 対象期間 至 令和 ☐☐年☐☐月☐☐日

令和五年十月一日以後終了課税期間分（簡易課税用）

この申告書による消費税の税額の計算

		十兆千百十億千百十万千百十一円	
課税標準額	①	6 0 0 0 0 0 0 0	03
消費税額	②	4 3 6 8 0 0 0	06
貸倒回収に係る消費税額	③		07
控除税額 控除対象仕入税額	④	3 1 3 7 4 7 1	08
返還等対価に係る税額	⑤	5 6 1 6 0	09
貸倒れに係る税額	⑥		10
控除税額小計 (④+⑤+⑥)	⑦	3 1 9 3 6 3 1	13
控除不足還付税額 (⑦-②-③)	⑧		13
差引税額 (②+③-⑦)	⑨	1 1 7 4 3 0 0	15
中間納付税額	⑩	3 1 2 0 0	16
納付税額 (⑨-⑩)	⑪	8 6 2 3 0 0	17
中間納付還付税額 (⑩-⑨)	⑫	0 0	18
この申告書が修正申告である場合 既確定税額	⑬		19
差引納付税額	⑭	0 0	20
この課税期間の課税売上高	⑮	5 9 2 0 0 0 0 0	21
基準期間の課税売上高	⑯		

この申告書による地方消費税の税額の計算

地方消費税の課税標準となる消費税額 控除不足還付税額	⑰		51
差引税額	⑱	1 1 7 4 3 0 0	52
譲渡割額 還付額	⑲		53
納税額	⑳	3 3 1 2 0 0	54
中間納付譲渡割額	㉑	8 8 0 0	55
納付譲渡割額 (⑳-㉑)	㉒	2 4 3 2 0 0	56
中間納付還付譲渡割額 (㉑-⑳)	㉓	0 0	57
この申告書が修正申告である場合 既確定譲渡割額	㉔		58
差引納付譲渡割額	㉕	0 0	59
消費税及び地方消費税の合計（納付又は還付）税額	㉖	1 1 0 5 5 0 0	60

㉖＝（⑪+㉒）－（⑬+⑫+⑲+㉓）・修正申告の場合㉖＝⑭+㉕
㉖が還付税額となる場合はマイナス「－」を付してください。

付記事項・参考事項

割賦基準の適用	○	有	○無	31
延払基準等の適用	○	有	○無	32
工事進行基準の適用	○	有	○無	33
現金主義会計の適用	○	有	○無	34
課税標準額に対する消費税額の計算の特例の適用	○	有	○無	35

事業区分	区分 課税売上高（免税売上高を除く）千円	売上割合％	
第1種			36
第2種	39,200	6 6 . 2	37
第3種			38
第4種	20,000	3 3 . 7	39
第5種			42
第6種			43

| 特例計算適用（令57③） | ○ | 有 | ○無 | 40 |

○ 税額控除に係る経過措置の適用（2割特例） | 44

還付を受けようとする金融機関等

| 　　　　　銀行　本店・支店 |
| 　金庫・組合　出張所 |
| 　農協・漁協　本所・支所 |
| 預金 口座番号 |
| ゆうちょ銀行の貯金記号番号　　－ |
| 郵便局名等 |

○ （個人の方）公金受取口座の利用

※税務署整理欄

税理士署名

（電話番号　　－　　－　　）

○ 税理士法第30条の書面提出有
○ 税理士法第33条の2の書面提出有

※ 2割特例による申告の場合、⑱に⑪欄の数字を記載し、⑱欄×22/78から算出された金額を㉒欄に記載してください。

Q 7-8 2種類以上の事業を営む事業者でみなし仕入率の特例（75%ルール）による場合

当社は、消費税の計算について簡易課税制度を選択しております。税込経理をしており当課税期間（令和5年1月〜令和5年12月）の売上高等の状況は以下のとおりです（売上高の表示は税抜き）。控除対象仕入税額はどうなるか教えてください。

事業年度（令5.1.1〜令5.12.31）

事業種別		軽減税率6.24%	標準税率7.8%	合計
第一種事業	売上高	20,000,000円	17,000,000円	37,000,000円
	消費税額	1,248,000円	1,326,000円	2,574,000円
第二種事業	売上高	5,000,000円	4,000,000円	9,000,000円
	消費税額	312,000円	312,000円	624,000円
第五種事業	売上高	—	1,500,000円	1,500,000円
	消費税額	—	117,000円	117,000円
合計	売上高	25,000,000円	22,500,000円	47,500,000円
	消費税額	1,560,000円	1,755,000円	3,315,000円

（注）中間納付消費税額はありません。

2種類以上の事業を営む場合、みなし仕入率は売上割合によって2通りの方法が認められます。「事業区分別」と「税率適用区分ごと」に分けて計算を行います。

1 付表5-3の作成

(1) 事業区分別の課税売上げ（税抜き）

税率適用区分ごとに課税売上げを税抜きで記入します（付表5-3⑥〜⑫のA、B、C）。

	6.24%適用分	7.8%適用分	合計
税率適用区分ごとの合計額	25,000,000円	22,500,000円	47,500,000円
第一種事業	20,000,000円	17,000,000円	37,000,000円
第二種事業	5,000,000円	4,000,000円	9,000,000円
第五種事業	—	1,500,000円	1,500,000円

(2) (1)の事業区分別の課税売上高に係る消費税額

各課税売上高に対する消費税額を記入します（付表5－3④、⑬～⑲のA、B、C）。

	6.24%適用分	7.8%適用分	合計
税率適用区分ごとの合計額	1,560,000円	1,755,000円	3,315,000円
第一種事業	1,248,000円	1,326,000円	2,574,000円
第二種事業	312,000円	312,000円	624,000円
第五種事業	—	117,000円	117,000円

(3) みなし仕入率の特例（75%ルール）の適用の可否

(1)より　売上割合

第一種　77.8%（37,000,000円／47,500,000円）

第二種　18.9%（ 9,000,000円／47,500,000円）

第五種　 3.1%（ 1,500,000円／47,500,000円）

第一種事業については売上割合が75％以上です。また、第一種と第二種、第一種と第五種の組み合わせでも売上割合が75％以上です。このため原則計算とみなし仕入率の特例（75％ルール）（3通り）の比較を行います。

2 控除対象仕入税額の計算

(1) 付表5－3の控除対象仕入税額等の計算表の作成について

① 原則計算

税率6.24%適用分

$$1,560,000円 \times \frac{1,248,000円 \times 90\% + 312,000円 \times 80\%}{1,560,000円} = 1,372,800円$$

税率7.8%適用分

$$1,755,000円 \times \frac{1,326,000円 \times 90\% + 312,000円 \times 80\% + 117,000円 \times 50\%}{1,755,000円} = 1,501,499円$$

合　計　　1,372,800円＋1,501,499円＝2,874,299円

上記金額を付表5－3の⑳A、B、Cに記入します。

② みなし仕入率の特例計算（1種類の事業で75%以上）

第一種事業だけで77.8%の売上割合がありますので、みなし仕入率90%を使用します。

税率6.24%適用分　　1,560,000円×みなし仕入率90%＝1,404,000円

税率7.8%適用分　　1,755,000円×みなし仕入率90%＝1,579,500円

合　計　　　　1,404,000円＋1,579,500円＝2,983,500円

上記金額を付表5－3の㉑A、B、Cに記入します。

③　みなし仕入率の特例計算（2種類の事業で75%以上）

第一種事業と第二種事業の場合

税率6.24%適用分

$$1,560,000円 \times \frac{1,248,000円 \times 90\% + (1,560,000円 - 1,248,000円) \times 80\%}{1,560,000円} = 1,372,800円$$

税率7.8%適用分

$$1,755,000円 \times \frac{1,326,000円 \times 90\% + (1,755,000円 - 1,326,000円) \times 80\%}{1,755,000円} = 1,536,599円$$

　　　合　計　　1,372,800円 + 1,536,599円 = 2,909,399円

上記金額を付表5－3の㉒A、B、Cに記入します。

④　みなし仕入率の特例計算（2種類の事業で75%以上）

第一種事業と第五種事業の場合

税率6.24%適用分

$$1,560,000円 \times \frac{1,248,000円 \times 90\% + (1,560,000円 - 1,248,000円) \times 50\%}{1,560,000円} = 1,279,200円$$

税率7.8%適用分

$$1,755,000円 \times \frac{1,326,000円 \times 90\% + (1,755,000円 - 1,326,000円) \times 50\%}{1,755,000円} = 1,407,899円$$

　　　合　計　　1,279,200円 + 1,407,899円 = 2,687,099円

上記金額を付表5－3の㉕A、B、Cに記入します。

⑵　上記で計算した控除対象仕入税額の検討

　付表5－3の控除対象仕入税額等の計算表の金額を検討しますと、付表5－3より、㉑C2,983,500円＞㉒C2,909,399円＞⑳C2,874,299円＞㉕C2,687,099円となり、控除対象仕入税額が最も大きい㉑C2,983,500円を選択し、付表5－3の㊲A、B、Cに記入します。

　次に、この金額を付表4－3の④A、B、Cに転記します。

3 税率別消費税額計算表兼地方消費税の課税標準となる消費税額計算表の作成

付表 4 − 3 を記入します。

（単位：円）

区分		税率6.24% 適用分 A	税率7.8% 適用分 B	合計 C
課税標準額	①	25,000,000	22,500,000	47,500,000
課税資産の譲渡等の対価の額	①-1	25,000,000	22,500,000	47,500,000
消費税額	②	1,560,000	1,755,000	3,315,000
控除対象仕入税額	④	1,404,000	1,579,500	2,983,500
控除税額小計	⑦	1,404,000	1,579,500	2,983,500
差引税額	⑨			331,500
地方消費税の課税標準となる消費税額 差引税額	⑪			331,500

譲渡割額を計算します。

納付額	⑬			93,500

第4-(11)号様式

付表4-3 税率別消費税額計算表 兼 地方消費税の課税標準となる消費税額計算表

簡 易

課 税 期 間		令和 5・1・1 ～ 令和 5・12・31		氏 名 又 は 名 称	

区　分		税率 6.24 % 適用分 A	税率 7.8 % 適用分 B	合　計　C (A+B)
課 税 標 準 額	①	円 25,000,000	円 22,500,000	※第二表の①欄へ 円 47,500,000
課 税 資 産 の 譲 渡 等 の 対 価 の 額	①-1	※第二表の⑤欄へ 25,000,000	※第二表の⑥欄へ 22,500,000	※第二表の⑦欄へ 47,500,000
消 費 税 額	②	※付表5-3の①A欄へ ※第二表の⑮欄へ 1,560,000	※付表5-3の①B欄へ ※第二表の⑯欄へ 1,755,000	※付表5-3の①C欄へ ※第二表の⑪欄へ 3,315,000
貸 倒 回 収 に 係 る 消 費 税 額	③	※付表5-3の②A欄へ	※付表5-3の②B欄へ	※付表5-3の②C欄へ ※第一表の③欄へ
控除税額 控 除 対 象 仕 入 税 額	④	(付表5-3の⑤A欄又は㉗A欄の金額) 1,404,000	(付表5-3の⑤B欄又は㉗B欄の金額) 1,579,500	(付表5-3の⑤C欄又は㉗C欄の金額) ※第一表の④欄へ 2,983,500
返 還 等 対 価 に 係 る 税 額	⑤	※付表5-3の③A欄へ	※付表5-3の③B欄へ	※付表5-3の③C欄へ ※第二表の⑰欄へ
貸 倒 れ に 係 る 税 額	⑥			※第一表の⑥欄へ
控 除 税 額 小 計 (④+⑤+⑥)	⑦	1,404,000	1,579,500	※第一表の⑦欄へ 2,983,500
控 除 不 足 還 付 税 額 (⑦-②-③)	⑧			※第一表の⑧欄へ
差 引 税 額 (②+③-⑦)	⑨			※第一表の⑨欄へ 331,500
地方消費税の課税標準となる消費税額 控 除 不 足 還 付 税 額 (⑧)	⑩			※第一表の⑰欄へ ※マイナス「－」を付して第二表の㉑及び㉓欄へ
差 引 税 額 (⑨)	⑪			※第一表の⑱欄へ ※第二表の⑳及び㉓欄へ 331,500
譲渡割額 還 付 額	⑫			(⑩C欄×22/78) ※第一表の⑲欄へ
納 税 額	⑬			(⑪C欄×22/78) ※第一表の⑳欄へ 93,500

注意　金額の計算においては、1円未満の端数を切り捨てる。

(R1.10.1以後終了課税期間用)

付表5-3 控除対象仕入税額等の計算表

簡 易

| 課 税 期 間 | 令和 5 1 1 ~ 令和 5 12 31 | 氏名又は名称 | |

Ⅰ 控除対象仕入税額の計算の基礎となる消費税額

項 目		税率6.24%適用分 A	税率7.8%適用分 B	合計 C (A+B)
課 税 標 準 額 に 対 す る 消 費 税 額	①	(付表4-3の②A欄の金額) 円 1,560,000	(付表4-3の②B欄の金額) 円 1,755,000	(付表4-3の②C欄の金額) 円 3,315,000
貸 倒 回 収 に 係 る 消 費 税 額	②	(付表4-3の③A欄の金額)	(付表4-3の③B欄の金額)	(付表4-3の③C欄の金額)
売 上 対 価 の 返 還 等 に 係 る 消 費 税 額	③	(付表4-3の⑤A欄の金額)	(付表4-3の⑤B欄の金額)	(付表4-3の⑤C欄の金額)
控 除 対 象 仕 入 税 額 の 計 算 の 基 礎 と な る 消 費 税 額 (① + ② - ③)	④	1,560,000	1,755,000	3,315,000

Ⅱ 1種類の事業の専業者の場合の控除対象仕入税額

項 目		税率6.24%適用分 A	税率7.8%適用分 B	合計 C (A+B)
④ × みなし仕入率 (90%・80%・70%・60%・50%・40%)	⑤	※付表4-3の④A欄へ 円	※付表4-3の④B欄へ 円	※付表4-3の④C欄へ 円

Ⅲ 2種類以上の事業を営む事業者の場合の控除対象仕入税額

(1) 事業区分別の課税売上高(税抜き)の明細

項 目		税率6.24%適用分 A	税率7.8%適用分 B	合計 C (A+B)	売上割合
事 業 区 分 別 の 合 計 額	⑥	円 25,000,000	円 22,500,000	円 47,500,000	
第 一 種 事 業 (卸 売 業)	⑦	20,000,000	17,000,000	※第一表「事業区分」欄へ 37,000,000	% 77.8
第 二 種 事 業 (小 売 業 等)	⑧	5,000,000	4,000,000	※ 〃 9,000,000	18.9
第 三 種 事 業 (製 造 業 等)	⑨			※ 〃	
第 四 種 事 業 (そ の 他)	⑩			※ 〃	
第 五 種 事 業 (サ ー ビ ス 業 等)	⑪		1,500,000	※ 〃 1,500,000	3.1
第 六 種 事 業 (不 動 産 業)	⑫			※ 〃	

(2) (1)の事業区分別の課税売上高に係る消費税額の明細

項 目		税率6.24%適用分 A	税率7.8%適用分 B	合計 C (A+B)
事 業 区 分 別 の 合 計 額	⑬	円 1,560,000	円 1,755,000	円 3,315,000
第 一 種 事 業 (卸 売 業)	⑭	1,248,000	1,326,000	2,574,000
第 二 種 事 業 (小 売 業 等)	⑮	312,000	312,000	624,000
第 三 種 事 業 (製 造 業 等)	⑯			
第 四 種 事 業 (そ の 他)	⑰			
第 五 種 事 業 (サ ー ビ ス 業 等)	⑱		117,000	117,000
第 六 種 事 業 (不 動 産 業)	⑲			

注意 1 金額の計算においては、1円未満の端数を切り捨てる。
2 課税売上げにつき返品を受け又は値引き・割戻しをした金額(売上対価の返還等の金額)があり、売上(収入)金額から減算しない方法で経理して経費に含めている場合には、⑥から⑫欄には売上対価の返還等の金額(税抜き)を控除した後の金額を記載する。

(1／2)

(R1.10.1以後終了課税期間用)

〔付表5-3〕

(3) 控除対象仕入税額の計算式区分の明細

イ 原則計算を適用する場合

控除対象仕入税額の計算式区分		税率6.24%適用分 A	税率7.8%適用分 B	合計C (A+B)
④ × みなし仕入率 (⑭×90%+⑮×80%+⑯×70%+⑰×60%+⑱×50%+⑲×40%) / ⑬	⑳	円 1,372,800	円 1,501,499	円 2,874,299

ロ 特例計算を適用する場合

(イ) 1種類の事業で75%以上

控除対象仕入税額の計算式区分		税率6.24%適用分 A	税率7.8%適用分 B	合計C (A+B)
(⑦C／⑥C・⑧C／⑥C・⑨C／⑥C・⑩C／⑥C・⑪C／⑥C・⑫C／⑥C) ≧ 75% ④×みなし仕入率 (90%・80%・70%・60%・50%・40%)	㉑	円 1,404,000	円 1,579,500	円 2,983,500

(ロ) 2種類の事業で75%以上

控除対象仕入税額の計算式区分			税率6.24%適用分 A	税率7.8%適用分 B	合計C (A+B)
第一種事業及び第二種事業 (⑦C＋⑧C)／⑥C ≧ 75%	④×	(⑭×90%+(⑬−⑭)×80%) / ⑬	㉒	円 1,372,800	円 1,536,599	円 2,909,399
第一種事業及び第三種事業 (⑦C＋⑨C)／⑥C ≧ 75%	④×	(⑭×90%+(⑬−⑭)×70%) / ⑬	㉓			
第一種事業及び第四種事業 (⑦C＋⑩C)／⑥C ≧ 75%	④×	(⑭×90%+(⑬−⑭)×60%) / ⑬	㉔			
第一種事業及び第五種事業 (⑦C＋⑪C)／⑥C ≧ 75%	④×	(⑭×90%+(⑬−⑭)×50%) / ⑬	㉕	1,279,200	1,407,899	2,687,099
第一種事業及び第六種事業 (⑦C＋⑫C)／⑥C ≧ 75%	④×	(⑭×90%+(⑬−⑭)×40%) / ⑬	㉖			
第二種事業及び第三種事業 (⑧C＋⑨C)／⑥C ≧ 75%	④×	(⑮×80%+(⑬−⑮)×70%) / ⑬	㉗			
第二種事業及び第四種事業 (⑧C＋⑩C)／⑥C ≧ 75%	④×	(⑮×80%+(⑬−⑮)×60%) / ⑬	㉘			
第二種事業及び第五種事業 (⑧C＋⑪C)／⑥C ≧ 75%	④×	(⑮×80%+(⑬−⑮)×50%) / ⑬	㉙			
第二種事業及び第六種事業 (⑧C＋⑫C)／⑥C ≧ 75%	④×	(⑮×80%+(⑬−⑮)×40%) / ⑬	㉚			
第三種事業及び第四種事業 (⑨C＋⑩C)／⑥C ≧ 75%	④×	(⑯×70%+(⑬−⑯)×60%) / ⑬	㉛			
第三種事業及び第五種事業 (⑨C＋⑪C)／⑥C ≧ 75%	④×	(⑯×70%+(⑬−⑯)×50%) / ⑬	㉜			
第三種事業及び第六種事業 (⑨C＋⑫C)／⑥C ≧ 75%	④×	(⑯×70%+(⑬−⑯)×40%) / ⑬	㉝			
第四種事業及び第五種事業 (⑩C＋⑪C)／⑥C ≧ 75%	④×	(⑰×60%+(⑬−⑰)×50%) / ⑬	㉞			
第四種事業及び第六種事業 (⑩C＋⑫C)／⑥C ≧ 75%	④×	(⑰×60%+(⑬−⑰)×40%) / ⑬	㉟			
第五種事業及び第六種事業 (⑪C＋⑫C)／⑥C ≧ 75%	④×	(⑱×50%+(⑬−⑱)×40%) / ⑬	㊱			

ハ 上記の計算式区分から選択した控除対象仕入税額

項目		税率6.24%適用分 A	税率7.8%適用分 B	合計C (A+B)
選択可能な計算式区分 (⑳～㊱) の内から選択した金額	㊲	※付表4-3の④A欄へ 円 1,404,000	※付表4-3の④B欄へ 円 1,579,500	※付表4-3の④C欄へ 円 2,983,500

注意　金額の計算においては、1円未満の端数を切り捨てる。

(2／2)

課税標準額等の内訳書

納 税 地	
	（電話番号　　－　　－　　）
（フリガナ）	
法 人 名	
（フリガナ）	
代表者氏名	

整理番号	□□□□□□□□	法人用

改 正 法 附 則 に よ る 税 額 の 特 例 計 算			
軽減売上割合（10営業日）	○	附則38①	51
小 売 等 軽 減 仕 入 割 合	○	附則38②	52

第二表

自 令和 **5**年 **1**月 **1**日
至 令和 **5**年**12**月**31**日

課税期間分の消費税及び地方消費税の（　確定　）申告書

中間申告 自 令和 □□年□□月□□日
の場合の
対象期間 至 令和 □□年□□月□□日

令和四年四月一日以後終了課税期間分

課　　税　　標　　準　　額 ※申告書（第一表）の①欄へ	①	十兆千百十億千百十万千百十一円　**47500000**	01

課税資産の譲渡等の対価の額の合計額	3 ％ 適 用 分	②		02
	4 ％ 適 用 分	③		03
	6.3 ％ 適 用 分	④		04
	6.24 ％ 適 用 分	⑤	**25000000**	05
	7.8 ％ 適 用 分	⑥	**22500000**	06
	（②～⑥の合計）	⑦	**47500000**	07
特定課税仕入れに係る支払対価の額の合計額	6.3 ％ 適 用 分	⑧		11
	7.8 ％ 適 用 分	⑨		12
（注1）	（⑧・⑨の合計）	⑩		13

消　　費　　税　　額 ※申告書（第一表）の②欄へ	⑪	**3315000**	21
⑪ の 内 訳	3 ％ 適 用 分	⑫		22
	4 ％ 適 用 分	⑬		23
	6.3 ％ 適 用 分	⑭		24
	6.24 ％ 適 用 分	⑮	**1560000**	25
	7.8 ％ 適 用 分	⑯	**1755000**	26

返 還 等 対 価 に 係 る 税 額 ※申告書（第一表）の⑤欄へ	⑰		31
⑰の内訳	売 上 げ の 返 還 等 対 価 に 係 る 税 額	⑱		32
	特定課税仕入れの返還等対価に係る税額 （注1）	⑲		33

地方消費税の課税標準となる消費税額	（㉑～㉓の合計）	⑳	**331500**	41
	4 ％ 適 用 分	㉑		42
	6.3 ％ 適 用 分	㉒		43
（注2）	6.24%及び7.8% 適 用 分	㉓	**331500**	44

（注1）　⑧～⑩及び⑲欄は、一般課税により申告する場合で、課税売上割合が95％未満、かつ、特定課税仕入れがある事業者のみ記載します。
（注2）　⑳～㉓欄が還付税額となる場合はマイナス「－」を付してください。

第3-(3)号様式

令和　年　月　日
収受印
税務署長殿

納税地	（電話番号　　－　　　－　　　）
（フリガナ）	
法人名	
法人番号	
（フリガナ）	
代表者氏名	

（個人の方）振替継続希望　○

※税務署処理欄

所管	要否	整理番号	
	申告年月日	令和　　年　　月　　日	
	申告区分 指導等 庁指定 局指定		
	通信日付印　確認		
	年　月　日		
指導　年　月　日 令和	相談 区分1 区分2 区分3		

簡　法人用

第一表

自 平成・令和 [5]年[1]月[1]日
至 令和 [5]年[12]月[31]日

課税期間分の消費税及び地方消費税の（ 確定 ）申告書

中間申告の場合の対象期間　自 平成・令和　　年　　月　　日　至 令和　　年　　月　　日

令和五年十月一日以後終了課税期間分（簡易課税用）

この申告書による消費税の税額の計算

		十兆千百十億千百十万千百十一円	
課税標準額	①	47500000	03
消費税額	②	3315000	06
貸倒回収に係る消費税額	③		07
控除税額 控除対象仕入税額	④	2983500	08
返還等対価に係る税額	⑤		09
貸倒れに係る税額	⑥		10
控除税額小計（④+⑤+⑥）	⑦	2983500	13
控除不足還付税額（⑦-②-③）	⑧		13
差引税額（②+③-⑦）	⑨	3315 00	15
中間納付税額	⑩	00	16
納付税額（⑨-⑩）	⑪	3315 00	17
中間納付還付税額（⑩-⑨）	⑫	00	18
この申告書が修正申告である場合 既確定税額	⑬		19
差引納付税額	⑭	00	20
この課税期間の課税売上高	⑮	47500000	21
基準期間の課税売上高	⑯		

この申告書による地方消費税の税額の計算

地方消費税の課税標準となる消費税額 控除不足還付税額	⑰		51
差引税額	⑱	3315 00	52
譲渡割額 還付額	⑲		53
納税額	⑳	9350 0	54
中間納付譲渡割額	㉑	00	55
納付譲渡割額（⑳-㉑）	㉒	9350 0	56
中間納付還付譲渡割額（㉑-⑳）	㉓	00	57
この申告書が修正申告である場合 既確定譲渡割額	㉔	00	58
差引納付譲渡割額	㉕	00	59
消費税及び地方消費税の合計（納付又は還付）税額	㉖	425000	60

㉖＝（⑪+㉒）-（⑧+⑫+⑲+㉓）・修正申告の場合㉖=⑭+㉕
㉖が還付税額となる場合はマイナス「−」を付してください。

左端：⑪・㉒又は⑫・㉓の記入をお忘れなく。

付記事項・参考事項

		有	無	
割賦基準の適用	○	有	○無	31
延払基準等の適用	○	有	○無	32
工事進行基準の適用	○	有	○無	33
現金主義会計の適用	○	有	○無	34
課税標準額に対する消費税額の計算の特例の適用		有	○無	35

事業区分	区分	課税売上高（免税売上高を除く）	売上割合 %	
	第1種	37,000 千円	77.8	36
	第2種	9,000	18.9	37
	第3種		.	38
	第4種		.	39
	第5種	1,500	3.1	42
	第6種		.	43

特例計算適用（令57③）	○有	○無	40

税額控除に係る経過措置の適用（2割特例） ○ 44

還付を受けようとする金融機関等
銀行・金庫・組合・農協・漁協　本店・支店・出張所・本所・支所
預金　口座番号
ゆうちょ銀行の貯金記号番号　　−
郵便局名等

（個人の方）公金受取口座の利用　○

※税務署整理欄

税理士署名
（電話番号　　−　　　−　　　）

税理士法第30条の書面提出有 ○
税理士法第33条の2の書面提出有 ○

※ 2割特例による申告の場合、⑮欄に⑪欄の数字を記載し、⑱欄×22/78から算出された金額を⑳欄に記載してください。

みなし仕入率の特例（75％ルール）の不適用による修正申告

　当社は、簡易課税制度適用の会社です。当期（令和5年1月〜令和5年12月）の売上状況は、次のとおりです（売上高の表示は税抜き）。

事業種別	項目	軽減税率6.24％	標準税率7.8％	合計
第一種事業	売上高	20,000,000円	17,000,000円	37,000,000円
	消費税額	1,248,000円	1,326,000円	2,574,000円
第二種事業	売上高	5,000,000円	4,000,000円	9,000,000円
	消費税額	312,000円	312,000円	624,000円
第五種事業	売上高	－	1,500,000円	1,500,000円
	消費税額	－	117,000円	117,000円
合計	売上高	25,000,000円	22,500,000円	47,500,000円
	消費税額	1,560,000円	1,755,000円	3,315,000円

　ところが、先日税務調査を受け、次の標準税率適用の売上計上もれが判明しました。

　　令和5年10月分　小売業　　2,200,000円（税込み）

　以上により、当社の消費税等及び法人税の修正申告は、どのように行えばよいのでしょうか。なお、当社の経理は税込処理を行っています。また、基準期間の課税売上高は、5,000万円以下です。

 ポイント

① 　みなし仕入率の特例は、1種類の事業の売上割合が、全体の75％以上であれば、全課税売上高に、その事業のみなし仕入率を適用できます。

② 　1種類の事業の売上割合が75％未満の場合は、原則として加重平均法により、各々の事業のみなし仕入率を適用することになります。

③ 　3種類以上の事業を営む場合に2種類の事業で売上割合が75％以上となるときは、付表5－3の㉒以下で計算した方が有利なときは、有利な方を選択することができます。

1 当初申告納付額

　当初申告納付額は425,000円でした。**Q** 7－8を参照。

2 修正申告納付額

売上計上もれを受け入れた場合、次のようになります。

(1) 税抜課税売上げの金額及び消費税額

事業種別	項目	軽減税率6.24%	標準税率7.8%	合計
第一種事業	売上高	（初）20,000,000円	（初）17,000,000円	37,000,000円
	消費税額	1,248,000円	1,326,000円	2,574,000円
第二種事業	売上高	（初）5,000,000円	（初）4,000,000円	9,000,000円
	消費税額	312,000円	312,000円	624,000円
	売上高	—	（修）2,000,000円	2,000,000円
	消費税額	—	156,000円	156,000円
第五種事業	売上高	—	（初）1,500,000円	1,500,000円
	消費税額	—	117,000円	117,000円
合計	売上高	25,000,000円	24,500,000円	49,500,000円
	消費税額	1,560,000円	1,911,000円	3,471,000円

(2) みなし仕入率の特例（75%ルール）の適用可否

(1)より　売上割合

第一種事業　74.7%（37,000,000円／49,500,000円）

第二種事業　22.2%（11,000,000円／49,500,000円）

第五種事業　 3.0%（ 1,500,000円／49,500,000円）

当初申告では、第一種事業が75%以上でしたので、みなし仕入率の特例の比較の結果、第一種事業の90%のみなし仕入率を全体に適用できましたが、今回は、再度、比較を行うことになります。

(3) 付表5－3の控除対象仕入税額等の計算表の作成について

① 原則計算

税率6.24%適用分

$$1,560,000円 \times \frac{1,248,000円 \times 90\% + 312,000円 \times 80\%}{1,560,000円} = 1,372,800円$$

税率7.8%適用分

$$1,911,000円 \times \frac{1,326,000円 \times 90\% + 468,000円 \times 80\% + 117,000円 \times 50\%}{1,911,000円} = 1,626,299円$$

合　計　　1,372,800円 + 1,626,299円 = 2,999,099円

上記の金額付表5－3の⑳A、B、Cに記入します。

② みなし仕入率の特例計算（2種類の事業で75%以上）

第一種事業及び第二種事業の場合

税率6.24%適用分

$$1,560,000円 \times \frac{1,248,000円 \times 90\% + (1,560,000円 - 1,248,000円) \times 80\%}{1,560,000円} = 1,372,800円$$

税率7.8%適用分

$$1,911,000円 \times \frac{1,326,000円 \times 90\% + (1,911,000円 - 1,326,000円) \times 80\%}{1,911,000円} = 1,661,399円$$

　合　計　　　1,372,800円 + 1,661,399円 = 3,034,199円

上記の金額を付表5－3の㉒A、B、Cに記入します。

③ みなし仕入率の特例計算（2種類の事業で75%以上）

第一種事業及び第五種事業の場合

税率6.24%適用分

$$1,560,000円 \times \frac{1,248,000円 \times 90\% + (1,560,000円 - 1,248,000円) \times 50\%}{1,560,000円} = 1,279,200円$$

税率7.8%適用分

$$1,911,000円 \times \frac{1,326,000円 \times 90\% + (1,911,000円 - 1,326,000円) \times 50\%}{1,911,000円} = 1,485,899円$$

　合　計　　　1,279,200円 + 1,485,899円 = 2,765,099円

上記の金額を付表5－3の㉕A、B、Cに記入します。

⑷ **上記で計算した控除対象仕入税額等の計算表の金額を検討**

付表5－3の控除対象仕入税額等の計算表の金額を検討しますと、付表5－3より㉒C3,034,199円＞⑳C2,999,099円＞㉕C2,765,099円となり、控除対象仕入税額が最も大きい㉒C3,034,199円を選択し、付表5－3の㊲A、B、Cに記入します。

次に、この金額を付表4－3の④A、B、Cに転記します。

③ 税率別消費税額計算表兼地方消費税の課税標準となる消費税額計算表の作成

別表4－3から記入します。

（単位：円）

区分		税率6.24%適用分 A	税率7.8%適用分 B	合計 C
課税標準額	①	25,000,000	24,500,000	49,500,000
課税資産の譲渡等の対価の額	①-1	25,000,000	24,500,000	49,500,000
消費税額	②	1,560,000	1,911,000	3,471,000
控除対象仕入税額	④	1,372,800	1,661,399	3,034,199
控除税額小計	⑦	1,372,800	1,661,399	3,034,199
差引税額	⑨			436,800
地方消費税の課税標準となる消費税額 差引税額	⑪			436,800

譲渡割額を計算します。

納付額	⑬			123,200

納付額	560,000円
既納付額	425,000円
修正の納付額	135,000円

4 所得金額の修正

期別	税務上の処理（仕訳）	決算上の処理（仕訳）
当期	（借）売掛金 2,200,000円 　　（貸）売上高 2,200,000円	なし
翌期	a）右記売上げに関しては、前期で既に課税されているので、この期では、別表四で減算処理。 b）消費税等については、なし。	a）売上げに関しては、この期で計上済みであるから、追加処理の必要はない。 b）消費税等の修正納付額についてこの期で損金算入の処理をする。 （借）租税公課 135,000円 　　（貸）現金預金 135,000円

　以上の所得金額修正に伴う当期と翌期の法人税申告書の別表四及び別表五（一）の記載例、並びに消費税及び地方消費税の修正申告書の記載例を示すと次ページ以下のようになります。

　なお、貴社は税込経理方式を採用していますので、本件、消費税及び地方消費税の修正申告による納税額は、修正申告を行った日の属する事業年度の損金に算入されます。よって、消費税及び地方消費税の修正申告の金額については、法人税修正申告書での修正はありません。

当期

所得の金額の計算に関する明細書（簡易様式）

事 業 年 度	5 ・1 ・1 5 ´12´31	法人名	

別表四（簡易様式）　令五・四・一以後終了事業年度分

区　　　分		総　額 ①	処　　　分		
			留　保 ②	社　外　流　出 ③	
当 期 利 益 又 は 当 期 欠 損 の 額	1	円	円	配 当	円
				その他	
加	損 金 経 理 を し た 法 人 税 及 び 地 方 法 人 税 (附 帯 税 を 除 く 。)	2			
	損金経理をした道府県民税及び市町村民税	3			
	損 金 経 理 を し た 納 税 充 当 金	4			
	損金経理をした附帯税(利子税を除く。)、加算金、延滞金(延納分を除く。)及び過怠税	5			その他
	減 価 償 却 の 償 却 超 過 額	6			
	役 員 給 与 の 損 金 不 算 入 額	7			その他
	交 際 費 等 の 損 金 不 算 入 額	8			その他
	通 算 法 人 に 係 る 加 算 額 (別表四付表「5」)	9			外 ※
	売上計上もれ	10	2,200,000	2,200,000	
算					

翌期

所得の金額の計算に関する明細書（簡易様式）

事 業 年 度	6 ・1 ・1 6 ´12´31	法人名	

別表四（簡易様式）

区　　　分		総　額 ①	処　　　分		
			留　保 ②	社　外　流　出 ③	
当 期 利 益 又 は 当 期 欠 損 の 額	1	円	円	配 当	円
				その他	
減	減 価 償 却 超 過 額 の 当 期 認 容 額	12			
	納税充当金から支出した事業税等の金額	13			
	受 取 配 当 等 の 益 金 不 算 入 額 (別表八 (一) 「 5 」)	14			※
	外国子会社から受ける剰余金の配当等の益金不算入額(別表八(二)「26」)	15			※
	受 贈 益 の 益 金 不 算 入 額	16			※
	適 格 現 物 分 配 に 係 る 益 金 不 算 入 額	17			※
	法 人 税 等 の 中 間 納 付 額 及 び 過 誤 納 に 係 る 還 付 金 額	18			
	所 得 税 額 等 及 び 欠 損 金 の 繰 戻 し に よ る 還 付 金 額 等	19			※
	通 算 法 人 に 係 る 減 算 額 (別表四付表「10」)	20			※
	売上計上もれ認容	21	2,200,000	2,200,000	
算					
	小　　　計	22			外 ※

290

当 期

利益積立金額及び資本金等の額の計算に
関する明細書

事業 年度	5・1・1 5・12・31	法人名		別 表 五 (一)

Ⅰ　利益積立金額の計算に関する明細書

区　　　分		期首現在 利益積立金額 ①	当 期 の 増 減		差引翌期首現在 利益積立金額 ①－②＋③ ④
			減 ②	増 ③	
利 益 準 備 金	1	円	円	円	円
積 立 金	2				
	3				
	4				
売 掛 金	5			2,200,000	2,200,000
	6				
	7				
	8				
	9				

翌 期

利益積立金額及び資本金等の額の計算に
関する明細書

事業 年度	6・1・1 6・12・31	法人名		別 表 五 (一)

Ⅰ　利益積立金額の計算に関する明細書

区　　　分		期首現在 利益積立金額 ①	当 期 の 増 減		差引翌期首現在 利益積立金額 ①－②＋③ ④
			減 ②	増 ③	
利 益 準 備 金	1	円	円	円	円
積 立 金	2				
	3				
	4				
売 掛 金	5	2,200,000	2,200,000		
	6				
	7				
	8				
	9				

付表4－3　税率別消費税額計算表　兼　地方消費税の課税標準となる消費税額計算表 　簡 易

課 税 期 間	令和 5･1･1 ～ 令和 5･12･31	氏 名 又 は 名 称	

区　　　　　分		税率 6.24 % 適用分 A	税率 7.8 % 適用分 B	合　　計　　C (A＋B)
課 税 標 準 額	①	25,000,000 円	24,500,000 円	※第二表の①欄へ 49,500,000 円
課税資産の譲渡等の対価の額	①-1	※第二表の⑤欄へ 25,000,000	※第二表の⑥欄へ 24,500,000	※第二表の⑦欄へ 49,500,000
消 費 税 額	②	※付表5-3の①A欄へ ※第二表の⑮欄へ 1,560,000	※付表5-3の①B欄へ ※第二表の⑯欄へ 1,911,000	※付表5-3の①C欄へ ※第二表の⑪欄へ 3,471,000
貸倒回収に係る消費税額	③	※付表5-3の②A欄へ	※付表5-3の②B欄へ	※付表5-3の②C欄へ ※第一表の③欄へ
控除税額 控除対象仕入税額	④	(付表5-3の⑤A欄又は㉗A欄の金額) 1,372,800	(付表5-3の⑤B欄又は㉗B欄の金額) 1,661,399	(付表5-3の⑤C欄又は㉗C欄の金額) ※第一表の④欄へ 3,034,199
返還等対価に係る税額	⑤	※付表5-3の③A欄へ	※付表5-3の③B欄へ	※付表5-3の③C欄へ ※第二表の⑰欄へ
貸倒れに係る税額	⑥			※第一表の⑥欄へ
控 除 税 額 小 計 (④＋⑤＋⑥)	⑦	1,372,800	1,661,399	※第一表の⑦欄へ 3,034,199
控 除 不 足 還 付 税 額 (⑦－②－③)	⑧			※第一表の⑧欄へ
差 引 税 額 (②＋③－⑦)	⑨			※第一表の⑨欄へ 436,800
地方消費税の課税標準となる消費税額 控 除 不 足 還 付 税 額 (⑧)	⑩			※第一表の⑰欄へ ※マイナス「－」を付して第二表の㉑及び㉓欄へ
差 引 税 額 (⑨)	⑪			※第一表の⑱欄へ ※第二表の㉒及び㉓欄へ 436,800
譲渡割額 還 付 額	⑫			(⑩C欄×22/78) ※第一表の⑲欄へ
納 税 額	⑬			(⑪C欄×22/78) ※第一表の⑳欄へ 123,200

注意　金額の計算においては、1円未満の端数を切り捨てる。

(R1.10.1以後終了課税期間用)

第4-(12)号様式

付表5-3 控除対象仕入税額等の計算表

簡易

課税期間	令和 5 1 1 ~ 令和 5 12 31	氏名又は名称	

I 控除対象仕入税額の計算の基礎となる消費税額

項 目		税率6.24%適用分 A	税率7.8%適用分 B	合計 C (A+B)
課 税 標 準 額 に 対 す る 消 費 税 額	①	(付表4-3の②A欄の金額) 円 **1,560,000**	(付表4-3の②B欄の金額) 円 **1,911,000**	(付表4-3の②C欄の金額) 円 **3,471,000**
貸 倒 回 収 に 係 る 消 費 税 額	②	(付表4-3の③A欄の金額)	(付表4-3の③B欄の金額)	(付表4-3の③C欄の金額)
売 上 対 価 の 返 還 等 に 係 る 消 費 税 額	③	(付表4-3の⑤A欄の金額)	(付表4-3の⑤B欄の金額)	(付表4-3の⑤C欄の金額)
控 除 対 象 仕 入 税 額 の 計 算 の 基 礎 と な る 消 費 税 額 (① + ② - ③)	④	**1,560,000**	**1,911,000**	**3,471,000**

II 1種類の事業の専業者の場合の控除対象仕入税額

項 目		税率6.24%適用分 A	税率7.8%適用分 B	合計 C (A+B)
④ × みなし仕入率 (90%・80%・70%・60%・50%・40%)	⑤	※付表4-3の④A欄へ 円	※付表4-3の④B欄へ 円	※付表4-3の④C欄へ 円

III 2種類以上の事業を営む事業者の場合の控除対象仕入税額

(1) 事業区分別の課税売上高(税抜き)の明細

項 目		税率6.24%適用分 A	税率7.8%適用分 B	合計 C (A+B)	
事 業 区 分 別 の 合 計 額	⑥	円 **25,000,000**	円 **24,500,000**	円 **49,500,000**	売上 割合
第 一 種 事 業 (卸 売 業)	⑦	**20,000,000**	**17,000,000**	※第一表「事業区分」欄へ **37,000,000**	% 74.7
第 二 種 事 業 (小 売 業 等)	⑧	**5,000,000**	**6,000,000**	※ 〃 **11,000,000**	22.2
第 三 種 事 業 (製 造 業 等)	⑨			※ 〃	
第 四 種 事 業 (そ の 他)	⑩			※ 〃	
第 五 種 事 業 (サ ー ビ ス 業 等)	⑪		**1,500,000**	※ 〃 **1,500,000**	3.0
第 六 種 事 業 (不 動 産 業)	⑫			※ 〃	

(2) (1)の事業区分別の課税売上高に係る消費税額の明細

項 目		税率6.24%適用分 A	税率7.8%適用分 B	合計 C (A+B)
事 業 区 分 別 の 合 計 額	⑬	円 **1,560,000**	円 **1,911,000**	円 **3,471,000**
第 一 種 事 業 (卸 売 業)	⑭	**1,248,000**	**1,326,000**	**2,574,000**
第 二 種 事 業 (小 売 業 等)	⑮	**312,000**	**468,000**	**780,000**
第 三 種 事 業 (製 造 業 等)	⑯			
第 四 種 事 業 (そ の 他)	⑰			
第 五 種 事 業 (サ ー ビ ス 業 等)	⑱		**117,000**	**117,000**
第 六 種 事 業 (不 動 産 業)	⑲			

注意 1 金額の計算においては、1円未満の端数を切り捨てる。
　　 2 課税売上げにつき返品を受け又は値引き・割戻しをした金額(売上対価の返還等の金額)があり、売上(収入)金額から減算しない方法で経理して経費に含めている場合には、⑥から⑫欄には売上対価の返還等の金額(税抜き)を控除した後の金額を記載する。

(R1.10.1以後終了課税期間用)

〔付表5−3〕

(3) 控除対象仕入税額の計算式区分の明細

イ 原則計算を適用する場合

控除対象仕入税額の計算式区分		税率6.24%適用分 A	税率7.8%適用分 B	合計 C (A＋B)
④ × みなし仕入率 ⑭×90%＋⑮×80%＋⑯×70%＋⑰×60%＋⑱×50%＋⑲×40% ⑬	⑳	1,372,800 円	1,626,299 円	2,999,099 円

ロ 特例計算を適用する場合

(イ) 1種類の事業で75%以上

控除対象仕入税額の計算式区分		税率6.24%適用分 A	税率7.8%適用分 B	合計 C (A＋B)
(⑦C／⑥C・⑧C／⑥C・⑨C／⑥C・⑩C／⑥C・⑪C／⑥C・⑫C／⑥C)≧75% ④×みなし仕入率(90%・80%・70%・60%・50%・40%)	㉑	円	円	円

(ロ) 2種類の事業で75%以上

控除対象仕入税額の計算式区分			税率6.24%適用分 A	税率7.8%適用分 B	合計 C (A＋B)
第一種事業及び第二種事業 (⑦C＋⑧C)／⑥C≧75%	④×	⑭×90%＋(⑬−⑭)×80% ⑬	㉒	1,372,800 円	1,661,399 円	3,034,199 円
第一種事業及び第三種事業 (⑦C＋⑨C)／⑥C≧75%	④×	⑭×90%＋(⑬−⑭)×70% ⑬	㉓			
第一種事業及び第四種事業 (⑦C＋⑩C)／⑥C≧75%	④×	⑭×90%＋(⑬−⑭)×60% ⑬	㉔			
第一種事業及び第五種事業 (⑦C＋⑪C)／⑥C≧75%	④×	⑭×90%＋(⑬−⑭)×50% ⑬	㉕	1,279,200	1,485,899	2,765,099
第一種事業及び第六種事業 (⑦C＋⑫C)／⑥C≧75%	④×	⑭×90%＋(⑬−⑭)×40% ⑬	㉖			
第二種事業及び第三種事業 (⑧C＋⑨C)／⑥C≧75%	④×	⑮×80%＋(⑬−⑮)×70% ⑬	㉗			
第二種事業及び第四種事業 (⑧C＋⑩C)／⑥C≧75%	④×	⑮×80%＋(⑬−⑮)×60% ⑬	㉘			
第二種事業及び第五種事業 (⑧C＋⑪C)／⑥C≧75%	④×	⑮×80%＋(⑬−⑮)×50% ⑬	㉙			
第二種事業及び第六種事業 (⑧C＋⑫C)／⑥C≧75%	④×	⑮×80%＋(⑬−⑮)×40% ⑬	㉚			
第三種事業及び第四種事業 (⑨C＋⑩C)／⑥C≧75%	④×	⑯×70%＋(⑬−⑯)×60% ⑬	㉛			
第三種事業及び第五種事業 (⑨C＋⑪C)／⑥C≧75%	④×	⑯×70%＋(⑬−⑯)×50% ⑬	㉜			
第三種事業及び第六種事業 (⑨C＋⑫C)／⑥C≧75%	④×	⑯×70%＋(⑬−⑯)×40% ⑬	㉝			
第四種事業及び第五種事業 (⑩C＋⑪C)／⑥C≧75%	④×	⑰×60%＋(⑬−⑰)×50% ⑬	㉞			
第四種事業及び第六種事業 (⑩C＋⑫C)／⑥C≧75%	④×	⑰×60%＋(⑬−⑰)×40% ⑬	㉟			
第五種事業及び第六種事業 (⑪C＋⑫C)／⑥C≧75%	④×	⑱×50%＋(⑬−⑱)×40% ⑬	㊱			

ハ 上記の計算式区分から選択した控除対象仕入税額

項目	税率6.24%適用分 A	税率7.8%適用分 B	合計 C (A＋B)
選択可能な計算式区分(⑳〜㊱)の内から選択した金額	㊲ ※付表4-3の④A欄へ 円 1,372,800	※付表4-3の④B欄へ 円 1,661,399	※付表4-3の④C欄へ 円 3,034,199

注意　金額の計算においては、1円未満の端数を切り捨てる。

(2／2)

(R1.10.1以後終了課税期間用)

第3-(2)号様式

課税標準額等の内訳書

納 税 地	
	（電話番号　　　-　　　-　　　）
（フリガナ）	
法 人 名	
（フリガナ）	
代表者氏名	

整理番号 ☐☐☐☐☐☐☐☐

法人用

改 正 法 附 則 に よ る 税 額 の 特 例 計 算		
軽減売上割合（10営業日）	◯	附則38① 51
小 売 等 軽 減 仕 入 割 合	◯	附則38② 52

第二表

令和四年四月一日以後終了課税期間分

自 令和 ☐5年 ☐☐1月 ☐☐1日
至 令和 ☐5年 ☐12月 ☐31日

課税期間分の消費税及び地方消費税の（　修正　）申告書

中間申告 自 令和 ☐☐年 ☐☐月 ☐☐日
の場合の
対象期間 至 令和 ☐☐年 ☐☐月 ☐☐日

課 税 標 準 額 ※申告書（第一表）の①欄へ	①	十兆千百十億千百十万千百十一円　　　４９５０００００	01

課 税 資 産 の 譲 渡 等 の 対 価 の 額 の 合 計 額	3　％　適　用　分	②		02
	4　％　適　用　分	③		03
	6.3　％　適　用　分	④		04
	6.24　％　適　用　分	⑤	２５０００００00	05
	7.8　％　適　用　分	⑥	２４５０００００	06
	（②～⑥の合計）	⑦	４９５０００００	07
特定課税仕入れ に係る支払対価 の額の合計額 （注1）	6.3　％　適　用　分	⑧		11
	7.8　％　適　用　分	⑨		12
	（⑧・⑨の合計）	⑩		13

消 費 税 額 ※申告書（第一表）の②欄へ	⑪	３４７１０００	21
⑪ の 内 訳	3　％　適　用　分	⑫		22
	4　％　適　用　分	⑬		23
	6.3　％　適　用　分	⑭		24
	6.24　％　適　用　分	⑮	１５６０００о	25
	7.8　％　適　用　分	⑯	１９１１０００	26

返 還 等 対 価 に 係 る 税 額 ※申告書（第一表）の⑤欄へ	⑰		31
⑰の内訳	売 上 げ の 返 還 等 対 価 に 係 る 税 額	⑱		32
	特定課税仕入れの返還等対価に係る税額 （注1）	⑲		33

地 方 消 費 税 の 課 税 標 準 と な る 消 費 税 額	（㉑～㉓の合計）	⑳	４３６８００	41
	4　％　適　用　分	㉑		42
	6.3　％　適　用　分	㉒		43
	6.24%及び7.8％適用分 （注2）	㉓	４３６８００	44

（注1）　⑧～⑩及び⑲欄は、一般課税により申告する場合で、課税売上割合が95％未満、かつ、特定課税仕入れがある事業者のみ記載します。
（注2）　⑳～㉓欄が還付税額となる場合はマイナス「-」を付してください。

令和　年　月　日　　　　　　税務署長殿	○（個人の方）振替継続希望　　　　　㊀ 簡

納税地　（電話番号）　－　－

（フリガナ）
法人名

法人番号

（フリガナ）
代表者氏名

※税務署処理欄

所管	要否	整理番号							

申告年月日　令和　　年　　月　　日
申告区分　指導等　庁指定　局指定
通信日付印　確認
　　年　月　日
指導　年　月　日　相談　区分1　区分2　区分3
令和

法人用

第一表

自 平成・令和 **5**年**1**月**1**日
至 令和 **5**年**12**月**31**日

課税期間分の消費税及び地方消費税の（　修正　）申告書

中間申告の場合の対象期間　自 令和　　年　　月　　日　至 令和　　年　　月　　日

この申告書による消費税の税額の計算

		十兆千百十億千百十万千百十一円	
課税標準額	①	4 9 5 0 0 0 0 0	03
消費税額	②	3 4 7 1 0 0 0	06
貸倒回収に係る消費税額	③		07
控除税額 控除対象仕入税額	④	3 0 3 4 1 9 9	08
返還等対価に係る税額	⑤		09
貸倒れに係る税額	⑥		10
控除税額小計（④+⑤+⑥）	⑦	3 0 3 4 1 9 9	13
控除不足還付税額（⑦-②-③）	⑧		13
差引税額（②+③-⑦）	⑨	4 3 6 8 0 0	15
中間納付税額	⑩	0 0	16
納付税額（⑨-⑩）	⑪	4 3 6 8 0 0	17
中間納付還付税額（⑩-⑨）	⑫	0 0	18
この申告書が修正申告である場合 既確定税額	⑬	3 3 1 5 0 0	19
差引納付税額	⑭	1 0 5 3 0 0	20
この課税期間の課税売上高	⑮	4 9 5 0 0 0 0 0	21
基準期間の課税売上高	⑯		

この申告書による地方消費税の税額の計算

地方消費税の課税標準となる消費税額 控除不足還付税額	⑰		51
差引税額	⑱	4 3 6 8 0 0	52
譲渡割額 還付額	⑲		53
納税額	⑳	1 2 3 2 0 0	54
中間納付譲渡割額	㉑	0 0	55
納付譲渡割額（⑳-㉑）	㉒	1 2 3 2 0 0	56
中間納付還付譲渡割額（㉑-⑳）	㉓	0 0	57
この申告書が修正申告である場合 既確定譲渡割額	㉔	9 3 5 0 0	58
差引納付譲渡割額	㉕	2 9 7 0 0	59
消費税及び地方消費税の合計（納付又は還付）税額	㉖	1 3 5 0 0 0	60

⑪・㉒又は⑫・㉓の記入をお忘れなく。

㉖＝（⑪+⑫）-（⑧+⑲+㉓）・修正申告の場合㉖＝⑭+㉕
㉖が還付税額となる場合はマイナス「-」を付してください。

付記事項・参考事項

割賦基準の適用	○有 ○無	31
延払基準等の適用	○有 ○無	32
工事進行基準の適用	○有 ○無	33
現金主義会計の適用	○有 ○無	34
課税標準額に対する消費税額の計算の特例の適用	○有 ○無	35

事業区分	課税売上高（免税売上高を除く）	売上割合％	
第1種	37,000 千円	7 4. 7	36
第2種	11,000	2 2. 2	37
第3種			38
第4種			39
第5種	1,500	3. 0	42
第6種			43

特例計算適用（令57③）　○有〇　○無　40

税額控除に係る経過措置の適用（2割特例）　44

還付を受けようとする金融機関等

銀行　本店・支店
金庫・組合　出張所
農協・漁協　本所・支所
預金　口座番号
ゆうちょ銀行の貯金記号番号　－
郵便局名等

○（個人の方）公金受取口座の利用

※税務署整理欄

税理士署名
（電話番号）　－　－

○ 税理士法第30条の書面提出有
○ 税理士法第33条の2の書面提出有

※ 2割特例による申告の場合、⑱欄に⑨欄の数字を記載し、⑱欄×22/78から算出された金額を⑳欄に記載してください。

Q 7-10 簡易課税制度が不適用となる場合の修正申告

当社は、簡易課税制度適用の小売業を営む会社です。当期（令和5年1月～令和5年12月）の決算状況は、次のとおり当初決算です。

事業年度（令5.1.1～令5.12.31）

	軽減税率6.24%	標準税率7.8%	合計
売上高（税抜き）	20,000,000円	20,000,000円	40,000,000円
消費税額	1,248,000円	1,560,000円	2,808,000円
売上戻り（税抜き）	400,000円	400,000円	800,000円
消費税額	24,960円	31,200円	56,160円

固定資産の売却対価（令和5年3月譲渡）

   土地 1,000,000円

   建物 20,000,000円（消費税額1,560,000円）

          （地方消費税額440,000円）

中間納付消費税額   400,000円（消費税額312,000円）

          （地方消費税額88,000円）

課税仕入れ及びそれに係る消費税等

	課税仕入れ	仮払消費税	合計
軽減税率適用分	12,000,000円	960,000円	12,960,000円
標準税率適用分	12,000,000円	1,200,000円	13,200,000円

なお、建物の取得は4年前です。

ところが、税務調査を受け、その結果、基準期間である前々期についても売上計上もれが判明したため、基準期間の課税売上高が5,800万円となり、当期の消費税の申告において、簡易課税制度が不適用となりました。

また、当期の売上計上もれが、令和5年10月分の軽減税率適用取引2,000,000円（税抜き）ありました。

以上により、当期の消費税等及び法人税の修正申告はどのように行えばよいのでしょうか。

なお、当社は、消費税の経理処理については、税抜経理方式を適用しています（非課税売上高は1,000,000円で課税売上割合95%以上）。

A **ポイント** 簡易課税制度を選択適用できる基準期間の課税売上高の上限は5,000万円です。税務調査により、基準期間の課税売上高が、5,000万円を超えてしまった場合には、簡易課税制度は適用できず、一般課税による修正申告を行うことになります。

1 当初申告納付額

当初申告納付額は、1,105,500円です。 Ⓠ 7-7 を参照。

2 修正申告納付額

(1) 課税売上げの金額及び仮受消費税等

事業種別	項目	軽減税率適用分	標準税率適用分	合計
第二種事業	売上高	（初） 20,000,000円	（初） 20,000,000円	40,000,000円
	消費税等	1,600,000円	2,000,000円	3,600,000円
	売上高	（修） 2,000,000円	—	2,000,000円
	消費税等	160,000円	—	160,000円
第四種事業	売上高	—	（初） 20,000,000円	20,000,000円
	消費税等	—	2,000,000円	2,000,000円
合計	売上高	22,000,000円	40,000,000円	62,000,000円
	消費税等	1,760,000円	4,000,000円	5,760,000円
第二種事業	売上戻り	（初） 400,000円	（初） 400,000円	800,000円
	消費税等	32,000円	40,000円	72,000円
差引計	売上高	21,600,000円	39,600,000円	61,200,000円
	消費税等	1,728,000円	3,960,000円	5,688,000円
消費税等内訳	国税	1,347,840円	3,088,800円	4,436,640円
	地方税	380,160円	871,200円	1,251,360円

(2) 納付すべき消費税額等の計算

イ 納付すべき消費税額

税 率	課税売上げに係る消費税額	課税仕入れに係る消費税額	差引税額	当初差引税額	追加納税額
軽減税率	1,347,840円	748,800円	599,040円		
標準税率	3,088,800円	936,000円	2,152,800円		
計	4,436,640円	1,684,800円	2,751,800円（注）	1,174,300円	1,577,500円

（注） 実際の計算過程では端数処理があります。

ロ　納付すべき地方消費税額

地方消費税の 課税標準額	地方消費税率等	納付地方 消費税額	当初納付額	追加納税額
2,751,800円	$\frac{22}{78}$	776,100円(注)	331,200円	444,900円

（注）　実際の計算過程では端数処理があります。

ハ　追加納税額　　　　(消費税額)　　　(地方消費税額)
1,577,500円＋ 444,900円 ＝2,022,400円

③　所得金額の修正

期別		税務上の処理（仕訳）	決算上の処理（仕訳）
当 期	当初 申告		(借)仮受消費税等　5,528,000円 　　(貸)仮払消費税等　2,160,000円 　　(貸)仮　払　金　　400,000円 　　(貸)未払消費税等　1,105,500円 　　(貸)雑　収　入　1,862,500円
	修正 申告	(借)売　掛　金　2,160,000円 　　(貸)売　上　高　2,000,000円 　　(貸)仮受消費税等　　160,000円 (借)仮受消費税等　　160,000円 (借)雑　収　入　1,862,400円 　　(貸)未払消費税等　2,022,400円	
翌 期		右記の前期損益修正損に関しては、前期で既に雑収入過大計上として減算されているので、この期では別表四で加算処理。また、未払消費税等については別表五(一)で減算。 　右記売上高に関しては、前期で既に課税されているので、この期では、別表四で減算処理。	(借)仮受消費税等　　　160,000円 (借)前期損益修正損　1,862,400円 　　(貸)未払消費税等　2,022,400円 　売上高に関しては、当期で計上済みであるから、追加処理の必要はない。

　以上の、当期と翌期の法人税申告書の別表四及び別表五(一)の記載例、並びに、消費税及び地方消費税の修正申告書の記載例を示しますと、次のようになります。

当期

所得の金額の計算に関する明細書（簡易様式）

別表四（簡易様式）　令五・四・一以後終了事業年度分

事業年度	5 . 1 . 1　5 . 12 . 31	法人名	

区　　分		総　額 ①	処分 留保 ②	処分 社外流出 ③
当期利益又は当期欠損の額	1	円	円	配当　円 その他
加算 損金経理をした法人税及び地方法人税（附帯税を除く。）	2			
損金経理をした道府県民税及び市町村民税	3			
損金経理をした納税充当金	4			
損金経理をした附帯税（利子税を除く。）、加算金、延滞金（延納分を除く。）及び過怠税	5			その他
減価償却の償却超過額	6			
役員給与の損金不算入額	7			その他
交際費等の損金不算入額	8			その他
通算法人に係る加算額（別表四付表「5」）	9			外 ※
売上計上もれ	10	2,000,000	2,000,000	
小　　計	11			外 ※
減算 減価償却超過額の当期認容額	12			
納税充当金から支出した事業税等の金額	13			
受取配当等の益金不算入額（別表八（一）「5」）	14			※
外国子会社から受ける剰余金の配当等の益金不算入額（別表八（二）「26」）	15			※
受贈益の益金不算入額	16			※
適格現物分配に係る益金不算入額	17			※
法人税等の中間納付額及び過誤納に係る還付金額	18			
所得税額等及び欠損金の繰戻しによる還付金額等	19			※
通算法人に係る減算額（別表四付表「10」）	20			※
雑収入過大計上	21	1,862,400	1,862,400	
小　　計	22			外 ※
仮　　計　(1)+(11)-(22)	23			外 ※
対象純支払利子等の損金不算入額（別表十七（二の二）「29」又は「34」）	24			その他
超過利子額の損金算入額（別表十七（二の三）「10」）	25	△		※ △
仮　　計　(23)から(25)までの計	26			外 ※
寄附金の損金不算入額（別表十四（二）「24」又は「40」）	27			その他
法人税額から控除される所得税額（別表六（一）「6の③」）	29			その他
税額控除の対象となる外国法人税の額（別表六（二の二）「7」）	30			その他
分配時調整外国税相当額及び外国関係会社等に係る控除対象所得税額等相当額（別表六（五の二）「5の②」）+（別表十七（三の六）「1」）	31			その他
合　　計　(26)+(27)+(29)+(30)+(31)	34			外 ※
中間申告における繰戻しによる還付に係る災害損失欠損金額の益金算入額	37			※
非適格合併又は残余財産の全部分配等による移転資産等の譲渡利益額又は譲渡損失額	38			※
差　引　計　(34)+(37)+(38)	39			外 ※
更生欠損金又は民事再生等評価換えが行われる場合の再生等欠損金の損金算入額（別表七（三）「9」又は「21」）	40	△		※ △
通算対象欠損金額の損金算入額又は通算対象所得金額の益金算入額（別表七の二「5」又は「11」）	41			※
差　引　計　(39)+(40)±(41)	43			外 ※
欠損金等の当期控除額（別表七（一）「4の計」）+（別表七（四）「10」）	44	△		※ △
総　　計　(43)+(44)	45			外 ※
残余財産の確定の日の属する事業年度に係る事業税及び特別法人事業税の損金算入額	51	△	△	
所得金額又は欠損金額	52			外 ※

（簡）

300

翌 期

所得の金額の計算に関する明細書（簡易様式）

| 事業年度 | 6 ・ 1 ・ 1 〜 6 ・12・31 | 法人名 | |

別表四（簡易様式）

令五・四・一以後終了事業年度分

区　分		総　額 ①	処　　分	
			留　保 ②	社　外　流　出 ③
当 期 利 益 又 は 当 期 欠 損 の 額	1	円	円	配当
				その他
加算	損金経理をした法人税及び地方法人税（附帯税を除く。）	2			
	損金経理をした道府県民税及び市町村民税	3			
	損金経理をした納税充当金	4			
	損金経理をした附帯税（利子税を除く。）、加算金、延滞金（延納分を除く。）及び過怠税	5			その他
	減 価 償 却 の 償 却 超 過 額	6			
	役 員 給 与 の 損 金 不 算 入 額	7			その他
	交 際 費 等 の 損 金 不 算 入 額	8			その他
	通 算 法 人 に 係 る 加 算 額 （別表四付表「5」）	9			外 ※
	前期損益修正損	10	1,862,400	1,862,400	
	小　　　計	11			外 ※
減算	減価償却超過額の当期認容額	12			
	納税充当金から支出した事業税等の金額	13			
	受 取 配 当 等 の 益 金 不 算 入 額 （別表八（一）「5」）	14			※
	外国子会社から受ける剰余金の配当等の益金不算入額（別表八（二）「26」）	15			※
	受 贈 益 の 益 金 不 算 入 額	16			※
	適格現物分配に係る益金不算入額	17			※
	法 人 税 等 の 中 間 納 付 額 及 び 過 誤 納 に 係 る 還 付 金 額	18			
	所 得 税 額 等 及 び 欠 損 金 の 繰 戻 し に よ る 還 付 金 額 等	19			※
	通 算 法 人 に 係 る 減 算 額 （別表四付表「10」）	20			※
	売上計上もれ認容	21	2,000,000	2,000,000	
	小　　　計	22			外 ※
仮　　　計 （1）＋（11）−（22）		23			外 ※
対 象 純 支 払 利 子 等 の 損 金 不 算 入 額 （別表十七（二の二）「29」又は「34」）		24			その他
超 過 利 子 額 の 損 金 算 入 額 （別表十七（二の三）「10」）		25	△		※ △
仮　　　計 （（23）から（25）までの計）		26			外 ※
寄 附 金 の 損 金 不 算 入 額 （別表十四（二）「24」又は「40」）		27			その他
法 人 税 額 か ら 控 除 さ れ る 所 得 税 額 （別表六（一）「6の③」）		29			その他
税 額 控 除 の 対 象 と な る 外 国 法 人 税 の 額 （別表六（二の二）「7」）		30			その他
分配時調整外国税相当額及び外国関係会社等に係る控除対象所得税額等相当額（別表六（五の二）「5の②」）＋（別表十七（三の六）「1」）		31			その他
合　　　計 （26）＋（27）＋（29）＋（30）＋（31）		34			外 ※
中 間 申 告 に お け る 繰 戻 し に よ る 還 付 に 係 る 災 害 損 失 欠 損 金 額 の 益 金 算 入 額		37			※
非 適 格 合 併 又 は 残 余 財 産 の 全 部 分 配 等 に よ る 移 転 資 産 等 の 譲 渡 利 益 額 又 は 譲 渡 損 失 額		38			※
差　　　引　　　計 （34）＋（37）＋（38）		39			外 ※
更生欠損金又は民事再生等評価換えが行われる場合の再生等欠損金の損金算入額（別表七（三）「9」又は「21」）		40	△		※ △
通算対象欠損金額の損金算入額又は通算対象所得金額の益金算入額（別表七の二「5」又は「11」）		41			※
差　　　引　　　計 （39）＋（40）±（41）		43			外 ※
欠 損 金 等 の 当 期 控 除 額 （別表七（一）「4の計」）＋（別表七（四）「10」）		44	△		※ △
総　　　計 （43）＋（44）		45			外 ※
残余財産の確定の日の属する事業年度に係る事業税及び特別法人事業税の損金算入額		51	△	△	
所 得 金 額 又 は 欠 損 金 額		52			外 ※

簡

当期

利益積立金額及び資本金等の額の計算に
関する明細書

事業年度	5・1・1 5・12・31	法人名	

Ⅰ 利益積立金額の計算に関する明細書

区　　分		期首現在利益積立金額 ①	当期の増減 減 ②	当期の増減 増 ③	差引翌期首現在利益積立金額 ①－②＋③ ④
利　益　準　備　金	1	円	円	円	円
積　　立　　金	2				
	3				
	4				
売　掛　金	5			2,160,000	2,160,000
未払消費税等	6			△ 2,022,400	△ 2,022,400
	7				
	8				
	9				

翌期

利益積立金額及び資本金等の額の計算に
関する明細書

事業年度	6・1・1 6・12・31	法人名	

Ⅰ 利益積立金額の計算に関する明細書

区　　分		期首現在利益積立金額 ①	当期の増減 減 ②	当期の増減 増 ③	差引翌期首現在利益積立金額 ①－②＋③ ④
利　益　準　備　金	1	円	円	円	円
積　　立　　金	2				
	3				
	4				
売　掛　金	5	2,160,000	2,160,000		
未払消費税等	6	△ 2,022,400	△ 2,022,400		
	7				
	8				
	9				

第4-(10)号様式

付表2-3　　課税売上割合・控除対象仕入税額等の計算表

一般

課　税　期　間	令和 5 ・ 1 ・ 1 ～ 令和 5 ・ 12 ・ 31	氏 名 又 は 名 称	

項　　目			税率 6.24 % 適用分 A	税率 7.8 % 適用分 B	合　　計 C (A+B)
課　税　売　上　額　（　税　抜　き　）	①		21,600,000 円	39,600,000 円	61,200,000 円
免　　税　　売　　上　　額	②				
非 課 税 資 産 の 輸 出 等 の 金 額、海 外 支 店 等 へ 移 送 し た 資 産 の 価 額	③				
課税資産の譲渡等の対価の額（①＋②＋③）	④				※第一表の⑮欄へ 61,200,000
課 税 資 産 の 譲 渡 等 の 対 価 の 額 （④の金額）	⑤				61,200,000
非　　課　　税　　売　　上　　額	⑥				1,000,000
資 産 の 譲 渡 等 の 対 価 の 額 （⑤＋⑥）	⑦				※第一表の⑯欄へ 62,200,000
課　税　売　上　割　合　（④／⑦）	⑧				［98.3%］ ※端数 切捨て
課 税 仕 入 れ に 係 る 支 払 対 価 の 額 （税込み）	⑨		12,960,000	13,200,000	26,160,000
課 税 仕 入 れ に 係 る 消 費 税 額	⑩		748,800	936,000	1,684,800
適格請求書発行事業者以外の者から行った課税仕入れに係る経過措置の適用を受ける課税仕入れに係る支払対価の額（税込み）	⑪				
適格請求書発行事業者以外の者から行った課税仕入れに係る経過措置により課税仕入れに係る消費税額とみなされる額	⑫				
特 定 課 税 仕 入 れ に 係 る 支 払 対 価 の 額	⑬	※⑬及び⑭欄は、課税売上割合が95%未満、かつ、特定課税仕入れがある事業者のみ記載する。			
特 定 課 税 仕 入 れ に 係 る 消 費 税 額	⑭			（⑬B欄×7.8/100）	
課 税 貨 物 に 係 る 消 費 税 額	⑮				
納 税 義 務 の 免 除 を 受 け な い（受 け る）こ と と な っ た 場 合 に お け る 消 費 税 額 の 調 整（加 算 又 は 減 算）額	⑯				
課 税 仕 入 れ 等 の 税 額 の 合 計 額 （⑩＋⑫＋⑭＋⑮±⑯）	⑰		748,800	936,000	1,684,800
課 税 売 上 高 が 5 億 円 以 下、か つ、課 税 売 上 割 合 が 95 % 以 上 の 場 合 （⑰の金額）	⑱		748,800	936,000	1,684,800
課税売上高が5億円超又は課税売上割合が95%未満の場合	個別対応方式	⑰のうち、課税売上げにのみ要するもの	⑲				
		⑰のうち、課税売上げと非課税売上げに共 通 し て 要 す る も の	⑳				
		個別対応方式により控除する課 税 仕 入 れ 等 の 税 額 〔⑲＋（⑳×④／⑦）〕	㉑				
	一括比例配分方式により控除する課税仕入れ等の税額　（⑰×④／⑦）	㉒				
課税売上割合変動時の調整対象固定資産に係る消 費 税 額 の 調 整（加 算 又 は 減 算）額	㉓				
調整対象固定資産を課税業務用（非課税業務用）に 転 用 し た 場 合 の 調 整（加 算 又 は 減 算）額	㉔				
居 住 用 賃 貸 建 物 を 課 税 賃 貸 用 に 供 し た（譲 渡 し た）場 合 の 加 算 額	㉕				
控 除 対 象 仕 入 税 額 〔（⑱、㉑又は㉒の金額）±㉓±㉔＋㉕〕がプラスの時	㉖	※付表1-3の④A欄へ 748,800	※付表1-3の④B欄へ 936,000	1,684,800
控 除 過 大 調 整 税 額 〔（⑱、㉑又は㉒の金額）±㉓±㉔＋㉕〕がマイナスの時	㉗	※付表1-3の③A欄へ	※付表1-3の③B欄へ	
貸 倒 回 収 に 係 る 消 費 税 額	㉘	※付表1-3の③A欄へ	※付表1-3の③B欄へ	

注意　1　金額の計算においては、1円未満の端数を切り捨てる。
　　　2　⑨、⑪及び⑬欄には、値引き、割戻し、割引きなど仕入対価の返還等の金額がある場合（仕入対価の返還等の金額を仕入金額から直接減額している場合を除く。）には、その金額を控除した後の金額を記載する。
　　　3　⑪及び⑫欄の経過措置とは、所得税法等の一部を改正する法律（平成28年法律第15号）附則第52条又は第53条の適用がある場合をいう。

(R5.10.1以後終了課税期間用)

付表1-3　税率別消費税額計算表　兼　地方消費税の課税標準となる消費税額計算表

一　般

課　税　期　間	令和 5・1・1 ~ 令和 5・12・31	氏　名　又　は　名　称	

区　　　分		税　率 6.24 ％ 適 用 分 A	税　率 7.8 ％ 適 用 分 B	合　　　計　　　C (A+B)
課　税　標　準　額	①	円 22,000,000	円 40,000,000	※第二表の①欄へ 円 62,000,000
①の内訳 課税資産の譲渡等の対価の額	①-1	※第二表の⑤欄へ 22,000,000	※第二表の⑥欄へ 40,000,000	※第二表の⑦欄へ 62,000,000
①の内訳 特定課税仕入れに係る支払対価の額	①-2	※①-2欄は、課税売上割合が95％未満、かつ、特定課税仕入れがある事業者のみ記載する。	※第二表の⑨欄へ	※第二表の⑩欄へ
消　費　税　額	②	※第二表の⑮欄へ 1,372,800	※第二表の⑯欄へ 3,120,000	※第二表の⑪欄へ 4,492,800
控　除　過　大　調　整　税　額	③	(付表2-3の㉗・㉘A欄の合計金額)	(付表2-3の㉗・㉘B欄の合計金額)	※第一表の③欄へ
控除税額 控除対象仕入税額	④	(付表2-3の㉕A欄の金額) 748,800	(付表2-3の㉕B欄の金額) 936,000	※第一表の④欄へ 1,684,800
控除税額 返還等対価に係る税額	⑤	24,960	31,200	※第二表の⑰欄へ 56,160
控除税額 ⑤の内訳 売上げの返還等対価に係る税額	⑤-1	24,960	31,200	※第二表の⑱欄へ 56,160
控除税額 ⑤の内訳 特定課税仕入れの返還等対価に係る税額	⑤-2	※⑤-2欄は、課税売上割合が95％未満、かつ、特定課税仕入れがある事業者記載する。		※第二表の⑲欄へ
控除税額 貸倒れに係る税額	⑥			※第一表の⑥欄へ
控除税額 控除税額小計 (④+⑤+⑥)	⑦	773,760	967,200	※第一表の⑦欄へ 1,740,960
控除不足還付税額 (⑦-②-③)	⑧			※第一表の⑧欄へ
差　引　税　額 (②+③-⑦)	⑨			※第一表の⑨欄へ 2,751,800
地方となる消費税の課税標準額 控除不足還付税額 (⑧)	⑩			※第一表の⑰欄へ ※マイナス「-」を付して第二表の㉑及び㉓欄へ
地方となる消費税の課税標準額 差　引　税　額 (⑨)	⑪			※第一表の⑱欄へ ※第二表の㉑及び㉓欄へ 2,751,800
譲渡割額 還　付　額	⑫			(⑩C欄×22/78) ※第一表の⑲欄へ
譲渡割額 納　税　額	⑬			(⑪C欄×22/78) ※第一表の⑳欄へ 776,100

注意　金額の計算においては、1円未満の端数を切り捨てる。

(R5.10.1以後終了課税期間用)

第3-(2)号様式

課税標準額等の内訳書

整理番号 □□　　法人用

第二表　令和四年四月一日以後終了課税期間分

納税地 ＿＿＿＿＿＿＿＿（電話番号　　－　　　－　　　）
(フリガナ)
法人名
(フリガナ)
代表者氏名

自令和 [5]年[1]月[1]日
至令和 [5]年[12]月[31]日

課税期間分の消費税及び地方
消費税の（　修正　）申告書

改正法附則による税額の特例計算

軽減売上割合（10営業日）	附則38①	51	○
小売等軽減仕入割合	附則38②	52	○

中間申告 自令和 □年□月□日
の場合の
対象期間 至令和 □年□月□日

課税標準額 ※申告書（第一表）の①欄へ

区分	税率	欄	金額	欄番号
課税標準額		①	62,000,000	01
課税資産の譲渡等の対価の額の合計額	3 ％適用分	②		02
	4 ％適用分	③		03
	6.3 ％適用分	④		04
	6.24 ％適用分	⑤	22,000,000	05
	7.8 ％適用分	⑥	40,000,000	06
	（②～⑥の合計）	⑦	62,000,000	07
特定課税仕入れに係る支払対価の額の合計額（注1）	6.3 ％適用分	⑧		11
	7.8 ％適用分	⑨		12
	（⑧・⑨の合計）	⑩		13

消費税額 ※申告書（第一表）の②欄へ

区分	税率	欄	金額	欄番号
消費税額		⑪	4,492,800	21
⑪の内訳	3 ％適用分	⑫		22
	4 ％適用分	⑬		23
	6.3 ％適用分	⑭		24
	6.24 ％適用分	⑮	1,372,800	25
	7.8 ％適用分	⑯	3,120,000	26

返還等対価に係る税額 ※申告書（第一表）の⑤欄へ

区分	欄	金額	欄番号
返還等対価に係る税額	⑰	561,600	31
売上げの返還等対価に係る税額	⑱	561,600	32
特定課税仕入れの返還等対価に係る税額（注1）	⑲		33

地方消費税の課税標準となる消費税額

区分	税率	欄	金額	欄番号
地方消費税の課税標準となる消費税額	（⑳～㉓の合計）	⑳	2,751,800	41
	4 ％適用分	㉑		42
	6.3 ％適用分	㉒		43
	6.24％及び7.8％適用分	㉓	2,751,800	44

(注1) ⑧～⑩及び⑲欄は、一般課税により申告する場合で、課税売上割合が95％未満、かつ、特定課税仕入れがある事業者のみ記載します。
(注2) ⑳～㉓欄が還付税額となる場合はマイナス「－」を付してください。

第3-(1)号様式

令和　年　月　日　　税務署長殿

収受印

納税地	（電話番号　　　　－　　　　－　　　　）
（フリガナ）	
法人名	
法人番号	
（フリガナ）	
代表者氏名	

※税務署処理欄

◯（個人の方）振替継続希望

所署	要否	整理番号	
申告年月日	令和　　年　　月　　日		
申告区分	指導等	庁指定	局指定
通信日付印	確認		
年　月　日			
指導年月日	相談	区分1	区分2	区分3
令和				

自 平成・令和 **5**年**1**月**1**日
至 令和 **5**年**12**月**31**日

課税期間分の消費税及び地方消費税の（ 修正 ）申告書

中間申告の場合の対象期間
自 平成・令和　　年　　月　　日
至 令和　　年　　月　　日

令和五年十月一日以後終了課税期間分（一般用）

この申告書による消費税の税額の計算

		十兆千百十億千百十万千百十一円	
課税標準額	①	62000000	03
消費税額	②	4492800	06
控除過大調整税額	③		07
控除税額 控除対象仕入税額	④	1684800	08
返還等対価に係る税額	⑤	56160	09
貸倒れに係る税額	⑥		10
控除税額小計（④+⑤+⑥）	⑦	1740960	11
控除不足還付税額（⑦-②-③）	⑧		13
差引税額（②+③-⑦）	⑨	2751800	15
中間納付税額	⑩	312000	16
納付税額（⑨-⑩）	⑪	2439800	17
中間納付還付税額（⑩-⑨）	⑫	00	18
この申告書が修正申告である場合 既確定税額	⑬	862300	19
差引納付税額	⑭	1577500	20
課税売上割合 課税資産の譲渡等の対価の額	⑮	61200000	21
資産の譲渡等の対価の額	⑯	62200000	22

この申告書による地方消費税の税額の計算

地方消費税の課税標準となる消費税額 控除不足還付税額	⑰		51
差引税額	⑱	2751800	52
譲渡割額 還付額	⑲		53
納税額	⑳	776100	54
中間納付譲渡割額	㉑	88000	55
納付譲渡割額（⑳-㉑）	㉒	688100	56
中間納付還付譲渡割額（㉑-⑳）	㉓	00	57
この申告書が修正申告である場合 既確定譲渡割額	㉔	243200	58
差引納付譲渡割額	㉕	444900	59
消費税及び地方消費税の合計（納付又は還付）税額	㉖	2022400	60

⑪・㉒又は⑫・㉓の記入をお忘れなく。

㉖＝（⑪+㉒）-（⑧+⑲+㉓）・修正申告の場合㉖＝⑭+㉕
㉖が還付税額となる場合はマイナス「-」を付してください。

付記事項 参考事項				
割賦基準の適用	◯	有	◯無	31
延払基準等の適用	◯	有	◯無	32
工事進行基準の適用	◯	有	◯無	33
現金主義会計の適用	◯	有	◯無	34
課税標準額に対する消費税額の計算の特例の適用	◯	有	◯無	35

控除税額の計算方法		
課税売上高5億円超又は課税売上割合95%未満	個別対応方式 / 一括比例配分方式	41
上記以外	◯ 全額控除	
基準期間の課税売上高	58,000 千円	

◯ 税額控除に係る経過措置の適用（2割特例） 42

還付を受けようとする金融機関等		
	銀行	本店・支店
	金庫・組合	出張所
	農協・漁協	本所・支所
預金 口座番号		
ゆうちょ銀行の貯金記号番号	－	
郵便局名等		

◯ （個人の方）公金受取口座の利用
※税務署整理欄

税理士署名	
（電話番号　　　－　　　－　　　）	

◯ 税理士法第30条の書面提出有
◯ 税理士法第33条の2の書面提出有

※ 2割特例による申告の場合、⑱欄に⑪欄の数字を記載し、⑱欄×22/78から算出された金額を⑳欄に記載してください。

第8章

2割特例の申告書作成事例

Q 8-1　2割特例とインボイス発行事業者登録の概要

私は個人で事業をしており、消費税では免税事業者です。新しくインボイス制度が始まりましたが、取引先への消費税額を請求する方が有利と考えてインボイス発行事業者の登録を行うことを検討しています。免税事業者がインボイス発行事業者登録を受けた時に使える2割特例が創設されたそうですが概要について説明してください。

A 1　2割特例の概要

令和5年10月からのインボイス制度でインボイス発行事業者となるには登録が必要になります。免税事業者がインボイス発行事業者登録を受けて課税事業者となった場合、売上げの消費税額の20％を納税したらよいという「2割特例」が創設されました（平28改所法等附51の2）。

これは、インボイス制度の開始により免税事業者に大きな税負担が生じたり値引き要請で取引条件が悪化したり、取引から排除されることを避けて、また同時に事務負担を軽減するために導入された制度です。例えば売上げが税抜き900万円で売上消費税が90万円の場合、90万円の20％の18万円が納付税額になります。

2　適用期間

2割特例は令和5年10月1日から令和8年9月30日までの日の属する課税期間が対象となる経過措置です。個人事業者の場合は令和5年10月から12月、令和6年、令和7年、令和8年が2割特例を使える消費税の課税期間となります。

3　使える事業者

事業者の基準期間の課税売上げが1,000万円を超えた場合のように、事業者が元々、免税事業者とならない課税期間には2割特例は適用できません（Q 8-2参照）。

4　2割特例の計算

(1)売上税額＝課税売上げ×税率（標準税率、軽減税率）
(2)仕入税額＝売上税額×80％
(3)納付税額＝売上税額−仕入税額＝売上税額×20％

要するに納付税額は売上消費税の20％となります。

　税抜課税売上げ　＝　税込課税売上げ　÷　110％（又は108％（軽減税率対象））

　納付税額　＝　税抜課税売上げ　×　10％（又は8％軽減税率）　×　20％

Q 8－2　**２割特例を適用できる事業者について**

２割特例を適用できる事業者について教えてください。

A　２割特例を選択適用できない事業者をフローチャートで説明します。

　　まず、２割特例は、インボイス発行事業者登録をしたが、元々当該課税期間で免税事業者となる事業者のみが対象になります。下図の①～⑨の事項に該当する事業者は、元々、当該課税期間において免税事業者にはなり得ませんので２割特例を適用して消費税の申告をすることはできません。

図　２割特例を使えるか否かの判定図

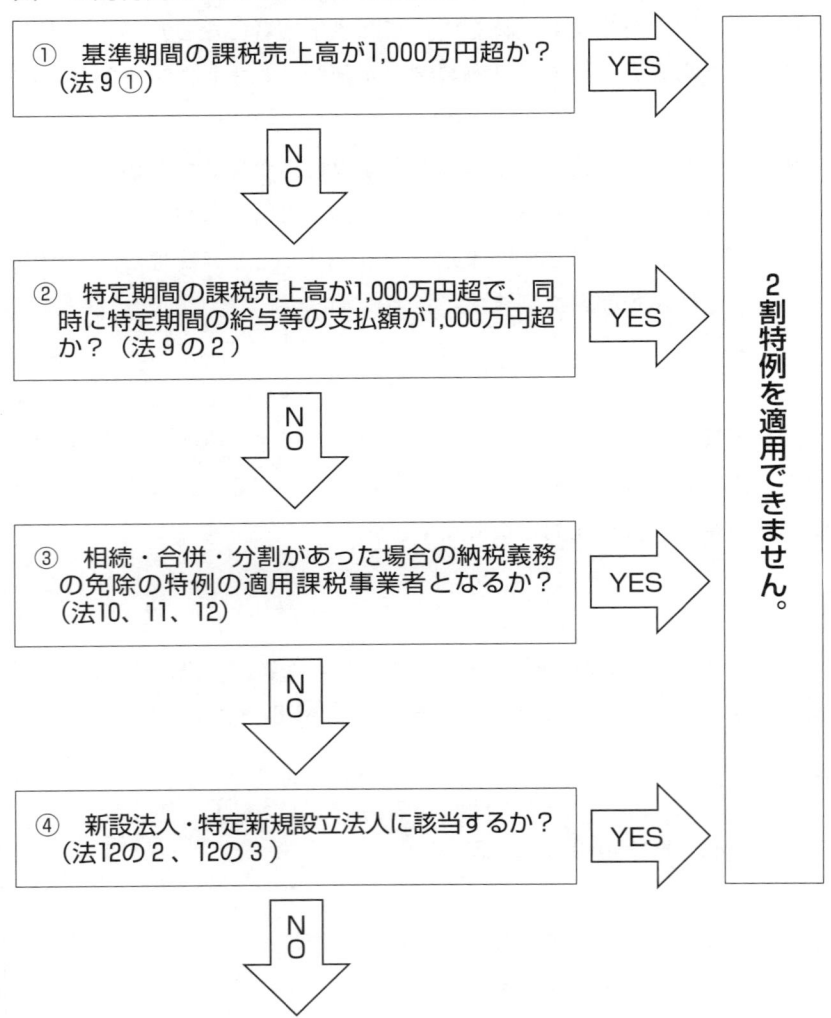

① 基準期間の課税売上高が1,000万円超か？（法９①）　**YES** →

↓ **NO**

② 特定期間の課税売上高が1,000万円超で、同時に特定期間の給与等の支払額が1,000万円超か？（法９の２）　**YES** →

↓ **NO**

③ 相続・合併・分割があった場合の納税義務の免除の特例の適用課税事業者となるか？（法10、11、12）　**YES** →

↓ **NO**

④ 新設法人・特定新規設立法人に該当するか？（法12の２、12の３）　**YES** →

↓ **NO**

２割特例を適用できません。

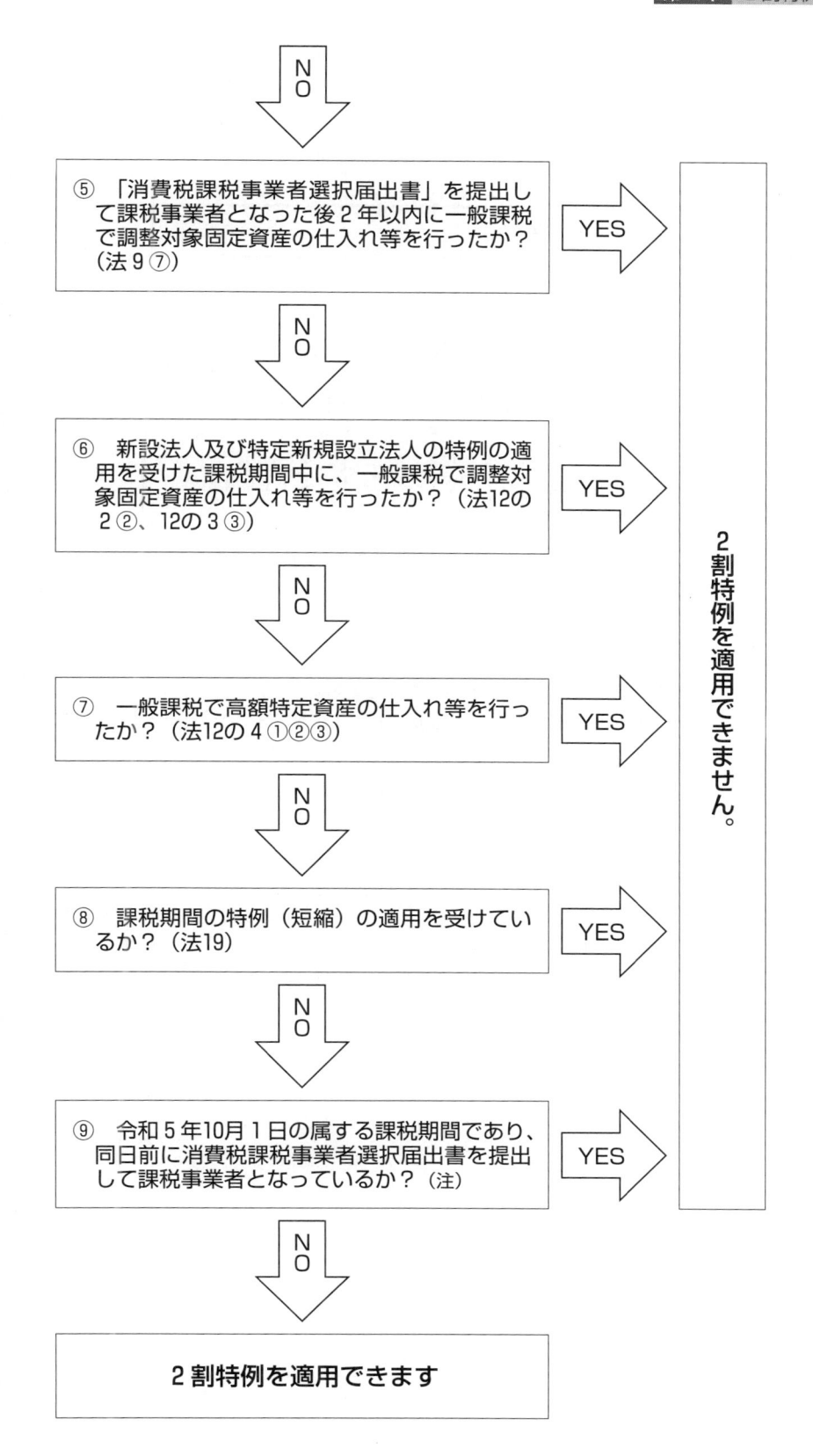

⑤ 「消費税課税事業者選択届出書」を提出して課税事業者となった後２年以内に一般課税で調整対象固定資産の仕入れ等を行ったか？（法９⑦）　　YES →

NO ↓

⑥ 新設法人及び特定新規設立法人の特例の適用を受けた課税期間中に、一般課税で調整対象固定資産の仕入れ等を行ったか？（法12の２②、12の３③）　　YES →

NO ↓

⑦ 一般課税で高額特定資産の仕入れ等を行ったか？（法12の４①②③）　　YES →

NO ↓

⑧ 課税期間の特例（短縮）の適用を受けているか？（法19）　　YES →

NO ↓

⑨ 令和５年10月１日の属する課税期間であり、同日前に消費税課税事業者選択届出書を提出して課税事業者となっているか？（注）　　YES →

NO ↓

２割特例を適用できません。

２割特例を適用できます

311

《消費税課税事業者選択不適用届出書の提出に係る特例》

（例）令和 5 年10月 1 日を含む課税期間を対象として課税選択届出書を提出した個人事業者が当該届出書を失効させる場合

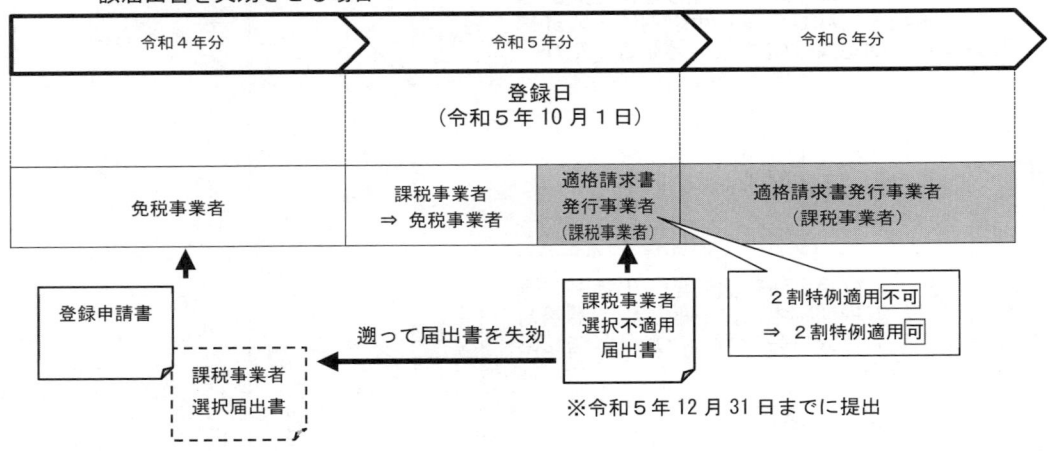

（出典：インボイスＱ＆Ａ問116）

　例えば、免税事業者である個人事業者がインボイス制度に対応しようとして、令和 4 年中に「消費税課税事業者選択届出書」（以下「選択届出書」）と「適格請求書発行事業者の登録申請書」（以下「登録申請書」）を提出したとします。ところが、令和 5 年度税制改正により、 2 割特例が創設されました。この制度は、令和 5 年10月 1 日より前（令和 5 年 9 月30日以前）から課税事業者を選択している者は、積極的に課税事業者となることを選択していることから、通常の申告（一般課税・簡易課税）による税負担に対応できるものと考えられ、 2 割特例の対象としないと位置づけられています。

　しかし、取引の関係から、やむを得ずインボイス発行事業者となった免税事業者も存在します。したがって、登録申請書を提出した事業者であって、選択届出書の提出により令和 5 年10月 1 日を含む課税期間の初日（上記の例では、令和 5 年分）から初めて課税事業者となる事業者については、救済措置として、当該課税期間中（個人の場合は令和 5 年中）に「消費税課税事業者選択不適用届出書」を提出することにより、選択届出書を提出時に遡及して失効させることができることとされました（平28改所法等附51の 2 ⑤）。

　失効するのは選択届出書のみであり、登録申請書は引き続き有効となっています。この登録申請書が有効であることにより、登録日である令和 5 年10月 1 日以降は、インボイス発行事業者（かつ課税事業者）となり、他の要件を満たす限り、 2 割特例を選択することができます。

Q 8-3 2割特例を適用するための手続きについて

　私が営む小売店は、本来、免税事業者ですが取引上の理由からインボイス発行事業者登録を受け消費税の請求をして申告も2割特例を使って適正に行いたいと考えています。

　2割特例を使って申告する場合の留意点を教えてください。

 1　2割特例を使って消費税の申告をする場合

⑴　**申告書の所定の欄に「○」をするだけ**

　2割特例を適用するための手続きは消費税確定申告時に消費税及び地方消費税の申告書の「税額控除に係る経過措置の適用（2割特例）」の欄に「○」をするだけです。

⑵　**事前届出は不要**

　簡易課税制度のように、課税期間開始前に簡易課税の選択届出書を提出するといった事前の手続きは2割特例の適用については必要ありません（平28改所法等附51の2③）。

⑶　**簡易課税の選択をしていても2割特例を使える**

　2割特例は一般課税事業者でも簡易課税事業者でも使えます。消費税及び地方消費税の申告書は一般用でも簡易課税用でも同様で、当該欄に「○」をすることで2割特例を使うという表示になります。

2　2割特例の適用をやめる場合

　2割特例については、使う場合も使わない場合も、事前の届出は必要ありません。また、2割特例についていわゆる2年縛りはありません。簡易課税制度は消費税簡易課税制度選択届出書を提出した場合は、2年間続けて簡易課税制度により申告する必要がありますが、2割特例による申告については課税期間ごとに選択することができます。

3　設備投資をして多額の仕入税額控除が発生する場合

　売上税額の80％を超えるような多額の仕入税額が生じる場合には、2割特例を使わずに申告した方が有利になります。これは、一般課税による申告ができる場合になりますので、留意してください（還付となる場合もあります。）。なお、2割特例を適用する場合や消費税簡易課税制度選択届出書を提出している場合には、課税仕入れに係る消費税額の還付を受けることはできません。

〔個人事業者用〕

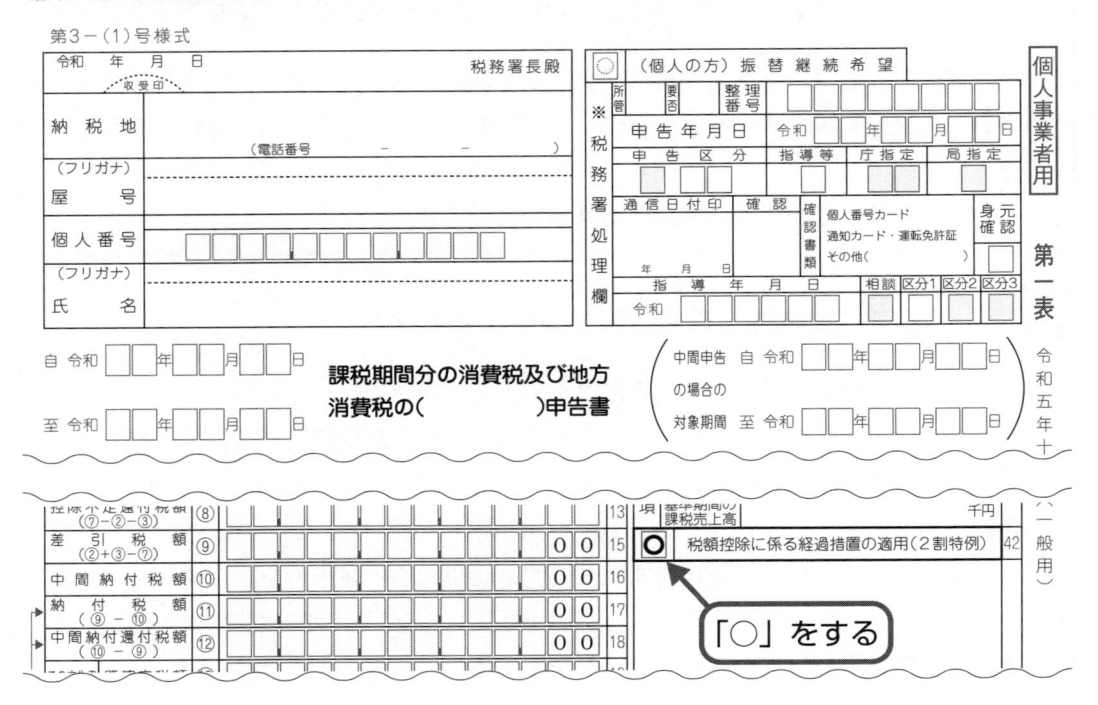

〔法人用〕

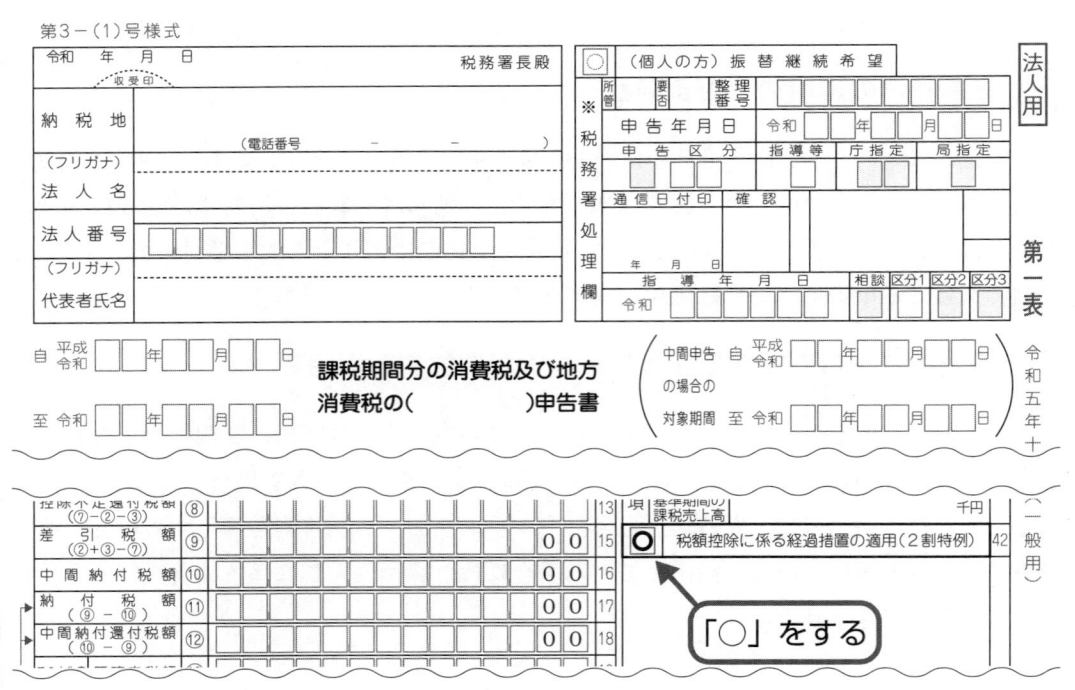

Q 8-4 2割特例の消費税申告事例

私はイラストレーターをしている個人事業者です。仕事ではパソコンと文房具を使っています。発注先を訪問するための交通費や自宅の作業場所の水道光熱費等が経費です。今までの年間の売上高は税込み660万円前後で、経費は税込み220万円くらいです。今は消費税の免税事業者ですが、取引先への消費税相当額を請求する方が現状の販売価格維持のためにも有利と考えてインボイス発行事業者の登録を受けることを検討しています。この場合の有利不利や留意点について説明してください。

A 1 2割特例を使える期間

免税事業者がインボイス発行事業者の登録を受けて課税事業者となった場合の特例として売上げの消費税額の20％を納税すればよいという期間限定の2割特例が創設されました。2割特例は令和5年10月1日から令和8年9月30日までの日の属する課税期間が対象となります（Q 8-1参照）。

2 2割特例

2割特例は、インボイス制度の開始により免税事業者に大きな税負担が生じたり値引き要請で取引条件が悪化したり、取引から排除されることを避けて、また同時に事務負担を軽減するために導入された納付税額計算の簡便法です。

本件の事例の場合、売上げが税込み660万円で仕入れが税込み220万円とされていますので、

① 一般課税方式による計算をしますと、仕入税額は20万円となりますので売上税額60万円から20万円を控除した40万円が納付税額になります。

② 簡易課税制度の選択を行った場合は、イラストレーターの仕事は第五種事業に分類され50％のみなし仕入税額とされますので、60万円×50％＝30万円が仕入税額となり、納付税額は売上税額60万円からみなし仕入税額30万円を差し引いた30万円となります。

③ 2割特例を使って申告する場合は、売上税額60万円の20％の12万円が納付税額となります。

以上の結果、一般課税方式の40万円や簡易課税制度の30万円とくらべて2割特例の12万円が最も少ない納付税額となります。結果として、インボイス発行事業者の登録を受けて2割特例を使った小規模事業者の税金と事務の負担が軽減されることになります。

以上のとおり、ご質問の個人事業者の場合、2割特例で税負担も軽減されますので、イ

ンボイス発行事業者の登録を行って消費税等10%を加算した請求書を発行する方が、事業収支上も大きな負担になりませんし取引からの排除のリスクもなくなりますので前向きに検討してください。

図　本事例の納付税額の比較

2割特例納付税額　12万円　＜　**簡易課税納付税額　30万円**　＜　**一般課税納付税額　40万円**

　免税事業者で取引先からの不当な要求を受けた場合には、2割特例を使いながら消費税の税負担が増加する分を価格転嫁したり、コストダウンしたり、より有利な取引先を選んで収益力の改善を図り事業の安定化を図るという経営方針を採用されたらいかがでしょうか。

③　2割特例の場合の消費税申告書付表6

　2割特例のための申告書付表6は通常版と簡易版があります。貸倒れや貸倒れの回収がある場合は通常版を使ってください。その他の場合（貸倒れと貸倒回収がないとき）は簡易版の付表6を使うこともできます。

〔2割特例適用の場合〕

第3-(1)号様式

令和　年　月　日		税務署長殿
収受印		

納税地
（電話番号　　　－　　　－　　　）

（フリガナ）
屋　号

個人番号 ☐☐☐☐☐☐☐☐☐☐☐☐

（フリガナ）
氏　名

○	（個人の方）振替継続希望	

※税務署処理欄

個人事業者用　第一表

自 令和 **6** 年 **1** 月 **1** 日

至 令和 **6** 年 **12** 月 **31** 日

課税期間分の消費税及び地方
消費税の（　確定　）申告書

中間申告　自 令和 ☐☐ 年 ☐☐ 月 ☐☐ 日
の場合の
対象期間　至 令和 ☐☐ 年 ☐☐ 月 ☐☐ 日

令和五年十月一日以後終了課税期間分（一般用）

この申告書による消費税の税額の計算

		十兆千百十億千百十万千百十一円	
課税標準額	①	6000000	03
消費税額	②	468000	06
控除過大調整税額	③		07
控除税額 控除対象仕入税額	④	374400	08
返還等対価に係る税額	⑤		09
貸倒れに係る税額	⑥		10
控除税額小計（④+⑤+⑥）	⑦	374400	
控除不足還付税額（⑦-②-③）	⑧		13
差引税額（②+③-⑦）	⑨	93600	15
中間納付税額	⑩	00	16
納付税額（⑨-⑩）	⑪	93600	17
中間納付還付税額（⑩-⑨）	⑫	00	18
この申告書が修正申告である場合 既確定税額	⑬		19
差引納付税額	⑭	00	20
課税売上割合 課税資産の譲渡等の対価の額	⑮		21
資産の譲渡等の対価の額	⑯		22

この申告書による地方消費税の税額の計算

地方消費税の課税標準となる消費税額 控除不足還付税額	⑰		51
差引税額	⑱	93600	52
譲渡割額 還付額	⑲		53
納税額	⑳	26400	54
中間納付譲渡割額	㉑	00	55
納付譲渡割額（⑳-㉑）	㉒	26400	56
中間納付還付譲渡割額（㉑-⑳）	㉓	00	57
この申告書が修正申告である場合 既確定譲渡割額	㉔		58
差引納付譲渡割額	㉕	00	59
消費税及び地方消費税の合計（納付又は還付）税額	㉖	120000	60

㉖=（⑪+⑫）-（⑧+⑫+⑲+㉓）・修正申告の場合㉖=⑭+㉕
㉖が還付税額となる場合はマイナス「-」を付してください。

付記事項	割賦基準の適用	○有	●無	31
	延払基準等の適用	○有	●無	32
	工事進行基準の適用	○有	●無	33
	現金主義会計の適用	○有	●無	34
参考事項	課税標準額に対する消費税額の計算の特例の適用	○有	●無	35
控除税額の計算の方法	課税売上高5億円超又は課税売上割合95%未満	個別対応方式		41
		一括比例配分方式		
	上記以外	全額控除		
	基準期間の課税売上高	5,000 千円		

○ 税額控除に係る経過措置の適用（2割特例）42

還付を受けようとする金融機関等

銀行	本店・支店
金庫・組合	出張所
農協・漁協	本所・支所

預金　口座番号

ゆうちょ銀行の貯金記号番号　　－

郵便局名等

○ （個人の方）公金受取口座の利用

※税務署整理欄

税理士署名

（電話番号　　　－　　　－　　　）

○ 税理士法第30条の書面提出有
○ 税理士法第33条の2の書面提出有

※ 2割特例による申告の場合、⑱欄に⑪欄の数字を記載し、⑱欄×22/78から算出された金額を⑳欄に記載してください。

〔2割特例適用の場合〕

第3-(2)号様式

課税標準額等の内訳書

納 税 地	
	（電話番号　　　－　　　－　　　）
（フリガナ）	
屋　　　号	
（フリガナ）	
氏　　　名	

整理番号									個人事業者用

改 正 法 附 則 に よ る 税 額 の 特 例 計 算			
軽減売上割合（10営業日）	○	附則38①	51
小 売 等 軽 減 仕 入 割 合	○	附則38②	52

第二表

自 令和 `6`年 `1`月 `1`日　**課税期間分の消費税及び地方消費税の（　確定　）申告書**

至 令和 `6`年`12`月`31`日

中間申告の場合の対象期間　自 令和 □□年□□月□□日　至 令和 □□年□□月□□日

令和四年四月一日以後終了課税期間分

課　　税　　標　　準　　額 ※申告書（第一表）の①欄へ	①	十兆千百十億千百十万千百十一円 `6 0 0 0 0 0 0`	01

	3 ％ 適 用 分	②		02
課 税 資 産 の	4 ％ 適 用 分	③		03
譲 渡 等 の	6.3 ％ 適 用 分	④		04
対 価 の 額	6.24 ％ 適 用 分	⑤		05
の 合 計 額	7.8 ％ 適 用 分	⑥	`6 0 0 0 0 0 0`	06
	（ ② ～ ⑥ の 合 計 ）	⑦	`6 0 0 0 0 0 0`	07
特 定 課 税 仕 入 れ	6.3 ％ 適 用 分	⑧		11
に 係 る 支 払 対 価	7.8 ％ 適 用 分	⑨		12
の 額 の 合 計 額 （注1）	（ ⑧ ・ ⑨ の 合 計 ）	⑩		13

消　　費　　税　　額 ※申告書（第一表）の②欄へ	⑪	`4 6 8 0 0 0`	21
	3 ％ 適 用 分	⑫		22
	4 ％ 適 用 分	⑬		23
⑪ の 内 訳	6.3 ％ 適 用 分	⑭		24
	6.24 ％ 適 用 分	⑮		25
	7.8 ％ 適 用 分	⑯	`4 6 8 0 0 0`	26

返 還 等 対 価 に 係 る 税 額 ※申告書（第一表）の⑤欄へ	⑰		31
⑰の内訳　売 上 げ の 返 還 等 対 価 に 係 る 税 額	⑱		32
特定課税仕入れの返還等対価に係る税額 （注1）	⑲		33

地 方 消 費 税 の	（ ㉑ ～ ㉓ の 合 計 ）	⑳	`9 3 6 0 0`	41
課 税 標 準 と な る	4 ％ 適 用 分	㉑		42
消 費 税 額	6.3 ％ 適 用 分	㉒		43
（注2）	6.24%及び7.8% 適 用 分	㉓	`9 3 6 0 0`	44

（注1）　⑧～⑩及び⑲欄は、一般課税により申告する場合で、課税売上割合が95％未満、かつ、特定課税仕入れがある事業者のみ記載します。
（注2）　⑳～㉓欄が還付税額となる場合はマイナス「－」を付してください。

〔2割特例適用の場合【通常版】〕

第4-(13)号様式

付表6　税率別消費税額計算表
〔小規模事業者に係る税額控除に関する経過措置を適用する課税期間用〕

　特　別

課　税　期　間	令和　　　令和 6・1・1 ～ 6・12・31	氏名又は名称	

Ⅰ　課税標準額に対する消費税額及び控除対象仕入税額の計算の基礎となる消費税額

区　　　　分		税率 6.24 % 適用分 A	税率 7.8 % 適用分 B	合　　　　計　　C (A＋B)
課 税 資 産 の 譲 渡 等 の　対　価　の　額	①	※第二表の⑤欄へ　　　　　　　円	※第二表の⑥欄へ　　　　　　　円 6,000,000	※第二表の⑦欄へ　　　　　　円 6,000,000
課　税　標　準　額	②	①A欄（千円未満切捨て） 　　　　　　　　　000	①B欄（千円未満切捨て） 6,000,000	※第二表の①欄へ 6,000,000
課 税 標 準 額 に 対 す る 消 費 税 額	③	（②A欄×6.24/100） ※第二表の⑮欄へ	（②B欄×7.8/100） ※第二表の⑯欄へ 468,000	※第二表の⑪欄へ 468,000
貸 倒 回 収 に 係 る 消 費 税 額	④			※第一表の③欄へ
売 上 対 価 の 返 還 等 に 係 る 消 費 税 額	⑤			※第二表の⑰、⑱欄へ
控除対象仕入税額の計算 の 基 礎 と な る 消 費 税 額 （ ③ ＋ ④ － ⑤ ）	⑥		468,000	468,000

Ⅱ　控除対象仕入税額とみなされる特別控除税額

項　　　　　　　目		税 率 6.24 ％ 適 用 分 A	税 率 7.8 ％ 適 用 分 B	合　　　　計　　C (A＋B)
特 別 控 除 税 額 （ ⑥ × 80 ％ ）	⑦		374,400	※第一表の④欄へ 374,400

Ⅲ　貸倒れに係る税額

項　　　　　　　目		税 率 6.24 ％ 適 用 分 A	税 率 7.8 ％ 適 用 分 B	合　　　　計　　C (A＋B)
貸 倒 れ に 係 る 税 額	⑧			※第一表の⑥欄へ

注意　金額の計算においては、1円未満の端数を切り捨てる。

（R5.10.1以後終了課税期間用）

〔2割特例適用の場合【簡易版】〕

第4-(13)号様式

付表6　税率別消費税額計算表【簡易版】 特　別

〔小規模事業者に係る税額控除に関する経過措置を適用する課税期間用〕

| 課　税　期　間 | 令和　　　令和
6·1·1 ~ 6·12·31 | 氏名又は名称 | |

※　金額の計算においては、1円未満の端数を切り捨てます。

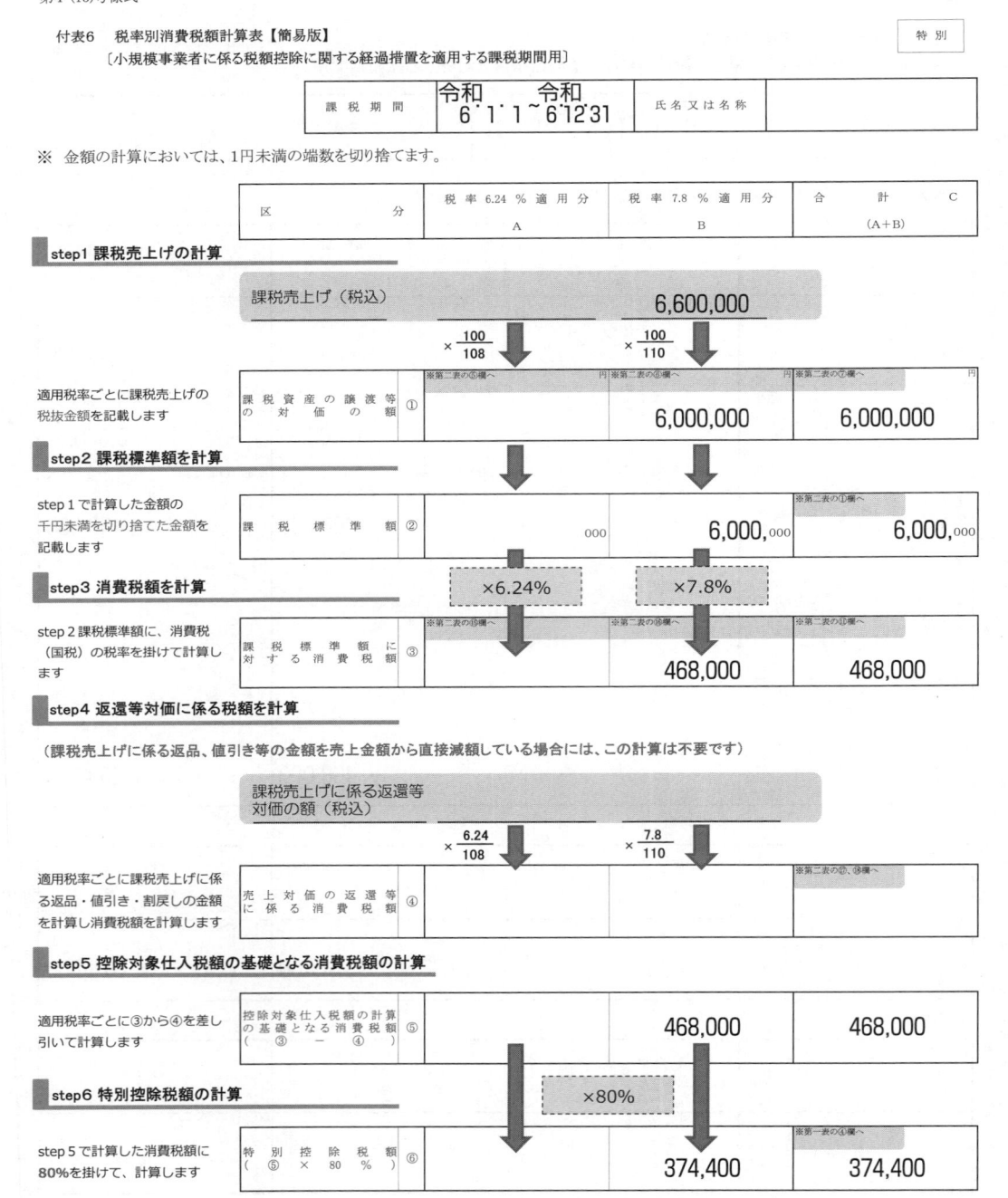

| 区　　分 | 税率 6.24 % 適用分
A | 税率 7.8 % 適用分
B | 合　計　C
(A+B) |

step1 課税売上げの計算

課税売上げ（税込）　6,600,000

$\times \frac{100}{108}$　$\times \frac{100}{110}$

適用税率ごとに課税売上げの税抜金額を記載します

| 課税資産の譲渡等の対価の額 ① | | ※第二表の⑤欄へ 6,000,000 | ※第二表の⑦欄へ 6,000,000 |

step2 課税標準額を計算

step1で計算した金額の千円未満を切り捨てた金額を記載します

| 課　税　標　準　額 ② | 000 | 6,000,000 | ※第二表の①欄へ 6,000,000 |

step3 消費税額を計算

×6.24%　×7.8%

step2課税標準額に、消費税（国税）の税率を掛けて計算します

| 課税標準額に対する消費税額 ③ | ※第二表の⑪欄へ | 卒第二表の⑯欄へ 468,000 | ※第二表の⑪欄へ 468,000 |

step4 返還等対価に係る税額を計算

（課税売上げに係る返品、値引き等の金額を売上金額から直接減額している場合には、この計算は不要です）

課税売上げに係る返還等対価の額（税込）

$\times \frac{6.24}{108}$　$\times \frac{7.8}{110}$

適用税率ごとに課税売上げに係る返品・値引き・割戻しの金額を計算し消費税額を計算します

| 売上対価の返還等に係る消費税額 ④ | | | ※第二表の⑰、⑱欄へ |

step5 控除対象仕入税額の基礎となる消費税額の計算

適用税率ごとに③から④を差し引いて計算します

| 控除対象仕入税額の計算の基礎となる消費税額（③ － ④）⑤ | | 468,000 | 468,000 |

step6 特別控除税額の計算

×80%

step5で計算した消費税額に80%を掛けて、計算します

| 特別控除税額（⑤ × 80 ％）⑥ | | ※第一表の④欄へ 374,400 | 374,400 |

(R5.10.1以後終了課税期間用)

320

Q 8−5　2割特例と簡易課税の比較と簡易課税選択届出

　私は雑貨の販売店を営んでいる個人事業者で毎年880万円ほどの税込み売上高があります。お客様は60％が一般消費者、40％は事業者です。問屋で購入してきて私が小分けして商品としてお店に展示して販売しています。仕入原価率はおおよそ60％くらいです。事業者との取引もありますのでインボイス制度の開始に伴いインボイス発行事業者の登録を受けました。登録日は令和6年1月1日です。消費税の申告では、2割特例と簡易課税のどちらを選択したらいいのか、手続きはどうしたらいいのか教えてください。

A　この事例では、雑貨の売上げが毎年880万円ほどですから基準期間の課税売上高は1,000万円以下で免税事業者になりますが、インボイス発行事業者の登録を受けていますので登録の日から課税事業者になります。

1　2割特例での消費税の納付税額の試算

　課税売上げから売上消費税の金額を算定し、売上消費税の80％の特別控除額を計算します。納付すべき税額は売上消費税から特別控除額を差し引いて求めます。

　　課税売上げ＝880万円÷1.1＝800万円

　　売上消費税＝800万円×10％＝80万円

　　特別控除額＝80万円×80％＝64万円

　　納付税額＝80万円−64万円＝16万円

2　簡易課税での消費税の納付税額の試算

　小売業の売上高を売上高全体の60％として売上消費税を計算してから、売上消費税に80％を乗じてみなし仕入税額を求めます。次に卸売業の売上高を売上高全体の40％として売上消費税を計算してから、売上消費税に90％を乗じてみなし仕入税額求めます。

⑴　**小売業分**

　　課税売上げ＝880万円÷1.1＝800万円

　　小売り分売上高＝800万円×60％＝480万円

　　売上消費税＝480万円×10％＝48万円

　　みなし仕入税額＝48万円×80％＝38.4万円

　　納付税額＝48万円−38.4万円＝9.6万円

⑵　**卸売業分**

　　課税売上げ＝880万円÷1.1＝800万円

　　卸売り分売上高＝800万円×40％＝320万円

売上消費税＝320万円×10％＝32万円

　　みなし仕入税額＝32万円×90％＝28.8万円

　　納付税額＝32万円−28.8万円＝3.2万円

(3)　**納付税額合計**

　　9.6万円＋3.2万円＝12.8万円

　申告書作成の際は、消費税を先に計算してから地方消費税を別途に計算します。その過程で端数処理がありますので、実際の納付税額合計は、127,900円となります。

３　２割特例と簡易課税の納税見込み額の比較

　以上の結果、簡易課税12.8万円、２割特例16万円の納税見込みとなりました。簡易課税での申告の方が２割特例での申告より消費税の納付税額が少ないことになりますが、これは、卸売業の部分については、簡易課税の場合みなし仕入率が90％とされているため納付税額が売上消費税の10％になりますが、２割特例の方は売上消費税の20％の納税となっているためです。

４　２割特例と簡易課税選択の届出

　免税事業者がインボイス発行事業者の登録をした場合、消費税の申告において、一般課税、簡易課税、２割特例の選択ができます。簡易課税制度の適用を受けようとする場合には、その課税期間の初日の前日までに、「消費税簡易課税制度選択届出書」を納税地の所轄税務署長に提出することにより、簡易課税制度を選択することができます。また、新規開業等した事業者は、開業等した課税期間の末日までにこの届出書を提出すれば、その課税期間から簡易課税制度の適用を受けることができます。なお、免税事業者からインボイス発行事業者となった事業者に係る「消費税簡易課税制度選択届出書」の提出時期については、経過措置が設けられています（Ｑ8−6参照）。

　２割特例を選択するには、特に届出は必要ありません。申告書の所定の位置に「○」を記入してください（Ｑ8−3参照）。

５　申告書の記載例

　２割特例を適用する場合の申告書などの記載例は、323〜325ページを参照してください。

　簡易課税による申告をする場合の申告書などの記載例は、326〜330ページを参照してください。

　なお、付表6は本事例では簡易版を使っています（Ｑ8−4参照）。

〔2割特例適用の場合〕

第3-(1)号様式

令和　年　月　日	税務署長殿

収受印

納　税　地	（電話番号　　　－　　　－　　　）
（フリガナ）	
屋　　号	
個人番号	☐☐☐☐☐☐☐☐☐☐☐☐
（フリガナ）	
氏　　名	

<table>
<tr><td>○</td><td colspan="3">（個人の方）振替継続希望</td></tr>
<tr><td>※税務署処理欄</td><td>所管</td><td>要否</td><td>整理番号 ☐☐☐☐☐☐☐☐</td></tr>
<tr><td></td><td colspan="2">申告年月日</td><td>令和 ☐☐年 ☐☐月 ☐☐日</td></tr>
<tr><td></td><td colspan="2">申告区分</td><td>指導等　庁指定　局指定</td></tr>
<tr><td></td><td>通信日付印</td><td>確認</td><td>確認書類 個人番号カード 通知カード・運転免許証 その他（　）　身元確認</td></tr>
<tr><td></td><td colspan="2">年　月　日</td><td>指導　年　月　日　相談 区分1 区分2 区分3</td></tr>
<tr><td></td><td colspan="3">令和</td></tr>
</table>

個人事業者用　第一表

自 令和 ⑥年 ①月 ①日
至 令和 ⑥年 12月 31日

課税期間分の消費税及び地方消費税の（ 確定 ）申告書

中間申告の場合の対象期間　自 令和 ☐☐年 ☐☐月 ☐☐日　至 令和 ☐☐年 ☐☐月 ☐☐日

令和五年十月一日以後終了課税期間分（一般用）

この申告書による消費税の税額の計算

		十兆千百十億千百十万千百十一円	
課税標準額	①	8000000	03
消費税額	②	624000	06
控除過大調整税額	③		07
控除税額 控除対象仕入税額	④	499200	08
返還等対価に係る税額	⑤		09
貸倒れに係る税額	⑥		10
控除税額小計（④+⑤+⑥）	⑦	499200	11
控除不足還付税額（⑦-②-③）	⑧		13
差引税額（②+③-⑦）	⑨	124800	15
中間納付税額	⑩	00	16
納付税額（⑨-⑩）	⑪	124800	17
中間納付還付税額（⑩-⑨）	⑫	00	18
この申告書が修正申告である場合 既確定税額	⑬		19
差引納付税額	⑭	00	20
課税売上割合 課税資産の譲渡等の対価の額	⑮		21
資産の譲渡等の対価の額	⑯		22

この申告書による地方消費税の税額の計算

地方消費税の課税標準となる消費税額 控除不足還付税額	⑰		51
差引税額	⑱	124800	52
譲渡割額 還付額	⑲		53
納税額	⑳	35200	54
中間納付譲渡割額	㉑	00	55
納付譲渡割額（⑳-㉑）	㉒	35200	56
中間納付還付譲渡割額（㉑-⑳）	㉓	00	57
この申告書が修正申告である場合 既確定譲渡割額	㉔		58
差引納付譲渡割額	㉕		59
消費税及び地方消費税の合計（納付又は還付）税額	㉖	160000	60

㉖＝（⑪+㉒）-（⑧+⑫+⑲+㉓）・修正申告の場合㉖＝⑭+㉕
㉖が還付税額となる場合はマイナス「-」を付してください。

付記事項	割賦基準の適用	○有 ○無	31
	延払基準等の適用	○有 ○無	32
	工事進行基準の適用	○有 ○無	33
	現金主義会計の適用	○有 ○無	34
参考事項	課税標準額に対する消費税額の計算の特例の適用	○有 ○無	35
	控除税額の計算方法 課税売上高5億円超又は課税売上割合95%未満	○個別対応方式 ○一括比例配分方式	41
	上記以外	○全額控除	
	基準期間の課税売上高　　千円		
○	税額控除に係る経過措置の適用（2割特例）		42

還付を受けようとする金融機関等
銀行 本店・支店 / 金庫・組合 出張所 / 農協・漁協 本所・支所
預金 口座番号
ゆうちょ銀行の貯金記号番号　　－
郵便局名等

○（個人の方）公金受取口座の利用

※税務署整理欄

税理士署名　（電話番号　　－　　－　　）

○ 税理士法第30条の書面提出有
○ 税理士法第33条の2の書面提出有

※ 2割特例による申告の場合、⑱欄に⑪欄の数字を記載し、⑱欄×22/78から算出された金額を⑳欄に記載してください。

〔2割特例適用の場合〕

課税標準額等の内訳書

納 税 地	
	(電話番号　　　－　　　－　　　)
(フリガナ)	
屋　　　号	
(フリガナ)	
氏　　　名	

整理番号									個人事業者用

改 正 法 附 則 に よ る 税 額 の 特 例 計 算			
軽減売上割合（10営業日）	○	附則38①	51
小 売 等 軽 減 仕 入 割 合	○	附則38②	52

第二表

自 令和 **6**年 **1**月 **1**日
至 令和 **6**年**12**月**31**日

課税期間分の消費税及び地方消費税の（　　　　　　）申告書

中間申告	自 令和		年		月		日
の場合の 対象期間	至 令和		年		月		日

令和四年四月一日以後終了課税期間分

課 税 標 準 額　※申告書（第一表）の①欄へ	①	十兆千百十億千百十万千百十一円 **8000000**	01

課 税 資 産 の 譲 渡 等 の 対 価 の 額 の 合 計 額	3 ％ 適 用 分	②		02
	4 ％ 適 用 分	③		03
	6.3 ％ 適 用 分	④		04
	6.24 ％ 適 用 分	⑤		05
	7.8 ％ 適 用 分	⑥	**8000000**	06
	（②～⑥の合計）	⑦	**8000000**	07
特定課税仕入れ に係る支払対価 の額の合計額　（注1）	6.3 ％ 適 用 分	⑧		11
	7.8 ％ 適 用 分	⑨		12
	（⑧・⑨の合計）	⑩		13

消 費 税 額　※申告書（第一表）の②欄へ	⑪	**624000**	21

⑪ の 内 訳	3 ％ 適 用 分	⑫		22
	4 ％ 適 用 分	⑬		23
	6.3 ％ 適 用 分	⑭		24
	6.24 ％ 適 用 分	⑮		25
	7.8 ％ 適 用 分	⑯	**624000**	26

返 還 等 対 価 に 係 る 税 額　※申告書（第一表）の⑤欄へ	⑰		31
⑰の内訳　売上げの返還等対価に係る税額	⑱		32
特定課税仕入れの返還等対価に係る税額 （注1）	⑲		33

地 方 消 費 税 の 課 税 標 準 と な る 消 費 税 額	（㉑～㉓の合計）	⑳	**124800**	41
	4 ％ 適 用 分	㉑		42
	6.3 ％ 適 用 分	㉒		43
	6.24%及び7.8% 適 用 分　（注2）	㉓	**124800**	44

(注1)　⑧～⑩及び⑲欄は、一般課税により申告する場合で、課税売上割合が95％未満、かつ、特定課税仕入れがある事業者のみ記載します。
(注2)　⑳～㉓欄が還付税額となる場合はマイナス「－」を付してください。

〔2割特例適用の場合〕

第4-(13)号様式

付表6 税率別消費税額計算表【簡易版】
〔小規模事業者に係る税額控除に関する経過措置を適用する課税期間用〕

特 別

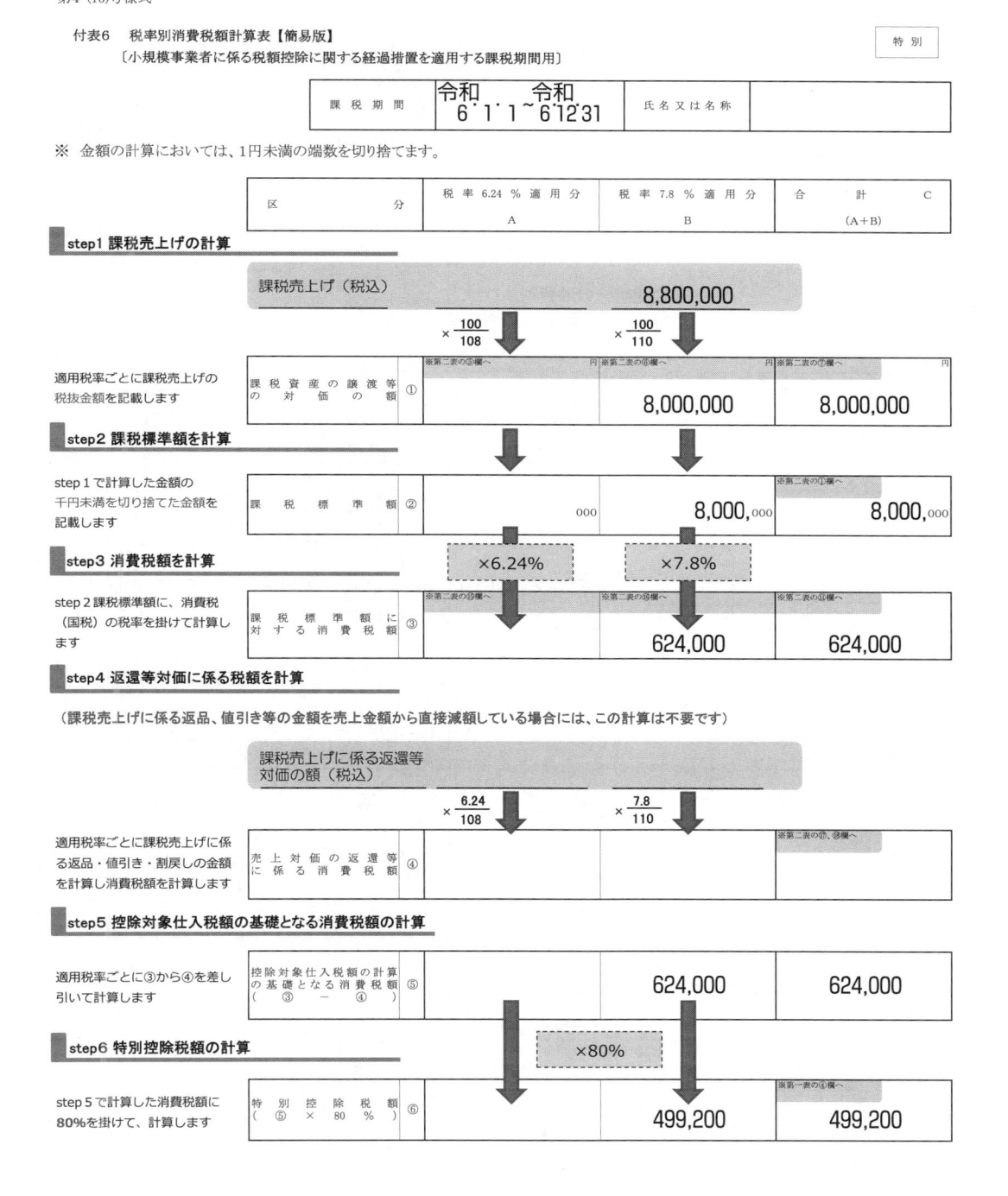

※ 金額の計算においては、1円未満の端数を切り捨てます。

| 課税期間 | 令和 令和 6・1・1～6・12・31 | 氏名又は名称 | |

step1 課税売上げの計算

step2 課税標準額を計算

step3 消費税額を計算

step4 返還等対価に係る税額を計算

（課税売上げに係る返品、値引き等の金額を売上金額から直接減額している場合には、この計算は不要です）

step5 控除対象仕入税額の基礎となる消費税額の計算

step6 特別控除税額の計算

(R5.10.1以後終了課税期間用)

〔簡易課税の場合〕

令和　年　月　日　　　　　　　　　　　　　税務署長殿

収受印

納　税　地	（電話番号　　－　　－　　）
（フリガナ）	
屋　　　号	
個人番号	
（フリガナ）	
氏　　　名	

○（個人の方）振替継続希望

※税務署処理欄

所管	要否	整理番号	

申告年月日　令和　　年　　月　　日
申告区分　指導等　庁指定　局指定

通信日付印	確認	確認書類	個人番号カード　通知カード・運転免許証　その他（　　　）	身元確認
年　月　日				

指導年月日　　相談　区分1　区分2　区分3
令和

簡　個人事業者用　第一表

令和五年十月一日以後終了課税期間分（簡易課税用）

自　令和　6年　1月　1日
至　令和　6年12月31日

課税期間分の消費税及び地方消費税の（　確定　）申告書

中間申告の場合の対象期間　自　令和　　年　　月　　日　至　令和　　年　　月　　日

この申告書による消費税の税額の計算

			十兆千百十億千百十万千百十一円	
課税標準額	①		8000000	03
消費税額	②		624000	06
貸倒回収に係る消費税額	③			07
控除税額	控除対象仕入税額	④	524160	08
	返還等対価に係る税額	⑤		09
	貸倒れに係る税額	⑥		10
	控除税額小計（④+⑤+⑥）	⑦	524160	12
控除不足還付税額（⑦-②-③）	⑧			13
差引税額（②+③-⑦）	⑨		99800	15
中間納付税額	⑩		00	16
納付税額（⑨-⑩）	⑪		99800	17
中間納付還付税額（⑩-⑨）	⑫		00	18
この申告書が修正申告である場合	既確定税額	⑬		19
	差引納付税額	⑭	00	20
この課税期間の課税売上高	⑮		8000000	21
基準期間の課税売上高	⑯			

⑪・⑫又は⑬・⑳の記入をお忘れなく。

この申告書による地方消費税の税額の計算

地方消費税の課税標準となる消費税額	控除不足還付税額	⑰		51
	差引税額	⑱	99800	52
譲渡割額	還付額	⑲		53
	納税額	⑳	28100	54
中間納付譲渡割額	㉑		00	55
納付譲渡割額（⑳-㉑）	㉒		28100	56
中間納付還付譲渡割額（㉑-⑳）	㉓		00	57
この申告書が修正申告である場合	既確定譲渡割額	㉔		58
	差引納付譲渡割額	㉕	00	59
消費税及び地方消費税の合計（納付又は還付）税額	㉖		127900	60

㉖=（⑪+⑫）-（⑧+⑲+⑳）・修正申告の場合㉖=⑭+㉕
㉖が還付税額となる場合はマイナス「-」を付してください。

付記事項 / 参考事項 / 事業区分項

割賦基準の適用	○	有	○無	31
延払基準等の適用	○	有	○無	32
工事進行基準の適用	○	有	○無	33
現金主義会計の適用	○	有	○無	34
課税標準額に対する消費税額の計算の特例の適用	○	有	○無	35

区分	課税売上高（免税売上高を除く）	売上割合%	
第1種	3,200 千円	40.0	36
第2種	4,800	60.0	37
第3種			38
第4種			39
第5種			42
第6種			43

特例計算適用（令57③）	○	有	○無	40

⭕ 税額控除に係る経過措置の適用（2割特例）　44

還付を受けようとする金融機関等

	銀行　　本店・支店
金庫・組合　　出張所
本所・支所

→ 「〇」をしない

ゆうちょ銀行の貯金記号番号　　－
郵便局名等

○（個人の方）公金受取口座の利用

※税務署整理欄

税理士署名	
（電話番号　　－　　－　　）	

○　税理士法第30条の書面提出有
○　税理士法第33条の2の書面提出有

※　2割特例による申告の場合、⑮欄に⑪欄の数字を記載し、⑱欄×22/78から算出された金額を⑳欄に記載してください。

〔簡易課税の場合〕

第3-(2)号様式

課税標準額等の内訳書

納税地	
	（電話番号　　－　　－　　）
（フリガナ）	
屋　号	
（フリガナ）	
氏　名	

整理番号								

個人事業者用

改正法附則による税額の特例計算			
軽減売上割合（10営業日）	○	附則38①	51
小売等軽減仕入割合	○	附則38②	52

第二表

自 令和 **6** 年 **1** 月 **1** 日
至 令和 **6** 年 **12** 月 **31** 日

課税期間分の消費税及び地方消費税の（　確定　）申告書

中間申告 自 令和 □□ 年 □□ 月 □□ 日
の場合の
対象期間 至 令和 □□ 年 □□ 月 □□ 日

令和四年四月一日以後終了課税期間分

課税標準額 ※申告書（第一表）の①欄へ	①	十兆千百十億千百十万千百十一円　　　8000000	01

課税資産の譲渡等の対価の額の合計額	3 ％適用分	②		02
	4 ％適用分	③		03
	6.3 ％適用分	④		04
	6.24 ％適用分	⑤		05
	7.8 ％適用分	⑥	8000000	06
	（②～⑥の合計）	⑦	8000000	07
特定課税仕入れに係る支払対価の額の合計額 （注1）	6.3 ％適用分	⑧		11
	7.8 ％適用分	⑨		12
	（⑧・⑨の合計）	⑩		13

消費税額 ※申告書（第一表）の②欄へ	⑪	624000	21
⑪の内訳	3 ％適用分	⑫		22
	4 ％適用分	⑬		23
	6.3 ％適用分	⑭		24
	6.24 ％適用分	⑮		25
	7.8 ％適用分	⑯	624000	26

返還等対価に係る税額 ※申告書（第一表）の⑤欄へ	⑰		31
⑰の内訳	売上げの返還等対価に係る税額	⑱		32
	特定課税仕入れの返還等対価に係る税額 （注1）	⑲		33

地方消費税の課税標準となる消費税額	（㉑～㉓の合計）	⑳	99800	41
	4 ％適用分	㉑		42
	6.3 ％適用分	㉒		43
（注2）	6.24％及び7.8％適用分	㉓	99800	44

（注1）　⑧～⑩及び⑲欄は、一般課税により申告する場合で、課税売上割合が95％未満、かつ、特定課税仕入れがある事業者のみ記載します。
（注2）　⑳～㉓欄が還付税額となる場合はマイナス「－」を付してください。

〔簡易課税の場合〕

第4-(11)号様式

付表4-3　税率別消費税額計算表　兼　地方消費税の課税標準となる消費税額計算表

簡 易

課　税　期　間	令和 6 · 1 · 1 ～	令和 6 · 12 · 31	氏 名 又 は 名 称	

区　　　　　分		税 率 6.24 ％ 適 用 分 A	税 率 7.8 ％ 適 用 分 B	合　　　計　　　C (A+B)
課　税　標　準　額	①	円 000	円 8,000,000	※第二表の①欄へ 円 8,000,000
課 税 資 産 の 譲 渡 等 の 対 価 の 額	① -1	※第二表の⑤欄へ	※第二表の⑥欄へ 8,000,000	※第二表の⑦欄へ 8,000,000
消　　費　　税　　額	②	※付表5-3の①A欄へ ※第二表の⑮欄へ	※付表5-3の①B欄へ ※第二表の⑯欄へ 624,000	※付表5-3の①C欄へ ※第二表の⑪欄へ 624,000
貸 倒 回 収 に 係 る 消 費 税 額	③	※付表5-3の②A欄へ	※付表5-3の②B欄へ	※付表5-3の②C欄へ ※第一表の③欄へ
控除税額	控 除 対 象 仕 入 税 額	④	(付表5-3の⑤A欄又は㉗A欄の金額)	(付表5-3の⑤B欄又は㉗B欄の金額) 524,160	(付表5-3の⑤C欄又は㉗C欄の金額) ※第一表の④欄へ 524,160
	返 還 等 対 価 に 係 る 税 額	⑤	※付表5-3の③A欄へ	※付表5-3の③B欄へ	※付表5-3の③C欄へ ※第二表の⑰欄へ
	貸 倒 れ に 係 る 税 額	⑥			※第一表の⑥欄へ
	控 除 税 額 小 計 (④+⑤+⑥)	⑦		524,160	※第一表の⑦欄へ 524,160
控 除 不 足 還 付 税 額 (⑦-②-③)	⑧			※第一表の⑧欄へ
差　引　税　額 (②+③-⑦)	⑨			※第一表の⑨欄へ 99,8 00
地方消費税の課税標準となる消費税額	控 除 不 足 還 付 税 額 (⑧)	⑩			※第一表の⑰欄へ ※マイナス「-」を付して第二表の㉑及び㉓欄へ
	差　引　税　額 (⑨)	⑪			※第一表の⑱欄へ ※第二表の㉑及び㉓欄へ 99,8 00
譲渡割額	還　　付　　額	⑫			(⑩C欄×22/78) ※第一表の⑲欄へ
	納　　税　　額	⑬			(⑪C欄×22/78) ※第一表の⑳欄へ 28,1 00

注意　金額の計算においては、1円未満の端数を切り捨てる。

(R1.10.1以後終了課税期間用)

〔簡易課税の場合〕

第4-(12)号様式

付表5-3　控除対象仕入税額等の計算表

> 簡　易

課税期間	令和 6 ･ 1 ･ 1 ～ 令和 6 ･12･31	氏名又は名称	

I　控除対象仕入税額の計算の基礎となる消費税額

項　　目		税率6.24%適用分 A	税率7.8%適用分 B	合計 C (A+B)
課税標準額に対する消費税額	①	(付表4-3の②A欄の金額)　円	(付表4-3の②B欄の金額) 624,000	(付表4-3の②C欄の金額)　円 624,000
貸倒回収に係る消費税額	②	(付表4-3の③A欄の金額)	(付表4-3の③B欄の金額)	(付表4-3の③C欄の金額)
売上対価の返還等に係る消費税額	③	(付表4-3の⑤A欄の金額)	(付表4-3の⑤B欄の金額)	(付表4-3の⑤C欄の金額)
控除対象仕入税額の計算の基礎となる消費税額（①＋②－③）	④		624,000	624,000

II　1種類の事業の専業者の場合の控除対象仕入税額

項　　目		税率6.24%適用分 A	税率7.8%適用分 B	合計 C (A+B)
④ × みなし仕入率 (90%･80%･70%･60%･50%･40%)	⑤	※付表4-3の④A欄へ　円	※付表4-3の④B欄へ　円	※付表4-3の④C欄へ　円

III　2種類以上の事業を営む事業者の場合の控除対象仕入税額

(1)　事業区分別の課税売上高(税抜き)の明細

項　　目		税率6.24%適用分 A	税率7.8%適用分 B	合計 C (A+B)	売上割合
事業区分別の合計額	⑥	円	8,000,000　円	8,000,000　円	
第一種事業（卸売業）	⑦		3,200,000	※第一表「事業区分」欄へ 3,200,000	40.0 %
第二種事業（小売業等）	⑧		4,800,000	※　〃 4,800,000	60.0
第三種事業（製造業等）	⑨			※　〃	
第四種事業（その他）	⑩			※　〃	
第五種事業（サービス業等）	⑪			※　〃	
第六種事業（不動産業）	⑫			※　〃	

(2)　(1)の事業区分別の課税売上高に係る消費税額の明細

項　　目		税率6.24%適用分 A	税率7.8%適用分 B	合計 C (A+B)
事業区分別の合計額	⑬	円	624,000　円	624,000　円
第一種事業（卸売業）	⑭		249,600	249,600
第二種事業（小売業等）	⑮		374,400	374,400
第三種事業（製造業等）	⑯			
第四種事業（その他）	⑰			
第五種事業（サービス業等）	⑱			
第六種事業（不動産業）	⑲			

注意　1　金額の計算においては、1円未満の端数を切り捨てる。
　　　2　課税売上げにつき返品を受け又は値引き・割戻しをした金額(売上対価の返還等の金額)があり、売上(収入)金額から減算しない方法で経理して経費に含めている場合には、⑥から⑫欄には売上対価の返還等の金額(税抜き)を控除した後の金額を記載する。

(R1.10.1以後終了課税期間用)

〔付表5－3〕

(3) 控除対象仕入税額の計算式区分の明細

イ 原則計算を適用する場合

控 除 対 象 仕 入 税 額 の 計 算 式 区 分		税率6.24%適用分 A	税率7.8%適用分 B	合計 C (A＋B)
④ × みなし仕入率 $\dfrac{⑭×90\%+⑮×80\%+⑯×70\%+⑰×60\%+⑱×50\%+⑲×40\%}{⑬}$	⑳	円	円 524,160	円 524,160

ロ 特例計算を適用する場合

(イ) 1種類の事業で75％以上

控 除 対 象 仕 入 税 額 の 計 算 式 区 分		税率6.24%適用分 A	税率7.8%適用分 B	合計 C (A＋B)
(⑦C/⑥C・⑧C/⑥C・⑨C/⑥C・⑩C/⑥C・⑪C/⑥C・⑫C/⑥C) ≧ 75% ④×みなし仕入率（90％・80％・70％・60％・50％・40％）	㉑	円	円	円

(ロ) 2種類の事業で75％以上

控 除 対 象 仕 入 税 額 の 計 算 式 区 分			税率6.24%適用分 A	税率7.8%適用分 B	合計 C (A＋B)
第一種事業及び第二種事業 (⑦C＋⑧C)/⑥C ≧ 75%	$④×\dfrac{⑭×90\%+(⑬-⑭)×80\%}{⑬}$	㉒	円	円	円
第一種事業及び第三種事業 (⑦C＋⑨C)/⑥C ≧ 75%	$④×\dfrac{⑭×90\%+(⑬-⑭)×70\%}{⑬}$	㉓			
第一種事業及び第四種事業 (⑦C＋⑩C)/⑥C ≧ 75%	$④×\dfrac{⑭×90\%+(⑬-⑭)×60\%}{⑬}$	㉔			
第一種事業及び第五種事業 (⑦C＋⑪C)/⑥C ≧ 75%	$④×\dfrac{⑭×90\%+(⑬-⑭)×50\%}{⑬}$	㉕			
第一種事業及び第六種事業 (⑦C＋⑫C)/⑥C ≧ 75%	$④×\dfrac{⑭×90\%+(⑬-⑭)×40\%}{⑬}$	㉖			
第二種事業及び第三種事業 (⑧C＋⑨C)/⑥C ≧ 75%	$④×\dfrac{⑮×80\%+(⑬-⑮)×70\%}{⑬}$	㉗			
第二種事業及び第四種事業 (⑧C＋⑩C)/⑥C ≧ 75%	$④×\dfrac{⑮×80\%+(⑬-⑮)×60\%}{⑬}$	㉘			
第二種事業及び第五種事業 (⑧C＋⑪C)/⑥C ≧ 75%	$④×\dfrac{⑮×80\%+(⑬-⑮)×50\%}{⑬}$	㉙			
第二種事業及び第六種事業 (⑧C＋⑫C)/⑥C ≧ 75%	$④×\dfrac{⑮×80\%+(⑬-⑮)×40\%}{⑬}$	㉚			
第三種事業及び第四種事業 (⑨C＋⑩C)/⑥C ≧ 75%	$④×\dfrac{⑯×70\%+(⑬-⑯)×60\%}{⑬}$	㉛			
第三種事業及び第五種事業 (⑨C＋⑪C)/⑥C ≧ 75%	$④×\dfrac{⑯×70\%+(⑬-⑯)×50\%}{⑬}$	㉜			
第三種事業及び第六種事業 (⑨C＋⑫C)/⑥C ≧ 75%	$④×\dfrac{⑯×70\%+(⑬-⑯)×40\%}{⑬}$	㉝			
第四種事業及び第五種事業 (⑩C＋⑪C)/⑥C ≧ 75%	$④×\dfrac{⑰×60\%+(⑬-⑰)×50\%}{⑬}$	㉞			
第四種事業及び第六種事業 (⑩C＋⑫C)/⑥C ≧ 75%	$④×\dfrac{⑰×60\%+(⑬-⑰)×40\%}{⑬}$	㉟			
第五種事業及び第六種事業 (⑪C＋⑫C)/⑥C ≧ 75%	$④×\dfrac{⑱×50\%+(⑬-⑱)×40\%}{⑬}$	㊱			

ハ 上記の計算式区分から選択した控除対象仕入税額

項 目		税率6.24%適用分 A	税率7.8%適用分 B	合計 C (A＋B)
選択可能な計算式区分（⑳～㊱）の内から選択した金額	㊲	※付表4-3の④A欄へ 円	※付表4-3の④B欄へ 円 524,160	※付表4-3の④C欄へ 円 524,160

注意　金額の計算においては、1円未満の端数を切り捨てる。

(2／2)

(R1.10.1以後終了課税期間用)

Q 8-6　簡易課税選択の手続き

　簡易課税の方が2割特例より有利な場合がありますし、2割特例を使える期間が終わってからのことも考えて簡易課税制度を選べるように準備したいと考えています。消費税簡易課税制度選択届出の期限はいつでしょうか。

A　Q8-5のように、簡易課税制度での消費税の納付税額の方が2割特例より少なくなる場合には、消費税簡易課税制度選択届出書を提出して簡易課税制度での申告ができるように準備してください。インボイス発行事業者登録と消費税簡易課税制度選択届出書の提出期限と留意点は下記のようになります。

1　インボイス発行事業者登録をして課税事業者となった課税期間

　免税事業者がインボイス発行事業者登録を受けた場合、インボイス発行事業者登録日から課税事業者となります（平28改所法等附44④）。この規定を受けて課税事業者となった場合、インボイス発行事業者登録日を含む課税期間の終了の日までに消費税簡易課税制度選択届出書を提出した場合は、当該課税期間から直ちに簡易課税制度での申告が可能となります（平30改令附18）。

2　2割特例の適用を受けた課税期間の翌課税期間の簡易課税選択の手続き

　2割特例の適用を受けた課税期間の翌課税期間に簡易課税制度の選択をする場合は、その旨を記しその翌課税期間の終了の日までに消費税簡易課税制度選択届出書を提出する必要があります（平28改所法等附51の2⑥）。

3　消費税簡易課税制度選択届出は当該課税期間内に行う必要があります

　免税事業者がインボイス発行事業者登録を受けて課税事業者となった場合、2割特例は特に手続きの必要なく使えますが、簡易課税制度での申告は消費税簡易課税制度選択届出書の提出が必要です。また、消費税簡易課税制度選択届出書の提出期限は、簡易課税制度を使いたい課税期間の終了の日までとなりますので注意が必要です。

　2割特例と簡易課税は申告時に任意に選べますので、設備投資計画があり多額の仕入税額が見込まれる事業者以外はインボイス発行事業者の登録申請を行うときに消費税簡易課税制度選択届出書の提出をしておく方がよいでしょう。

4　2種以上の業種を営む事業者の申告

　簡易課税の控除対象仕入税額は、複数の業種（一種から六種）を営んでいる事業者の場合、区分や計算が大変複雑になりますので消費税計算ソフトかe-Taxシステムを利用して

計算と申告を行ってください。

5 消費税簡易課税制度選択届出書の提出期限の原則と特例（経過措置）

〈原則〉

　簡易課税制度を適用して申告する場合には、その適用を受けようとする課税期間の初日の前日までに「消費税簡易課税制度選択届出書」（以下「選択届出書」といいます。）を提出する必要があります。

〈特例（経過措置）〉

　免税事業者である個人事業者や法人（12月決算）が登録日（令和5年10月1日）からインボイス発行事業者となる場合を例に解説します。

(1) 令和5年10月1日から適用を受ける場合

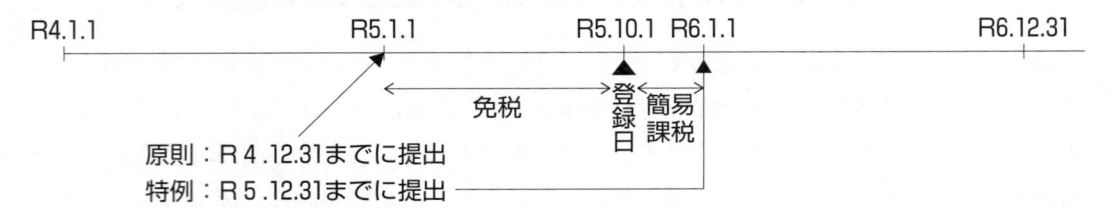

　免税事業者である個人事業者や法人が、インボイス発行事業者登録の申請により登録日（令和5年10月1日）からインボイス発行事業者となる場合は、その課税期間中である登録日をもって免税事業者から課税事業者に切り替わることになります。この場合において、同一年（同一事業年度）中に課税事業者となっても課税期間は区切られず、課税期間は令和5年分（法人の場合は令和5年1月1日〜12月31日）のままとなります。そして、登録日の属する課税期間中に選択届出書を提出すれば、経過措置により、その課税期間の初日の前日（令和4年12月31日）に提出されたものとみなされます。すなわち、免税事業者が令和5年10月1日から簡易課税制度の適用を受けるためには、令和5年12月31日までの間に選択届出書を提出すればよいことになります。

　また、令和5年10月1日の登録日から簡易課税制度を適用する場合は、選択届出書の適用開始課税期間には「自　令和5年1月1日」と記入することとなります。

(2) 令和6年分から適用を受ける場合

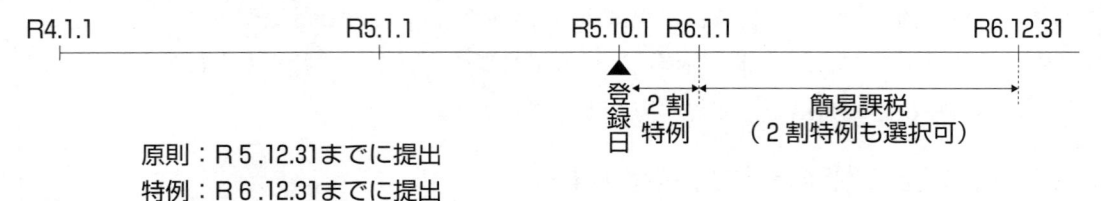

　2割特例の適用を受けた事業者が、その適用を受けた課税期間（例えば、令和5年分）の翌課税期間（令和6年分）から簡易課税制度を選択したい場合には、その課税期間中（令

和6年中）に選択届出書を提出すれば、その課税期間の初日の前日（令和5年12月31日）に提出したものとみなされます。令和7年分も令和8年分も同様となります。

(3)　令和9年分から適用を受ける場合

　上記(2)と同様に、例えば、この事例における2割特例の最後の期間である令和8年分について2割特例により申告を行った事業者が令和9年分から簡易課税制度の適用を受けようとする場合には、令和9年中に選択届出書を提出すれば、令和9年分から簡易課税制度の適用を受けることができます。この提出時期に関する特例は、この令和9年分で最後となります。

課税事業者がインボイス発行事業者登録を受けている場合で、課税売上高が1,000万円前後で推移している課税期間が続く場合の消費税申告の留意点はありますか。

A 個人事業者を前提として検討してみましょう。

Aさんは個人事業者として機械の修理と販売を事業者向けに行っており、以前から簡易課税制度の選択届出を行っており令和5年10月1日からインボイス発行事業者となりました。令和3年から令和9年までの課税売上高を次の表のように考えてみます（令和元年と令和2年の課税売上高は1,000万円超とします。）。

	R3	R4	R5.9.30 まで	R5.10.1 から	R6	R7	R8	R9
課税売上高（万円）	900	1,020	950		1,100	920	980	1,200
インボイス発行事業者登録しない場合の課税免税の判定	課税	課税	**免税**	**免税**	課税	**免税**	課税	**免税**
インボイス発行事業者登録した場合の課税免税の判定	課税	課税	**免税**	課税	課税	課税	課税	課税
2割特例を使えるか	―	―	―	可	否	可	否	―
簡易課税と2割特例の使い分け	簡易課税	簡易課税	**免税**	2割特例又は簡易課税	簡易課税	2割特例又は簡易課税	簡易課税	簡易課税

この事例ではインボイス発行事業者の登録を受けていない場合には令和5年と7年、9年の基準期間（2年前）の課税売上高が1,000万円以下となり免税事業者となります。インボイス発行事業者の登録を受けて2割特例を使えるのは令和5年10月1日から令和8年9月30日を含む課税期間で、インボイス発行事業者の登録を受けていない場合に免税事業者となる課税期間ですから、令和5年10月1日から12月31日までと令和7年について2割特例を使うことができます。令和9年は2割特例の適用期間外となりますので使えません。この事例では以前から簡易課税制度選択の届出を行っていますので、令和5年と令和7年については2割特例と簡易課税のどちらかの方式で申告することができます。

Ｑ 8−8 小規模事業者から仕入れを行う事業者の特例と取引相手の課税関係の理解

当社は外注先の免税事業者である内職さんとの取引について、インボイス制度が始まる前は課税仕入れとして支払い金額の110分の10を仕入税額控除の対象としてきました。

インボイス制度が始まり、このような小規模の外注先についてもインボイス発行事業者でないと消費税相当額を控除できなくなり外注費が10％アップすることになります。外注先の内職さんにインボイス発行事業者登録を検討してもらえばいいのか悩んでいます。この場合の特例措置や留意点について説明してください。

 Ａ **1** **仕入税額控除の特例と２割特例**

⑴ 免税事業者と取引する課税事業者での仕入税額控除の特例

インボイス制度の開始により免税事業者との取引により買い手の課税事業者に大きな税負担が生じたり売り手への値引き要請で取引関係が悪化したりすることを避けるため、免税事業者からの課税仕入れであっても、買い手側で令和５年10月１日から令和８年９月30日までは仕入税額相当額の80％を控除でき、令和８年10月１日から令和11年９月30日までは仕入税額相当額の50％を控除できる経過措置が設けられています。

結果として、令和８年９月30日までは買い手では仕入消費税（標準税率の場合）10％のうち２％分だけ仕入金額が増加することになります。

⑵ 免税事業者がインボイス発行事業者となった場合の消費税納付税額の負担軽減措置（２割特例）

インボイス制度の開始により免税事業者に買い手から値引き要請がされて取引条件が悪化したり、取引から排除されたりすることを避けるため、免税事業者がインボイス発行事業者となっても事務負担や経済的負担が大きくならないように、免税事業者がインボイス発行事業者として課税事業者となる場合には、納付税額計算の簡便法として売上げの消費税額の20％を納付税額とするという「２割特例」が創設されました。

結果として、売り手では売上消費税（標準税率の場合）10％のうち２％分だけ消費税の納税が発生し負担が増加することになります。

2 課税事業者（買い手）の消費税計算の具体例

⑴ 取引先の内職Ａさんがインボイス発行事業者登録を受けない場合

例えば、インボイス制度開始後、課税事業者(買い手)がインボイス発行事業者登録を受けていない内職Ａさんに年間の外注費として税込み99万円を支払う場合、経過措置の適

用がないと９万円の仕入消費税額を控除できません。しかし、経過措置の特例で令和８年９月30日までは９万円のうち80％の72千円を仕入税額として控除できます。その結果、仕入消費税９万円の100％を控除できませんので外注費は918千円となり、９万円の20％である18千円だけ買い手の費用が増えることになります（消費税経理通達、経理通達Q＆A問３、８）。

> （借）外注費　　918,000　　（貸）現金　990,000
> 　　　仮払消費税　72,000

(2)　取引先の内職Ａさんがインボイス発行事業者登録を受ける場合

　インボイス制度開始後、インボイス発行事業者登録を受けた内職Ａさんに課税事業者（買い手）が年間の外注費として税込み99万円を支払う場合、税込み外注費99万円のうち９万円の仕入消費税額を控除できます。インボイス制度開始前と変わらず90万円の外注費となります。

③　免税事業者（内職Ａさん）の消費税計算の具体例

(1)　内職Ａさんがインボイス発行事業者登録を受けない場合

　内職Ａさんがインボイス発行事業者登録しない場合はインボイス制度開始前と全く変わりません。ただし、前記②(1)のように発注（買い手）側でのコストアップ18千円が生じていますので、買い手から何らかの生産性の改善等の議論の申し出があり得ると思われます。

(2)　内職Ａさんがインボイス発行事業者登録を受ける場合

　前記②(2)のとおり、内職Ａさんが発注（買い手）側から外注費として税込みで年間99万円を受け取る場合、内職Ａさんの売上げは税抜き90万円で売上消費税が９万円となります。２割特例を適用するとして計算すると、売上消費税の９万円の20％の18千円が内職Ａさんの消費税納付税額になります。その結果、内職Ａさんの費用が18千円増えて収支が悪化します。この場合の費用増加分についても買い手との値上げや生産性の改善の協議を行うことが重要と思います。

> （借）現金　　　990,000　　（貸）売上　　　990,000
> 　　　租税公課　18,000　　　　　未払金　　18,000

④　内職Ａさんの所得税計算

　内職Ａさんの所得税計算において、家内労働者等の所得税の特例として必要経費として55万円まで認められています。

　例えば、消費税込みの売上高が99万円、必要経費が24万円、消費税納付税額が２割特例適用で18千円の場合、実際の必要経費は24万円に18千円を加えた258千円となりますが、家内労働者等の所得計算の特例により55万円まで必要経費が認められますので雑所得（又は事業所得）の金額は99万円から55万円を差し引いた44万円となります。所得控除として基礎控除48万円を雑所得から控除できますので他に所得がなければ課税所得はゼロとなります。

> **コラム**　課税事業者が免税事業者と取引する場合に法令で規制される事項

　インボイス発行事業者登録をしない取引先に対して、買い手が理由もなく取引価額を引き下げたり、取引から排除したりすることは法律で規制されています。

　以下、「免税事業者及びその取引先のインボイス制度への対応に関するＱ＆Ａ」（令和４年１月19日（改正：令和４年３月８日）財務省、公正取引委員会、経済産業省、中小企業庁、国土交通省）より抜粋してまとめています。

(注)　「下請代金支払遅延等防止法」は、以下において「下請法」といいます。「独占禁止法」の正式名称は、「私的独占の禁止及び公正取引の確保に関する法律」です。

1　取引対価の引下げ（下請法４①三、五、建設業法19の３）

　取引上優越した地位にある事業者（買い手）が、免税事業者との取引で仕入税額控除ができないことを理由に、値下げ要請や再交渉で著しく低い価格設定をして免税事業者が消費税額も払えないような価格にした場合。

2　商品・役務の成果物の受領拒否、返品（下請法４①一、四）

　取引上優越した地位にある事業者（買い手）が、仕入先から商品を購入する契約をした後で、仕入先が免税事業者であることを理由に、商品の受領を拒否する場合。

3　協賛金等の負担の要請等（下請法４②三）

　取引上優越した地位にある事業者（買い手）が、免税事業者に、取引価格は据置くが、その代わりに根拠が不明確なまま取引の相手方に別途、協賛金、販売促進費等の名目での金銭の負担を要請する場合。

4　購入・利用強制（下請法４①六、建設業法19の４）

　取引上優越した地位にある事業者（買い手）が、免税事業者に対し、取引価格の据置きを受け入れるが、当該取引商品や役務以外の商品・役務の購入を要請する場合。

5　取引の停止

　取引上優越した地位にある事業者（買い手）が、免税事業者に対し、一方的に、消費税額も払えないような著しく低い取引価格を設定し不当に不利益を与えることとなる場合で、応じない相手方との取引を停止した場合。

6　登録事業者となるような慫慂等

　課税事業者が、取引先の免税事業者に対し課税事業者になるよう要請し、課税事業者にならなければ、取引価格を引き下げるとか、取引を打ち切ることにするなどと一方的に通告する場合。

監修者紹介

■ **上西左大信**（うえにし さだいじん） 税理士

　昭和55年　京都大学経済学部卒業

　日本税理士会連合会・税制審議会専門副委員長、公益財団法人日本税務研究センター理事（以上、現任）、税理士試験の試験委員、政府税制調査会特別委員、法制審議会民法（相続関係）部会委員など（以上、歴任）

　《著書》「ことしの税制改正のポイント」（共著）清文社、「税理士のための『時価』の算出方法Ｑ＆Ａ」（共著）第一法規、「相続法改正と税理士業務」日本法令、「税理士が知っておきたい民法〈相続編〉改正Ｑ＆Ａ」税務研究会　他多数

著者紹介

■ **田淵正信**（たぶち まさのぶ） 公認会計士、税理士

　京都大学経済学部卒業

　昭和60年４月　田淵公認会計士事務所開設

　平成２年９月　北斗監査法人（現　仰星監査法人）設立、代表社員（平成18年６月まで）

　平成15年４月〜平成18年３月　大阪成蹊短期大学経営会計学科教授

　平成15年度〜平成17年度　公認会計士第３次試験試験委員

　平成18年４月〜平成28年３月　追手門学院大学経営学部教授

　平成28年４月〜令和２年３月　追手門学院大学客員教授

　令和３年11月　税理士法人田淵会計事務所設立

　《著書》「新しい相続税・贈与税申告書作成の実務」（共著）清文社、「最新・消費税事例選集」（共著）清文社、「事業承継入門２」（共著）丸善出版　他多数

■ **大庭みどり**（おおば みどり） 税理士、中小企業診断士

　大阪府立大学経済学研究科博士前期課程修了

　平成10年１月　大庭税理士事務所開設

　平成10年５月　㈲ジェイド・コンサルティング設立、代表取締役

　平成16年４月〜平成26年３月　追手門学院大学非常勤講師

　平成19年１月〜令和３年11月　大阪府立大学非常勤講師

　平成28年７月〜　阪南大学非常勤講師

　《著書》「事業承継入門２」（共著）丸善出版、「Ｑ＆Ａ消費税の税務処理101」（共著）清文社

■ **山野展弘**（やまの のぶひろ） 税理士

　大阪市立大学法学部卒業

　平成10年７月〜平成15年７月　大原簿記専門学校　専任講師

　平成15年８月　吉田茂税理士事務所（のち　税理士法人えびす会計）入所

　平成16年11月　税理士登録

　平成29年６月　税理士法人えびす会計（現 日本クレアス税理士法人北大阪本部えびす会計）退所

　平成29年７月　山野展弘税理士事務所開業

　《著書》「会社業務の電子化と電子帳簿保存法Ｑ＆Ａ」（共著）清文社

■ **圓尾紀憲**（まるお としのり） 公認会計士、税理士

　関西大学商学部卒業

　平成25年２月〜平成30年８月　新日本有限責任監査法人（現 EY新日本有限責任監査法人）

　平成28年　公認会計士登録

　平成30年　税理士登録

　令和元年７月　税理士法人ライトハンド　マネージャー

　令和元年８月　KUMA Partners（株）設立、代表取締役

　《著書》「会社業務の電子化と電子帳簿保存法Ｑ＆Ａ」（共著）清文社、「Ｑ＆Ａ消費税の税務処理101」（共著）清文社

■ **久保　亮**（くぼ りょう）　公認会計士、税理士

京都大学総合人間学部卒業
平成24年2月〜令和元年7月　新日本有限責任監査法人（現 EY 新日本有限責任監査法人）
令和元年8月　久保亮公認会計士事務所開設
令和元年8月　税理士法人ライトハンド　マネージャー
令和元年8月　KUMA Partners（株）設立、代表取締役

《著書》「会社業務の電子化と電子帳簿保存法Q＆A」（共著）清文社、「Q＆A消費税の税務処理101」（共著）清文社

■ **德丸公義**（とくまる こうぎ）　公認会計士、税理士

慶応義塾大学商学部卒業
昭和57年9月　中央監査法人入所
平成4年8月　北斗監査法人（現　仰星監査法人）入所、その後副理事長・代表社員就任
平成4年9月　株式会社タックスブレイン設立、代表取締役就任
平成17年7月〜　日本公認会計士協会本部品質管理委員会等委員

《著書》「Q＆A法人の土地譲渡益重課制度」（共著）清文社、「合併・分割・株式交換等の実務」（共著）清文社

■ **本岡正則**（もとおか まさのり）　公認会計士、税理士

京都大学法学部卒業
平成23年3月　税理士法人ウィン・コンサルティング入所
平成27年9月　本岡公認会計士事務所開設
平成31年4月〜　大阪経済法科大学非常勤講師
令和5年4月〜　国土交通省近畿地方整備局入札監視委員会委員

■ **岸本拡之**（きしもと ひろゆき）　公認会計士、税理士

大阪府立大学経済学部卒業
平成25年2月〜平成31年3月　新日本有限責任監査法人（現 EY 新日本有限責任監査法人）
平成28年　公認会計士登録
平成31年4月〜令和3年10月　EY トランザクション・アドバイザリー・サービス株式会社（現 EY ストラテジー・アンド・コンサルティング株式会社）
令和3年　税理士登録
令和3年10月　株式会社 H2Biz 設立、代表取締役
令和3年11月　岸本公認会計士事務所開設
令和4年5月　株式会社 JW Capital Partners 設立、代表取締役

■ **本田壽秀**（ほんだ としひで）　公認会計士、税理士

中央大学法学部卒業
昭和55年10月　監査法人サンワ東京丸の内事務所（現　監査法人トーマツ）入所
昭和60年7月　本田公認会計士事務所開業
平成8年11月　北斗監査法人（現　仰星監査法人）入所、その後代表社員就任（平成21年9月まで）
平成23年4月〜令和3年3月　和歌山地方最低賃金審議会委員—公益委員—
平成30年8月　くすのき監査法人設立、代表社員

■ **阪田眞二**（さかた しんじ）　公認会計士、税理士

大阪大学経済学部卒業
昭和53年11月　監査法人サンワ東京丸の内事務所（現　監査法人トーマツ）入所
平成2年9月　北斗監査法人（現　仰星監査法人）設立、代表社員（平成21年9月まで）
平成16年8月　阪田眞二税理士事務所開設
平成21年10月　阪田眞二公認会計士事務所開設
平成30年8月　くすのき監査法人設立、社員

消費税申告書作成事例集　インボイス制度対応版

2024年3月8日　発行

監修者	上西 左大信
著　者	田淵 正信／大庭 みどり／山野 展弘／圓尾 紀憲／久保 亮　　ⓒ 徳丸 公義／本岡 正則／岸本 拡之／本田 壽秀／阪田 眞二
発行者	小泉 定裕

発行所　　株式会社　清文社

東京都文京区小石川1丁目3−25（小石川大国ビル）
〒112−0002　電話 03（4332）1375　FAX 03（4332）1376
大阪市北区天神橋2丁目北2−6（大和南森町ビル）
〒530−0041　電話 06（6135）4050　FAX 06（6135）4059
URL https://www.skattsei.co.jp/

印刷：亜細亜印刷㈱

ISBN978-4-433-71684-4